Y0-BWX-115

КЛАССИКА МИРОВОЙ ФАНТАСТИКИ

JOHN CHRISTOPHER

ДЖОН

КРИСТОФЕР

Огненный бассейн

Москва
2002

УДК 821.111-312.9
ББК 84 (4Вел)-44
К82

Серия основана в 2001 году

Серийное оформление и компьютерный дизайн А. Сергеева

Художник А. Ломаев

Перевод с английского Д. Арсеньева

Подписано в печать 26.06.2002. Формат 84x108 1/32
Усл. печ. л. 33,60. Тираж 7000 экз. Заказ № 1786

Кристофер Д.
К82 Огненный бассейн: Сб. фантаст. романов / Д. Кристофер; Пер. с англ. Д. Арсеньева. — М.: ООО «Издательство АСТ», 2002. — 637, [3] с. — (Классика мировой фантастики).

ISBN 5-17-015306-6

Джон Кристофер — признанный классик английской научной фантастики, дебютировавший еще в 50-е годы XX века и впоследствии по праву занявший высокое место в мировой фантастике.

Отечественному читателю творчество Кристофера знакомо в основном по переведенным еще в 60-е—70-е годы рассказам, однако истинную славу ему принесли РОМАНЫ. Романы, достойно продолжающие традиции классической британской «фантастики катастрофы», идущие еще от Герберта Уэллса. Романы, сравнимые по силе воздействия только с произведениями Джона Уиндэма...

УДК 821.111-312.9
ББК 84 (4Вел)-44

Огненный бассейн

КНИГА ПЕРВАЯ
БЕЛЫЕ ГОРЫ

Глава 1
ДЕНЬ НАДЕВАНИЯ ШАПОК

Кроме церковных часов, в деревне было еще несколько, способных показывать время, и одни принадлежали моему отцу. Они стояли на каминной доске в гостиной, и каждый вечер, перед тем как лечь спать, отец доставал из вазы ключ и заводил их. Раз в год приезжал часовщик из Винчестера на старой хромой лошади, чтобы почистить механизм, смазать и вообще привести в порядок. Потом он пил ромашковый чай и рассказывал матери городские новости, а также деревенские слухи. Отец, если он не был занят на мельнице, в это время уходил, бросив презрительное замечание о сплетнях; но позже, вечером, я слышал, как мать пересказывала ему услышанное.

Величайшим сокровищем моего отца были, однако, наручные часы. Эти маленькие, с циферблатом менее дюйма в диаметре, с браслетом, позволявшим носить их на запястье, часы хранились в закрытом ящике стола и извлекались оттуда лишь в торжественных случаях, таких, как праздник урожая или праздник надевания шапок. Часовщику позволялось осматривать их лишь раз в три года, и отец всегда стоял рядом, глядя, как он работает. Других таких часов не было ни в нашей деревне, ни в окрестных. Часовщик говорил, что есть несколько в Винчестере, но все они хуже наших. Я не знаю, говорил ли он это, чтобы доставить удовольствие моему отцу, которому его слова явно нравились, но часы действительно были великолепной работы. Корпус их был сделан из стали, много лучше той, что готовят в кузницах Алтова, а сам механизм был чудом сложности и искусства. Сзади было написано «Антимагнитные» и «Инкаблок». Мы считали это именем мастера, изготовившего часы в древние времена.

Неделю назад часовщик навещал нас, и мне было позволено присутствовать, когда он смазывал и чистил часы. Зрелище это очаровало меня, и когда он ушел, мысли мои постоянно обращались к сокровищу, теперь закрытому в ящике стола. Конечно, мне запрещалось трогать отцовский стол, а о том, чтобы открыть ящик, и подумать было страшно. Тем не менее именно эта мысль преследовала меня. И через день или два я убедился, что только страх быть пойманным останавливает меня.

В субботу утром я остался один в доме. Отец работал на мельнице; и служанки — даже Молли, которая обычно не уходила днем из дома, — пошли помогать ему. Мать навещала старую миссис Эш, которая болела. Я закончил работу по дому, и больше ничто не мешало мне выйти в прекрасное майское утро и отправиться на поиски Джека. Но голова моя была занята тем, что сейчас есть возможность взглянуть на часы, не опасаясь быть пойманным.

Я знал, что ключ от стола хранится вместе с другими ключами в маленьком ящичке у постели отца. Ключей было четыре, и третий подошел. Я взял часы и стал их рассматривать. Они стояли, но я знал, что их заводят и устанавливают стрелки поворотом шишечки сбоку. Если я сделаю лишь несколько поворотов, они не будут идти долго — на случай, если отец решит позже взглянуть на них. Я завел часы и слушал их спокойное ритмичное тиканье. Потом установил стрелки. Теперь оставалось только надеть их на руку. Даже первое отверстие в кожаном ремешке было слишком свободно. Но я носил часы.

Достигнув этого предела своих мечтаний, я понял, что существует нечто большее. Конечно, носить часы — это триумф, но если бы меня видели другие... Я договорился со своим двоюродным братом Джеком Липером, что увижусь с ним утром в старых развалинах на краю деревни. Джек, старше меня на год — на ближайшем празднике ему должны были надеть шапку, — был человеком, которым я, после родителей, больше всего восхищался. Унести часы из дому, конечно, вопиющее непослушание, но, зайдя так далеко, я уже не мог остановиться. Поддавшись желанию, я решил не тратить времени. Я открыл дверь, сунул руку с часами поглубже в карман брюк и побежал по улице.

Деревня наша лежит у перекрестка. Дорога, на которую выходит наш дом, идет вдоль реки (река, конечно, приводила в движение мельницу), а потом вторая дорога пересекает ее у брода. Рядом с бродом висел небольшой деревянный мост для пешеходов, и я направился к нему, отметив заодно, что река выше обычного от весенних дождей. Перейдя мост, я увидел мою тетю Люси. Она поздоровалась, я ответил, но вначале умудрился перейти на другую сторону дороги. Тут стояла лавка булочника с подносами, полными свежих булочек. Вполне естественно, что я направился туда — в кармане у меня было несколько пенни. Но я не остановился у лавочки и побежал дальше, пока не добрался до окраины.

Развалины лежали в ста ярдах дальше. С одной стороны дороги зеленел луг Спиллера, на нем паслись коровы, с другой стороны — колючая изгородь, а за ней — картофельное поле. Я пролез в дыру изгороди, думая о том, что покажу Джеку, и был удивлен, когда меня окликнули. Я узнал голос Генри Паркера.

Генри, как и Джек, был моим двоюродным братом — меня зовут Уилл Паркер, — но в отличие от Джека не был моим другом. У меня несколько двоюродных братьев в деревне: у нас редко женятся на чужих. Он был на месяц моложе меня, но выше и тяжелее, и сколько я себя помнил, мы с ним ненавидели друг друга. Когда доходило до драки — а мы дрались частенько, — он превосходил меня физически, и мне приходилось полагаться на быстроту и увертливость, если я не хотел, чтобы он снова и снова побеждал меня. Джек научил меня нескольким приемам, и в прошлом году я не раз побеждал Генри, а в последней драке так бросил его, что он долго не мог встать. Но в драке нужно пользоваться обеими руками. Я сунул левую руку глубже в карман и, не отвечая ему, побежал к развалинам.

Он оказался ближе ко мне, чем я думал, и побежал следом, выкрикивая угрозы. Я обернулся, чтобы посмотреть, далеко ли он, и тут же поскользнулся в грязи. В деревне дорога вымощена булыжниками, но здесь она размыта дождями. Я отчаянно пытался удержать равновесие, но руку из кармана не вынимал и в результате проехался по грязи и упал. Прежде чем я сумел встать, Генри склонился надо мной, вжимая мою голову в грязь.

Обычно такая победа вполне удовлетворяла его, но тут он нашел кое-что поинтереснее. Падая, я инстинктивно оперся на обе руки, и он увидел часы. Он мгновенно сорвал их и стал рассматривать. Я поднялся и попытался выхватить, но он поднял их над головой, и я не мог дотянуться.

— Отдай, — сказал я, отдуваясь.

— Они не твои, — ответил он. — Они твоего отца.

Я очень боялся, что часы повреждены при падении, но все же сделал ему подножку. Он легко уклонился, отступил и сказал:

— Держись подальше, — он замахнулся, как бы собираясь бросить камень, — иначе я покажу, как далеко бросаю.

— Тогда тебя выпорют, — заметил я.

На его мясистом лице появилась угрюмая улыбка.

— Тебя тоже. А у твоего отца рука потяжелее, чем у моего. Вот что я тебе скажу: я займу их у тебя на время. Может, после полудня верну. А может, завтра.

— Кто-нибудь увидит тебя с ними.

Он опять улыбнулся:

— Я могу рискнуть.

Я решил, что он не сможет их бросить, и прыгнул. Мне почти удалось сбить его с ног, но он удержался. Мы боролись, потом оба упали и покатились в канаву у дороги. В ней стояла вода, но мы продолжали драться — даже после того, как сверху нас окликнули. Джек — это он окликнул нас — спустился и растащил нас силой. Ему это было нетрудно. Ростом он был с Генри и ужасно силен. Он вытащил нас на дорогу, выяснил, что случилось, отобрал у Генри часы и отправил его толчком в спину подальше. Я со страхом спросил:

— Они в порядке?

— Кажется. — Он осмотрел часы и протянул мне. — Глупо было приносить их сюда.

— Я хотел показать тебе.

— Не стоит, — коротко ответил он. — Во всяком случае, лучше положить их назад. Я тебе помогу.

Сколько я себя помню, Джек всегда был рядом и помогал. Странно, подумал я, когда мы возвращались в деревню, что через неделю это кончится. Я уже буду один. Наденут шапку, и Джек станет взрослым.

Джек стоял на страже, пока я клал часы на место и возвращал ключ туда, откуда взял его. Я переоделся, и мы снова пошли к развалинам. Никто не знал, что за здание здесь было, и я думаю, что нас больше всего привлекала надпись на проржавевшем металлическом листе: ОПАСНО — 6600 вольт.

Мы не знали, что такое вольт, но упоминание об опасности, пусть давно ушедшей, действовало возбуждающе. Была еще надпись, но из-за ржавчины виднелась только часть ее ...ЛЕКТ...ЕСТВО. Мы гадали все, не в городе ли сделали эту надпись.

В глубине развалин находилось наше убежище, построенное Джеком. Пробираться к нему нужно сквозь обвалившуюся арку. Внутри было сухо и можно было разводить костер. Джек разжег огонь перед тем, как выйти ко мне, и поставил жариться кролика. Конечно, дома было полно пищи — субботний обед у вас всегда изобильный, — но это не мешало мне с жадностью предвкушать удовольствие от жареного кролика с печенной на угольях картошкой. Впрочем, я потом отдавал должное и пирогу, который испекла мать. Хоть рост у меня небольшой, но аппетит хороший.

Мы в дружелюбном молчании следили, как жарится кролик, и вдыхали его запах. Нам было хорошо молчать, хотя обычно я говорлив. Слишком говорлив, может быть, — я знал, что большинство моих неприятностей с Генри происходило из-за несдержанности моего языка.

Джек был не очень разговорчив, но, к моему удивлению, спустя какое-то время он нарушил молчание. Сначала разговор шел непоследовательно, о событиях в деревне, но я чувствовал, что занимает его что-то более важное. Потом он остановился, молча несколько минут смотрел на кролика и сказал:

— После дня надевания шапок это место будет твоим.

Я не знал, что сказать. Думаю, если бы я поразмыслил об этом заранее, то догадался, что он передаст убежище мне... Но я об этом не думал. Обычно о событиях, связанных с надеванием шапок, многие не думают и уж тем более не говорят. Особенно это было удивительно со стороны Джека, но то, что он сказал дальше, было еще удивительнее.

— Я почти надеюсь, что со мной не получится, — сказал он. — Не уверен, что не предпочел бы стать вагрантом.

Теперь я должен рассказать о вагрантах. В каждой деревне их бывало несколько — в нашей, насколько мне известно, в то время четверо, — но число их постоянно менялось, когда они уходили или переселялись в другие места. Изредка они немного работали, но, независимо от этого, деревня кормила их. Жили они в доме вагрантов — в нашей деревне этот дом стоял на самом перекрестке и был больше остальных, за исключением нескольких, в том числе и дома моего отца. В нем легко могла разместиться дюжина вагрантов, и случалось, что там столько и жило. Их снабжали едой — не роскошной, но питательной. За домом присматривала служанка. Когда дом бывал полон, туда присылали и других слуг.

Было известно, хотя это и не обсуждалось, что вагранты — это люди, которые при надевании шапок потерпели неудачу. Шапки у них были как у всех нормальных людей, но они действовали неправильно. Когда это случалось, то обнаруживалось в первые же два дня после надевания шапок. Человек, которому надели шапку, начинал проявлять беспокойство, оно все увеличивалось, пока не переходило в лихорадку мозга. Это, естественно, вызывало сильную боль. К счастью, скоро наступал кризис. Для большинства надевание шапок проходило вполне благополучно. Я думаю, что лишь один из двадцати становился вагрантом.

Выздоровев, вагрант отправлялся бродить — он или она, потому что так бывало и с девушками, хотя много реже. Не знаю, происходило ли это потому, что вагранты ощущали себя чужими в общине, или болезнь вызывала у них постоянное беспокойство. Но они уходили и бродили по округе, проводя по нескольку дней в деревне, но всегда уходили дальше. Их мозг, разумеется, был поражен. Никто из них не мог связно говорить, у многих бывали видения, и они совершали странные поступки.

Их воспринимали как должное, заботились о них, но, подобно надеванию шапок, о них не говорили. Дети обычно относились к ним с подозрением и избегали их. Вагранты, со своей стороны, почти всегда были погружены в меланхолию и мало разговаривали друг с другом. Для меня было большим потрясением услышать, что Джек хотел бы стать вагрантом, и я не знал, как ответить ему. Но он, казалось, и не ждал ответа.

Он сказал:

— Часы... а ты задумывался, как было в те дни, когда их сделали?

Я думал об этом время от времени, но и эта тема не была обычной, и Джек никогда раньше не говорил об этом. Я спросил:

— До треножников?

— Да.

— Ну, мы знаем — это был Черный Век. Людей было слишком много, а еды мало, так что люди умирали с голоду и воевали друг с другом, и было множество разных болезней и...

— И делались такие вещи, как часы, — делались людьми, а не треножниками.

— Этого мы не знаем.

— Ты помнишь, четыре года назад я ездил к тете Матильде?

Я помнил. Это была его тетя, не моя, хотя мы и двоюродные братья. Она вышла замуж за чужака. Джек сказал:

— Она живет в Вишопстоке, по другую сторону Винчестера. Однажды я пошел там гулять к морю. И увидел руины города, который был больше Винчестера раз в двадцать.

Я, конечно, знал о гигантских разрушенных городах древности. Но об этом тоже говорили мало и всегда неодобрительно, с ноткой страха. Никто не осмеливался к ним подходить. Страшно было даже смотреть на них, как сделал Джек.

Я сказал:

— В этих городах царили убийства и болезни.

— Так нам говорили. Но я увидел кое-что еще. Корпус корабля, насквозь проржавевший. Он был больше деревни. Гораздо больше.

Я молчал. Я пытался представить себе, мысленно увидеть то, о чем он говорит. Но мозг мой отказывался сделать это.

— Он был построен людьми, — добавил Джек. — Еще до прихода треножников.

Снова у меня не нашлось слов. В конце концов я неубедительно сказал:

— Сейчас люди счастливы.

Джек повернул кролика. Немного погодя он ответил:

— Да. Наверное, ты прав.

Погода оставалась прекрасной до дня надевания шапок. С утра до ночи люди работали на полях, косили траву. Весной прошли обильные дожди, трава выросла высокая и роскошная, обещая сытную зиму. Сам день, конечно, был праздником. После завтрака мы пошли в церковь, и священник прочел проповедь о правах и обязанностях взрослых мужчин, в число которых вступал Джек. Не женщин, потому что в этом году ни одной девушке у нас не надевали шапку. Джек стоял одиноко, одетый в белый костюм, как и предписывалось. Я смотрел на него, пытаясь угадать, что он чувствует, но каковы бы ни были его эмоции, он их никак не показывал.

Не показывал и тогда, когда кончилась служба и мы стояли на улице у церкви, ожидая треножник. Слышался колокольный звон, но, помимо этого, все было тихо. Никто не разговаривал, не шептался, не смеялся. Мы знали, какое это испытание, когда надевают шапку. Даже ваграны подошли и стояли в том же молчании. Для нас, детей, время тянулось бесконечно. А как для Джека, одиноко стоявшего посреди улицы? Я впервые ощутил дрожь страха, подумав, что в следующий день на месте Джека буду стоять я. Конечно, я буду не один: вместе со мной пойдет Генри. Но утешения в этом мало.

Наконец мы услышали сквозь звон колоколов глубокий низкий звук. Все затаили дыхание. Звук доносился сверху. И вот мы увидели над крышами домов на юге: огромное полушарие из блестящего металла покачивалось в воздухе на трех коленчатых ногах, в несколько раз выше церкви. Когда оно остановилось, расставив ноги по обе стороны реки, тень его упала на нас. Мы ждали. Я трясся, не в состоянии унять дрожь, охватившую все тело.

Сэр Джеффри, лорд нашего поместья, сделал шаг вперед и сдержанно поклонился в сторону треножника. Он был стар, и кланяться ему было нелегко. Тут опустилось одно из гигантских сверкающих щупалец, мягко и точно конец его ухватил Джека за талию и поднял вверх, вверх, к открывшемуся в полушарии отверстию. Отверстие поглотило Джека.

После полудня были игры, люди навещали друг друга, смеялись, разговаривали, юноши и девушки ушли в поле. Вечером состоялся пир; так как погода стояла хорошая, столы расставили на улице; запах жареного мяса смешивался с запахом пива, сидра, лимонада, а также различных пирогов, печений и пудингов. Из дома вынесли лампы; в темноте они, как желтые цветы, расцвели по всей улице. Но до начала пира нам должны были вернуть Джека.

Послышался отдаленный гул — все ждали в тишине, — потом топот гигантских ног, сотрясавших землю. Треножник остановился, как и раньше, в полусфере открылось отверстие, опустилось щупальце и осторожно поставило Джека на прежнее место, по правую руку от сэра Джеффри. Я стоял вместе с детьми далеко, но ясно видел Джека. Он был бледен, но больше никаких изменений в его лице я не заметил. На белой выбритой голове более темный металл шапки напоминал сеть паука. Волосы у него скоро отрастут; у Джека густые черные волосы, и через несколько месяцев шапка будет почти не видна. Но она все равно останется и будет с ним до самой смерти.

Это был радостный момент. Джек стал мужчиной, завтра он получит мужскую работу и мужскую плату за нее. Отрезали большой кусок мяса и поднесли ему вместе с кубком эля, и сэр Джеффри произнес тост за его здоровье и счастливое будущее. Я забыл свои прежние страхи, завидовал Джеку и думал о том дне следующего года, когда тоже стану мужчиной.

На следующий день я не видел Джека, но еще через день встретил его, когда, закончив работу по дому, направлялся к убежищу. Он вместе с четырьмя-пятью мужчинами возвращался с поля. Я окликнул его, он улыбнулся и после минутного колебания подошел ко мне. Мы стояли рядом всего лишь в нескольких ярдах от того места, где неделю назад он разнял меня и Генри. Но все сейчас было другим.

Я спросил:

— Как дела? Как ты?

Это не был просто вежливый вопрос. Если надевание шапки не удалось, к этому времени он уже начал бы ощущать боль и беспокойство, а вскоре он превратился бы в вагранта. Он ответил:

— Все в порядке, Уилл.

Я не решался, потом выпалил:

— На что это похоже?

Он покачал головой.

— Ты знаешь: об этом говорить не разрешается. Но могу тебе сказать, что совсем не больно.

— Но почему?

— Что «почему»?

— Почему треножники берут людей и надевают на них шапки? Какое право они имеют?

— Они делают это для нашей пользы.

— Но я не понимаю, почему это происходит. Я предпочел бы остаться прежним.

Он улыбнулся:

— Сейчас ты не понимаешь, но поймешь, когда это происходит. Это... — Он покачал головой. — Не могу описать.

— Джек, — сказал я, — я все думаю... — Он ждал продолжения без всякого интереса. — О том, что ты говорил... о тех удивительных вещах, которые делали люди до треножников.

— Ерунда, — сказал он, повернулся и пошел по улице.

Я некоторое время смотрел ему вслед, а потом, чувствуя себя страшно одиноким, побрел в убежище.

Глава 2

«МЕНЯ ЗОВУТ ОЗИМАНДИАС»

Только после того, как на него надели шапку, я понял, что значила для меня дружба с Джеком. Эта дружба отделила меня от других мальчиков примерно моего возраста. Вероятно, это можно было преодолеть — Джо Бейт, сын плотника, например, явно хотел со мной подружиться, — но в этом настроении я предпочитал оставаться один. Я привык ходить в убежище и часами сидеть там, думая обо всем. Однажды пришел Генри и начал насмехаться надо мной, и мы подрались. Мой гнев был так велик, что я решительно побил его, и с тех пор он держался от меня подальше.

Время от времени я встречал Джека, и мы обменивались ничего не значащими словами. Он держался со мной дружески и в то же время отчужденно: намек на прежние отношения сохранился, как будто он перешел на другую сторону оврага, а когда и я перейду туда, все снова будет хорошо. Это меня не утешало: тот Джек, с которым я дружил, ушел навсегда. А как же будет со мной? Эта мысль пугала меня, я старался избавиться от нее, но она постоянно возвращалась.

И вот в сомнениях, страхе и размышлении я обнаружил, что интересуюсь вагрантами... Я вспомнил слова Джека и подумал, на кого он стал бы похож, если бы надевание шапки не удалось. Вероятно, сейчас он бы ушел уже из деревни. Я смотрел на вагрантов, живших в нашей деревне, и думал о том, что когда-то они были счастливы и здоровы и строили планы на будущее. Я единственный сын у отца и должен унаследовать мельницу. Но если надевание шапки не удастся...

У нас тогда было трое вагрантов, двое появились недавно, а третий жил уже несколько недель. Это человек в возрасте моего отца, но борода у него нечесаная, волосы редкие и грязные, и через них просвечивала шапка. Он проводил время, собирая на полях камни и строя из них пирамиду поблизости от дома вагрантов. За день он находил примерно двадцать камней, каждый размером в полкирпича. Невозможно было понять, почему он брал именно этот камень, а не другой, и с какой целью строил свою пирамиду. Он говорил мало и использовал слова, как ребенок.

Остальные двое были намного моложе; одному, вероятно, только год назад надели шапку. Он говорил много и почти связно, но не совсем. Третий, старше его на несколько лет, говорил понятно, но очень редко. Он был погружен в глубокую печаль и по целым дням лежал на дороге возле дома вагрантов, глядя в небо.

Вскоре молодой вагрант ушел, и в тот же день ушел и строитель пирамиды. Третий вагрант остался. Осталась недостроенная и бессмысленная груда камней. Я смотрел на нее в тот вечер и гадал, что буду делать через двадцать пять лет. Молоть зерно на мельнице? Может быть. А может, бродить по стране, живя милостыней и совершая бессмысленные поступки. Почему-то эта перспектива не казалась мне такой уж мрачной. Мне начало казаться, что я понимаю, о чем говорил Джек в то утро в нашем убежище.

Новый вагрант появился на следующий же день. Идя в убежище, я видел, как он приближается по дороге с запада. Я решил, что ему около тридцати лет, это был плотного сложения человек с рыжими волосами и бородой. Он опирался на ясеневую палку, за спиной у него болтался обычный мешок, и он пел что-то. Увидев меня, он перестал петь.

— Мальчик, — сказал он, — как называется это место?

— Вертон, — ответил я.

— Вертон, — повторил он. — Прекраснейшая деревня на равнине. Здесь нет ни боли, ни страдания. Ты меня знаешь, мальчик?

Я покачал головой:

— Нет.

— Я король этой земли. Моя жена была королевой страны дождей, но я оставил ее плакать. Меня зовут Озимандиас. Взгляни на мою мощь и отчаяние.

Он говорил ерунду, но по крайней мере говорил, и слова его можно было понять. Они походили на стихи, и я вспомнил, что в одном стихотворении мне встречалось имя Озимандиас. Оно было в одной из дюжины книг, стоявших у нас дома на полке.

Он двинулся к деревне, а я — за ним. Он сказал, оглянувшись:

— Ты идешь за мной, мальчик? Хочешь стать моим пажом? Увы, увы! У лисы есть нора, у птицы гнездо в листве большого дуба, но сыну человеческому негде преклонить голову. Какие у тебя дела?

— Ничего важного.

— Ничего, конечно, не важно, но как человек может найти ничего? Где искать его? Говорю тебе, если бы я сумел найти ничего, то был бы не королем, а императором. Кто живет в доме в этот день и час?

Я понял, что он говорит о доме вагрантов.

— Только один, — сказал я. — Не знаю его имени.

— Его имя будет Звезда. А твое?

— Уилл Паркер.

— Уилл — хорошее имя. Чем торгует твой отец? Ты слишком хорошо одет, Уилл, чтобы быть сыном простого работника.

— Он держит мельницу.

— И ноша его тяжела: я ни о ком не забочусь, но и обо мне никто не заботится... у тебя много друзей, Уилл?

— Нет, немного.

— Хороший ответ. Тот, кто заявляет, что у него много друзей, говорит, что у него их нет.

Повинуясь внезапному порыву, удивившему меня самого, я сказал:

— В сущности, у меня нет ни одного. Был один, но месяц назад ему надели шапку.

Он остановился, я тоже. Мы находились у окраины деревни, напротив дома вдовы Инголд. Вагрант пристально посмотрел на меня.

— Нет важного дела и нет друга. И разговаривает с вагрантами. Сколько же тебе лет, Уилл?

— Тринадцать.

— Ты мал ростом. Значит, на будущий год тебе наденут шапку?

— Да.

Я видел, что вдова Инголд смотрит на нас из-за занавески. Вагрант бросил взгляд в ее окно и вдруг начал нелепо приплясывать посреди улицы. Хриплым голосом он запел:

Под зеленым деревом
Летом хорошо лежать,
Под приятным ветерком
Вместе с птичкой распевать.

И всю остальную часть пути до дома вагрантов он нес чепуху, и я был рад расстаться с ним.

Мой интерес к вагрантам был замечен, и вечером отец отругал меня за это. Иногда он бывал строг, но вообще-то отличался добротой; просто он видел мир только в черном и белом, и ему трудно было проявить терпение, если он считал, что имеет дело с глупостью. Он не видел смысла в том, что мальчишка бродит вокруг дома вагрантов; конечно, о них нужно заботиться, давать им пищу и убежище, но и все. Меня сегодня видели с вновь прибывшим, который кажется еще глупее остальных. Это плохо, и злые языки уже начали работать. Он надеялся, что больше ни о чем подобном не услышит. Я ни под каким предлогом не должен ходить в дом вагрантов. Понятно?

Я сказал, что понял. Я понял также: в этом было нечто большее, чем просто недовольство из-за разговоров. Отец слушал новости о других деревнях и городе, но к сплетням и пересудам относился с презрением.

Я подумал, не скрывается ли за его отношением нечто иное, худшее. У него был старший брат, ставший вагрантом; об этом у нас никогда не говорили, но Джек уже давно рассказал мне. Говорили, что такая слабость передается по наследству, и, может, отец считал мой интерес к вагрантам плохим предзнаменованием перед надеванием шапки в следующем году. Это было нелогично, но ведь человек, нетерпимый к глупости, может иметь свои слабости.

Вспомнив, как странно вел себя новый вагрант в присутствии других, я решил выполнить приказ отца и несколько дней держался в стороне от их дома. Дважды я видел человека, назвавшегося Озимандиасом, он разговаривал сам с собой на улице и кривлялся, и я прятался от него. Но на третий день я пошел в школу. Не задами, вдоль берега реки, а по улице, мимо церкви и мимо дома вагрантов. Там никого не было, но когда в середине дня я возвращался, то увидел идущего навстречу Озимандиаса. Я ускорил шаг, и мы сошлись на перекрестке.

Он сказал:

— Здравствуй, Уилл! Я не видел тебя много дней. Что у вас случилось, мальчик? Чума? Или простуда?

Он заинтересовал, даже зачаровал меня, и я понимал, что пришел сюда не случайно, а в надежде увидеться с ним. Я сознавал это, но в то же время понимал: мне следует держаться от него подальше. Поблизости никого не было, но другие дети, возвращающиеся из школы, могли увидеть нас, да и на другой стороне улицы стояли знавшие меня люди.

— Я был занят эти дни, — сказал я и приготовился уходить.

Он взял меня за руку.

— Что случилось, Уилл? Тот, у кого нет друзей, может ходить куда угодно и уделить несколько минут для разговора.

— Я должен идти, — сказал я. — Меня ждет обед.

Я отвернулся. После недолгой паузы он убрал руку.

— Тогда иди, Уилл. Хоть не одним хлебом жив человек, но хлеб ему тоже нужен.

Тон у него был веселый, но в нем слышалось еще что-то. Разочарование? Я пошел, но, пройдя несколько шагов, оглянулся. Он смотрел мне вслед.

Я сказал, негромко и запинаясь:

— Вы выходите в поля?

— Когда светит солнце.

— Дальше по дороге, где мы впервые встретились, есть старые развалины, справа; там у меня убежище, вдали, около кустов. Вход через обвалившуюся арку. Там увидите красный камень, похожий на стул.

Он мягко сказал:

— Я слышу, Уилл. Ты проводишь там много времени?

— Обычно иду туда после школы.

Он кивнул:

— Так и делай.

Внезапно взгляд его устремился к небу, он поднял руки над головой и закричал:

— И в тот год пришел пророк Джим, а с ним войско ангелов на белых лошадях; они подняли облачную пыль, а искры от их копыт подожгли хлеб в полях и зло в человеческих сердцах. Так говорит Озимандиас... Селах! Селах! Селах!

Показались другие дети. Я оставил его и заторопился домой. Я слышал его крик, пока не миновал церковь.

Я шел мимо школы к убежищу со смешанными чувствами ожидания и тревоги. Отец сказал, что надеется больше не услышать о том, что я общаюсь с вагрантами, и прямо запретил мне ходить в их дом. Я исполнил вторую часть его требований и предпринял меры, чтобы выполнить первую. Но у меня не было сомнений, что мое теперешнее поведение он воспримет как открытое неповиновение. И ради чего? Ради разговора с человеком, чьи слова представляли собой странную смесь смысла и бессмыслицы, причем бессмыслица явно преобладала. Не стоило.

И все же, вспоминая проницательные голубые глаза под спутанной массой рыжих волос, я не мог не почувствовать: за этим скрывается нечто такое, что заставляет меня рисковать. По пути к развалинам я внимательно осматривался и позвал, только когда приблизился к убежищу. Но там никого не было. И еще долго никто не появлялся. Я уже начал думать, что он не придет, мозг его слаб, он не понял мои слова или забыл о них, когда услышал стук посоха. Выглянув, я увидел Озимандиаса. Он был менее чем в десяти ярдах от входа. Он не пел и не говорил, а двигался молча, почти украдкой.

Меня охватил новый страх. Рассказывали, что когда-то давно один вагрант убил детей во множестве деревень, прежде чем его поймали и повесили. Правда ли это? Может, и этот такой же? Я пригласил его, не сказав никому ни слова, а крик о помощи отсюда до деревни не долетит. Я замер у стены убежища, собираясь пробежать мимо него и оказаться в сравнительной безопасности снаружи.

Но первый же взгляд на него успокоил меня. У него было доброе лицо. Безумец или нет, но этому человеку можно было верить. Он сказал:

— Вот я и нашел тебя, Уилл. — Одобрительно осмотрелся. — Хорошее местечко.

— Его устроил мой брат Джек. У него руки лучше моих.

— Тот, кому этим летом надели шапку?

— Да.

— Ты видел это? — Я кивнул. — Как он с тех пор?

— Хорошо, но он стал совсем другим.

— Стал мужчиной.

— Не только.

— Расскажи мне.

Я колебался, но его голос и лицо внушали доверие. Я понял также, что он говорит естественно и разумно, без странных слов и архаических фраз, которые он употреблял раньше. Я начал рассказывать, сначала несвязно, потом все более легко, о том, что говорил Джек, и о моих последующих размышлениях. Он слушал, иногда кивал, но не прерывал.

Когда я кончил, он сказал:

— Скажи мне, Уилл, что ты думаешь о треножниках?

Я задумчиво ответил:

— Не знаю. Я привык к ним... и боюсь, а теперь... У меня много вопросов.

— Ты задавал их старшим?

— Что это дало бы? Никто не говорит о треножниках. Об этом узнаешь еще ребенком.

— Хочешь, я отвечу тебе? Такие, как я, могут ответить.

Я теперь был уверен в одном и выпалил:

— Вы не вагрант.

Он улыбнулся.

— Смотря как ты понимаешь это слово. Как видишь, я хожу с места на место. И веду себя странно.

— Чтобы обмануть людей, а не потому, что вы иначе не можете. Ваш мозг не изменен.

— Да. Так, как мозг вагрантов или же твоего брата Джека.

— Но ведь на вас надели шапку!

Он коснулся металлической сетки в путанице рыжих волос.

— Согласен. Но не треножники. Люди — свободные люди.

Изумленный, я пробормотал:

— Не понимаю...

— Ты и не можешь понимать. Но слушай, и я расскажу тебе. Сначала треножники. Ты знаешь, кто они? — Я покачал головой, и он продолжал: — И мы не знаем точно. Есть две версии. По одной — это машины, сделанные людьми, но восставшие и покорившие людей.

— В старые дни? В дни гигантских кораблей и больших городов?

— Да. Мне трудно поверить в это, потому что я не понимаю, как люди могли дать машине разум. Другая версия — они пришли не из нашего мира, а из другого.

— Другой мир?

Я снова оказался в тупике. Он сказал:

— Вам ничего не говорят в школе о звездах? Вторая версия кажется мне правдоподобнее. Ты не знаешь, что эти звезды в ночи — сотни и тысячи звезд — это солнца, подобные нашему;

вокруг многих из них, как и вокруг нашего Солнца, вращаются планеты.

Я был смущен, голова моя закружилась от этой мысли.

— Это правда? — спросил я.

— Правда. И, может быть, треножники пришли с одной из таких планет. Может быть, треножники — это только машины, в которых находятся живые существа. Но мы не видели того, что внутри треножника, и поэтому не знаем.

— А шапки?

— Это средство, при помощи которого держат в послушании людей.

Вначале мысль эта казалась невероятной. Позже казалось невероятным, как я не видел всего этого раньше. Но всю мою жизнь надевание шапок воспринималось как нечто само собой разумеющееся. Все взрослые носили шапки и были удовлетворены этим. Это был признак взрослости, а сама церемония проходила торжественно и связывалась с праздником и пиром. Хотя некоторые испытывали боль и становились вагрантами, но все дети с нетерпением ждали этого дня. Только позже, когда до церемонии оставались лишь месяцы, возникали сомнения; но эти сомнения рассасывались от уверенности взрослых. У Джека тоже были сомнения, но после того как ему надели шапку, они исчезли.

Я сказал:

— Шапки заставляют людей думать так, как нужно треножникам?

— Они контролируют мозг. Но мы не знаем, как и до каких пределов. Ты знаешь, что металл соединяется с телом и его невозможно удалить. Похоже, когда надевают шапку, дают какой-то общий приказ. Позже могут отдаваться особые приказы необходимым людям.

— А как же ваграны?

— И об этом мы можем только догадываться. Может, мозг у некоторых слишком слаб, не выдерживает напряжения. А может, наоборот, — слишком силен и борется против порабощения, пока не выходит из строя.

Я подумал об этом и задрожал. Голос внутри головы, от которого нельзя убежать и от которого не спрячешься. Гнев вспыхнул во мне, не только из-за вагрантов, но и из-за всех остальных — моих родителей и Джека...

— Вы говорили о свободных людях, — сказал я. — Значит, треножники правят не всей Землей?

— Почти всей. Нет земель, где бы их не было, если ты это имеешь в виду. Когда они пришли впервые — или когда они восстали, — происходили ужасные вещи. Города уничтожались, как муравейники, миллионы и миллионы людей были убиты или умерли от голода.

Миллионы... Я пытался представить себе это, но не мог. В нашей деревне, которая считалась немаленькой, было около четырехсот человек. В городе Винчестере и вокруг него жило около тридцати тысяч. Я покачал головой.

Он продолжал:

— Тем, кто остался, треножники надели шапки, и теперь они уже слушали и служили треножникам и помогали убивать или пленять других людей. И в течение одного поколения мир стал таким, как сейчас. Но по крайней мере в одном месте несколько человек спаслись. Далеко на юге, за морем, есть высокие горы, на них круглый год лежит снег. Треножники держатся низин: может быть, там им двигаться легче, а может быть, им не подходит разреженный воздух. А в горах есть места, где свободные люди могут обороняться от людей в шапках, живущих в окружающих долинах. Мы даже отбираем у них пищу.

— «Мы»? Значит, вы пришли оттуда? — Он кивнул. — Но ведь на вас шапка.

— Взята у мертвеца. Я побрил голову, и ее подогнали под форму моего черепа. Когда волосы отросли, ее трудно стало отличить от настоящей. Но она не отдает приказов.

— И вы можете бродить, как вагрант, и никто не подозревает вас. Но зачем? С какой целью?

— Частично, чтобы узнавать новости и рассказывать, что увидел. Но есть более важная вещь. Я пришел за тобой.

— За мной? — удивился я.

— За тобой и такими, как ты. Кто еще без шапки, но уже достаточно вырос, чтобы задавать вопросы и понимать ответы. И совершить длинное, а может, и опасное путешествие.

— На юг?

— На юг. К Белым горам. К трудовой жизни, которая ждет в конце пути. К свободе. Ну?

— Вы возьмете меня туда?

— Нет. Я не готов еще. К тому же это и более опасно. Мальчик, путешествующий в одиночку, — обычный беглец, но если он идет с вагрантом... Тебе придется идти одному. Если ты решишься.

— Море, — сказал я, — как я его пересеку?

Он посмотрел на меня и улыбнулся.

— Это самая легкая часть. И в остальном я тебе помогу. — Он достал что-то из кармана и показал мне. — Ты знаешь, что это?

Я кивнул:

— Видел однажды. Это компас. Стрелка всегда показывает на север.

— А это?

Рубашка у него была порвана. Он сунул руку в дыру, нащупал что-то и достал. Это оказался длинный пергаментный цилиндр. Он развернул его и положил на камень, прижав у него концы, чтобы они не сворачивались. Я увидел рисунок, который не имел для меня смысла.

— Это называется карта, — пояснил он. — И людям в шапке она не нужна, потому ты ее и не видел раньше. Она расскажет тебе, как добраться до Белых гор. Смотри. Вот это означает море. А вот здесь, внизу, горы...

Он все показал мне на карте, объяснил, какие приметы на местности я должен буду найти, показал, как пользоваться компасом. Что касается последней части пути, за большим озером, он дал мне подробные указания, которые я должен был запомнить. Это на случай, если карту обнаружат. Он сказал:

— Но береги ее. Сможешь проделать дыру в подкладке, как у меня?

— Да. Я сохраню ее.

— Значит, остается пересечь море. Пойдешь к этому городу. Рамни. — Он указал на карте. — В гавани стоят рыбачьи лодки. Та, что называется «Орион», принадлежит одному из нас. Высокий человек, очень смуглый, с длинным носом и тонкими губами. Зовут его Куртис, капитан Куртис. Иди к нему. И он переправит тебя через море. Там начнется трудная часть. Там говорят на другом языке. Тебе придется прятаться и не разговаривать. Пищу будешь красть.

— Все это я смогу. А вы говорите на их языке?

— На нем и на других. Потому мне и дали такое поручение. — Он улыбнулся. — Я могу быть сумасшедшим на четырех языках.

Я сказал:

— Я приду к вам.

— Я найду тебя. Но теперь ты можешь мне помочь. Есть ли здесь поблизости такие, с кем можно поговорить?

Я покачал головой:

— Нет. Ни одного.

Он встал, потянулся и потер колено.

— Тогда завтра я ухожу. Уходи не раньше, чем через неделю, чтобы никто не заподозрил связи между нами.

— Прежде чем вы уйдете...

— Да?

— Почему они не уничтожили людей совершенно, а надели им шапки?

Он пожал плечами:

— Мы не умеем читать их мысли. Есть много возможных ответов. Часть пищи, которую вы здесь выращиваете, идет на корм людям, работающим в подземных шахтах. Там добывают металл для треножников. А в некоторых местах существует охота.

— Охота?

— Треножники охотятся на людей, как люди — на лисиц. — Я вздрогнул. — Они забирают мужчин и женщин в свои города, но мы не знаем зачем.

— Значит, у них есть города?

— Не по эту сторону моря. Я сам их не видел. Но знаю тех, кто видел, говорят, металлические башни и шпили за большой кольцевой стеной. Отвратительные, слепящие города.

— Вы знаете, как долго это продолжается?

— Правление треножников? Более ста лет. Но для людей в шапках это все равно что десять тысяч. — Он пожал мне руку. — Желаю удачи, Уилл.

— Спасибо, — сказал я. У него было крепкое рукопожатие.

— Надеюсь, мы снова встретимся в Белых горах.

На следующий день, как и сказал, он ушел. Я начал подготовку. В одной из стен убежища можно было вынуть камень, за ним оставалось свободное место. Только Джек знал о нем, но Джек сюда не придет. Я складывал здесь запасы: еду, смену одежды и пару башмаков. Еды я брал понемногу, выбирая то, что лучше сохраняется: соленое и копченое мясо, сыр и тому подобное. Я думаю, мать замечала исчезновение этого и удивлялась.

Мне было печально от мысли, что придется покинуть ее и отца. Я думал, как они будут несчастны, когда узнают, что я убежал. Шапки не излечивали от людских горестей. Но я не мог оставаться, как не может овца идти к дому мясника, если знает, что ее там ждет. Я знал, что скорее умру, чем позволю надеть на себя шапку.

Глава 3

ДОРОГА К МОРЮ

Два обстоятельства заставили меня ждать дольше недели. Во-первых, было новолуние, ночью ничего не видно, я же предполагал передвигаться по ночам. Пришлось ждать полмесяца. Во-вторых, случилось то, чего я не ожидал: умерла мать Генри.

Она и моя мать были сестрами. Она долго болела, но смерть ее была внезапна. Мать присматривала за ее домом и сразу же перевела Генри к нам, поставила кровать в мою комнату. Со всех точек зрения, мне это не нравилось, но я, конечно, не мог возражать. Мои соболезнования были холодно высказаны и холодно приняты, после этого мы старались держаться как можно дальше друг от друга. Насколько это возможно для двух мальчиков, живущих в одной не очень большой комнате.

Я решил, что это помеха, но не очень значительная. Ночи были еще теплые, а я думал, Генри вернется домой после похорон. Но когда наутро после похорон я сказал об этом матери, то оказалось, что я ошибался.

Она сказала:

— Генри останется с нами.

— Надолго?

— Сколько будет нужно. Во всяком случае, пока на вас обоих не наденут шапки. Твой дядя Ральф слишком занят на ферме и не может присматривать за мальчиком.

Я ничего не сказал, но выражение лица у меня было, должно быть, красноречивое. И мать с непривычной строгостью сказала:

— Я не хочу, чтобы ты говорил об этом. Он потерял мать, и ты должен проявить сочувствие.

— Но я по крайней мере могу иметь свою комнату? У нас ведь хватает комнат?

— Я бы оставила тебе твою комнату, если бы ты вел себя по-другому. Меньше чем через год ты станешь мужчиной и должен научиться вести себя как мужчина, а не как глупый ребенок.

— Но...

— Я не собираюсь с тобой спорить, — гневно сказала она. — Если ты скажешь еще слово, я позову отца.

С этим она вышла из комнаты. Подумав немного, я решил, что разница не так уж велика. Спрятав одежду в гостиной, я смогу выскользнуть, когда он уснет, и одеться. Я твердо решил, как и собирался, уйти в полнолуние.

В последующие два дня лили сильные дожди, но потом прояснилось, и сильная жара высушила землю. Все шло хорошо. Перед сном я спрятал одежду, вещевой мешок и несколько буханок хлеба. После этого нужно было лишь не уснуть, а поскольку я был возбужден, это оказалось нетрудно. Постепенно дыхание Генри на другой стороне комнаты стало ровным и глубоким, как это бывает во сне. Я лежал и думал о путешествии: море, чужие земли за ним, Большое озеро и горы, на которых все лето лежит снег. Даже без того, что я узнал о треножниках и шапках, эта мысль была восхитительна.

Луна поднялась до уровня моего окна, и я выскользнул из постели. Осторожно открыл дверь спальни и тихонько закрыл ее за собой. В доме было очень тихо. Лестница немного заскрипела у меня под ногами, но никто не обратил на это внимания, даже если слышал. Дом был деревянный, старый, и ночные скрипы не были в нем необычны. Пройдя в гостиную, я отыскал одежду и быстро оделся. Потом вышел через дверь, ведущую к реке. Мельничное колесо было неподвижно, а вода журчала и всплескивала — черная с серебряными пятнами.

На мосту я почувствовал себя в безопасности. Через несколько минут я буду за деревней. Кошка осторожно прошла по булыжникам; другая у дверных ступенек облизывала блестящую в лунном свете шерсть. Собака залаяла, услышав меня, но недостаточно близко, чтобы поднять тревогу. Миновав дом вдовы Инголд, я побежал. Я добрался до убежища, тяжело дыша, но довольный, что меня никто не заметил. При помощи огнива и смоченной в масле тряпки я зажег свечу и принялся заполнять мешок. Я переоценил имевшееся в моем распоряжении место: одна буханка не вошла. Что ж, пока можно нести ее в руках. Я решил остановиться на рассвете и поесть; после этого для нее найдется место. В последний раз осмотрев убежище, чтобы убедиться, не забыл ли чего, я задул свечу, сунул ее в карман и вышел.

Ночь для ходьбы была прекрасная. Небо полно звезд — все солнца, подобные нашему? — а луна изливала мягкий свет. Я начал надевать мешок. И в это время из тени в нескольких футах от меня послышался голос — голос Генри:

— Я слышал, как ты выходишь, и пошел за тобой.

Я не видел его лица, но подумал, что он надо мной смеется. Может, я и ошибся — это могло быть нервное возбуждение. Но меня охватил слепой гнев, я опустил мешок и бросился на него. В предыдущих двух-трех стычках я одерживал победы и был уверен, что побью его опять.

Самоуверенность и слепой гнев — плохие помощники. Он сбил меня, я встал, и он сбил меня снова. Спустя короткое время я лежал на земле, а он сидел на мне, прижимая мои руки. Я напрягся изо всех сил, но ничего не смог сделать. Он держал меня крепко.

— Слушай, — сказал он, — я хочу тебе кое-что сказать. Я знаю, ты убегаешь. Я хочу идти с тобой.

Вместо ответа я дернулся и попытался вывернуться, но он продолжал крепко держать меня. Он сказал, тяжело дыша:

— Я хочу идти с тобой. Здесь меня ничего не держит.

Его мать, моя тетя Ада, была доброй жизнерадостной женщиной, даже в долгие месяцы болезни. Дядя Ральф, с другой стороны, угрюмый и молчаливый человек, с облегчением отдавший сына в чужой дом. Я понял, что имеет в виду Генри.

Было и другое соображение, более практичное. Даже если я побью его, что тогда? Оставить здесь с риском, что он поднимет тревогу? Я ничего не мог сделать. Даже если он пойдет со мной, я смогу улизнуть, прежде чем мы доберемся до моря и капитана Куртиса. Я не собирался брать его с собой за море. Он мне по-прежнему не нравился, и я не хотел делиться с ним тайнами, которые узнал от Озимандиаса.

Я перестал бороться и сказал:

— Пусти меня.

— Я пойду с тобой?

— Да.

Он позволил мне встать. Я почистился, и мы посмотрели друг на друга в лунном свете. Я сказал:

— Ты, конечно, не захватил с собой еды. Придется разделить мою.

От порта нас отделяло несколько дней. На это время еды хватит.

— Идем, — сказал я. — Лучше уйти подальше за ночь.

Мы быстро шли при ярком лунном свете и к рассвету оказались уже в незнакомой местности. Я решил ненадолго остановиться. Мы отдохнули, съели половину буханки с сыром, попили воды из ручья и пошли дальше. Но дальше, по мере того как рассветало, мы все больше и больше чувствовали усталость.

Примерно в полдень мы, вспотевшие, измученные, добрались до вершины небольшого холма и заглянули вниз, в блюдцеобразную долину. Земля хорошо обработана. Видна деревня, на полях фигурки людей размером с муравья. Дорога уходила в долину и через деревню. Генри схватил меня за руку:

— Смотри!

Четверо всадников приближались к деревне. У них могло быть любое дело. Но, с другой стороны, это мог быть и отряд, разыскивающий нас.

Я принял решение. Мы как раз миновали опушку леса. Я сказал:

— Останемся в лесу до вечера. Можем поспать, а ночью двинемся дальше.

— Ты думаешь, путешествовать ночью лучше? — спросил Генри. — Я знаю, так меньше вероятность, что нас увидят, но и мы не сможем видеть. Ведь можно идти по холмам, никого нет.

— Делай как хочешь. Я ложусь спать.

Он пожал плечами:

— Что ж, останемся, если ты так говоришь.

Его покорность не смягчила меня. Я понимал: сказанное им разумно. Но молча пошел в лес, а Генри за мной. В глубине кустов мы нашли место, где нас не могли увидеть, даже если бы прошли рядом, и улеглись. Я уснул почти немедленно.

Когда я проснулся, было уже темно. Генри спал рядом. Если я встану тихонько, то смогу улизнуть, не разбудив его. Мысль была соблазнительна. Но казалось нечестным оставлять его в лесу, перед наступающей ночью. Я протянул руку, чтобы разбудить его, и тут кое-что увидел: он обернул вокруг своей руки петлю моего мешка, так что я не мог взять мешок, не разбудив его. Значит, и ему пришла в голову такая мысль.

Он проснулся от моего прикосновения. И перед тем как двинуться дальше, мы съели остаток буханки и кусок копченого мяса. Деревья росли густо, и нам не было видно неба, пока мы не вышли из леса. И только тогда я понял, что темнота объяснялась не только приближением ночи: пока мы спали, небо затянуло тучами, и уже падали первые тяжелые капли.

В быстро угасающем свете мы спустились в долину и поднялись по противоположному склону. В окнах домов горел свет, и нам пришлось сделать большой крюк. Пошел сильный дождь, но вечер был теплый, и как только дождь кончился, одежда на нас высохла. С вершины мы еще раз посмотрели на огни деревни и пошли на юго-восток. Вскоре наступила тьма. Мы шли по холмам, поросшим травой. Раз мы набрели на развалившуюся хижину, явно нежилую, и Генри предложил остановиться в ней до утра, но я отказался, и мы пошли дальше.

Некоторое время мы молчали. Потом Генри сказал:

— Слушай.

Я раздраженно ответил:

— Что еще?

— Мне кажется, кто-то идет.

И я услышал сам — топот ног за нами. Должно быть, нас увидели жители деревни и предупредили четверых всадников. И теперь они нагоняют нас.

Я прошептал:

— Бежим!

Не дожидаясь ответа, я побежал сквозь ночную мглу. Генри бежал рядом, и мне показалось, что я слышу и наших преследователей. Я побежал быстрее. И тут правая нога у меня подвернулась на камне. Я почувствовал сильную боль и упал.

Генри услышал, как я упал. Он подбежал и спросил:

— Где ты? Что с тобой?

Попробовав встать, я почувствовал сильнейшую боль в правой лодыжке. Генри попытался поднять меня. Я застонал.

— Ты поранился? — спросил он.

— Лодыжка... Она, наверное, сломана. Ты лучше уходи. Они сейчас будут здесь.

Он произнес странным голосом:

— Я думаю, они уже здесь.

— Что?

Я почувствовал теплое дыхание на шее, а протянув руку, коснулся чего-то мягкого.

— Овца!

Генри заметил:

— Они любопытны. Иногда это с ними бывает.

— Дурак! — сказал я. — Заставил нас бежать от стада овец, а теперь смотри, что случилось.

Он ничего не ответил, но наклонился и стал ощупывать мою лодыжку. Я прикусил губу, чтобы не закричать.

— Не думаю, чтобы она была сломана, — сказал он. — Вероятно, вывих. Но тебе придется лежать день-два.

Я сердито отрезал:

— Звучит прекрасно.

— Вернемся к хижине. Я тебе помогу.

Снова пошел дождь, на этот раз проливной. Мое желание гневно отказаться от помощи утонуло. Генри поднял меня на спину. Это было кошмарное путешествие. Он с трудом обрел равновесие: вероятно, я оказался тяжелее, чем он предполагал. Ему часто приходилось опускать меня, чтобы передохнуть. Было абсолютно темно. Каждый раз, как он опускал меня, боль пронзала мою ногу. Я уже начал думать, что он ошибся направлением и пропустил во тьме хижину — это было совсем нетрудно.

Но наконец она показалась в ночи, и дверь открылась, когда он поднял щеколду. Послышался шум — должно быть, крысы. Генри сделал еще несколько шагов и со вздохом изнеможения опустил меня. Ощупью он отыскал в углу груду соломы, и я прополз туда. Нога у меня болела, я промок и чувствовал себя несчастным. К тому же мы за прошлые сутки спали лишь несколько часов. Но все же прошло немало времени, прежде чем я уснул.

Когда я проснулся, был день. Дождь прекратился. В окошке без стекол виднелось голубое утреннее небо. В хижине оказались только скамья и тростниковый стол. На стене висел котел и несколько глиняных кружек. Был еще очаг с грудой дров и куча соломы, на которой мы лежали. Я позвал Генри, потом еще раз. Ответа не было. Я подтянулся, морщась от боли, и пополз к двери, держась за стену.

Генри не было видно. Тут я заметил, что нет и моего мешка там, где я уронил его ночью.

Я вполз обратно и сел у стены. Первые горизонтальные лучи солнца грели меня, пока я обдумывал ситуацию. Генри — и это казалось очевидным — бросил меня и забрал с собой всю пищу. Оставил беспомощного и голодного. Я не мог рассуждать логично. И меня охватил гнев. Но он по крайней мере помог мне забыть боль в ноге и ноющую пустоту в желудке.

Даже когда я успокоился и стал способен рассуждать здраво, это не улучшило моего положения. От ближайшего жилища я находился в нескольких милях. Предположим, что я сумею проползти это расстояние, хотя, казалось, это было невозможно. Или кто-нибудь — пастух скорее всего — пройдет на таком расстоянии, что услышит мой крик. И то, и другое означало позорное возвращение в Вертон. А также жалкий и унизительный конец путешествия. Мне стало жаль себя.

Мне было совсем худо, когда я услышал, как кто-то подходит к хижине. Чуть позже послышался голос Генри:

— Где ты, Уилл?

Я ответил, и он подошел. Я сказал:

— Я подумал, ты убежал. Ты взял мешок?

— Конечно, мне нужно было нести в нем.

— Что нести?

— Ты сможешь двигаться только через несколько дней. Я подумал, что стоит позаботиться о продуктах.

Он открыл мешок и показал мне буханку, кусок холодного жареного мяса и пирог.

— Раздобыл на ферме ниже по холму. Окно кладовки было открыто. Не очень большое окно — я думал, что застряну.

Я чувствовал огромное облегчение, но в то же время и недовольство. Он смотрел на меня, улыбаясь, ожидая похвалы за свою находчивость. Я сухо спросил:

— А где пища, которая была в мешке?

Генри удивленно взглянул на меня.

— Я ее сложил на полке. Разве ты не видел?

Конечно, я не видел, потому что не смотрел.

Прошло три дня, прежде чем я смог продолжать путь. Мы оставались в хижине, и Генри дважды отправлялся в долину за продуктами. У меня было достаточно времени для размышлений. Генри, правда, поднял ложную тревогу из-за овец, но только потому, что у него острый слух: я мог обмануться точно так же. Это я настаивал на передвижении по ночам. И теперь я зависел от него. Опасения оставались — конечно, нелегко преодолеть нашу враждебность, но теперь я не видел возможности бросить его до того, как мы доберемся до Рамни. В конце концов я рассказал ему все — куда я направляюсь, что узнал от Озимандиаса.

Он сказал:

— Я как раз из-за надевания шапок и хотел уйти. Конечно, я ничего не знал, просто подумал, что можно спрятаться на время.

Я вспомнил, как Озимандиас спрашивал у меня, захочет ли кто-нибудь еще уйти на юг, вспомнил свой ответ. Сунул руку за подкладку.

— Это карта, — сказал я.

Глава 4

БИНПОЛ

Мы пришли в Рамни ранним вечером. День попеременно был то солнечным, то дождливым. Мы промокли, устали, у меня болела нога. Никто не обратил на нас внимания. Конечно, это был город, а в городе люди не узнают сразу пришельца, как это бывает в деревне. К тому же это был порт — тут часто менялись люди. На нас возбуждающе подействовал блеск моря в конце длинной улицы, люди в синих робах, сосущие трубки, и несколько медлительных морских чаек. И запахи: табака, смолы, пряностей, запах самого моря.

Становилось темно к тому времени, как мы достигли гавани. Дюжины лодок всех размеров были привязаны там, многие стояли в гавани, свернув паруса; мы шли по берегу, читая названия. «Майский колокольчик», «Черный лебедь», «Путник», «Веселый Гордон»... «Ориона» не было.

— Может, он в море, — предположил я.

— Что же нам делать?

— Нужно где-то переночевать.

— Не мешало бы и подкрепиться, — сказал Генри.

Мы доели последние запасы утром. Окна таверн ярко горели в сумерках, из некоторых доносились звуки песен. А также запахи пищи, от которых начинал протестовать пустой желудок. В ближайшем окне виднелась доска с надписью мелом: «Горячие пирожки — 6 пенсов». У меня было немного денег, которые я не решился истратить раньше. Я велел Генри ждать и вошел.

Я оказался в комнате с низким потолком, деревянными балками, с выскобленными столами, за которыми ели моряки, запивая еду пивом. Я не стал их рассматривать, но прошел прямо к прилавку, протянул шиллинг и взял два пирожка у смуглой девушки, которая в это время разговаривала с сидящим за ближайшим столом моряком. Я уже направился к выходу, как кто-то схватил меня за руку.

Он казался огромным, пока не встал. Тут я заметил, что из-за коротких ног он лишь на несколько дюймов выше меня. У него была желтая борода и желтые волосы, начинавшиеся на лбу, где виднелся металл шапки. Он сказал хриплым, лающим голосом:

— Ну, парень, хочешь быть моряком?

Я покачал головой:

— Нет.

— Твои родители станут разыскивать тебя, если ты не вернешься вечером?

Я ответил храбро:

— Я живу в трех кварталах отсюда. Меня будут искать, если я не вернусь.

Несколько секунд он молчал, потом расхохотался громко и неприятно.

— И ты говоришь это с таким акцентом!.. Ты из деревни, или я никогда не слышал деревенских парней. — Я попытался вырваться. — Спокойно. Побереги силы для «Черного лебедя».

Он потащил меня к двери. Никто не обращал на это внимания, и я понял, что такие сцены здесь обычны. Если я закричу, это не приведет ни к чему хорошему. Если меня заметят, то станут расспрашивать, а я не смогу ответить на вопросы. Может, удастся вырваться снаружи. Впрочем, вероятность не очень велика: я чувствовал его силу. А «Черный лебедь» был пришвартован не более чем в ста ярдах отсюда. И тут я увидел высокого человека с тонким длинным худым лицом, с черной бородой, очень смуглого. Я крикнул:

— Капитан Куртис!

Он бросил на меня быстрый взгляд и тут же встал.

— Оставь его, Ровли. Это мой парень. Я нанял его сегодня днем.

Человек, которого он назвал Ровли, казалось, собирался спорить, но капитан Куртис сделал шаг, и тот выпустил мою руку. Он сказал:

— Нужно держать его на борту и не позволять бродить по городу.

— Я сам справляюсь со своим экипажем, — ответил капитан Куртис. — Мне не нужны твои советы.

Озимандиас говорил, что переход через море — самая легкая часть, и он был прав. «Орион» стоял за пределами гавани, и капитан Куртис привез нас туда в шлюпке. Он греб, выбирая путь между судами. Корабль оказался водоизмещением не более ста тонн, но когда я, раскачиваясь и цепляясь за веревочную лестницу, поднимался на палубу, он показался мне огромным. Лишь один из шести членов экипажа был на борту — высокий неуклюжий человек с золотым кольцом в ухе. Капитан Куртис сказал, что остальные были в шапках, но этот — один из нас.

Важно было, чтобы нас не увидели другие члены экипажа: им трудно было бы объяснить цель нашего путешествия. Нас закрыли в каюте капитана, где было две койки. Нам не пришло в голову спросить, где будет он сам спать. Мы слишком устали. Я уснул немедленно и позже сквозь сон смутно слышал, как над головой топали и скрипела поднимаемая якорная цепь.

Я слышал рассказы о том, как люди делаются больными от движения волн, но хотя на следующее утро, когда я проснулся, «Орион» слегка покачивался, это не принесло мне неприятностей. Капитан дал нам завтрак: ветчину, вареные яйца, горку жареной картошки и кружки с горячей коричневой жидкостью, которая издавала незнакомый, но приятный запах.

Генри принюхался.

— Что это?

— Кофе. Его привозят издалека, и он дорого обходится сухопутным. Вы здоровы? — Мы кивнули. — Сюда никто не придет. Знают, что мои двери всегда заперты. Но все же сидите тихо. Только один день. Если ветер продержится, к закату будем в гавани.

В каюте был иллюминатор, через который виднелись синие волны с белыми шапками пены. Непривычное зрелище для тех, кто не видел полоски воды более широкой, чем озерко поблизости от нашей деревни. Вначале мы были очарованы, потом привыкли, а вскоре зрелище нам наскучило. За весь день только одно событие нарушило монотонность, но зато это было удивительное событие.

В середине дня сквозь скрип снастей и плеск волн мы услышали новый звук, высокое улюлюканье, которое, казалось, исходило из самого моря. Генри был у иллюминатора.

— Смотри, Уилл, — сказал он.

Голос его звучал напряженно. Я положил кусок дерева, которому пытался придать форму лодки, и подошел к нему. Море было пусто и сверкало серебром. Но в этом серебре что-то двигалось, какая-то яркая точка. И вот она стала виднее. Треножник, за ним второй, третий... Всего их было шесть.

Я удивленно сказал:

— Они умеют ходить по воде?

— Они идут сюда.

Двигались они быстро. Я заметил, что ноги их не передвигаются, как по земле, а остаются неподвижными: каждая нога поднимала волну, которая, учитывая размеры треножников, была не меньше двадцати футов в высоту. Передвигались они гораздо быстрее скачущей лошади. По мере приближения к нам их скорость, казалось, возрастала, а волна у ног поднималась выше. И тут я увидел, что каждая нога оканчивается чем-то вроде плота. И они двигались прямо на наш «Орион». Если один из них заденет корабль и опрокинет его... у нас, запертых в каюте, не будет никаких шансов.

На расстоянии примерно в двадцать пять ярдов передний треножник резко свернул влево, огибая корму. Остальные последовали за ним. Раздался вой, как будто во всю силу дула дюжина различных ветров. Волна ударила в корабль, и он закачался, как пробка. Мы упали, каюта поплыла под нами, и я больно ударился о койку. Когда я попытался встать, меня бросило к противоположной стене. Волна залила иллюминатор, вымочив нас обоих. А вой усилился — треножники кружили вокруг корабля.

Они сделали три или четыре круга — мне в тот момент было не до счета, — а потом двинулись прежним курсом.

Позже капитан Куртис сказал нам, что такое случается нередко. «Орион» уже несколько раз попадал в такую историю. Никто не знал, зачем они это делают. Может, шутка? Но если и шутка, то невеселая: корабли иногда тонули, перевернувшись. Мы же только вымокли и были потрясены. Думаю, я был больше потрясен не их поведением. Они владели не только сушей, но и морем. Если бы я задумался раньше, то, наверное, сам пришел бы к такому выводу. Но сейчас я был угнетен.

Генри сказал капитану:

— У них другой звук.

— Звук? Вы, наверное, слышали только призыв к надеванию шапок? Севернее пролива они только следят за надеванием шапок, и все. Южнее вы будете чаще видеть их и слышать. Они издают разные звуки.

Раньше я думал о треножниках лишь в связи с надеванием шапок, и только так. То, что рассказывал Озимандиас — об охоте на людей, как люди охотятся на лис, — не особенно задело меня; мой мозг отвергал это, как фантазию. Но это оказалось не так. Я был угнетен. Я был даже испуган. Капитан Куртис вывел нас с «Ориона» так же, как и привел на него. Он дал нам продуктов перед уходом, наполнив мой мешок и дав Генри другой. Он дал нам также несколько советов.

— Держитесь скрытно, избегайте контактов с людьми. Помните, они говорят на другом языке. Вы не поймете их, они же не поймут вас. Если они поймают вас, то передадут для надевания шапок.

Он смотрел на нас, свет лампы бросал золотые отблески на его смуглое морщинистое лицо. Он казался суровым человеком, пока не узнаешь его поближе.

— Такое случалось раньше. С парнями, как и вы, направляющимися в горы или бежавшими от таких, как Ровли. Их хватали и надевали им шапки в чужой земле. Все они стали вагрантами, причем самыми слабоумными. Возможно, машины, настроенные на другой язык, разрушают мозг. Постарайтесь быстрее выбраться из этого города и потом держитесь в стороне от городов и деревень.

Он резко затормозил шлюпку. На берегу лежали две-три лодки, но не видно было никаких признаков жизни. Слышались отдаленные звуки — звучал молот, далекое пение, — но вблизи были только корпуса лодок, низкая линия стены гавани и крыши города за ней. Чужой город в чужой земле, с жителями которого мы не могли говорить. Киль шлюпки скребнул по булыжнику.

— Идите туда, — прошептал капитан Куртис. — Удачи!

Галька под нашими ногами скрипела, этот звук громко раздавался в тишине ночи. Мы постояли, прислушиваясь. Ничего не двигалось. Я оглянулся и увидел, как исчезает за корпусами лодок шлюпка. Мы остались одни. Я махнул Генри и двинулся вперед. Идите вперед, говорил капитан Куртис, сверните налево, пройдите сотню ярдов, там будет дорога направо. Она выведет вас из города. Четверть часа — и можно будет ослабить бдительность, но лишь недолго.

Однако неприятности начались через минуту.

Дорога шла вдоль стены гавани, по другую сторону виднелся ряд домов, более высоких и узких, чем дома в Рамни. Когда мы с Генри осторожно шли по дороге, открылась дверь одного из домов и оттуда вышел человек. Увидев нас, он крикнул. Мы побежали, он — за нами; из других домов выбегали другие люди. Я успел пробежать не менее пятидесяти ярдов, прежде чем меня схватили. Схвативший меня человек, огромный, свирепый, с неприятным запахом изо рта, тряс меня и чего-то требовал; я понял, что он спрашивает меня о чем-то. Я поискал взглядом Генри и увидел, что его тоже схватили. Слышал ли капитан Куртис шум и понял ли его причину? Вероятно, что нет, но даже если слышал, он ничего не мог сделать. Он ясно сказал нам об этом.

Нас потащили через дорогу. Дом оказался таверной, но не такой, как в Рамни. Мы были в маленькой комнатке, полной запаха табака и жидкости, но и табак, и жидкость пахли по-другому. Не было прилавка, зато было полдюжины столов с мраморной поверхностью и стулья с высокими спинками. Люди окружили нас, что-то говоря и делая множество жестов. Я чувствовал, что они чем-то разочарованы. В дальнем конце комнаты виднелась винтовая лестница, ведущая и вверх, и вниз. Кто-то сверху смотрел на нас, заглядывая через головы окружающих нас людей.

Хотя он был высок и лицо его казалось старым, шапки на нем не было. Но самым поразительным было то, что находилось у него на лице. Полоски металла шли от ушей и поддерживали раму, в которую были вставлены два круглых куска стекла, по одному перед каждым глазом. Один глаз у него казался больше другого и придавал лицу комический вид. Даже в нашем отчаянном положении я нашел его комичным. Он выглядел настолько странно, что вполне бы мог быть вагрантом. Впрочем, это невозможно — ведь на нем нет шапки. Мне пришло в голову, что странность его лица объясняется приспособлением, которое он носил. У него были тонкие черты лица. И он не мог быть намного старше меня.

Впрочем, у меня было немного возможностей для размышлений. Через несколько минут люди, захватившие нас, очевидно, пришли к какому-то заключению. Нас подтолкнули к лестнице, свели вниз и втолкнули в дверь у основания лестницы. Я упал и услышал, как сзади нас повернулся ключ в замке.

Еще с полчаса мы слышали над головой движение и звуки голосов. Потом захлопала дверь, и в маленькое забранное решеткой окно мы увидели ноги уходящих. Никто к нам не спустился. Мы слышали скрежет замка, топот последней пары ног — должно быть, уходил хозяин, — и после этого лишь шуршание. Наверное, крысы.

Вероятнее всего, нас держали, чтобы надеть шапки. Я был испуган, осознав, как близко это могло быть — даже завтра, — и предвидя впереди одинокую безумную жизнь. Не будет даже Генри, потому что ваграны бродят поодиночке, каждый укутавшись в собственные безумные видения и фантазии.

Генри проговорил:

— Я думаю...

Голос его принес мне некоторое облегчение. Я спросил:

— Что?

— Окно... Если я тебя подсажу...

Я не верил, что нас заперли в таком месте, откуда легко бежать. Но по крайней мере появилось занятие. Генри наклонился у стены, а я, разувшись, встал ему на плечи. Нога у меня снова заболела, но я не обратил на это внимания. Он медленно распрямился, а я держался за стену и дотянулся до прутьев решетки. Я потянул изо всех сил, но прутья прочно сидели в камне.

Генри шевельнулся подо мной, и я сказал ему:

— Не получается.

— Попробуй еще. Если бы...

Он замолчал, и я услышал то, что его остановило: скрип ключа в замке. Я спрыгнул и стоял, глядя на темный прямоугольник двери. Она медленно и со скрипом открылась. Показался свет. Огонь лампы отражался в маленьких стеклянных кружках. Это был мальчишка, смотревший на нас с лестницы.

Он заговорил, к моему изумлению, по-английски:

— Не шумите. Я вам помогу.

Молча пошли мы за ним по лестнице, старое дерево скрипело под нашими ногами. Мы миновали зал. Он старался осторожно открывать дверь, но петли ужасно визжали. Наконец дверь была открыта. Я прошептал:

— Спасибо. Мы...

Он мотнул головой вперед — приспособление на его носу выглядело еще более смехотворно — и сказал:

— Вы хотите идти к лодке? Я могу вам помочь.

— Не к лодке. На юг.

— На юг? Из города вглубь? Не к морю?

— Да, — подтвердил я, — вглубь.

— Я и тут могу помочь. — Он задул лампу, поставил ее за дверь. — Я покажу вам.

Луна ярко освещала качающиеся верхушки мачт за стеной гавани, но кое-где звезды затянуло тучами, с моря дул ветер. Наш проводник пошел по дороге, о которой говорил капитан Куртис, но вскоре свернул в переулок. Мы поднялись по ступенькам. Переулок извивался и поворачивал. Он был так узок, что в него не проникал лунный свет. Мы едва видели дорогу.

Потом улица пошире, переулок, дорога. Дорога расширилась, дома по ее сторонам поредели, и вот перед нами лежит луг, на котором видны темные фигуры пасущихся коров.

— Эта дорога ведет на юг, — сказал наш странный спутник.

— А у тебя не будет неприятностей? — заметил я. — Могут узнать, что ты нас вывел.

Он пожал плечами:

— Не важно. Зачем вы идете на юг?

Я колебался недолго.

— Мы слышали о месте, где не надевают шапок, где нет треножников.

— Треножники? — Он произнес это слово на своем языке. — Огромные, с тремя ногами — это треножники? Место без них? А это возможно? Все носят шапки, и треножники есть повсюду.

— Но не в горах.

Он кивнул.

— На юге есть горы. Там можно спрятаться. Значит, вы идете туда? Я могу пойти с вами?

Я взглянул на Генри, но мне не нужно было его подтверждение. Он будет нам полезен, он знает страну и язык. Слишком хорошо, чтобы быть правдой.

— А тебе можно идти? — спросил я. — Ведь вернуться будет трудно.

— Я готов. — Он протянул руку сначала мне, потом Генри. — Меня зовут... Жанпол.

Высокий и тощий, с этой странной металлически-стеклянной штукой на носу он выглядел нелепо. Генри рассмеялся.

— Больше подходит Бинпол*.

Он вопросительно посмотрел на Генри, а потом тоже рассмеялся.

Глава 5

ГОРОД ДРЕВНИХ

Мы шли всю ночь и сделали десять — двенадцать миль. Когда наступил рассвет, мы остановились отдохнуть и поесть. Пока мы ели, Бинпол рассказал, почему нас схватили: местные мальчишки ломали лодки на берегу, и моряки решили, что мы и есть хулиганы. Невезение, хотя обернулось все к лучшему. Он кое-что рассказал нам и о себе. Родители его умерли, когда он был ребенком, а его дядя — владелец таверны. Дядя и тетя присматривали за ним, но особой доброты не проявили. У меня создалось впечатление, что они даже слегка побаивались его. Это не так глупо, как звучит, потому что у Бинпола оказалась одна особенность: он был чрезвычайно умен.

Например, его английская речь: он разыскал старый учебник английского языка и выучил его сам. Или приспособление

* Бинпол — жердь, столб.

у него на лице. У него плохое зрение, и он решил, что как подзорная труба позволяет морякам лучше видеть на море, так и стекла перед глазами улучшат его зрение. Ему пришлось долго экспериментировать, пока он не нашел подходящие линзы. Были и другие выдумки, которые он пытался осуществить, хотя и с меньшим успехом. Он заметил, что теплый воздух поднимается, и наполнил свиной пузырь паром от котла. Пузырь поднялся к потолку. Тогда он попытался изготовить то, что он называл баллоном из промасленной кожи, и укрепить его на платформе с жаровней под отверстием, надеясь, что баллон поднимется к небу, но ничего подобного не произошло.

Другая идея, которая не получилась, — это прикрепить пружины к концам ходуль. Он сломал себе ногу в прошлом году, испытывая это свое изобретение.

Позже он стал все больше и больше беспокоиться из-за предстоящего надевания шапки, правильно заключив, что это положит конец его исследованиям. Я понял, что не только у Джека, меня и Генри появились сомнения насчет надевания шапок. Вероятно, все или почти все мальчишки испытывали их, хотя и не говорили об этом, потому что разговоры на эту тему были запрещены. Бинпол сказал, что мысль о баллоне появилась у него именно из-за этого: он видел, как летит по небу над незнакомыми землями в место, где нет треножников. Он заинтересовался нами, потому что предположил, что мы пришли с севера, а он слышал, что там треножники встречаются реже.

Вскоре после отдыха мы подошли к развилке дорог, и я еще раз обрадовался, что нам повезло встретиться с Бинполом. Я выбрал бы дорогу, идущую на юг, но он повернул на восток.

— Потому что... — Он произнес слово, похожее на шменфе. — Я не знаю, как это называется по-вашему.

— А что это? — спросил Генри.

— Очень трудно объяснить. Увидишь.

Шмен-фе начиналось в городке, но мы его обогнули и вышли к небольшому холму к югу от города с развалинами на вершине. Глядя с вершины холма вниз, мы увидели две параллельные прямые линии, блестящие на солнце. Они выходили из городка и исчезали в удалении. Город кончался открытым пространством, где стояло на колесах с полдюжины предметов, похожих на огромные ящики. Все они были связаны друг с другом. Пока мы смотрели, двенадцать лошадей, запряженных попарно, привязали к первому ящику. На передней паре сидел человек, а другой — на второй от ящика паре. По сигналу лошади напряглись, и ящики двинулись сначала медленно, потом все быстрее. Когда они двигались уже очень быстро, восемь передних лошадей высвободились и отошли в сторону. Остальные четыре продолжали тянуть ящики мимо нашего наблюдательного пункта. Ящиков оказалось пять. У двух передних были по бокам отверстия, и мы видели внутри сидящих людей; остальные ящики были закрыты.

Бинпол объяснил, что двенадцать лошадей необходимы, чтобы ящики начинали двигаться по линиям, когда же они в движении, то достаточно четырех. Шмен-фе перевозит на юг людей и грузы — говорят, больше чем на сто миль. Оно облегчит нам продвижение. Я согласился, но спросил, как же мы в него попадем: мимо нас лошади бежали слишком быстро. У него и на это был готов ответ. Хоть земля, по которой бежали лошади, выглядела ровной, на ней были уклоны вверх, вниз. На спусках приходилось тормозить движение, на подъемах лошади тащили изо всех сил и иногда даже переходили на шаг перед вершиной.

Мы пошли теперь по пустым линиям от города. Они были сделаны из железа, их верхушки были гладко отполированы колесами, а закрепляли их массивные планки, которые местами выглядывали из земли. Удивительное средство транспорта, но Бинпол им не был удовлетворен.

— Пар, — сказал он задумчиво. — Он поднимает. И толкает. Видели, как подскакивает крышка над котлом? Если сделать много пара, как в большом котле, и заставить его сзади толкать эти вагоны. Но нет. Это невозможно!

Мы рассмеялись. Генри сказал:

— Это все равно что поднять себя за шнурки собственных ботинок.

Бинпол покачал головой.

— Я уверен: есть способ, есть.

Найти подходящее место, чтобы забраться на шмен-фе, оказалось легче, чем я ожидал. Уклон был едва заметен, но верхушка подъема обозначалась деревянным столбом со стрелкой, указывающей вниз. Поблизости же росли кусты, в которых можно было спрятаться. Нам пришлось ждать с полчаса до появления первого экипажа, но он двигался в обратном направлении.

Я удивился, что есть только одна пара линий, но позже узнал, что местами линии дублировались, и там экипажи могли расходиться. Вскоре появился и нужный нам; мы увидели, как лошади с галопа перешли на рысь, а потом на тяжелый, медленный шаг. Когда экипажи с людьми прошли мимо, мы побежали и зацепились за последний. Бинпол показал, как взбираться на плоскую крышу. Не успели мы с Генри последовать за ним, как шмен-фе остановилось.

Я подумал, что, может быть, лишний вес остановил его, но Бинпол покачал головой. Он прошептал:

— Дошли до вершины. Лошади отдыхают и пьют. Потом двинутся дальше.

После пятиминутной остановки они двинулись, быстро набирая скорость. Вдоль крыши шла жердь, за которую нужно держаться — движение было приятным, не то что в экипаже, подпрыгивающем на каждом булыжнике. Генри и я смотрели на проносившуюся мимо местность, Бинпол глядел в небо. Я заподозрил, что он все еще размышляет об использовании пара вместо лошадей. Жаль, подумал я, что он не может отличить здравую мысль от вздорной.

Время от времени в деревнях делались остановки, входили и выходили люди, выгружали и грузили товары. Мы лежали ничком и молчали, надеясь, что никто не поднимется наверх. Однажды выгружали — со множеством проклятий и кряхтеньем — прямо из-под нас большой жернов, и я вспомнил, с каким трудом мой отец доставлял в Вертон новый жернов. Неподалеку от нашей деревни находилась ровная насыпь, которая тянулась на мили, и я подумал, что на ней можно соорудить шмен-фе. А может, она уже была там, давным-давно, до треножников? И эта мысль, подобно многим другим моим новым мыслям, была поразительна.

Дважды мы в отдалении видели треножники. Мне пришло в голову, что, будучи в этой местности гораздо многочисленнее, они должны приносить большой ущерб посевам.

— И не только посевам, — сказал Бинпол. — Часто огромные металлические ноги убивают животных; и людей тоже, если они не успевают убраться с дороги.

И это, подобно всему остальному, воспринималось как должное, но не нами: начав задавать вопросы, мы обнаружили, что каждое сомнение порождает десятки новых.

К вечеру во время остановки для отдыха лошадей мы заметили в отдалении город. Он был больше того, откуда началось шмен-фе, и Бинпол решил, что тут оно кончается. Представилась хорошая возможность улизнуть, и мы так и сделали, когда лошади начали двигаться под крики кучеров. Мы соскользнули, когда шмен-фе начало набирать скорость, и смотрели, как катятся дальше эти экипажи. Мы проделали в юго-восточном направлении от пятидесяти до ста миль. Меньше ста, впрочем, иначе мы бы увидели обозначенные на карте руины одного из огромных городов древних. Мы решили, что нужно двигаться на юг.

Мы шли, пока было светло. По-прежнему было тепло, хотя появились облака. Мы поискали убежища до наступления темноты, но ничего не нашли и остановились в конце концов в сухой канаве. К счастью, ночью не полил дождь. Утром по-прежнему небо было облачное, но без дождя. Мы съели по куску хлеба с сыром и продолжили путь. Шли мы по склону на краю леса, в котором в случае необходимости легко было спрятаться. Генри первым достиг вершины и стоял там, окаменев, глядя вперед. Я ускорил шаг, тревожась из-за того, что он увидел. Дойдя до вершины, я тоже остановился в удивлении.

Перед нами в миле или двух лежали руины огромного города. Никогда ничего подобного я не видел. Город тянулся на мили, поднимаясь на холмы и опускаясь в долины. Лес вторгся в него — повсюду виднелась зелень деревьев, — но чем дальше, тем все больше было серого, белого, коричневого цвета каменных зданий. Деревья росли вдоль рядов зданий, как вены чудовищного существа.

Мы стояли молча, пока Бинпол не пробормотал:

— Это построил мой народ.

— Сколько же жило здесь, как ты думаешь? — сказал Генри. — Тысячи? Сотни? Сотни тысяч? Может быть, больше?

— Предстоит большой обход, — заметил я. — Я не вижу конца.

— А зачем обходить? — удивился Бинпол. — Почему бы не пойти прямо?

Я вспомнил Джека и его рассказ об огромном корабле в гавани города неподалеку от Винчестера. Никому не приходило в голову, что можно не просто посмотреть издали; никто не приближался к огромным городам. Но такой способ мышления исходил от треножников, от шапок. Предложение Бинпола было пугающим, но соблазнительным.

Генри тихо сказал:

— Ты думаешь, мы сможем пройти через него?

— Можем попробовать, — ответил Бинпол. — Если будет слишком трудно, мы вернемся.

Природа вен стала яснее, когда мы приблизились. Деревья следовали старым улицам, пробиваясь сквозь черный камень, из которого они были построены, и поднимая вершины над каньоном, который с обеих сторон образовывали здания. Мы шли в их темной прохладной тени вначале молча. Не знаю, как другие, но мне потребовалось собрать все свое мужество. Птицы пели над нашими головами, подчеркивая тишину и уныние пустыни, по которой мы шли. Только постепенно начали мы интересоваться окружающим и разговаривать, вначале шепотом, потом более естественно.

Странное зрелище представилось нам. Признаки смерти, конечно, — белизна костей, на которых некогда была плоть. Мы ожидали этого. Но один из скелетов был втиснут в ржавый продолговатый корпус с утолщением посредине, стоявший на металлических колесах, одетых каким-то жестким черным веществом. Виднелись другие подобные же сооружения, и Бинпол остановился около одного, заглянул внутрь. Он сказал:

— Места для сидения. И колеса. Это какой-то экипаж.

— Не может быть, — возразил Генри. — Нигде нет упряжи. Может, она сгнила?

— Нет, — возразил Бинпол. — Везде одно и то же. Смотрите.

Я сказал:

— Может, это были хижины, в которых люди отдыхали, когда уставали идти.

— С колесами? Нет. Это экипажи без лошадей. Я уверен.

— Их двигал один из твоих котлов, конечно! — заметил Генри.

Бинпол совершенно серьезно ответил:

— Может, ты и прав.

Некоторые здания обрушились от старости и непогоды, кое-где на большом пространстве они были разбиты, казалось, молотом с неба. Но большинство было более или менее нетронуто, и мы зашли в одно из них. По-видимому, это был магазин, но огромных размеров. Множество металлических баночек рассыпано по полу, некоторые еще лежали на полках. Я подобрал одну из них. Она была обернута в узкую полоску бумаги с выцветшим рисунком сливы. На других банках тоже виднелись рисунки: фрукты, овощи, тарелки супа. Конечно, пища. И вполне разумно: если столько людей жило вместе, без обработки земли, пищу им должны были привозить в сосудах, как моя мать готовила продукты на зиму. Банки проржавели, в некоторых местах насквозь, внутри виднелось сухое нераспознаваемое месиво.

Магазинов были тысячи, и мы осмотрели многие. Содержимое их нас изумило. Огромные свертки ткани, которая еще сохранила дикие цвета и рисунки... ряды рассыпающихся бумажных коробок, полных истлевшей обуви... музыкальные инструменты, одни из них знакомые, но большинство нет... женские фигуры, сделанные из странного твердого вещества, одетые в обрывки платьев... Магазин, полный бутылок. Бинпол сказал, что в них было вино. Мы отбили горлышко у одной бутылки, попробовали, но скривили лица: вино давно прокисло. Кое-что мы захватили с собой: нож, маленький топорик с заржавевшим лезвием, которое можно было заточить; что-то вроде фляжки, сделанной из прозрачного голубого материала; она очень легка и в ней гораздо легче нести воду, чем во фляжках, которые нам дал капитан Куртис; и свечи... и тому подобное.

Но магазин, наполнивший меня благоговейным страхом, был совсем мал. Он втиснулся между двумя гораздо большими и наряду с обычными разбитыми стеклянными окнами имел внутри перегородку из проржавевшего металла. Я заглянул внутрь: похоже на пещеру Аладдина. Золотые кольца. Усаженные бриллиантами и другими камнями броши, ожерелья, браслеты. И множество часов.

Я подобрал одни. Тоже золотые и с тяжелым золотым браслетом, который растянулся, когда я сунул внутрь пальцы и развел их. Браслет мог прочно сидеть на запястье. Но, впрочем, более толстом, чем мое. Когда я надел часы, они соскользнули, поэтому мне пришлось надеть их выше. Они, конечно, не шли, но это были часы! Генри и Бинпол осматривали что-то на другой стороне улицы. Я хотел позвать их, но потом передумал.

Дело не в том, что мне не хотелось, чтобы у них были такие же часы, хотя и это отчасти. Тут вмешались и воспоминания о драке с Генри из-за отцовских часов, когда мне помог Джек. И еще кое-что. Моя неприязнь к Генри отодвинулась в глубину сознания из-за трудностей и опасностей, которые мы разделяли. Когда к нам присоединился Бинпол, я больше разговаривал с ним, а Генри до некоторого времени оставался в стороне. Я сознавал это и, боюсь, был доволен.

Но позже, особенно после прихода в огромный город, я почувствовал перемену. Но ничего определенного: только Генри больше разговаривал с Бинполом, а тот свои замечания адресовал обычно Генри; и вот уже если раньше мы говорили с Бинполом, а Генри был посторонним, то теперь таким посторонним все чаще становился я. И вот я отыскал магазин с драгоценностями и часами, оставив себе странную машину с четырьмя рядами маленьких белых кружочков с буквами. Я снова взглянул на часы. Нет, не стану их звать. Постепенно мы перестали обращать внимание на магазины. Частично потому, что наше любопытство пресытилось, но отчасти и из-за того, что мы уже семь часов шли по городу, а никаких признаков его конца не было. Даже наоборот. В одном месте, где образовалась гигантская груда обломков, мы взобрались на ее верх сквозь кусты и увидели море зелени и рухнувшего камня. Оно тянулось бесконечно, как настоящее море, усеянное рифами. Без компаса мы бы заблудились, так как день был облачный и невозможно было определить направление по солнцу. Но мы знали, что по-прежнему движемся на юг.

Мы пришли в район более широких улиц, обрамленных огромными зданиями. Улицы уходили вдаль. Мы остановились поесть в месте, где встречались несколько таких улиц. Здесь деревья не сумели пробиться, и мы сидели на камне, ели мясо и жесткие сухари, которые дал нам капитан Куртис: хлеб мы уже весь съели. Потом мы отдыхали, но через некоторое время Бинпол встал. И Генри пошел за ним. Я лежал, глядя в серое небо, и вначале не ответил, когда они позвали меня. Но Бинпол позвал снова, и голос его звучал возбужденно. Казалось, они нашли что-то интересное.

Это оказалось огромное отверстие, окруженное с трех сторон ржавыми перилами, со ступенями, ведущими вниз, в темноту. Сверху, против входа, виднелась металлическая пластина с надписью «МЕТРО».

Бинпол сказал:

— Ступени такие широкие, что тут могут пройти в ряд десять человек. Куда они ведут?

— Какое нам дело? — ответил я. — Если мы не отдыхаем, лучше двигаться.

— Если бы я мог взглянуть... Зачем был построен такой огромный тоннель?

— Ты там ничего не увидишь.

— У нас есть свечи, — напомнил Генри.

Я гневно сказал:

— Но нет времени. Я не хочу проводить здесь ночь.

Они не обратили на это внимания. Генри сказал Бинполу:

— Мы можем немного спуститься и поглядеть.

Бинпол кивнул.

— Это глупо! — заявил я.

— Ты можешь не ходить, если не хочешь, — возразил Генри. — Оставайся здесь и отдыхай.

Он сказал это равнодушно, в то же время отыскивая в мешке свечи. Их следовало зажечь, а огниво хранилось у меня. Но они были настроены решительно, и я сдался:

— Я иду с вами. Хотя по-прежнему считаю все это бессмысленным.

Ступени привели в пещеру, которую мы осмотрели, насколько позволял слабый свет свечи. Тут не было доступа непогоде, и поэтому предметы сохранились лучше, чем наверху: виднелись странные машины с полосами ржавчины, но в целом не тронутые разрушением, и что-то вроде ящика с целыми стеклами.

Из пещеры вели тоннели: некоторые, как тот, по которому мы вошли, вели вверх, а другие — еще глубже вниз. Бинпол решил исследовать один из них и выполнил намерение, несмотря на возражения. Лестница оказалась очень длинной, а у подножия ее направо отходил другой, меньший тоннель. Даже тот слабый интерес, который у меня был, теперь совершенно исчез; я хотел одного — возвратиться к дневному свету. Но я не стал говорить об этом. Мне показалось по отсутствию энтузиазма в ответах на реплики Бинпола, что Генри не больше меня хочет идти дальше; может, даже меньше. Я получил от этого небольшое удовлетворение.

Бинпол шел впереди по тоннелю, который повернул и окончился воротами с тяжелой железной решеткой. Когда он толкнул их, ворота заскрипели и открылись. Мы прошли внутрь, рассматривая то, что можно было увидеть.

Это был другой тоннель, но гораздо больше предыдущих. Мы стояли на ровном камне, а тоннель изгибался над нашими головами и уходил за пределы досягаемости света свечи. Но нас удивил стоящий рядом предмет. Вначале я решил, что это дом — длинный низкий узкий дом из стекла и металла, и подумал, кто же решался жить здесь, глубоко под землей. Потом я увидел, что он стоит в широкой выемке, что под ним колеса и колеса эти стоят на длинных металлических полосках. Это было что-то вроде шмен-фе.

Но куда же оно вело? Неужели этот тоннель уходил на сотни миль, но под землей? Может быть, к подземным городам, чьи чудеса были даже удивительнее города над нами. Но как? Мы пошли вдоль выемки и обнаружили, что длинный экипаж соединен с другими такими же — мы насчитали их шесть, — а сразу за последним экипажем был вход в другой, меньший тоннель; металлические линии уходили в него и терялись из виду.

Последний экипаж оканчивался окнами, смотрящими вперед. Внутри здесь было сиденье, ручки, инструменты. Я сказал:

— Нет места для привязывания лошадей. И как они могли тащить под землей?

— Должно быть, тут использовали твой паровой котел, — сказал Генри.

Бинпол жадно смотрел на незнакомые приборы.

— Или что-то еще более удивительное, — отозвался он.

Возвращаясь, мы заглянули в экипажи: часть их стен была открыта и туда можно было войти. Внутри были сиденья и груды различных предметов, включая баночки с едой, которые мы находили в магазинах; и здесь они не проржавели: воздух внизу был сухой и прохладный. Назначение других вещей мы не могли понять — например, груда деревянных ручек с металлическими цилиндрами. С одной стороны виден был металлический полукруг, а внутри него маленький рычажок. Он щелкал, когда на него нажимали пальцем, но ничего не происходило.

— Значит, они перевозили товары, — сказал Бинпол, — и людей, поскольку тут есть сиденья.

— А это что? — спросил Генри.

Это был деревянный ящик, полный предметов, похожих на большие металлические яйца — размером с гусиные. Генри подобрал один из них и показал Бинполу. Предмет был сделан из металла с рубчатой поверхностью, и на одном его конце висело кольцо. Генри потянул за него, и оно выскочило.

— Дай я посмотрю, — сказал Бинпол.

Генри протянул ему яйцо, но весьма неуклюже. Оно выпало, прежде чем Бинпол его подхватил, упало на пол и покатилось. Докатилось до края пола и упало в углубление внизу. Генри собирался пойти за ним, но Бинпол схватил его за руку.

— Оставь. Тут есть другие.

Он наклонился к ящику, когда это произошло. Ужасный грохот послышался у нас под ногами, и большой металлический экипаж задрожал. Я схватился за столб, чтобы не упасть. Эхо грохота отражалось в тоннеле, как удаляющиеся удары молота.

Генри потрясенно спросил:

— Что это?

Бинпол уронил свечу и наклонился, отыскивая ее. Подобрал и отдал Генри, чтобы тот снова зажег ее. Я сказал:

— Если бы оно не укатилось под экипаж...

Не нужно было добавлять подробности. И Бинпол заметил:

— Похоже на фейерверк, но более мощное. Для чего древние использовали такие штуки?

Он взял еще одно яйцо. Генри заявил:

— Я не стал бы связываться с ним.

Я согласился с ним, но промолчал. Бинпол отдал Генри свою свечу, чтобы лучше разглядеть яйцо.

Генри сказал:

— Если оно разорвется...

— Раньше они ведь не взрывались, — сказал Бинпол. — Их принесли сюда. Не думаю, чтобы простое прикосновение... Кольцо... — Он положил на него палец. — Вытягиваешь, и оно падает, а немного спустя...

Прежде чем я понял, что он собирается делать, он вытащил кольцо из яйца. Мы оба крикнули, но он не обратил на это внимания, подошел к отверстию и бросил яйцо под экипаж.

На этот раз вместе со взрывом послышался звон стекла, и порыв воздуха задул мою свечу. Я гневно проговорил:

— Глупо так делать!

— Пол защитил нас, — сказал Бинпол. — И я думаю, риск невелик.

— Нас могло поранить осколками стекла.

— Вряд ли.

Впоследствии я понял, что Бинпол поддается разумным доводам, лишь пока не затронуто глубоко его любопытство. Когда что-то интересовало его, он не думал об опасности.

Генри сказал:

— Все равно я не стал бы так больше делать.

Очевидно, он разделял мои чувства.

Бинпол сказал:

— Теперь и не нужно. Мы знаем, как оно действует. Я сосчитал до семи после того, как выдернул кольцо.

Приятно было снова почувствовать себя в большинстве, хотя другой частью большинства был Генри. Я сказал:

— Ну ладно. Ты знаешь, как оно действует. И что хорошего это нам даст?

Бинпол не ответил. Он нашел себе в одном из магазинов мешок — кожа позеленела и заплесневела, но легко очистилась — и теперь вынимал из ящика яйца и складывал их в мешок.

— Ты хочешь взять их с собой? — спросил у него я.

Он кивнул.

— Может, пригодятся.

— Для чего?

— Не знаю. Увидим.

Я спокойно сказал:

— Не нужно. Это опасно для нас.

— Никакой опасности нет, пока кольцо не выдернуто.

Он уже положил в мешок четыре яйца. Я поглядел на Генри, ожидая поддержки. Но тот сказал:

— Я думаю, они могут быть полезны. — Он взял одно из них и взвесил в руке. — Тяжелое, но я тоже возьму парочку.

Не знаю, сказал ли он это, чтобы возразить мне, или на самом деле так думал. Я горько подумал, что особой разницы тут нет. Я снова был в меньшинстве.

Мы прошли по тоннелю, и я был очень рад снова увидеть небо, хотя оно и было облачным и грозило дождем. Вскоре путь нам преградила река, быстро бегущая между высокими берегами. Через нее перекинуто много мостов, но те, которые мы видели, были частично или полностью разрушены. От того, что находился прямо перед нами, осталась лишь груда обломков, вокруг которых пенилась вода. Мы пошли по берегу на восток.

Четыре моста оказались безнадежными, но затем река разделилась. Мне казалось, что если мы будем и дальше двигаться на восток, нам придется искать целых два моста, а это вдвойне трудно, и поэтому лучше вернуться и попробовать идти в противоположном направлении. Но Генри возражал, а Бинпол поддержал его. Я ничего не мог поделать и побрел за ними.

Мое недовольство ничуть не уменьшилось от того, что по следующему мосту можно было перейти, хотя парапет с одной стороны совершенно исчез, а в середине моста виднелась дыра, по краю которой нам пришлось пробираться с большой осторожностью. На противоположной стороне было сравнительно мало деревьев, а здания были массивнее. А потом мы вышли на открытое место, в конце которого виднелось строение. Даже в развалинах оно показалось мне замечательным.

Впереди возвышались две одинаковые башни, у одной из них обвалилась стена. На них и на всем фасаде были каменные статуи, а на крыше и на углах виднелись фигуры чудовищных животных. Я догадался, что это собор, но он был больше собора в Винчестере, который я когда-то считал самым большим зданием в мире. Огромные деревянные ворота были открыты, створки повисли на петлях и подгнили. Часть крыши нефа обвалилась, и между столбами и контрфорсом видно было небо. Мы не пошли внутрь; я думаю, никто из нас не захотел тревожить мертвого молчания храма.

Дальше мы обнаружили, что, в сущности, не перешли реку, а оказались на острове. Река, которая разделилась на западе, снова соединялась на востоке. Пришлось возвращаться по тому же мосту. Я не жалел, видя разочарование Генри, но настолько устал, что подумал: вряд ли это стоило лишних усилий.

В это время Бинпол спросил:

— Что у тебя на руке?

Я и не заметил, как часы соскользнули на запястье. Я показал им их. Генри посмотрел с завистью, но ничего не сказал. Бинпол проявил больше интереса. Он проговорил:

— Я видел часы, но не такие. Как их завести?

— Нужно повернуть кнопку в боку. Но я не стал этого делать: они слишком стары.

— Однако они идут.

Я недоверчиво посмотрел сам. Кроме часовой и минутной стрелки, была и третья, очень тонкая. И эта третья стрелка двигалась по циферблату. Я поднес часы к уху: они тикали.

На боку у часов видна была надпись: «автоматические». Похоже на колдовство. Но, конечно, это было еще одно чудо древних.

Мы все смотрели на часы. Бинпол сказал:

— Им не менее ста лет. И однако, механизм действует! Какие они были мастера!

Через полмили мы наконец перебрались на ту сторону реки. По-прежнему не было признаков конца города: его огромность, которая вначале пугала, потом внушала благоговение и удивление, стала теперь утомительной. Мы миновали множество магазинов, включая и больший, чем собор; его стена обвалилась, и мы видели, что это магазин или серия магазинов. Но мы не стали его исследовать. Видели мы и другие тоннели с надписью «Метро». Бинпол решил, что в этих местах люди заходили и садились в подземные шмен-фе. И я думаю, он прав.

Мы тащились вперед. День подходил к концу. Мы очень устали. К ужину — он был очень скуден, потому что наши запасы еды подходили к концу, а было ясно, что здесь мы их не пополним — мы поняли, что нам придется провести ночь в городе. Нам не хотелось спать в городском здании, но отдаленный вой заставил нас изменить намерения. Если поблизости бегает стая диких собак, лучше не выходить на улицу. Обычно они не нападают на людей, если только не очень голодны; но мы не могли знать, каково состояние их желудков.

Мы выбрали подходящее здание и пошли на первый этаж, осторожно проверяя ступеньки, чтобы они не обвалились. Ничего не случилось, только пыль заставила нас закашляться. Мы нашли комнату, в окнах которой оказались целы стекла. Занавески и обивка поблекли и были проедены молью, но пользоваться ими было можно. Я нашел большой глиняный кувшин с тяжелой крышкой и нарисованными по бокам розами. Когда я поднял крышку, кувшин оказался полон увядших розовых лепестков. Их запах напомнил о столетней давности лет. Тут было и пианино, большое и другой формы, чем те, что я видел. На стене в рамке висела картина — черно-белая — с изображением женщины. Женщина была прекрасна, хотя прическа ее совсем не напоминала прически женщин в наши дни; у нее были большие темные глаза и мягко улыбающийся рот. Ночью я проснулся, в воздухе по-прежнему чувствовался запах роз, а лунный свет через стекло падал на крышку пианино. И мне показалось, что я вижу фигуру за пианино, тонкие пальцы нажимают на клавиши, слышна призрачная музыка.

Конечно, ерунда. Уснув, я увидел себя снова в убежище с Джеком, когда я еще не беспокоился о шапках и треножниках и не думал о путешествии дальше, чем от Вертона в Винчестер. А ведь это было так недавно.

Лунный свет оказался обманчив. Утром небо затянулось тучами. Хотя нам и хотелось побыстрее выбраться из города, мы решили переждать дождь. Из еды у нас оставался кусок сыра, кусок сушеного мяса и сухари. Мы разделили сыр. Еды было еще на один раз; после этого придется идти натощак.

Генри отыскал шахматы и сыграл несколько партий с Бинполом, который легко выиграл. Я играл с ним и тоже проиграл. Я стал играть с Генри. Вначале я думал, что легко выиграю у него: мне казалось, что с Бинполом я играл лучше его. Но я проиграл на двадцатом ходу. Разозлившись, нервничая из-за дождя и голода, я отказался играть дальше и подошел к окну. Небо начало проясняться, его серый цвет местами сменялся голубым. Через четверть часа дождь прекратился, и мы смогли идти дальше.

Улицы были сырые; там, где росли деревья, было грязно; общая влажность усиливалась из-за капель с крыш и ветвей. Все равно что идешь под дождем, и так же сыро; вскоре мы насквозь промокли. Но позже небо окончательно прояснилось, птицы, казалось, проснулись вторично и наполнили все вокруг своим щебетом и пением. Капли по-прежнему падали, но реже; на землю пролились лучи солнца. Бинпол и Генри разговаривали все веселее. Я же оживал не так быстро. Я почувствовал усталость, меня лихорадило, и болела голова. Похоже, я простудился.

В последний раз мы поели в месте, где густо росли деревья, не разделенные зданиями. Причина заключалась в каменных плитах, частью стоящих прямо, но больше упавших, которые рядами уходили во тьму деревьев. На ближайшем камне было вырезано:

Здесь лежит
Марианна Луиза Водрикор
13 лет
умерла 15 февраля 1966 года

Надпись нам перевел Бинпол.

Значит, она умерла в моем возрасте и была погребена здесь, когда город еще жил. В один из зимних дней. Так много людей. Каменные надгробия занимали расстояние, на котором могло поместиться несколько таких деревень, как наша.

Уже после полудня мы пришли к южному краю города. Переход был неожиданным. Мы прошли около ста ярдов сквозь густую поросль деревьев, миновали несколько полностью разрушенных зданий и оказались на пшеничном поле. Зеленые колосья качались в косых солнечных лучах. Какое облегчение снова оказаться в открытой местности и в цивилизованной земле! Но тут же пришло сознание, что необходима осторожность: через несколько полей шла лошадь с плугом, а на горизонте виднелись два треножника.

По мере нашего продвижения на юг снова показались облака. Мы наткнулись на картофельное поле, но не могли отыскать дров, чтобы испечь картошку. Генри и Бинпол поели сырой картошки, но я не мог. Впрочем, я не хотел есть, и у меня болела голова. Ночь мы провели в развалинах вдали от домов. Крыша на одном конце обвалилась, но на другом еще держалась; она была рифленой и сделана из серого материала, похожего на камень, но более легкого. Ночью мне снились кошмары, а утром я почувствовал еще большую усталость. Должно быть, я плохо выглядел, потому что Генри спросил, не заболел ли я. Я оборвал его, он пожал плечами и занялся другим. Бинпол ничего не сказал. Вероятно, он ничего и не заметил. Люди его интересовали гораздо меньше идей.

Для меня это был тяжелый день. С каждым часом я чувствовал себя все хуже, но не собирался этого показывать. Вначале я не хотел сочувствия, потому что негодовал из-за того, что они ближе друг к другу, чем ко мне. Потом я сердился из-за того, что ни Генри, ни Бинпол не обращали внимания на мое состояние. Боюсь, я чувствовал некоторое удовлетворение от своей болезни и от того, что я так хорошо держусь. Конечно, это было ребячество.

Во всяком случае, отсутствие у меня аппетита не произвело особого впечатления, потому что у нас не было еды. Мы дошли до широкой реки, текущей на юго-восток, вдоль которой в соответствии с картой мы должны были идти. Генри провел полчаса, стараясь безуспешно поймать у берега рыбу. Я в это время лежал в полубессознательном состоянии, смотрел в небо и наслаждался отдыхом.

К вечеру после бесконечных пшеничных и ржаных полей мы увидели сад. Рядами стояли вишни, сливы и яблони. Яблоки, конечно, еще неспелые, но даже на расстоянии мы видели золотые сливы и черно-красные вишни. Беда в том, что ферма стояла рядом с садом, и оттуда хорошо видны были ряды деревьев. Позже, конечно, когда стемнеет, все будет по-другому.

Генри и Бинпол разошлись во мнениях. Генри считал, что нам нужно остаться: тут по крайней мере есть хоть надежда поесть. Бинпол настаивал, что нужно идти, пока светло. Позже еще представится возможность добыть пищу. На этот раз я не чувствовал удовольствия от их спора: слишком мне было плохо.

Я поддержал Генри, но лишь потому, что не мог двигаться. Бинпол сдался, и они стали ждать.

Когда они попытались меня поднять, я не обратил на это внимания, погруженный в забытье. Они оставили меня и ушли. Я не знаю, сколько времени прошло, но они снова попытались поднять меня, предлагая мне фрукты и сыр, который Бинпол украл на сыроварне, примыкавшей к ферме. Я ничего не мог есть, и тут они впервые поняли, что я по-настоящему болен. Они пошептались, потом поставили меня на ноги и повели, поддерживая с обеих сторон.

Позже я узнал, что в конце сада был старый сарай, который казался брошенным, и они решили отвести меня туда: снова собирался дождь и действительно шел всю ночь. Сознавал только, что меня тащат и наконец позволяют лечь. Потом начались кошмары, после которых я приходил в себя с криком.

Затем с некоторой ясностью я понял, что поблизости лает собака. Вскоре дверь сарая распахнулась, в лицо мне ударило солнце, и я увидел фигуру человека. Послышались громкие голоса, говорящие на незнакомом языке. Я попытался встать, но снова упал.

Потом я лежал на прохладной простыне в мягкой постели, и ко мне склонялась серьезная темноглазая девушка в голубой шапке, похожей на тюрбан. Я удивленно смотрел мимо нее на окружающее: высокий белый потолок, расписанный узорами, стены темного дерева, занавеси алого бархата вокруг кровати. Я никогда не знал такой роскоши.

Глава 6

ЗАМОК КРАСНОЙ БАШНИ

Генри и Бинпол поняли, что я не в состоянии двигаться. Конечно, они могли оставить меня и уйти. Но, отказавшись от этого, они должны были либо увести меня подальше с фермы, либо оставаться в сарае, надеясь, что нас не обнаружат. Что касается первого выхода, то поблизости не видно было никакого убежища. А сарай выглядел так, будто в него давно никто не заглядывал. И они решили оставаться в нем. Рано утром они нарвали еще вишен и слив и вернулись, чтобы поесть.

Часа через два пришли люди с собакой. Мы так никогда и не узнали, была ли это случайность, или их заметили в саду, или Бинпол оставил следы в сыроварне. Но люди уже стояли в дверях, и собака с ними — огромная, размером с небольшого осла, и зубы ее были оскалены. Оставалось только сдаться.

Бинпол заранее выработал план на такой случай, чтобы объяснить, почему ни я, ни Генри не говорим на его языке. Мы его двоюродные братья, оба глухонемые, мы должны будем молчать и делать вид, что ничего не слышим. Что касается меня, то так и случилось, потому что я был без сознания. А Бинпол считал: так мы вызовем меньше подозрений, нас не будут строго караулить и, когда представится возможность, мы все убежим. Не знаю, сработал бы этот план — я находился в таком состоянии, что не мог бежать. Но произошло нечто совсем иное. Именно в это утро проезжала по району графиня де ла Тур Роже и завернула на ферму.

Забота о больных и раздача подарков были в обычае знатных леди. Когда была жива жена сэра Джеффри леди Мэй, она тоже так поступала в Верноне; одно из моих первых воспоминаний — я получаю от нее большое красное яблоко и сахарную свинку. Что же касается графини, то, насколько я могу судить, щедрость и забота о других были не просто выполнением обязанности, но сущностью ее натуры. Она была очень добра, и страдания другого существа — человека и животного — причиняли ей боль. Жена фермера месяц назад обожгла ноги. Сейчас она уже совсем поправилась, но графиня должна была убедиться в этом. На ферме ей рассказали о трех пойманных мальчишках, двое из них глухонемые, причем один болен. И она немедленно начала о нас заботиться.

С ней оказалась порядочная компания. Девять или десять леди и три рыцаря сопровождали графиню. Были также оруженосцы и конюхи. Бинпола и Генри посадили перед конюхами, но меня взял один из рыцарей и привязал к себе поясом, чтобы я не упал. Я ничего не помню об этой поездке, оно и к лучшему. До замка было больше десяти миль, и большая часть пути проходила по неровной местности.

Девушка, склонившаяся надо мной, когда я очнулся, была дочерью графини Элоизой.

Замок де ла Тур Роже стоит на холме у слияния двух рек. Он очень древний, но старые его части перестроены, а другие добавлены в разное время. Сама башня, наверное, новая, потому что сложена из красного камня, который нигде поблизости не встречается. В ней находятся комнаты семьи графа, там устроили и меня...

Башня стоит отдельно от других сооружений, выходя бойницами на реку и равнину. Поблизости теснятся другие здания: кухни, склады, помещения для слуг, псарни, конюшни, кузница — все необходимое для хозяйства. Апартаменты рыцарей в прекрасно содержащихся и украшенных домах, хотя в это время там жили только трое холостых рыцарей, остальные жили в своих поместьях поблизости от замка.

Часть рыцарских комнат была отдана оруженосцам. Это были мальчишки, которые обучались военному искусству, и Генри с Бинполом по приказу графини поместили среди них. Они быстро поняли, что опасности немедленно подвергнуться надеванию шапок нет, и решили выждать и посмотреть, как будут развиваться события дальше.

Все время я пролежал без сознания. Позже мне сказали, что я четыре дня не приходил в себя. Я помню незнакомые лица, особенно темноглазое лицо под голубым тюрбаном, которое становилось все более знакомым. Но только через неделю я окончательно пришел в себя. У моей постели сидела графиня, чуть поодаль стояла Элоиза.

Графиня улыбнулась и спросила:

— Тебе лучше?

Я должен выполнить решение... конечно. Я не должен разговаривать. Я ведь глухонемой. Как Генри. Где Генри? Глаза мои обежали комнату. Ветерок раздувал занавеси у высокого окна. Снаружи слышались голоса и звон металла.

— Уилл, — сказала графиня, — ты был очень болен, но тебе лучше. Тебе нужно только окрепнуть.

Я не должен говорить... Но она... она назвала меня по имени. И говорила по-английски.

Она снова улыбнулась.

— Мы знаем тайну. Твои друзья здоровы, Генри и Жан-Поль — Бинпол, как вы его называете.

Больше не было смысла притворяться. Я спросил:

— Они вам рассказали?

— В бреду невозможно следить за своим языком. Ты твердо решил не говорить и громко сказал об этом. По-английски.

Я со стыдом отвернул голову. Графиня сказала:

— Это не имеет значения. Уилл, посмотри на меня.

Голос ее, мягкий, но сильный, заставил меня повернуть голову, и я впервые рассмотрел ее по-настоящему. Лицо ее, слишком длинное, чтобы быть прекрасным, было добрым и мягким, она улыбалась. Волосы черные, чуть тронутые белизной, локонами падали на плечи, серебряные линии шапки виднелись над высоким лбом. Глаза были большие и честные.

— Я могу повидаться с ними?

— Конечно, Элоиза позовет их.

Нас троих оставили наедине. Я сказал:

— Я выдал нас. Ничего не смог сделать.

— Ты не виноват, — ответил Генри, — как ты себя чувствуешь?

— Неплохо. Что они собираются делать с нами?

— Ничего, насколько нам известно. — Он кивком указал на Бинпола. — Он знает больше меня.

Бинпол сказал:

— Они не похожи на горожан или жителей деревень. Те могли бы позвать треножников, эти — нет. Они считают, что для мальчиков хорошо уходить из дома. Их собственные сыновья тоже отсутствуют.

Я все еще чувствовал неловкость.

— Тогда они могут нам помочь, — сказал я.

Бинпол покачал головой, солнечный свет блеснул в линзах перед его глазами.

— Нет. Ведь в конце концов на них шапки. У них другие обычаи, но и они послушны треножникам. Они тоже рабы. Хотя и хорошо к нам относятся, но знать наши планы они не должны.

Я с новой тревогой сказал:

— Если я разговаривал... Я мог сказать что-нибудь о Белых горах.

Бинпол пожал плечами.

— Если даже так, они приняли это за бред. Они ничего не подозревают, считают, что мы убежали из дома, вы двое — из земли за морем. Генри взял у тебя карту. Мы ее спрятали.

Я напряженно думал.

— Тогда вы вдвоем должны бежать, пока это возможно.

— Нет. Потребуется несколько недель, чтобы ты был способен продолжать путь.

— Но вы можете уйти. Я пойду за вами, когда буду в состоянии. Карту я помню хорошо.

Генри обратился к Бинполу:

— Может, это и не так плохо.

Бинпол возразил:

— Нет. Если мы уйдем вдвоем, оставив его, они удивятся. Начнут нас искать. У них есть лошади, и они любят охоту. Поохотятся на нас после оленей и лис.

— Что же ты предлагаешь? — спросил Генри. Я видел, что Бинпол не убедил его. — Если мы останемся, на нас наденут шапки.

— Поэтому-то пока и лучше остаться, — был ответ Бинпола. — Я разговаривал с рабочими и парнями. Через несколько недель будет турнир.

— Турнир?

— Он происходит дважды в году: весной и летом. Пиры, игры, соревнования и борьба рыцарей. Турнир продолжается пять дней, но потом — день надевания шапок.

— И если мы тогда еще будем здесь... — проговорил Генри.

— На нас наденут шапки. Верно. Но нам не обязательно быть здесь. Ты к тому времени окрепнешь, Уилл. А во время турнира всегда большая суматоха. Мы уйдем, а нас целый день, а может, два-три никто не хватится. К тому же у них будет интересное занятие в замке, и им не захочется нас искать.

— Значит, до того времени, ты считаешь, нам ничего не нужно делать? — спросил Генри.

— Это разумно.

Я видел, что это так. Это также освобождало меня от перспективы, о которой я думал с ужасом, — от перспективы остаться одному. Я сказал, стараясь, чтобы голос мой не дрожал:

— Решайте вы вдвоем.

Генри неохотно сказал:

— Наверно, так и вправду будет лучше.

Время от времени мальчики приходили ко мне, но чаще я видел графиню и Элоизу. А изредка заглядывал и граф. Это был большого роста, некрасивый человек, прославившийся своим мужеством в турнирах и на охоте.

Однажды, лишившись лошади, он встретился лицом к лицу с огромным диким кабаном и убил его кинжалом.

Со мной он держался неловко, но дружелюбно, отпуская нехитрые шутки, над которыми сам же громогласно хохотал. Он плохо говорил по-английски, поэтому часто я его не понимал: знание языков считалось делом женщин.

Я до этого мало знал о дворянстве. В Вертоне люди из имения держались в стороне от сельчан. Теперь я узнал их ближе и, лежа в постели, имел время подумать о них, особенно об их отношении к треножникам. В этом, как и предположил Бинпол, они не отличались от других людей. Возьмем, например, их терпимость к побегам мальчиков из дома. Они относились к этому по-другому, чем селяне и здесь, и у нас в Вертоне, но это потому, что у них другой образ жизни. И капитаны в Рамни прекрасно понимали это. Для дворянства было естественно, что женщины должны быть прекрасны и образованны, а мужчины храбры. Войн не было, как некогда, но были другие возможности продемонстрировать свою храбрость. И мальчишка, пусть даже не благородный, который убежал от обычной жизни, по их мнению, поступил храбро.

И самое плохое, что вся эта храбрость и вся эта галантность — все напрасно. Потому что они принимали шапки и стремились к ним даже больше, чем их подданные. Это было обязательно для превращения мальчика в рыцаря, а девушки — в леди. Думая об этом, я понимал, как хорошие черты характера могут стать бесполезными. Какой смысл в храбрости без свободного разума, управляющего ею?

Элоиза учила меня говорить на их языке. Это оказалось легче, чем я ожидал: в нашем распоряжении было много времени, а она была терпеливым учителем. Труднее всего мне давалось произношение — приходилось произносить звуки в нос, и я иногда отчаивался. Настоящее имя Бинпола, как я узнал, было Жан-Поль, но даже эти простые звуки я произносил с трудом.

Через несколько дней мне позволили вставать. Старая моя одежда исчезла, и мне дали новую. Все оказалось из гораздо лучшего материала и более яркое, чем я привык: брюки были кремового цвета, а рубашка в первый день ярко-красная. К моему удивлению, их каждый вечер отправляли в стирку и заменяли новыми.

Мы с Элоизой ходили по комнатам и двору замка. Дома я не общался с девочками и чувствовал себя неловко, когда не мог избежать их общества, но с ней у меня не было и следа застенчивости. По-английски она, как и ее мать, говорила очень хорошо, но вскоре стала настаивать, чтобы я с ней говорил на ее языке. Благодаря этому моя речь быстро совершенствовалась.

Предполагалось, что я еще недостаточно выздоровел, чтобы присоединиться к другим мальчикам. Если бы я настаивал, мне бы, вероятно, разрешили это, но я с готовностью принимал сложившееся положение. Послушание увеличивало наши шансы уйти незаметно. К тому же казалось невеликодушным отказаться от доброты Элоизы. Она была единственным ребенком графа и графини, остававшимся в замке: два ее брата были оруженосцами в доме знатного герцога на юге, и у нее, казалось, не было подруг среди других девушек. Я понял, что она одинока.

Была и другая причина. Я все еще испытывал боль из-за того, что Генри заменил меня для Бинпола; встречаясь с ними, я видел, что они подружились. Конечно, их жизнь очень отличалась от моей. Возможно, они даже несколько ревновали из-за того, что меня так баловали. Но у нас было мало возможностей разговаривать, и тем более мы не рисковали обсуждать то самое важное, что было у нас общего.

Итак, я с охотой сменил их на Элоизу. И, подобно матери, она отличалась мягкостью. Подобно ей, испытывала глубокое сочувствие ко всем живым существам, от людей до цыплят, копавшихся в пыли у помещений слуг. У нее была материнская улыбка, но это было единственное, что сближало их внешне, потому что Элоиза была красива не только когда улыбалась, но и в неподвижности сна. У нее было небольшое овальное лицо, тонкая кожа и глубокие карие глаза.

Мне было интересно, какие у нее волосы. Она всегда носила тот же тюрбанообразный головной убор, полностью закрывающий голову. Однажды я спросил ее об этом. Вопрос я задал, запинаясь, по-французски, и либо она не поняла, либо сделала вид, что не понимает; тогда я прямо спросил по-английски. Она что-то сказала, но на своем языке и так быстро, что я не понял.

Мы стояли в маленьком треугольном садике, в том углу замка, который нависал над рекой. Никого не было видно и слышно. Только птицы пели да какой-то оруженосец покрикивал во дворе для верховой езды. Я был раздражен ее уклончивостью, поэтому схватил, наполовину играя, ее тюрбан. Тот подался. Элоиза стояла передо мной, ее голова была покрыта темным пушком волос, сквозь которые просвечивала серебряная сеть шапки.

Такая возможность не приходила мне в голову. Будучи невелик ростом, я не сомневался, что те, кто старше меня, они и выше — она же была на дюйм или два ниже. Черты лица у нее были нежные и маленькие.

По ее реакции я понял, что сделал что-то отвратительное, но что именно? Мне говорили: для девушки надевание шапки — часть превращения в леди. Придя в себя и снова надев тюрбан, Элоиза кое-что объяснила, говоря по-английски, так что я смог ее понять. Перед церемонией на девушку надевают тюрбан, и треножник возвращает ее тоже в тюрбане. В течение шести месяцев после этого никто, даже графиня, не должны видеть голову Элоизы. В конце этого времени в ее честь будет дан специальный бал, и здесь, впервые со времени надевания шапки, она покажется без тюрбана. А я сорвал с нее тюрбан, как с мальчишки кепку, играя в школе!

Она говорила не сердито, но с сожалением. Ей было стыдно, что я видел ее голову, но больше всего ее тревожило, что случилось бы со мной, если бы об этом узнали. Первое, но не последнее наказание — жестокая порка. Говорят, однажды за такое оскорбление убили человека.

Слушая, я испытывал противоречивые чувства. Тут была и благодарность за то, что она хотела защитить меня, и негодование: меня судили по кодексу, который ничего не значил для меня. У нас в Вертоне девочки, как и мальчишки, после надевания шапки возвращались с обнаженной головой. Чувства мои по отношению к Элоизе тоже были неопределенны. Я прошел длинную дорогу после ухода из деревни, и не только физически, но и в своем отношении к людям. Все больше и больше привыкал я смотреть на тех, у кого были шапки, как на существ, у которых не было важнейшего человеческого качества — живой искры неповиновения правителям мира. И я презирал их за это — презирал даже графа и графиню, несмотря на всю их доброту ко мне.

Но не Элоизу. Я считал ее свободной, как и я сам. У меня даже появилась мысль, что, когда мы снова двинемся к Белым горам, нас будет не трое, а четверо. Но вид ее обнаженной головы показал тщетность этих мыслей. Я начинал думать о ней как о своем друге, а может, и о большем. Но теперь я знал, что она душой и телом полностью принадлежит врагу.

Этот эпизод сильно встревожил нас обоих. Для Элоизы это был удар и по ее скромности, и по ее представлению обо мне. То, что я сорвал тюрбан, шокировало ее. И хотя она знала, что я сделал это в неведении, в ее глазах все равно это был признак варварства; а варвар остается варваром и во всем остальном. Она потеряла уверенность во мне.

Меня этот эпизод привел не к потере уверенности, а к обратному. Ничего-то из нашей дружбы не выйдет: резкая черная черта разделила нас. Оставалось только забыть о ней и сосредоточиться на самом главном — на необходимости добраться до Белых гор. Позже в тот же день я увиделся с Генри и Бинполом и предложил уходить немедленно: я был уверен, что уже достаточно окреп для путешествия. Но Бинпол настаивал на том, чтобы остаться до турнира, и на этот раз Генри полностью поддержал его. Я был рассержен и разочарован — я надеялся, что он поддержит меня. Снова между ними был союз, а я оказался вне его. Я тут же ушел от них.

На лестнице я встретил графа, который улыбнулся мне, сильно хлопнул по спине и сказал, что я выгляжу лучше, но все еще нуждаюсь в том, чтобы потолстеть. Что мне нужно есть побольше оленины. Ничто лучше оленины не восстанавливает силы. Я прошел в гостиную и застал там Элоизу. Ее лицо было освещено золотым блеском лампы. Она приветливо улыбнулась мне. Неуверенность не затронула ее верности и доброты, они были частью ее души.

Мы продолжали нашу дружбу, хотя между нами появились новые оттенки во взаимоотношениях. Теперь, когда я стал сильнее, мы могли выходить за пределы замка. Для нас седлали лошадей, мы выезжали из ворот, спускались по холму на луг, полный летних цветов. Я умел ездить верхом и вскоре стал искусен в этом занятии. Быстро усваивал я и язык страны.

Было несколько облачных и дождливых деньков, но в основном светило солнце, и мы ездили по теплой ароматной земле или, спешившись, сидели на берегу реки, глядя, как играет форель — серебро на серебре. Мы посещали дома рыцарей, и нам давали фруктовые напитки и пирожные. По вечерам мы сидели в гостиной графини, разговаривая с ней или слушая, как она поет, аккомпанируя себе на круглом струнном инструменте с длинным горлышком. Часто приходил сюда и граф и сидел, обычно молча.

Граф и графиня ясно показывали, что я им нравлюсь. Я думаю, это происходило частично оттого, что отсутствовали их сыновья. Таков был обычай, и им не приходило в голову нарушить его, но они явно горевали из-за их отсутствия. В замке были другие мальчишки благородного происхождения, но жили они в помещении рыцарей, присоединяясь к семье графа только за ужином, который накрывался в зале. Тогда за стол садились сразу тридцать — сорок человек. Я благодаря своей болезни и пребыванию в башне стал членом семьи, как никто из этих мальчиков.

Но хотя я знал, что они хорошо ко мне относятся, разговор, который однажды завела со мной графиня, изумил меня. Мы были одни: Элоиза занималась своими нарядами. Графиня вышивала, а я зачарованно следил за ее пальцами, искусно и легко делавшими мелкие стежки. Работая, она говорила, голос ее звучал негромко и тепло, с легкой хрипотцой, которая была и у Элоизы. Она спросила меня о здоровье — я сказал ей, что чувствую себя хорошо — и хорошо ли мне в замке. Я заверил ее и в этом.

— Я рада, — сказала она. — Может, ты не захочешь оставить нас.

Считалось само собой разумеющимся, что вслед за турниром мы втроем предстанем для надевания шапок. После этого, так как наша мальчишеская неуживчивость пройдет, мы вернемся в свои дома и начнем жизнь, какую ведут и взрослые. Меня поразило то, что сказала графиня.

Она продолжала:

— Твои друзья, я думаю, захотят уйти... Для них можно было бы найти место среди слуг, но я чувствую, что они будут счастливее в своих деревнях. Но ты — другое дело.

Я перевел взгляд с ее рук на лицо.

— А именно, миледи?

— Ты не благородный, но дворянство можно и заслужить. Даровать его во власти короля, а король — мой двоюродный брат. — Она улыбнулась. — Ты не знал этого? Он в долгу передо мной. Я спасла его от серьезной ошибки, когда он был еще мальчиком, без шапки. В этом не будет задержки, Гильом.

Гильом — так они произносили мое имя. Я знал это, но раньше графиня никогда не обращалась ко мне так. Голова у меня закружилась. Хотя я привык к замку и жизни, которую здесь вели, она всегда казалась мне немного нереальной. И этот разговор о короле... В Англии тоже был король, он жил где-то на севере. Я никогда не видел его и не ожидал увидеть.

Графиня говорила мне, что я могу остаться — она хочет, чтобы я остался, — и не как слуга, а как рыцарь. У меня самого будут слуги, и лошади, и оружие, изготовленное специально для меня, так что я смогу участвовать в турнирах, и место в семье графов де ла Тур Роже. Я смотрел на нее и видел, что она говорит искренне. Я не знал, что и ответить.

Графиня улыбнулась и сказала:

— Мы поговорим об этом еще, Гильом. Нам спешить некуда.

* * *

Нелегко писать о том, что было дальше.

Первой моей реакцией на слова графини было удивление. Неужели я откажусь от надежды на свободу, дам кому-то распоряжаться своим мозгом ради дорогой одежды и возможности иметь силу? Сама мысль об этом казалась мне абсурдной. Какие бы привилегии я ни получил, все равно я оставался б овцой среди овец. Утром, однако, проснувшись рано, я начал думать заново. И снова отверг эту мысль, решительно, но не так быстро, и с сознанием добродетельности этого. Принять предложение означало предать других: Генри и Бинпола, вагранта Озимандиаса, капитана Куртиса, всех свободных людей в Белых горах. Ничто не заставит меня сделать это.

Но мысль оказалась коварной. Отныне я уже не мог забыть о ней. Конечно, я не приму предложения, но если... Вопреки своему желанию, я думал об открывающихся возможностях. Я уже настолько изучил язык, что мог разговаривать с жителями замка, хотя они и смеялись над моим акцентом. И, казалось, меня так много ждало впереди... После турнира будет праздник урожая, потом охота. Они говорили о том, как приятно выезжать ранним утром, когда трава скрипит под ногами лошади, о псах, лающих на склонах холмов, об охоте, о возвращении домой с добычей, о том, как разжигают очаг в большом зале и жарят туши целиком. А позже — праздник Рождества, который длится двенадцать дней. Тогда приходят жонглеры и певцы. Потом весна и соколиная охота — выпускаешь сокола в небо, и он камнем падает на добычу. А потом лето, и снова турнир, и так круглый год.

К этому времени изменилось и мое отношение к окружающим людям. В Вертоне разница между мальчиками и взрослыми мужчинами проявлялась резче, чем здесь. Там все взрослые, даже мои родители, казались мне чужими. Я уважал их, восхищался или боялся, даже любил их, но я не знал их так, как узнал в замке. И чем ближе я узнавал их, тем труднее было мне их презирать. Они были в шапках, они приняли треножники и все, что стояло за ними, но это не помешало им, как графу, графине, Элоизе и другим, остаться добрыми, щедрыми, храбрыми и счастливыми.

Именно в этом, как ни невероятно, заключалась суть. До надевания шапок могли существовать сомнения, неуверенность, отвращение; эти люди, вероятно, тоже знали их. Когда шапка надета, сомнения исчезали. Большая ли это потеря? И потеря ли вообще? Треножники, помимо самого акта надевания шапок, казалось, не вмешивались в жизнь людей. Конечно, были случаи, как на море с «Орионом». Капитан Куртис рассказывал, что иногда при этом тонут корабли, но сколько их погибло в ураганах и разбившись о скалы? Озимандиас рассказывал о людях, работающих в подземных шахтах, чтобы добыть металл для треножников, об охоте треножников на людей, о том, что люди служат им в их городах. Но даже если это правда, то все это происходит очень далеко. И совершенно не затрагивает эту безопасную и приятную жизнь.

Снова и снова возвращался я к самому главному — верности Генри, Бинполу и остальным. Но даже эта мысль, по мере того как проходили дни, казалась все менее и менее убедительной. В поисках спасения я разыскал Генри и Бинпола и опять предложил им немедленно уходить. Они спокойно отвергли мое предложение. У меня сложилось впечатление, что они не хотят со мной разговаривать и с нетерпением ждут, когда я уйду. Я ушел, негодуя на их холодность, но в то же время немного радуясь ей. Если ищешь оправданий для неверности, хорошо иметь повод для негодования.

К тому же была Элоиза. Мы гуляли, ездили верхом, разговаривали, и постепенно сдержанность и неловкость, появившиеся после случая в саду, преодолевались; нам снова было хорошо, мы были довольны обществом друг друга. Однажды мы сели в лодку, и я греб вверх по течению к острову. День был жарким, но в траве под деревьями было прохладно, а стрекозы, красные и желтые бабочки танцевали в воздухе над текущей водой. Я не рассказывал ей о предложении графини, она сама упомянула об этом. Она считала несомненным, что я останусь, и я почувствовал от этого странное удовольствие. Будущее здесь, в этой богатой и прекрасной стране, в замке, с Элоизой...

Если только надевание шапки окончится благополучно, напомнил я себе. А почему бы и нет? Капитан Куртис предупредил меня, когда местный язык был для меня бессмысленным набором звуков. Теперь же, хотя до совершенного владения мне было далеко, я его понимал. Не мог я стать вагрантом и из-за сопротивления: ведь я очень много выигрывал.

Я напомнил себе то, о чем думал, когда лежал в постели после лихорадки. Ничто не важно, ничто не имеет ценности, если несвободен мозг. Но это настроение теперь казалось далеким и нереальным. Треножники подчинили людей, когда те находились в расцвете своей власти и величия, способные создавать огромные города, корабли, а может, и еще большие чудеса. Если наши предки со всей их силой потерпели неудачу, какими жалкими выглядят усилия горстки людей, цепляющихся за голые горные склоны. И если нет надежды победить, то какая альтернатива? Жить, подобно преследуемым животным, переносить трудности и отчаяние — и эта жизнь, с ее полнотой, безопасностью и счастьем?

Во время гребли часы съехали мне на запястье и стали мешать. Вначале я думал, что графиня и другие заинтересуются ими — захотят узнать, как попало к мальчику такое чудо, но они не проявили никакого интереса. У них не сохранилось никаких следов мастерства древних, а время ничего не значило для них. Во дворе были солнечные часы, и этого было достаточно. Я снял часы, которые мешали грести, и бросил их Элоизе, чтобы она их подержала. Но она умела ловить не лучше других девушек, и часы упали за борт. Я успел заметить, как они исчезают в зеленой глубине. Элоиза расстроилась, но я успокоил ее, сказав, что потеря невелика. И в тот момент это действительно было так.

Время турнира быстро приближалось. Повсюду чувствовалось возбуждение и приподнятость. На лугу воздвигались большие палатки для тех, кому не хватит места в замке. С утра до вечера звенело оружие, рыцари непрерывно тренировались; насмешливые крики сопровождали неудачные выпады. Я принял участие в тренировках и обнаружил, что неплохо владею конем и легко попадаю в кольцо.

Я продолжал размышлять. Возьмем, например, верность. Верность кому? Люди в Белых горах даже не знают о моем существовании. Для Озимандиаса и капитана Куртиса я был одним из многих мальчишек, отправленных ими на юг. А Генри и Бинпол? Нужен ли я им вообще? Казалось, нет. Может, им лучше без меня?

С утра шел дождь, но к полудню прояснилось, и состоялись предварительные поединки. Я увидел Генри и Бинпола на утоптанном поле, где слуги убирали помет. Стены и башня замка вырисовывались на фоне заходящего солнца.

Бинпол сказал, что уходить нужно завтра рано утром до того, как поднимутся слуги на кухне. Они уже сложили еду в мешки. Мой мешок исчез вместе со старой одеждой, но Бинпол сказал, что это не важно: у них еды вполне достаточно. Я должен встретиться с ними у ворот замка в назначенное время.

Я покачал головой:

— Я не приду.

— Почему, Уилл? — спросил Бинпол.

Генри ничего не сказал, но на его широком лице появилась улыбка, и я почувствовал в тот момент, что ненавижу его больше, чем когда-либо в Вертоне. Его мысли и презрение были совершенно очевидны.

— Вы можете уйти незаметно. Но я — нет. И мое отсутствие за завтраком заметят и начнут искать.

— Верно, Бинпол, — сказал Генри. — Граф не захочет терять своего приемного сына.

Я не предполагал, что им станет известно об этом. Бинпол смотрел на меня, и его глаза за линзами ничего не выражали.

— Я даю вам день, может быть, два, чтобы вы ушли подальше. Я пойду следом. Постараюсь вас догнать, но вы не должны меня ждать.

Генри рассмеялся:

— И не будем!

Я говорил себе, что еще не принял решения. Правда, что им двоим уйти легче, но правда и то, что я смогу последовать за ними, — я хорошо помнил карту. Но правда было и то, что завтра, на второй день турнира, будет избрана собравшимися рыцарями королева турнира. А я был уверен, что выберут Элоизу. Не потому, что она дочь графа, а потому, что она действительно прекраснее всех.

Бинпол медленно сказал:

— Хорошо. Может быть, так будет лучше.

— Удачи вам.

— И тебе. — Он слегка покачал головой. — Удачи тебе, Уилл.

Я повернулся и пошел в башню. Генри сказал мне что-то вслед, но я не расслышал и не стал возвращаться.

Глава 7

ТРЕНОЖНИК

На следующий день я проснулся рано. Было еще время присоединиться к ним, но я не шевельнулся. Окно моей комнаты выходило на юг, я видел темно-синее небо и одну яркую звезду на нем. Я был рад хорошей погоде. Им будет легче идти, но и турнир, и выборы королевы пройдут лучше. Я лежал и смотрел в небо, пока снова не заснул, и проснулся вторично, когда служанка постучала в дверь. Небо побледнело и блестело золотом.

Никто не упоминал о Генри и Бинполе; и никто, казалось, не заметил их отсутствия. Я не удивился этому: турнир был в полном разгаре, все были возбуждены и полны ожиданий. После завтрака мы отправились на поле к павильонам. Но без Элоизы. Я ее не видел все утро. Она выйдет вместе с другими леди, чтобы предстать перед рыцарями. Мы заняли места в павильоне, и, пока ждали, певцы развлекали нас балладами. Потом послышался шум: появились леди.

Их было одиннадцать. Десять были одеты роскошно, в расшитые золотом и серебром платья, шлейфы их несли служанки, чтобы они не волочились в пыли. Головы у леди были обнажены, волосы высоко взбиты и украшены яркими лентами, которые сверкали на солнце. Одиннадцатой была Элоиза. На голове у нее, конечно, был тюрбан, она оделась в простое платье, темно-синее, с отделкой белыми кружевами. Самая молодая, она шла последней, и ее не сопровождала служанка. Под гул барабанов леди прошли по полю к павильону и остановились, склонив головы. Прогремели фанфары.

Одна за другой выходили они вперед. Таков был обычай, и рыцари, выбиравшие эту леди, обнажали мечи и поднимали их. После первых двух или трех не оставалось никаких сомнений в результате. Каждой леди салютовали несколько рыцарей, чтобы никому не было позора, но когда вперед выступила Элоиза, в своем простом платье, мечи поднялись, как серебряный и золотой дождь на солнце, и вначале рыцари, а потом и зрители закричали о своем выборе, и мне захотелось смеяться и плакать в одно и то же время.

Она выступила вперед, другие леди следовали за ней, а она стояла серьезная и трогательная в своей невинности, а отец ее, граф, осторожно укрепил корону на ее тюрбане. И подданные проходили мимо, чтобы поцеловать ей руку, и среди них — я.

В этот день я не разговаривал с ней. У нее были свои обязанности — восседать в отдельной ложе, награждать победителей, а меня волновал сам турнир, я приветствовал рыцарей, которых знал, и вся атмосфера была праздничной и веселой.

Был только один тревожный момент. Во второй половине дня послышался далеко странный звук, который постепенно становился громче. Постоянное повторение пяти нот, металлический звон, и хотя я никогда раньше не слышал этого звука, я знал, что издавать его может только треножник. Я посмотрел в направлении звука, но из-за замка ничего не было видно. Окружающие не проявили никакого беспокойства — состязание восьми рыцарей на поле привлекало все их внимание. Даже когда над замком появилось полушарие и треножник остановился над полем, расставив ноги по берегам реки, не было ни следа страха или волнения.

Ясно, что треножник всегда присутствовал на турнире, и у людей не было повода для беспокойства. Конечно, они больше свыклись с видом треножников, чем мы в Вертоне, где они появлялись лишь в день надевания шапок. Почти ежедневно можно было видеть, как они в одиночку или группами шагают по долине. Я тоже привык к этому зрелищу — на расстоянии. Но в тени треножника я почувствовал себя совсем по-иному. Я со страхом взглянул на полушарие и увидел ряды кругов, как будто сделанных из темно-зеленого стекла. Может, он через них смотрит. Наверняка. Я не замечал их раньше, потому что в Вертоне не осмеливался рассматривать треножника. Я опустил глаза и стал следить за ходом турнира, но мысли мои были далеко от него.

Однако прошло немного времени, и мое беспокойство улеглось. Треножник не издавал ни звука с тех пор, как занял позицию у замка, и не двигался. Он просто стоял, и я постепенно привык к его присутствию. Через час я уже радостно приветствовал своего любимца шевалье де Труильона, надеясь на то, что он победит и в финальном поединке. Он победил... его противник покатился по вытоптанной траве, и я присоединился к восторженным зрителям.

Вечером, как и каждый день турнира, был пир. Поскольку погода была хорошая, он состоялся во дворе. Семья графа и рыцари с леди сидели за столом, им подносили пищу; остальные подходили к стоявшим в стороне столам, уставленным мясом, рыбой, фруктами, овощами, пирогами и бутылками с вином, и брали себе все что угодно. Но много не пили, а после того, как леди ушли в замок, рыцари остались, зажгли факелы, и тут допоздна звучали песни и шло веселье. Я не мог сосчитать количества блюд. Не просто разные виды мяса, дичи и рыбы, но и множество способов их приготовления, а также разнообразные соусы и подливки. Еда считалась здесь высоким искусством; я думаю, даже сэр Джеффри не мог бы понять этого, не говоря уж об остальных жителях Вертона.

Я ушел наевшийся и счастливый. Треножник по-прежнему стоял на месте, но теперь он выглядел смутной тенью на фоне звездного неба и казался чем-то далеким и не важным. Из окон своей комнаты я его не видел совсем. Виднелась яркая полоса Млечного Пути, горели факелы во дворе — и все. Я услышал стук в дверь, сказал: «Войдите!» В комнату скользнула Элоиза.

На ней по-прежнему было синее платье с белыми кружевами, но корону она сняла. И прежде чем я успел что-нибудь произнести, она сказала:

— Уилл, я не могу оставаться здесь. Мне удалось ускользнуть, но меня будут искать.

Я понял ее. У королевы турнира особое положение. Пока идет турнир, нет места приятным беседам и прогулкам. Я сказал:

— Выбор правильный. Я рад, Элоиза.

— Я хотела проститься с тобой, Уилл.

— Ведь ненадолго. На несколько дней. Потом, когда мне наденут шапку...

Она покачала головой.

— Мы больше не увидимся. Разве ты не знаешь?

— Но я остаюсь здесь. Твой отец сказал мне об этом сегодня утром.

— Ты остаешься, но не я. Тебе разве никто не говорил?

— О чем?

— Когда кончается турнир, королева уходит служить треножникам. Так всегда делается.

Я тупо спросил:

— Где служить?

— В их городе.

— Надолго?

— Я сказала тебе. Навсегда.

Ее слова поразили меня, но еще больше поразило лицо. На нем была такая преданность, такое счастье, как будто исполнилось ее самое сердечное желание.

Ошеломленный, я спросил ее:

— Твои родители знают об этом?

— Конечно.

Я знал, что они горюют из-за отсутствия своих сыновей, которые уехали на несколько лет ко двору герцога. А это была их дочь, которую они любили больше всего, и она уйдет к треножникам и никогда не вернется... и весь день они были радостны и счастливы. Чудовищно!

Я выпалил:

— Ты не должна! Я не допущу этого!

Она улыбнулась и слегка покачала головой, как взрослый, слушающий выдумки ребенка.

— Уйдем со мной, — сказал я, — мы пойдем туда, где нет треножников. Уйдем немедленно.

— Когда тебе наденут шапку, ты поймешь.

— Я не допущу, чтобы мне надели шапку!

— Ты не понимаешь. — Она глубоко вздохнула. — Я так счастлива. — Подойдя ко мне, она взяла меня за руку и поцеловала в щеку. — Так счастлива! — повторила она и пошла к двери. — Я должна идти. Прощай, Уилл. Вспоминай меня. Я буду о тебе помнить.

И она исчезла, ноги ее прошелестели в коридоре, прежде чем я пришел в себя. Когда я подошел к двери, коридор был пуст. Я позвал, но лишь эхо моего голоса отразилось от каменных стен. Я даже сделал несколько шагов ей вслед, но потом остановился. Бесполезно. И не только из-за других. Из-за самой Элоизы. «Я буду о тебе помнить». В действительности она уже обо мне забыла. Теперь все ее мысли устремлены к треножникам. Хозяева позвали ее, и она с радостью пошла.

Я вернулся к себе в комнату, разделся и постарался уснуть. Меня одолевало множество ужасов. Ужас от того, что случилось с Элоизой. Ужас перед существами, которые делали это с людьми. Но больше всего ужас перед тем, как близко я подошел к падению — нет, к добровольному прыжку во что-то такое, по сравнению с чем самоубийство кажется чистым и благородным. Что случилось бы, если бы не судьба Элоизы? Она приняла шапку, как бесчисленные другие, не понимая, не зная выхода. Но я-то понимал, я-то знал! И я подумал о каменном лице Бинпола, о презрении Генри, когда я в последний раз видел их, и устыдился.

Шум поединков во дворе давно затих. Я лежал, ворочаясь с боку на бок, и видел, как постепенно светлеет за окном. Я прекратил заниматься бесполезным самобичеванием и начал строить планы.

В замке было темно и тихо, когда я осторожно спускался по лестнице, но снаружи уже было светло. Никого не было видно, да и не будет по крайней мере в течение нескольких часов. Даже слуги вставали позже в дни турнира. На кухне я увидел одного из них, храпевшего под столом: должно быть, он был настолько пьян, что не смог добраться до постели. Можно было не опасаться разбудить его. Я захватил с собой наволочку и положил в нее остатки вчерашнего пира: пару жареных цыплят, пол-индюка, буханку, сыр, соленую колбасу, а потом пошел в конюшню.

Здесь опасность была вероятнее. Конюхи спали рядом со стойлами, и хотя они тоже были пьяны, беспокойство лошадей могло разбудить их. Мне нужна была лошадь, на которой я привык ездить с Элоизой, — гнедой невысокий жеребец по кличке

Аристид. Это было нервное животное, но мы привыкли друг к другу, и я рассчитывал на это. Он стоял спокойно, только фыркнул несколько раз, когда я отвязывал его, и пошел за мной, как овечка. К счастью, солома на полу заглушала его топот. Я взял седло и вывел Аристида из конюшни.

Только за воротами замка я оседлал его. Он заржал, но я рассудил, что мы уже достаточно далеко, чтобы не опасаться этого. Прежде чем сесть верхом, я осмотрелся. За мной лежал замок, темный и спящий; передо мной — турнирное поле, флаги его павильонов слегка шевелились на утреннем ветерке. Слева... я совсем забыл о треножнике, а возможно, уверил себя, что он ночью ушел. Но он был здесь, насколько я мог судить, точно в том же месте. Темный, подобно замку; подобно же замку спящий? Как будто бы так, но я почувствовал беспокойство. Не садясь верхом и не придерживаясь обычной широкой дороги, я повел коня по узкой тропке меж скалами и спустился с холма между лугами и рекой. Здесь линия деревьев частично закрыла от меня и замок, и металлического гиганта. Ничего не случилось. Я наконец-то сел верхом, сжал колени, и мы двинулись.

Я сказал правду Генри и Бинполу, что их могут не хватиться день или два, а мое отсутствие сразу же заметят. Возможно, что даже во время турнира меня стали бы искать. Поэтому мне пришлось взять лошадь. И это давало мне возможность преодолеть большее расстояние, прежде чем начнется преследование. Если меня не найдут в двадцати милях от замка, я чувствовал, что тогда окажусь в безопасности.

Лошадь также давала мне возможность догнать Генри и Бинпола. Я примерно знал их маршрут; они вышли на день раньше, но шли пешком. Теперь меня уже не занимало то, что они относятся друг к другу более дружески, чем ко мне. Наоборот, в раннем свете утра я чувствовал себя очень одиноким.

Предстояло сделать около мили вдоль реки к броду, по которому мне нужно было переправиться. Я проделал примерно половину этого расстояния, когда услышал звук. Тупой гул, с которым огромная тяжесть опускается на землю, потом еще и еще. Я автоматически, оглядываясь, пустил Аристида галопом. Зрелище было очевидным и страшным. Треножник оставил свою позицию у замка. Безжалостно и безостановочно он шел за мной.

Следующие несколько минут я почти не помню; частично от страха я ни о чем не мог думать ясно, частично же из-за того, что произошло потом. Помнится мне только самый ужасный миг — когда я ощутил, как металлическая лента, холодная и невероятно гибкая, обвивается вокруг моей талии и поднимает со спины Аристида. Подъем в воздух и отчаянное барахтанье, боязнь того, что произойдет, и одновременно боязнь упасть на далекую землю. Я увидел черноту открытой двери, которая должна поглотить меня, ощутил никогда не испытанный ранее страх, закричал, закричал... и чернота.

Солнце било мне в глаза, согревая, превращая черноту в наплывающе-розовое. Я открыл глаза и тут же заслонил их от сверкания. Я лежал спиной на траве, и солнце уже поднялось над горизонтом. Было не менее шести часов утра. А ведь было только четыре, когда...

Треножник.

Я вспомнил и ощутил прилив страха. Мне не хотелось смотреть в небо, но я знал, что должен. Небо было голубое и пустое. Виднелись верхушки деревьев. Больше ничего. Я встал и осмотрелся. Замок, а рядом, на том месте, что и вчера, треножник. Неподвижный, как замок, как скалы.

В пятидесяти ярдах от меня щипал росистую траву Аристид со спокойным удовлетворением, как лошадь на хорошем пастбище. Я пошел к нему, стараясь привести мысли в порядок. Сон это, кошмар, привиделось из-за падения с лошади? Но я ясно вспомнил, как поднимался в воздух, и дрожь прошла по моему телу. Сомневаться не приходилось — это произошло. Страх и отчаяние были реальны.

Что же тогда? Треножник поднял меня. Неужели... Я поднял руку к голове, пощупал волосы, череп. Никакой металлической сетки. На меня не надели шапку. Вместе с облегчением я почувствовал тошноту и вынужден был остановиться и перевести дыхание. Аристид поднял голову и легонько заржал в знак того, что узнает меня.

Сейчас самое главное. Замок уже просыпается, по крайней мере слуги. Времени больше нет... меня все еще могут увидеть с укреплений. Я взял лошадь за повод, вставил ногу в стремя и сел в седло. Поблизости река мелела, здесь брод. Я двинул жеребца вперед, он охотно послушался. Переправляясь, я снова оглянулся. Ничего не изменилось, треножник не двигался. На этот раз облегчение не ослабило, а подбодрило меня. Вода плескалась у ног Аристида. Ветер усилился и принес запах, который мучил меня, пока я не вспомнил. Так пахли кусты на речном острове, где мы с Элоизой проводили время и где я был так счастлив, а она говорила о будущем. Я добрался до противоположного берега. Дорога, ровная и прямая, вела через ржаное поле. Я пустил Аристида рысью.

Мы безостановочно двигались несколько часов. Вначале местность была пустынной, но позже мне попадались люди, шедшие на поля или уже работавшие там. С первыми я столкнулся неожиданно, выехав из-за поворота, и испугался. Но они поклонились, когда я проезжал мимо, и я понял, что они кланяются седлу и моей красивой одежде. Для них я был представителем дворянства и знатным человеком, выехавшим на прогулку до завтрака. И все же я избегал встреч с людьми, если мог, и был рад, когда обработанные земли кончились и началось холмистое взгорье, где мне встречались только овцы.

У меня было время подумать о треножнике, о том поразительном факте, что меня схватили, но отпустили, не причинив вреда, не надев шапки. Но никакой причины я не мог найти. Пришлось отнести это к тем загадочным поступкам треножников, причины которых нам неизвестны, — каприз, может быть, как каприз заставил треножника кружиться вокруг «Ориона», завывая от гнева, радости или какой-то совсем другой, непонятной нам эмоции, а потом унестись прочь. Эти создания не были людьми, и не следовало искать для их действий человеческих мотивов. Реальностью оставалось то, что я был свободен, что мой мозг по-прежнему принадлежал мне.

Я поел, напился из ручья, сел верхом и поехал дальше. Я думал о тех, кого оставил в замке: о графе и графине, рыцарях и оруженосцах, с которыми я познакомился, и об Элоизе. Я был убежден теперь, что они меня не найдут: копыта Аристида не оставляют следов на короткой траве и сухой земле, а они не смогут надолго оторваться от турнира для поисков. Они казались так далеко от меня, не по расстоянию, а как люди. Я помнил их доброту — нежность и деликатность графини, смех графа и его тяжелую руку на своем плече, — но было что-то нереальное в моих воспоминаниях о них. Кроме Элоизы. Я ясно видел ее, слышал ее голос, как слышал и видел ее много раз за прошлые недели. Но резче и больнее всего вспоминалось мне выражение ее лица, когда она сказала, что идет служить треножникам, и добавила: «Я счастлива, так счастлива!» Я пнул Аристида, он коротко фыркнул в знак протеста, но перешел на галоп. Холмы впереди вздымались все выше и выше. На карте был обозначен проход, и если я не сбился с пути, то скоро должен увидеть его. Я натянул поводья на вершине холма и огляделся. Мне показалось, что я вижу впереди в нужном месте проход, но все дрожало в жаркой дымке и трудно было разглядеть подробности. Однако внимание мое привлекло кое-что поближе.

Примерно в полумиле впереди что-то двигалось. Пешеход, два пешехода. Я еще не мог их узнать, но кто еще мог оказаться в этом пустынном месте? Я снова пустил Аристида в галоп.

Они повернулись, встревоженные топотом копыт, но задолго до этого я уверился, что это они. Боюсь, что, когда я остановился перед ними и спрыгнул со спины лошади, я испытывал гордость своим мастерством всадника.

Генри удивленно смотрел на меня. Бинпол сказал:

— Значит, ты пришел, Уилл?

— Конечно. А ты думал иначе?

Глава 8

БЕГСТВО И ПРЕСЛЕДОВАНИЕ

Я ничего не сказал им об Элоизе и о том, что изменило мои планы. И не потому, что мне было стыдно признаваться, насколько я серьезно решил остаться и дать надеть на себя шапку из-за всего того, что меня ожидало, — конечно, мне было очень стыдно. Я ни с кем не хотел говорить об Элоизе. Генри сделал одно или два замечания о ней, но я промолчал.

Впрочем, он был так поражен моим появлением, что почти ничего не говорил.

Я рассказал им о моей встрече с треножником. Я надеялся, что они прольют хоть какой-то свет на это происшествие; может быть, Бинпол выработает какую-нибудь теорию, объясняющую это, но они были в таком же недоумении, как и я. Бинпол просил меня вспомнить, действительно ли я оказался внутри треножника и что я там увидел, но я, конечно, не мог.

Именно Бинпол сказал, что нужно отправить Аристида. Я не думал об этом, только смутно представлял себе, как, найдя их, я великодушно предложу им ехать по очереди, оставаясь владельцем Аристида. Но Бинпол справедливо заметил, что три мальчика и лошадь — совсем не то, что три пеших мальчика. Нас все заметят и будут задавать вопросы.

Я неохотно признавал, что нельзя оставлять Аристида с нами. Мы сняли седло, потому что на нем был герб графов де ла Тур Роже, и спрятали его под скалой, забросав землей и камнями. Когда-нибудь его найдут, конечно, но не так быстро, как Аристида... Он хороший конь, и тот, кто найдет его, без всадника и упряжки, не будет очень уж старательно искать владельца. Я снял с него уздечку, и он закачал головой, благодаря за свободу. Потом я резко шлепнул его по боку. Он отскочил на несколько ярдов и остановился, глядя на меня. Я думал, что он не захочет уйти, и старался придумать хоть какой-то предлог, чтобы он подольше оставался с нами, но он заржал, снова замахал головой и поскакал на север. Я отвернулся, не в силах смотреть на него.

И вот мы снова в пути втроем. Я был очень рад их обществу и придерживал язык даже в отношении Генри, который, оправившись от изумления, сделал несколько ехидных замечаний о том, как трудно мне будет теперь после роскоши, к которой я привык в замке. Бинпол вмешался, остановив его. Мне кажется, Бинпол решил, что, поскольку в каждой группе должен быть предводитель, в нашей таким предводителем будет он. Я не хотел возражать ему, по крайней мере в этот момент.

Ходьба показалась мне утомительной. Для езды верхом нужны совсем другие группы мускулов, да и отвык я от напряжения во время болезни и последующего выздоровления. Я сжал зубы и держался наравне с остальными, стараясь не показать своей усталости. Но обрадовался, когда Бинпол предложил остановиться для еды и отдыха.

Ночью, когда мы спали под звездами, а подо мной был не мягкий матрац, к которому я успел привыкнуть, а жесткая земля, мне стало даже немного жаль себя. Но я так устал, не спав предыдущую ночь, что недолго бодрствовал. Утром у меня болело все тело, как будто кто-то всю ночь бил меня. День был снова ярким и тихим, и не было даже легкого ветерка, освежавшего нас вчера. Это четвертый, последний день турнира. Будет общая схватка и езда по кругу. Элоиза по-прежнему носит свою корону и раздает награды победителям. А завтра...

Вскоре мы достигли прохода, обозначенного на карте. Двигались мы вдоль реки, спускавшейся вдоль холмов, ее течение прерывалось время от времени водопадами, иногда довольно большими. Карта показывала, что выше есть еще одна река, и на некотором расстоянии эти реки текут параллельно. К этому месту мы подошли вечером.

Вторая река, за исключением нескольких мест, где она разбила свои берега, была удивительно прямой и одинаковой по ширине. Больше того, она текла на разных уровнях, и границы между ними обозначались хитроумными приспособлениями — сгнившими балками, проржавевшими колесами и т.д., — видимо, работой древних. Бинпол, конечно, все рассмотрел в свое удовольствие. Люди сделали вторую реку, выкопали русло и, может быть, пустили в нее воду из главной реки. Бинпол показал нам под вокруг растущей травой и другой растительностью, покрывавшей берега, блоки, тщательно уложенные и скрепленные. А что касается приспособлений, то они предназначались для того, чтобы помочь лодкам проходить с одного уровня на другой, последовательно заполняя водой секции. В его объяснении это звучало разумно, но он умел правдоподобно выдумывать.

Эта идея все больше воодушевляла его, пока мы шли вдоль реки. Он был уверен, что перед нами водная шмен-фе, лодки перевозили по ней грузы, а люди входили и выходили в тех местах, где были колеса и другие устройства.

— А лодки толкали твои паровые котлы, — сказал Генри.

— А почему бы и нет?

Я сказал:

— Некоторые остановки совсем рядом друг с другом, другие — в милях. И ни признака того, что здесь когда-то были деревни.

Бинпол нетерпеливо возразил:

— Невозможно понять все, что делали древние. Но они построили эту реку, это несомненно, и должны были использовать ее. И ее можно снова заставить работать.

Там, где прямая река резко сворачивала к северу, мы оставили ее. Дальше местность стала более неровной, следы человека там встречались гораздо реже. Пища снова стала проблемой. Мы съели то, что захватили в замке, а находить здесь что-нибудь было трудно. Однажды мы набрели на гнездо дикой куропатки. В гнезде было четырнадцать яиц, десять из них мы смогли съесть; остальные оказались порчеными. Мы с большим удовольствием съели бы и саму куропатку, если бы поймали.

Наконец мы увидели с холмов широкую зеленую долину, по которой протекала большая река. В отдалении поднимались другие холмы. За ними, в соответствии с картой, находились горы. Там конец нашего пути. Но долина была покрыта полями, виднелись дома, фермы, деревни. Там была пища.

Но добыть ее оказалось труднее, чем мы ожидали. Три наши первые попытки ни к чему не привели: два раза из-за яростно лающих собак, в третий раз из-за самого фермера, который проснулся и выбежал с криком, когда мы бежали по его двору. Мы нашли картофельное поле и отчасти удовлетворили свирепый голод, но картофельная диета слишком бедна для путешествий и жизни. Я тоскливо думал о пище, которая пропадает в замке. Я рассчитал, что сегодня день надевания шапок, когда задается еще более великолепный пир, чем во время турнира. Но, думая об этом, я вспомнил и об Элоизе, которой на пиру уже не будет. Существует нечто худшее, чем голод, и из-за него можно перенести и болезни, и физические неудобства.

На следующее утро нам повезло. Мы прошли уже половину долины (реку мы переплыли, а потом, когда уставшие лежали на берегу, солнце нас высушило) и снова начали подъем. На пути была деревня, которую мы решили обогнуть. Даже на расстоянии в ней виднелись флаги и вымпелы; отмечался какой-то местный праздник. Я подумал о надевании шапок, но Бинпол заметил, что скорее это какой-то церковный праздник — они более обычны в этой земле, чем в Англии.

Мы следили некоторое время и стали свидетелями исхода из фермы, находящейся в нескольких сотнях ярдов от кустарника, в котором мы лежали. К передней двери подвели две телеги, люди сели в них, лошади были украшены лентами, а люди одеты в праздничные костюмы. Они выглядели веселыми и, что гораздо важнее, сытыми.

Я голодно сказал:

— Как вы думаете, они все ушли?

Мы подождали, пока телеги не скрылись из виду, потом произвели разведку. Бинпол приблизился к дому, а мы с Генри ждали поблизости. Если в доме есть кто-нибудь, Бинпол извинится и уйдет. Если нет никого...

Там не было даже собаки — может быть, их взяли с собой на праздник, — и нам не пришлось взламывать дверь. Оказалось открытым окно, через которое я влез и откинул задвижку на двери. Мы не стали тратить времени и направились прямо в кладовку. Мы съели половину жареного гуся, холодную свинину, сыр с хрустящим хлебом. Когда мы съели сколько смогли, то наполнили и наши мешки и ушли, пресыщенные и сонные.

А чувство вины? Это было наше самое крупное воровство. В деревне звонили колокола, и вдоль главной улицы двигалась процессия: дети в белом в сопровождении взрослых. Там были и фермер с женой. Вернувшись, они обнаружат свою кладовку пустой. Я мог представить себе, как расстроилась бы моя мать, представить гневное презрение отца. В Вертоне странника не отправляли голодным, но правило «твое и мое» было священно.

Разница заключалась в том, что мы не были странниками — мы находились вне закона. Специфическим, жалким образом, но мы вели войну. Непосредственно — с треножниками, но не непосредственно — со всеми теми, кто, независимо от причины, поддерживал их. Включая — я вынужден был смотреть фактам в лицо — всех тех, кого знал и полюбил в замке де ла Тур Роже. Все были против нас в этой стране, через которую мы шли. Нам приходилось жить, опираясь на свои силы и средства: старые правила для нас недействительны.

Позже мы увидели идущий по долине треножник — первый, встреченный нами за несколько дней. Я решил, что Бинпол ошибался, что треножник направляется к деревне для надевания шапок, но он остановился в пустынной местности примерно в миле от нас. Он стоял тут неподвижно и мертво, как и возле замка. Мы пошли немного быстрее, чем раньше, и старались укрыться. Хотя в этом мало смысла: вряд ли он интересовался нами или даже просто видел нас. Через час мы потеряли его из виду.

Тот же самый или похожий треножник мы увидели на следующее утро. И опять он остановился на некотором расстоянии от нас и стоял там. Снова мы пошли и потеряли его из виду. Небо затянулось тучами, подул ветер. Мы прикончили пищу, взятую на ферме, и снова чувствовали голод.

К вечеру мы пришли к полю, поросшему растениями, которые поддерживались столбиками. На гибких ветвях виднелись гроздья маленьких зеленых ягод. Эти ягоды собирали, когда они достигали зрелости, и делали из них вино. Поблизости от замка было несколько таких полей, но я удивился, увидев, сколько их здесь и как эти поля — скорее террасы — были размещены, чтобы ловить дождь и солнце. Я был настолько голоден, что попробовал есть эти ягоды, но они оказались твердыми и кислыми.

Мы спали под открытым небом, но теперь погода менялась, и мы решили, что неплохо бы подыскать убежище. Мы даже нашли хижину, стоявшую на стыке трех полей. Помня наш последний опыт, мы подходили к ней осторожно, но Бинпол заверил нас, что ее используют, только когда собирают урожай. Поблизости не видно было никаких жилищ — только длинные ряды столбов и растений уходили в сумерки. Хижина оказалась абсолютно пустой, в ней не было даже стула или стола, только крыша, хотя местами и сквозь нее виднелось небо. Впрочем, от дождя она нас защитит.

Приятно было отыскать убежище, а покопавшись, мы обнаружили и еду, хотя и не очень съедобную. Это были связки лука. Такой лук люди в синих костюмах привозили иногда в Вертон из-за моря, но этот лук оказался высохшим, а местами и гнилым. Должно быть, его принесли с собой рабочие во время последнего сбора, хотя трудно было понять, почему они его оставили. Во всяком случае, протест наших желудков был до некоторой степени удовлетворен. Мы сидели на пороге хижины, жевали лук и смотрели, как темнеет в долине. Даже после ужина из высохшего лука с перспективой провести ночь на голом полу я чувствовал себя более довольным, чем живя в замке. Теперь я меньше думал о том, что недавно волновало меня, — все это отдалилось и поблекло. И мы двигались довольно быстро. Еще несколько дней — и мы достигнем гор.

Генри обошел вокруг хижины и позвал нас. Ему не понадобилось ничего показывать. На холме, не болей чем в миле от нас, стоял треножник.

— Вы думаете, это тот же самый? — спросил Генри.

Я ответил:

— Его не было видно, когда мы входили в хижину. Я все время осматривался.

Генри с беспокойством сказал:

— Конечно, они все выглядят одинаково.

— Нужно идти, — сказал Бинпол. — Может, это и случайность, но лучше принять меры.

Мы оставили хижину и побрели по холму. Ночь мы провели в канаве. Я спал плохо, к счастью, не было дождя. Но сомневаюсь, чтобы я мог спать в хижине, зная, что снаружи стоит чудовищный часовой.

Когда мы утром пустились в путь, треножника не было видно; но вскоре после того, как мы остановились поесть, он — или другой такой же — вырисовался над вершиной холма и застыл примерно на таком же расстоянии от нас. Я почувствовал, как у меня дрожат ноги.

Бинпол сказал:

— Мы должны скрыться от него.

— Да, но как?

— Может, мы помогаем ему тем, что идем по открытой местности.

Перед нами расстилалось поле и виноградники. Слева, немного в стороне от нашего курса, виднелись деревья — по-видимому, край леса.

— Посмотрим, сможет ли он следить за нами сквозь ветви и листву, — сказал Бинпол.

Перед входом в лес мы увидели поле репы и заполнили ею мешки: впереди могло не быть возможности раздобыть пищу. Но какое облегчение оказаться в укрытии; толстый и зеленый потолок раскинулся над нашими головами. Видны были лишь кусочки неба, но солнца не было.

Идти стало, конечно, труднее и утомительнее. Местами деревья росли очень густо, а подлесок так сплетался, что приходилось искать обход. Вначале мы почти ожидали услышать треск ломающихся под ногами треножника деревьев, но проходили часы, а слышны были лишь обычные лесные звуки: пение птиц, лепет белочки, отдаленное хрюканье, вероятно, дикой свиньи. И мы были довольны. Хотя точно не знали, преследовали ли нас, теперь мы положили этому конец.

Мы провели время в лесу, остановившись немного раньше обычного, потому что набрели на хижину лесника. Тут были дрова, и я развел огонь, а Генри снял со стены несколько веревочных ловушек и расставил их поблизости от входа в норы кроликов. Позже, проверив ловушки, он нашел одного кролика. Мы выпотрошили его и зажарили. У нас еще оставалась репа, но тошно было даже смотреть на нее.

На следующее утро мы направились в открытую местность и спустя час достигли ее. Треножника не было видно, и мы в хорошем настроении пошли по местности, гораздо менее обработанной. Тянулись луга, на которых паслись коровы и козы, изредка попадались картофельные поля. Иногда встречались деревья с маленькими синими плодами, обладавшими сладким терпким вкусом. Мы наелись их и наполнили мешки мелкой картошкой.

Местность постоянно поднималась и становилась все более пустынной. Лес остался на востоке, но попадались сосновые рощицы. Мы шли в тишине, даже птиц не было слышно. К вечеру мы поднялись на вершину хребта; под нами на склоне холма лежали срубленные сосны; белели пни.

Это был хороший наблюдательный пункт. Мы видели окружающие холмы, покрытые темным лесом, а за ними... такие далекие, что казались крошечными и все же величественными... белые вершины, окрашенные в розовый цвет заходящим солнцем, вырисовывались на фоне голубого неба... Мы увидели Белые горы.

Генри ошеломленно сказал:

— Да ведь они в мили высотой!

— Наверно.

Я чувствовал себя лучше, глядя на них. Они сами по себе, казалось, бросали вызов металлическим чудовищам, которые беспрепятственно шагали по низинам. Теперь я верил, что люди смогли найти в горах убежище и жить там свободно. Я думал об этом, когда Бинпол неожиданно шевельнулся.

— Слушайте!

Я вслушался и обернулся. Он был за нами... далеко, конечно, но я знал, что это он — слышался треск и грохот деревьев под ударами массивных ног: гигант шел по сосновому лесу. Потом шаги смолкли. И в разрывах листвы мы увидели на фоне неба треножник.

— Мы не были на виду с утра, — сказал Бинпол. — Да и сейчас нас не видно. И однако он знает, что мы здесь.

С тяжелым сердцем я ответил:

— Возможно, это совпадение.

— Дважды — может быть. В третий раз — вряд ли. Но если то же самое происходит раз за разом... Он идет за нами, и ему даже не нужно нас видеть. Как собака идет по запаху.

— Это невозможно! — сказал Генри.

— Там, где другие объяснения не подходят, невозможное становится истиной.

— Но почему он идет за нами? Почему он просто не схватит нас?

— Кто может сказать, что у него на уме? Может, ему интересно, куда мы идем.

Недавнее радостное настроение исчезло... Белые горы существовали. Они могли бы нам предоставить убежище. Но до них еще много дней пути, а треножник лишь в нескольких гигантских шагах.

— Что же нам делать? — спросил Генри.

— Надо думать, — ответил Бинпол. — Пока он ограничивается тем, что идет за нами. Это дает нам время. Но, возможно, не так уж много.

Мы начали спускаться по склону. Треножник не двигался, но у нас на этот счет не было больше иллюзий. Мы тащились в отчаянном молчании. Я пытался придумать хоть какой-то способ отделаться от него, но чем больше я думал, тем безнадежнее мне казалось наше положение. Может, товарищи что-нибудь придумают. Бинпол скорее всего. Конечно, он что-нибудь придумает.

Но к тому времени, как мы остановились на ночь, он ничего не придумал. Мы спали под соснами. Здесь было сухо и сравнительно тепло, а постель из игл была мягче, чем все, на чем я спал после замка. Но в этом было мало утешения.

Глава 9

МЫ ДАЕМ БОЙ

Утро было пасмурное и соответствовало нашему настроению. У подножия сосен стоял тонкий серый холодный туман: мы проснулись, дрожа от холода, когда еще едва рассвело. Мы брели меж деревьев, стараясь согреться в движении, и грызли сырую картошку. Вечером мы не смогли разглядеть долину, а сейчас вообще ничего не было видно. Стало светлее, но туман ограничивал видимость. Видно было на несколько ярдов, а дальше стволы деревьев исчезали в дымке.

Конечно, мы не видели треножника. И ничего не слышали; слышались только звуки наших шагов, но и те на ковре опавших игл звучали так тихо, что вряд ли выходили за пределы слышимости. Днем раньше это подбодрило бы нас, но теперь мы знали, что это безразлично. Сейчас наш преследователь за пределами видимости и слышимости. Но он был там и двадцать четыре часа назад и все же нашел нас в лесу.

Мы вышли из сосен на высокую влажную траву, которая тут же промочила нам ноги. Было очень холодно. Мы шли быстрее, чем обычно, но это не согрело нас. Я дрожал, зубы у меня слегка стучали. Мы почти не разговаривали. Не было смысла спрашивать Бинпола, не придумал ли он что-нибудь. Достаточно было взглянуть на его несчастное длинное лицо, розовое от холода, чтобы понять: нет, не придумал.

Спуск в долину был крутым, и мы двинулись на запад. Карта показывала, что, если мы пройдем несколько миль вдоль долины, спуск будет легче. Мы автоматически продолжали идти по карте за неимением другого выхода. Слышался отдаленный плеск воды. Мы пошли на него, увидели реку и двинулись вдоль нее. Мы шли уже несколько часов, но мне было так же холодно и сыро, как и в самом начале; голод усилился. Вокруг не было признаков пищи или жизни.

Постепенно туман рассеивался. Грязноватая серость белела, становилось прозрачно, и время от времени появлялись яркие полосы, отражавшиеся от серебряной поверхности воды. Настроение наше слегка улучшилось, а когда появилось солнце, вначале как туманное серебряное пятно, а потом уж как сияющий огненный диск, мы почувствовали себя сравнительно хорошо. Я говорил себе, что, может, мы ошиблись и у треножника нет никакого волшебного способа выслеживать нас. Может, он руководствовался чувствами — слухом, зрением, которые просто тоньше, чем у нас. Но если это так, то долгий путь в тумане должен был сбить его со следа. Этот оптимизм был не очень разумен, но я почувствовал себя лучше. Последние клочья тумана рассеялись, и мы шли по широкой долине, освещенной солнцем. Пели птицы. Мы были совершенно одни.

Но тут послышался треск на склоне долины. Я оглянулся и увидел его, далекого, но отвратительно реального.

В полдень мы набрели на заросли хрена. Мы нарвали его и съели. Во рту жгло, было горько, но все же это была пища. Мы оставили долину и начали подъем по длинному, но сравнительно пологому склону, и треножник снова исчез из виду. Но не из сознания. Чувство безнадежности, ощущение западни, которая в нужный момент захлопнется, становилось все сильнее. Даже солнце, которое согревало нас с ясного неба, не веселило меня. Когда оно начало склоняться к западу и Бинпол предложил остановиться, я упал на траву, опустошенный и измученный. Остальные двое, немного передохнув, отправились на поиски пищи, но я не мог пошевелиться. Я лежал на спине, закрыв глава и закинув руки за голову. По-прежнему я не шевельнулся, когда они вернулись, обсуждая, можно ли есть змей — Генри видел одну, но не сумел убить. Я лежал с закрытыми глазами, когда Генри совсем другим голосом спросил:

— Что это?

Я был уверен, что это не имеет значения. Бинпол что-то ответил, но так негромко, что я не разобрал. Они пошептались. Я не открывал глаза. Они еще пошептались. Наконец Бинпол произнес:

— Уилл.

— Да?

— У тебя рубашка порвана под мышкой.

— Знаю. Порвал, когда пробирался сквозь кусты у реки.

— Посмотри на меня, Уилл. — Я открыл глаза и увидел, что он стоит надо мной. На лице у него было странное выражение. Что у тебя под мышкой?

Я сел.

— Под мышкой? О чем ты говоришь?

— Так ты не знаешь? — Я сунул правую руку под мышку. — Нет, с другой стороны.

На этот раз я использовал левую руку и коснулся чего-то, что не было плотью. И было оно гладкое и твердое, как маленькая металлическая пуговица. На поверхности ее пальцы мои нащупали нечто вроде тонкой сетки. Казалось, оно вросло в мое тело, никакого перехода не было. Я поднял голову и увидел, что они смотрят на меня.

— Что это?

— Это металл шапки, — ответил Бинпол. — И оно вросло в тело, как шапка.

— Треножник... — начал я. — Вы думаете, когда он поймал меня у замка...

Мне не нужно было кончать предложение... Их лица показали, что они думают. Я отчаянно сказал:

— Вы думаете, я веду его? Я под контролем?

— Он идет за нами уже несколько дней, с тех пор как ты догнал, — ответил Генри. — Что еще мы можем подумать.

Я смотрел на него. Загадочная способность треножника находить нас и загадка маленькой металлической пуговицы, вживленной в мое тело, — их нельзя было разделить, они связаны. Но мозг оставался моим, я не был предателем. Я был уверен в этом, как в своем существовании. Но как мне доказать это? Я не видел выхода.

Генри повернулся к Бинполу.

— Что мы будем с ним делать?

— Нужно подумать, прежде чем решать.

— У нас нет времени. Мы знаем, что он с ними. Он посылал им сигналы. Он, наверное, уже сообщил, что его поймали. Треножник может быть на пути сюда.

— Уилл рассказал нам о треножнике, — ответил Бинпол. — Что он поймал его и выпустил, что он был без сознания и ничего не помнит. Если бы его мозг служил треножникам, зачем бы он стал нам рассказывать об этом? И разве он не стал бы осторожнее, порвав рубаху? Пуговица очень мала, не как шапка, и далеко от мозга.

— Но ведь треножник по нему следит за нами.

— Да, это так. Компас — он показывает на север. Наверное, там много железа. Но если поднести ближе железный предмет, компас укажет на него. Мы же видим, почему он это делает. Треножник поймал Уилла, когда тот уходил из замка. Все остальные спали. Уилл был без шапки, но треножник не надел на него шапку. Может, ему стало интересно, куда идет Уилл и что собирается делать. И он снабдил его этой штукой, за которой можно идти, как по стрелке компаса.

Разумно. Я был уверен, что так и есть... Теперь при каждом движении я ощущал под рукой эту пуговицу. Было не больно, просто я знал, что она там. Почему я не чувствовал ее раньше? Та же мысль пришла в голову и Генри.

— Но он должен был знать о ней. Почувствовать.

— А может, и нет. В вашей стране бывают люди... которые развлекают — с животными, прыгают в воздухе, силачи и все такое прочее?

— Цирк, — ответил Генри. — Я однажды видел.

— К нам в город приезжал цирк, и там человек делал странные вещи. Он приказывал спать, и люди подчинялись его приказам. Они совершали даже такие поступки, из-за которых казались глупыми. Иногда приказ действовал спустя какое-то время. Моряк со сломанным бедром целую неделю ходил без костыля, после чего боль и хромота вернулись.

— Сейчас я чувствую ее, — сказал я.

— Мы тебе ее показали, — ответил Бинпол.

— Наверно, это и уничтожило приказ.

Генри сказал нетерпеливо:

— Это не меняет фактов. Треножник из-за этой штуки может следовать за нами и поймать, когда ему вздумается.

Я видел, что он прав, и сказал:

— Остается только одно.

— Что?

— Если мы разделимся и я пойду другим путем, вы будете в безопасности.

— Другим путем к Белым горам? Но ты все же приведешь его туда. Вероятно, это ему и нужно.

Я покачал головой.

— Я туда не пойду. Вернусь назад.

— И будешь пойман. И на тебя наденут... наденут шапку?

Я вспомнил, как меня сорвали со спины Аристида, как отделялась земля внизу. Надеюсь, я не побледнел от страха, который испытал.

— Сначала нужно меня поймать.

— Поймает, — сказал Бинпол. — У тебя никаких шансов уйти.

— Я могу по крайней мере увести его в сторону.

Наступило молчание. Как я сказал, это единственный выход, и они должны будут согласиться. И говорить им ничего не нужно. Я встал и отвернулся.

— Уилл, — сказал Бинпол.

— Что тебе?

— Я сказал, что мы должны подумать. Я думал. Эта штука у тебя под мышкой, она маленькая, и хотя посажена прочно, не думаю, что она уходит глубоко.

Он помолчал. Генри спросил:

— Ну и что?

Бинпол посмотрел на него, потом на меня.

— Поблизости нет крупных сосудов. Но будет больно, если мы вырежем.

Сначала я не понял, к чему он ведет, а когда понял, от радости у меня закружилась голова.

— Ты думаешь, мы сможем?

— Попробуем.

Я начал стаскивать рубашку.

— Не будем тратить времени.

Бинпол не торопился. Он заставил меня лечь, подняв руки, и ощупал пальцами пуговицу и кожу вокруг нее. Я хотел, чтобы все поскорее кончилось, но был в его руках и понимал, что не должен проявлять нетерпения.

Наконец он сказал:

— Да, будет больно. Я постараюсь сделать это побыстрее, но тебе нужно что-нибудь закусить. А ты, Генри, держи его руки, чтобы он не мог вырваться.

Он дал мне кожаную лямку от своего мешка, чтобы я зажал ее в зубах; я ощутил на языке кислый резкий вкус. Нож был тот самый, что мы подобрали в большом городе. Его лезвие было покрыто чем-то вроде жира, и Бинпол немало времени провел, затачивая его. Но все же оно было, по-моему, недостаточно острое. По знаку Бинпола Генри зажал мне руки. Я лежал на левом боку лицом к земле. Прополз муравей и исчез в гуще стебельков травы. Потом Бинпол навалился на меня всем весом своего тела, левой рукой он еще раз ощупал пуговицу у меня под мышкой. Я как раз закусил ремень, когда он сделал первый надрез. Тело мое дернулось, я чуть не вырвал у Генри свои руки. Боль была мучительной.

Последовал еще один удар боли, и еще. Я старался крепче сжимать кожу, мне показалось, что я прокусил ее. Капли пота выступили у меня на лице; я видел, как они падали в пыль. Я хотел крикнуть ему, чтобы он прекратил, чтобы кончилась боль, и уже выпустил кожу, чтобы сказать об этом, как новый удар боли заставил снова прикусить ее вместе с языком. Горячий соленый вкус крови во рту и слезы на глазах. С огромного расстояния я услышал слова Бинпола:

— Отпусти его.

Руки мои были свободны. Боль была по-прежнему сильна, но все же легче, чем только что. Бинпол встал, и я начал подниматься вслед за ним на ноги.

— Как я и думал, — сказал Бинпол, — оно только на поверхности. Смотри.

Я выплюнул ремень и посмотрел на то, что он держал в руке. Пуговица была серебряно-серая, примерно полдюйма в диаметре, толще в центре и заострялась к краям. Она была цельной, но производила впечатление, будто внутри нее имеются сотни крошечных деталей. К ней были прикреплены окровавленные клочки моего тела, вырезанные Бинполом.

Бинпол потрогал пуговицу пальцем.

— Любопытно, — сказал он. — Я хотел бы изучить ее. Жаль, что мы должны ее оставить.

Во взгляде его отражался неподдельный интерес. У Генри, который тоже смотрел на пуговицу, позеленело лицо. И во мне при виде клочков мяса поднялась тошнота. Я отвернулся. Когда я пришел в себя, Бинпол все еще разглядывал пуговицу.

Тяжело дыша, я сказал:

— Выбрось ее. И нам лучше идти. Чем дальше мы отсюда уйдем, тем лучше.

Он неохотно кивнул и бросил ее на траву.

— Как твоя рука? Сильно болит?

— Не помешает идти час-другой.

— Тут есть трава, которая залечивает раны. Я поищу ее по пути.

У меня уже вытекло немало крови, и она продолжала течь. Я вытирал рубашкой, а потом скатал ее в сверток и сунул под мышку. Так я и шел. Мое предположение, что ходьба отвлечет меня от боли, оказалось неверным. Болело даже сильнее, чем раньше. Но я избавился от пуговицы треножника, и каждый шаг уводил меня все дальше.

Мы продолжали подъем по неровной, большей частью открытой местности. Солнце садилось справа от нас: по другую сторону длинные тени почти поравнялись с нами. Мы молчали. Я сжимал зубы от боли. Если бы мы были в состоянии оценить, вечер стоял прекрасный и мирный. Тихо и спокойно. Ни звука, кроме...

Мы остановились и прислушались. Сердце у меня сжалось, боль на мгновение отступила, сменившись страхом. Звук, слабый, но постепенно усиливавшийся, доносился сзади — отвратительное улюлюканье, которое мы слышали в каюте «Ориона», — охотничий крик треножника.

Секунду спустя он вышел из-за холма, несомненно, направляясь к нам. Он был на расстоянии нескольких миль, но приближался быстро, гораздо быстрее обычной своей походки.

— Кусты... — сказал Генри.

Больше говорить не потребовалось: мы уже бежали. Кусты представляли собой единственное убежище, куда мы успели бы добежать. Они доходили нам едва до плеча. Мы поползли, забираясь в центр поросли.

Я сказал:

— Не может быть, что он по-прежнему идет за мной.

— Пуговица, — объяснил Бинпол. — Мы вырезали ее и тем самым подняли тревогу. И он пошел за тобой, на этот раз охотясь.

— Как ты думаешь, он нас видит?

— Не знаю. Он далеко, а света мало.

В сущности, солнце уже зашло; небо над нашим убежищем окрасилось золотом. Но все же было ужасно светло, гораздо светлее, чем когда я покидал замок. Я старался успокоить себя тем, что был тогда гораздо ближе к треножнику. Вой раздавался все ближе и громче. Должно быть, треножник уже миновал место, где Бинпол сделал операцию. А это значит...

Я почувствовал, как земля подо мной дрожит, снова и снова, и все сильней. Мимо мелькнула нога треножника, и я увидел полушарие, черное на фоне неба, и постарался втиснуться в землю. В этот момент улюлюканье прекратилось. В тишине послышался другой звук — что-то пронеслось по воздуху. Щупальце ухватило два-три куста, вырвало их с корнем и отбросило прочь.

За моей спиной Бинпол сказал:

— Он знает, что мы здесь. Он может вырвать все кусты, и мы будем видны.

— Или убьет нас, вырывая кусты, — добавил Генри. — Если эта штука ударит тебя...

Я сказал:

— Я покажусь.

— Бесполезно. Он знает, что нас трое.

— Можно разбежаться в разных направлениях, — предложил Генри. — Один из нас может уйти.

Я видел, как взлетают в воздух кусты. К страху невозможно привыкнуть: он охватывает все сильнее.

— Мы можем сразиться с ним, — сказал Бинпол. Он сказал это с безумным спокойствием, от которого я чуть не застонал.

— Чем? — спросил Генри. — Кулаками?

— Металлическими яйцами. — Бинпол уже открыл свой мешок и рылся в нем. Щупальце треножника снова опустилось. Оно систематизированно вырывало кусты. Еще немного — и оно будет рядом. — Может, именно для этого их использовали наши предки. Они ушли под землю, чтобы сражаться.

— И погибли, — сказал я. — Как ты думаешь?

Но он уже доставал яйца.

Генри сказал:

— Я их выбросил. Слишком тяжело.

Щупальце скользнуло вниз, и на этот раз вырванные кусты осыпали нас землей.

Бинпол сказал:

— Четыре яйца. — Он протянул по одному Генри и мне. — Я возьму остальные. Потянув за кольцо, считайте до трех. И бросайте. В ближайшую ногу. Полушарие слишком высоко.

На этот раз я увидел щупальце в непосредственной близости от себя.

— Давай! — крикнул Бинпол.

Он потянул за кольцо, Генри сделал то же самое. Я держал яйцо в левой руке и должен был переложить в правую.

Боль рванула мне руку, и я уронил яйцо. Я наклонился, отыскивая, когда Бинпол крикнул: «Кидай!» Они выскочили, а я подобрал яйцо, не обращая внимания на боль в руке, и тоже встал. И тут же выдернул кольцо.

Ближайшая нога треножника находилась на склоне, примерно в тридцати ярдах от нас. Бинпол бросил первым и промахнулся: яйцо на целых десять ярдов не долетело до цели. Его второй бросок и бросок Генри были ближе к цели. Одно яйцо со звоном ударило о металл. Почти тут же они взорвались. Послышалось три почти одновременных взрыва, и столбы земли и пыли взлетели в воздух.

Но они не могли скрыть очевидного факта — яйца не причинили никакого вреда треножнику. Он стоял прочно, как и раньше, и щупальце его снова опускалось, на этот раз прямо к нам. Мы побежали, вернее, в моем случае, приготовились бежать. Прежде чем я успел шевельнуться, щупальце ухватило меня за талию. Я отрывал его левой рукой, но это было все равно что пытаться сдвинуть скалу. Оно держало меня с удивительной точностью, прочно, но не больно, и поднимало так, как я мог бы поднять мышь. Но мышь может укусить, а я ничего не мог сделать державшей меня жесткой сверкающей поверхности. Меня поднимало... вверх, вверх. Земля внизу уменьшалась, я увидел маленькие фигурки Бинпола и Генри. Они убегали, как муравьи. Я посмотрел вверх и увидел отверстие в боку полушария. И вспомнил, что в правой руке у меня сжато железное яйцо.

Много ли времени прошло с тех пор, как я выдернул кольцо? В страхе и сомнении я забыл считать. Несколько секунд, оно сейчас взорвется. Щупальце теперь втягивало меня внутрь. Отверстие в сорока футах, тридцати пяти, тридцати. Я откинулся назад, борясь против сжимающей меня ленты. Руку мою снова пронзила боль, но я не обратил на это внимания. Изо всех сил я бросил яйцо. Вначале я промахнулся, но яйцо ударилось о край отверстия и отскочило внутрь. Щупальце продолжало нести меня вперед. Двадцать футов, пятнадцать, десять...

Хотя я находился близко, взрыв прозвучал не так громко, как остальные три, должно быть, потому, что произошел внутри полушария. Послышался глухой звук, похожий на звон. Меня снова охватило отчаяние — последняя возможность не удалась. Но в тот же момент я почувствовал, что металлические объятия разжимаются и я падаю.

Я находился втрое выше вершин сосен: кости мои разобьются о землю, когда я упаду. Я отчаянно ухватился за металл, с которым несколько секунд назад столь же отчаянно боролся. Руки мои цеплялись за щупальце, но я продолжал падать. Я посмотрел на землю и закрыл глаза, чтобы не видеть, как она летит мне навстречу. Но последовал толчок, и движение прекратилось. Ноги мои повисли в нескольких футах от земли. Мне осталось только выпустить щупальце и спрыгнуть.

Бинпол и Генри подбежали ко мне. Мы со страхом смотрели на треножник. Он стоял внешне невредимый. Но мы знали, что он разбит, уничтожен, лишен жизни.

Глава 10

БЕЛЫЕ ГОРЫ

Бинпол сказал:

— Не знаю, сообщил ли он другим перед смертью, но нам лучше уходить.

Генри и я радостно согласились. Что касается меня, то, даже зная, что он мертв, я боялся его. Мне казалось, что он вот-вот обрушится на нас, раздавит своим чудовищным весом. Мне отчаянно хотелось побыстрее уйти из этого места.

— Если придут другие, — сказал Бинпол, — они обыщут все окрестности. Чем дальше мы успеем уйти, тем лучше для нас.

Мы побежали по холму и бежали, пока хватало дыхания. Рука у меня болела, но я как-то меньше ощущал эту боль. Однажды я упал, и было так хорошо просто лежать, прижавшись лицом к траве и к пыльной земле. Мне помогли встать, и я был отчасти благодарен, а отчасти недоволен.

Нам потребовалось полчаса, чтобы добраться до вершины. Тут Бинпол остановился, и мы вместе с ним — не думаю, чтобы я мог сделать еще хоть несколько шагов, прежде чем снова упаду. И никакая помощь не поставит меня на ноги. Я глотал воздух, который резал мне легкие. Постепенно теснота в груди прошла, и я смог дышать без боли.

Я посмотрел вниз, на длинный склон, по которому мы поднялись. Наступала тьма, но треножник был еще виден. Неужели я убил его? Я начал понимать всю невероятность того, что сделал, не с гордостью, а с удивлением. Неуязвимые, непобедимые хозяева Земли — и моя рука принесла одному из них смерть. Я подумал, что теперь знаю, что чувствовал Давид, когда увидел Голиафа, падающего в пыль в долине Элах.

— Смотрите, — сказал Бинпол. Голос его звучал тревожно.

— Куда?

— На запад.

Он указал. В отдалении что-то двигалось. Знакомая ненавистная форма вырисовывалась на фоне неба, за ней вторая, третья. Они были еще далеко. Но приближались.

Мы снова побежали вниз, по другому склону хребта. Тут же треножники исчезли из виду, но это было слабым утешением; мы знали, что они в соседней долине, и понимали ничтожность нашей быстроты сравнительно со скоростью их передвижения. Я надеялся, что они некоторое время останутся с мертвым треножником. Но, казалось, их немедленной задачей было отыскать убийцу и отомстить ему. Я споткнулся на неровной земле и чуть не упал. Но ведь сейчас темно и становится все темнее. Если только у них не кошачье зрение, наши шансы намного улучшаются.

В долине не было никакого укрытия, я не видел ни одного куста. Лишь жесткая трава и выступы камня. Около одного из них мы отдыхали, когда усталость заставила нас остановиться. Вышли звезды, но луны не было; она не взойдет еще несколько часов. Я радовался этому.

Луны нет, но над хребтом появился свет, он двигался, менял форму. Несколько огней? Я обратил на них внимание Бинпола. И он сказал:

— Да. Я уже видел такое.

— Треножники?

— А что же еще.

Огни превратились в лучи, протянувшиеся по небу, как руки. Они укорачивались, а один из них изогнулся, так что один конец его опускался вниз. Я не видел, что находится за лучом, но это легко было представить. Лучи света исходили из полушария и освещали треножникам путь.

Они шли на расстоянии ста ярдов друг от друга, и лучи освещали всю местность перед и между ними. Шли они медленно, медленнее даже, чем обычно, но даже так мы не могли бы сравняться с ними. К тому же они, насколько нам было известно, не знали усталости. Они не издавали ни звука, слышались лишь тупые удары ног о землю, и это было даже ужаснее, чем охотничье улюлюканье.

Мы бежали, останавливались и бежали снова. Чтобы не тратить силы на еще один подъем, мы шли по дну долины на запад. В темноте мы спотыкались, падали и ушибались. За нами двигались столбы света, качаясь взад и вперед. Во время одной из остановок мы увидели, что треножники разделились. Один перевалил через хребет в соседнюю долину, другой пошел на восток. Но третий двигался за нами и постепенно нагонял нас.

Мы услышали плеск ручья и по предложению Бинпола устремились к нему. Поскольку треножники разошлись в разных направлениях, было маловероятно, чтобы они шли по запаху, как собаки, но, возможно, они увидят наши следы в траве и на мягкой земле. Мы вошли в ручей и двинулись по воде. Ручей был всего несколько футов шириной, к счастью, совсем мелкий и по большей части с ровным дном. Прекрасные кожаные башмаки, сшитые для меня сапожником в замке, не улучшились от воды, но у меня были более важные поводы для размышлений.

Мы снова остановились. Ручей плескался у наших ног. Я сказал:

— Бесполезно. Он догонит нас через четверть часа.

— Что же мы можем сделать? — спросил Генри.

— Остался только один треножник. Его свет покрывает все дно долины и немножко захватывает склоны. Если мы побежим вверх по склону, возможно, он пройдет мимо.

— Или увидит наши следы, ведущие от ручья, и тут же нас поймает.

— Нужно идти на риск. Иначе у нас нет шансов. О чем ты думаешь, Бинпол?

— Я? Я думаю, что уже немного поздно. Посмотрите вперед.

Впереди виднелся свет, который становился все ярче и вскоре превратился в луч. Мы смотрели в молчании и отчаянии. Другой свет, приближающийся по вершине хребта, и как раз там, куда я предлагал подняться. А в отдалении виднелись и другие лучи, на противоположном склоне. Не только один треножник безжалостно шел за нами сзади. Они все были вокруг нас.

— Разделимся? — предложил Генри. — Тогда у нас будет немного больше шансов.

— Нет, — ответил я. — Шансы те же. Просто их вообще нет.

— Нужно идти. На месте они нас тем вернее поймают, — сказал Генри.

— Подождите, — проговорил Бинпол.

— Чего ждать? Еще несколько минут, и будет поздно.

— Вот эта скала.

Из-за рассеянного света от лучей треножников видимость стала лучше. Мы видели друг друга и немного окружение. Бинпол указал вниз по ручью. В двадцати ярдах от нас виднелась скала выше головы.

— Она может дать нам укрытие, — сказал Бинпол.

Я сомневался в этом. Мы могли бы прижаться к скале, но лучи все равно отыщут нас. Но ничего лучшего предложить я не мог. Бинпол с плеском пошел по ручью, мы за ним. Ручей протекал рядом со скалой. И скала достигала тридцати футов в длину. Ее верхняя часть оказалась гладкой, слегка изогнутой и совсем не давала укрытия. Зато нижняя часть...

Когда-то ручей был больше, стремительнее и подрыл скалу у основания. Мы наклонились, ощупывая углубление руками. В самом высоком месте оно достигало двух футов и проходило под всей скалой. С севера появилось еще два луча. Времени больше не оставалось. Мы втиснулись в щель головой и ногами: Бинпол, затем Генри и в конце я. Правая моя рука была прижата к скале, но левый бок казался ужасно открытым. Я старался прижаться плотнее, даже причиняя боль руке. Стоило мне чуть-чуть приподнять голову, как она касалась скалы. Звук моего дыхания, казалось, эхом отдавался во всем укрытии.

Бинпол прошептал:

— Не разговаривать. Мы должны лежать совсем тихо. С час, может быть.

Я видел, как снаружи становилось все светлее — это приближались треножники, — и слышал все более тяжелые удары их ног. Я постепенно стал видеть, как свет начал отражаться дальше по ручью. И тут прямо перед моим лицом ночь превратилась в день, я мог видеть даже камешки, стебельки травы, застывшего в неподвижности жука — все с ужасной ясностью. Земля затряслась, и нога треножника опустилась в нескольких ярдах от нас. Я еще плотнее прижался к скале. Предстоял долгий час.

* * *

И действительно он оказался долгим. Всю ночь лучи света двигались над долиной, приближаясь и удаляясь, снова и снова пересекая местность. Наконец наступил рассвет, но охота не прерывалась. Треножники продолжали ходить взад и вперед. И хотя, возможно, мимо несколько раз проходил один и тот же, всего их тут собрались десятки.

Но они не видели нас, и по мере того как медленно уходили часы, мы все более и более убеждались, что и не увидят. Даже днем щель в скале не видна с высоты полушария. Мы не осмеливались покинуть убежище. Лежали в увеличивающемся неудобстве, скуке, голоде, а у меня добавлялась еще и боль. Рука начала сильно болеть, и временами я закусывал губу и чувствовал, как щеки мои смачиваются слезами.

К середине дня интенсивность поиска стала ослабевать. Иногда на протяжении пяти — десяти минут мы осмеливались выползти и вытянуть ноги, но всегда появлялся треножник, а иногда и целая группа. Мы не могли далеко отойти от щели: поблизости не было никакого другого убежища.

День сменился сумерками, сумерки — ночью, и снова появились столбы света. Было их не так много, как раньше, но не было промежутка, чтобы не виделся хотя бы один из них либо в долине, либо по хребтам. Иногда я начинал дремать, но ненадолго. Угнетающе действовало сознание нависшей над головой скалы, я замерз, рука у меня горела. Однажды я проснулся, застонав от боли. Уйдут ли они с рассветом? Я смотрел на небо, мечтая увидеть естественный свет. Наконец он наступил, серый, облачный рассвет, и мы, дрожа, выползли и осмотрелись. Уже с полчаса не видно было лучей. Но пять минут спустя мы торопливо заползли в щель: по долине шел треножник.

Так продолжалось все утро и большую часть дня. Я так одурел от голода и боли, что думал только о том, как бы продержаться от одного момента до другого, да и остальные были не в лучшем состоянии. Когда к вечеру треножники исчезли, мы не могли поверить, что охота окончена. Мы выползли из убежища, но несколько часов просидели у ручья, ожидая возвращения треножников.

Когда мы решились уходить, стало уже темно. Мы ослабели от холода и усталости. Пройдя с милю или две, мы упали и всю ночь пролежали на открытом месте, без всякой надежды скрыться, если вернутся треножники. Но они не вернулись, и рассвет показал нам пустую долину, обрамленную молчаливыми холмами.

Следующие дни были тяжелыми. Особенно для меня, потому что рука у меня воспалилась. В конце концов Бинпол вскрыл рану, и на этот раз, боюсь, я оказался менее терпелив и кричал от боли. Бинпол приложил к ране найденные им травы и перевязал обрывком рубахи. А Генри сказал, что это ужасная, должно быть, боль: он кричал бы еще сильнее. Я обрадовался его доброму отношению больше, чем ожидал.

Мы отыскали коренья и ягоды, но все время оставались голодны и дрожали в нашей тонкой одежде, особенно по ночам. Погода изменилась. Небо было затянуто облаками, с юга подул холодный ветер. Мы достигли плоскогорий, откуда надеялись увидеть Белые горы, но не увидели — только пустой серый горизонт. Иногда мне казалось, то, что мы видели раньше, — это мираж, а не реальность.

Потом мы спустились в долину и увидели полоску воды, такую обширную, что конца ее не было видно, — Большое озеро карты. Земля была богатой и плодородной. Мы находили все больше и больше пищи, а с удовлетворением голода поднималось и настроение. Травы Бинпола подействовали: рука постепенно заживала.

Однажды утром, отлично выспавшись на сеновале, мы обнаружили, что небо снова голубое, а все предметы видны отчетливо и ясно. Равнина на юге оканчивалась холмами, а за ними, величественные и такие близкие, что, казалось, можно коснуться их рукой, возвышались снежные вершины Белых гор.

Конечно, они были не так близко, как казалось. Оставалось еще немало миль по равнине, а затем по холмам. Но мы могли видеть их и шли в хорошем настроении. Мы шли уже с час, и мы с Генри подшучивали над гигантским паровым котлом Бинпола, когда он остановил нас. Я подумал, что наши шутки рассердили его, но затем ощутил, как под нами дрожит земля. Они приближались с северо-востока, слева и сзади от нас — два треножника, — двигаясь быстро и направляясь прямо на нас. Я отчаянно огляделся, но заранее знал, что увижу. Местность была плоской, без деревьев и скал, без изгородей и канав, а ближайшая ферма находилась в полумиле от нас.

— Побежим? — предложил Генри.

— Куда? — спросил Бинпол. — Не убежать. — И если уж он решил, что положение безнадежно, значит, оно действительно таково.

Через одну-две минуты они нас настигнут. Я перевел взгляд от них на белые вершины. Уйти так далеко, так много вынести, увидеть цель — и все напрасно.

Земля дрожала все сильнее. Они уже в ста ярдах, в пятидесяти... Они шли рядом, и щупальца их странно извивались, описывая в воздухе причудливые траектории. А между и над ними что-то двигалось, что-то золотое подбрасывалось в ясное небо.

Они были рядом. Я ждал, что вот-вот опустится щупальце и схватит меня, и ощущал не страх, а бессильный гнев. Огромная нога опустилась в нескольких ярдах от нас. И вот они прошли мимо, уходят...

Бинпол удивленно сказал:

— Они нас не видели. Слишком заняты друг другом? Брачный обряд? Но ведь они машины. Что же тогда? Я бы хотел знать ответ на эту загадку.

Он, как всегда, приветствовал и загадку, и ответ на нее. А я чувствовал лишь слабость облегчения.

Долгое, трудное и опасное путешествие — сказал мне Озимандиас. Так оно и оказалось. А в конце ждала трудная жизнь. Он был прав и в этом. У нас не было никакой роскоши, да мы ее и не хотели: тела наши и ум были устремлены к решению главной задачи.

Но тут были свои чудеса, из которых величайшим был наш дом. Мы не просто жили в Белых горах, мы жили в одной из гор. Древние построили здесь шмен-фе, высекли в сплошной скале тоннель. Зачем они сделали это, для какой цели, мы не знали; но этот тоннель стал нашей крепостью. Даже когда мы пришли летом, у входа в главный тоннель лежал снег. Но внутри горы было не так холодно, нас защищали толстые скальные стены.

У нас были наблюдательные пункты, откуда можно было видеть склоны. Иногда я приходил на один из таких пунктов и смотрел на зеленую солнечную долину далеко внизу. Там были деревни, крошечные поля, дороги, булавочные головки — скот. Жизнь казалась там теплой и легкой сравнительно с суровостью скал и льда, которые нас окружали. Я же не завидовал этой легкости.

Потому что неправда, будто у нас нет роскоши. Есть: свобода и надежда. Мы живем с людьми, чьи умы принадлежат им самим, кто не признал господства треножников и кто, терпеливо вынеся многие лишения, готов был к войне с врагом.

Наши предводители создали совет, а мы были новичками и к тому же мальчишками — мы не знали, каковы планы и каково наше участие в них. Но мы знали, что будем участвовать, это несомненно. И еще одно несомненно: в конце мы уничтожим все треножники, и свободные люди будут наслаждаться добротой земли.

КНИГА ВТОРАЯ

ГОРОД ЗОЛОТА И СВИНЦА

Глава 1

ТРОЕ ИЗБРАНЫ

Однажды Джулиус созвал совещание инструкторов, и все тренировки прекратились. Мы втроем — Генри, Бинпол и я — решили использовать свободное время для исследования верхних уровней тоннеля. Мы взяли на кухне продукты, с полдюжины больших, медленно сгорающих свечей и двинулись вверх по долгому извилистому склону от пещеры, в которой жили.

Вначале мы болтали, слыша, как эхо наших голосов отдается от скал, но по мере того как продвижение становилось все более затруднительным, мы перестали разговаривать, сберегая силы. Древние разместили в пещере шмен-фе — железную дорогу, как она некогда называлась на моем языке, и металлические полосы уходили вдаль, казалось, бесконечно. Свечи давали мало света, но зато он не мигал: тут не было даже ветерка, который мог бы задуть пламя. Мы взбирались в гору, но изнутри нее.

Я удивляюсь этому, как всегда раньше. И это одна из бесчисленных загадок, оставленных нашими предками. Даже с теми замечательными машинами, которыми, мы знали, они обладали, должны были уйти многие годы, чтобы прорубить тоннель в самом сердце горы. И для чего? Чтобы построить железную дорогу, ведущую на вершину, которая всегда покрыта снегом и льдом? Я не видел в этом никакого смысла.

Они были странные и удивительные люди. Я видел руины одного из гигантских городов с широкими улицами, которые тянулись на мили, со зданиями, устремившимися к небу, с огромными магазинами, где могли бы поместиться все дома моей родной деревни и еще бы осталось место. Они легко и свободно передвигались по земле, могущество их было безмерно, почти непостижимо. И, несмотря на все это, треножники победили и поработили их. Как это случилось? Мы не знаем. Знаем только, что, кроме нас, горсточки живущих в Белых горах, люди выполняют все приказы треножников, и выполняют с радостью.

С другой стороны, способ, которым они удерживают свое господство, совершенно очевиден. Это делается благодаря шапкам, сеткам из серебристого металла, которые плотно охватывают череп и врастают в тело. Шапку надевают в четырнадцать лет, обозначая этим превращение ребенка во взрослого. Треножник забирает тебя и возвращает. Вернувшиеся, за исключением вагрантов, несвободны, они не распоряжаются своим мозгом.

Мы шли все выше и выше по тоннелю. Изредка мы отдыхали, вытянув ноги. Иногда в этих местах были отверстия, сквозь которые видны горы и холодные пустынные снежные поля, лежащие в их тени. Если бы мы знали, каким долгим и трудным будет подъем, мы бы, наверно, на него не решились, но теперь, уже зайдя так далеко, не хотели возвращаться. Изредка нам попадались разные предметы: пуговица, коробочка с надписью «Кэмел» и рисунком животного, похожего на горбатую лошадь, обрывок газеты, напечатанной на языке, который мы сейчас изучали. В обрывках речь шла о совершенно непонятных вещах. Всему этому было больше ста лет, это были реликвии мира до треножников.

Наконец мы достигли пещеры, где кончалась железная дорога. Каменные ступени вели в помещение, похожее на дворец. В огромном обшитом деревом зале сквозь большие окна мы смотрели на удивительные картины. Снежные вершины окружали долину, через которую далеко внизу текла река. Вершины ослепительно сверкали на солнце, на них больно было смотреть. Жил ли здесь когда-то король — король, правивший миром и выбравший своим жилищем его крышу?

Но почему же королевский зал уставлен столиками и к нему примыкают кухни? Мы продолжали поиски и нашли надпись: «Отель «Юнгфрау». Я знал, что такое отель, — большая гостиница, в которой останавливались путники. Но здесь, на вершине горы? Эта мысль была еще более невероятна, чем мысль о королевском зале. Не король и его приближенные ходили по этим гулким помещениям и смотрели на вечные снега, но обычные женщины и мужчины. Действительно, странный и удивительный народ. В те дни, подумал я, все были короли и королевы.

Я смотрел вокруг. Здесь уже столетиями ничего не менялось. А для меня изменилось так много.

Нас было одиннадцать, готовившихся к первой атаке на врага. Учение было тяжелым, и физически, и умственно, но мы мало знали о своем задании и о том, как ничтожны наши шансы на успех. Дисциплина и тренировки немного увеличивали наши шансы, но нам нужны были даже самые ничтожные.

Мы — вернее, некоторые из нас, — должны были произвести разведку. Мы почти ничего не знали о треножниках, не знали даже, разумные ли это машины, или средства передвижения других разумных существ. Нужно было узнать больше, прежде чем надеяться на успех, и существовал лишь один способ получить эти знания. Кто-то из нас должен был проникнуть в город треножников, изучить их и вернуться с информацией.

План был таков. Город находится на севере, в стране, называемой Германия. Каждый год в него приносят некоторое количество только что надевших шапки, чтобы они служили треножникам. Отбирают их разными способами. Я сам был свидетелем одного способа в замке де ла Тур Роже, когда Элоиза, дочь графа, стала королевой турнира. Я пришел в ужас, узнав, что в конце своего короткого правления она станет рабыней врага, пойдет на это с радостью, считая честью.

Среди немцев каждое утро праздника проводились игры, на которые собирались молодые люди со всей земли. В честь победителей давали пир, после чего они тоже отправлялись служить в город. Мы надеялись, что на следующих играх один из нас выиграет и получит доступ в город. Мы надеялись... Что произойдет с ним потом, неизвестно. Для успеха придется целиком полагаться на себя, как в изучении треножников, так и в передаче информации. Последнее было, вероятно, труднее всего. Хотя ежегодно десятки, а может, сотни уходили в город, никто оттуда не вернулся.

И вот снег у входа в тоннель, где проходили наши тренировки, начал таять, а неделю спустя лежал лишь островками, появилась свежая трава. Небо поголубело, солнце отражалось от белоснежных вершин, и мы быстро загорели в чистом, разреженном воздухе. В перерывах мы ложились на траву и смотрели вниз. В полумиле под нами виднелись маленькие фигурки. Нам они были видны, но от тех, кто мог бы заметить их из долины, они прятались. Это был наш первый отряд, отправившийся добывать продовольствие на богатых землях людей в шапках.

Я сидел с Генри и Бинполом немного в стороне от остальных. В горах жизнь всех тесно связана. Но у нас эта связь была еще теснее. Трудности, выпавшие на нашу долю, уничтожили ревность и вражду, которые сменились подлинной дружбой. Все ребята в нашем отряде были друзьями, но отношения между нами троими все же были особыми.

Бинпол печально сказал:

— Я сегодня не взял метр семьдесят...

Говорил он по-немецки. Мы изучали этот язык и нуждались в практике. Я ответил:

— Иногда выходишь из формы. Ты еще наверстаешь.

— Но у меня с каждым днем результаты все хуже.

— А я сегодня обошел Родриго, — заметил Генри.

— У тебя все в порядке.

Генри тренировался в беге на длинные дистанции, и Родриго был его главным соперником. Бинпол упражнялся в прыжках в длину и в высоту. Я был одним из двух боксеров. Всего было четыре вида состязаний (четвертое — спринтерский бег), и они проходили в остром соперничестве. Генри хорошо шел с самого начала. Я был уверен в себе, во всяком случае, по отношению к здешнему противнику. Это был Тонио, смуглый юноша с юга, выше меня, с более длинными руками, но не такой быстрый. Бинпол же все пессимистичнее смотрел на шансы попасть в команду.

Генри успокаивал друга, говоря, что слышал, как инструкторы его хвалили. Интересно, правда ли это, или выдумано для поддержки? Я надеялся на первое.

Я сказал:

— Я спрашивал Иоганна, принято ли решение о том, сколько нас пойдет.

Иоганн, один из наших инструкторов, приземистый мощный светловолосый человек, выглядел диким злобным быком, но в глубине души был очень добр.

— И что же он сказал?

— Он не уверен, но думает, что четверо — лучшие из каждой группы.

— Значит, трое нас и еще один, — сказал Генри.

Бинпол покачал головой:

— Мне не выйти.

— Выйдешь.

— А четвертый? — спросил я.

— Возможно, Фриц.

Это был лучший спринтер. Фриц — немец и пришел к нам из местности на северо-востоке. Главным его соперником был француз Этьен, который нравился мне больше. Этьен был веселый и говорливый, Фриц — молчаливый и угрюмый.

— Пусть кто угодно, лишь бы мы втроем прошли, — сказал я.

— Вы двое пройдете, — сказал Бинпол.

Генри вскочил на ноги.

— Свисток. Пошли, Бинпол. Пора за работу.

У старших были свои задачи. Одни тренировали нас, другие уходили с отрядами за пищей. Были и такие, кто изучал немногие книги, оставшиеся от древних, и старался заново постигнуть чудеса искусства наших предков. Бинпол, когда представлялась возможность, бывал с ними, слушал их разговоры и иногда даже высказывал свои предположения. Вскоре после нашей встречи он рассказывал — мне казались эти слова ерундой — о чем-то вроде гигантского котла, который без лошадей приводил в движение экипажи. Нечто подобное было открыто — и открыто заново — здесь, хотя и не работало пока должным образом. А планы у нас были еще грандиознее — получать свет и тепло при помощи того, что древние называли электричеством.

А во главе всех стоял один человек, он держал в своих руках все нити управления, решения его выполнялись беспрекословно. И это был Джулиус.

Ему около шестидесяти лет, он мал ростом и хром. Мальчиком он упал в расщелину и сломал бедро. Оно неправильно срослось, и он остался хромым. В те дни дела в Белых горах шли по-другому. У тех, кто там жил, была единственная цель — выжить, и число их уменьшалось. Именно Джулиус подумал о привлечении людей извне. И он верил — и заставлял верить других, что придет день, когда человек выступит против треножников и победит их.

И именно Джулиус разработал план, к выполнению которого мы сейчас готовились. И Джулиус же должен был сделать окончательный выбор.

Однажды он пришел взглянуть на нас. У него были седые голова и борода, красные щеки, как у большинства тех, кто провел всю жизнь в разреженном воздухе высот. Он опирался на палку. Я увидел его и сосредоточил все внимание на поединке, в котором участвовал. Тонио парировал мой удар левой и нанес удар правой. Я увернулся, сильно ударил его по ребрам, а затем слева ударил по челюсти, отчего он упал.

Джулиус поманил меня, и я побежал к тому месту, где он стоял. Он проговорил:

— Ты совершенствуешься, Уилл.

— Благодарю вас, сэр.

— Тебе, наверное, не терпится узнать, кто из вас примет участие в играх?

Я кивнул:

— Немного, сэр.

Он изучал меня.

— Когда треножник схватил тебя, ты помнишь то, что чувствовал? Ты боялся?

— Да, сэр.

— А мысль о том, что ты будешь в их руках, в их городе, не пугает тебя? — Я промолчал, а он продолжал: — Есть альтернатива выбора. Мы, старшие, можем оценить вашу быстроту и совершенство тела и мозга, но мы не можем читать в ваших сердцах.

— Да, — признал я, — меня это пугает.

— Можешь не идти. Ты будешь полезен и здесь. — Его бледно-голубые глаза смотрели на меня. — Никто не узнает, что ты предпочел остаться.

— Я хочу идти. Мне легче перенести мысль, что я буду в их руках, чем позор, если меня оставят.

— Хорошо. — Он улыбнулся. — И ты ведь уже убил треножника — сомневаюсь, чтобы другой человек мог похвастать этим же. Теперь мы знаем, что они не всемогущи.

— Вы хотите сказать, сэр...

— Я хочу сказать то, что сказал. Есть и другие соображения. Готовься, трудись, если хочешь быть избранным.

Позже я видел, как он говорил с Генри, и он мне ничего не сказал.

На протяжении всей зимы наша диета, хоть и сытная, была однообразна — сухое или соленое мясо, которое, что с ним ни делали, оставалось тяжелым и неаппетитным. Но в середине апреля наш отряд привел с собой шесть коров, и Джулиус решил, что одну можно зарезать и зажарить. После пира он произнес речь. Когда он проговорил уже несколько минут, я понял — и возбуждение сразу охватило меня, — что наступил момент объявления имен тех, кто сделает попытку разведать город треножников.

Джулиус говорил негромко, а я с остальными ребятами находился в дальнем конце пещеры, но слова его ясно доносились до нас. Все слушали внимательно и молча. Я взглянул на Генри — он был справа от меня. Мне показалось, что он выглядит уверенным. Моя собственная уверенность быстро ослабела. Вероятно, он пойдет, а я останусь.

Сначала Джулиус говорил о плане вообще. Участников готовили несколько месяцев. У них будут определенные преимущества перед соперниками, потому что человек в высокогорье развивает сильные легкие, да и мышцы у него сильнее, чем у тех, кто живет в плотном воздухе. Но следует помнить, что соперников будут сотни, они будут лучшими бойцами страны. Может случиться так, что ни один член нашего маленького отряда не наденет чемпионский пояс. В таком случае мы повторим попытку. Терпение столь же необходимо, как и решительность.

Конечно, участники игр должны быть в шапках. Это не представляло трудности. У нас были шапки, снятые с убитых во время набегов на долины. Их можно подогнать. Они похожи на настоящие шапки, но не контролируют мозг.

Теперь подробности. Город треножников лежит в сотнях миль к северу. Большую часть этого расстояния покрывает большая река. По ней плывут торговые баржи, и одна из них принадлежит нашим людям. Она доставит участников до места, где происходят игры.

Джулиус помолчал, потом продолжил:

— Решено избрать троих из числа готовившихся. Многое принималось во внимание: индивидуальное мастерство и сила, вероятный уровень соперничества на играх, темперамент, вероятная полезность участника, если ему удастся проникнуть в город. Нелегко было сделать выбор, но необходимо.

Слегка подняв голос, Джулиус сказал:

— Встань, Уилл Паркер.

Несмотря на все свои надежды, я был ошеломлен, услышав свое имя. Когда же я встал, ноги у меня дрожали.

Джулиус сказал:

— Ты неплохо проявил себя как боксер, Уилл, и у тебя преимущество малого роста и веса. Ты тренировался с Тонио, который на играх выступал бы в более тяжелом весе, и это пошло тебе на пользу.

Сомнения наши были связаны с самим тобой. Ты нетерпелив, часто неразумен, склонен действовать сгоряча, не подумав, что произойдет потом. С этой точки зрения Тонио подошел бы больше. Но его успех на играх менее вероятен, а это пока главное. Тяжелая ответственность ляжет на тебя. Можем ли мы рассчитывать, что ты сделаешь все, чтобы преодолеть свои недостатки?

— Да, сэр.

— Садись, Уилл. Встань, Жан-Поль Дели.

Мне кажется, я больше обрадовался за Бинпола, чем когда услышал собственное имя, может, потому, что я был менее смущен и более оптимистично настроен. Итак, нас будет трое — втроем мы путешествовали, втроем сражались с треножником на склоне холма.

Джулиус сказал:

— И в твоем случае были трудности, Жан-Поль. Ты лучший из наших прыгунов, но мы не уверены, что ты достиг уровня, необходимого для победы на играх. К тому же затруднение связано с твоим зрением. Приспособление, которое ты изобрел — или же, вернее, открыл заново, потому что оно было широко употребительно среди древних, — производит впечатление эксцентричности, а эксцентричность не характерна для людей с шапками. Без этих линз ты будешь видеть хуже своих товарищей. Если тебе удастся попасть в город, ты будешь подмечать детали хуже Уилла, например.

Но зато поймешь увиденное ты лучше. Ум твой — это преимущество, которое перевешивает слабость зрения. Ты можешь оказаться самым полезным при доставке сведений. Ты принимаешь задание?

— Да, сэр.

— Остается третий, и здесь выбрать было легче всего. — Я видел, что Генри доволен собой и совсем по-детски почувствовал какое-то недовольство. Он наиболее вероятный победитель в состязаниях и наиболее подходит для следующего этапа.

— Фриц Эгер, ты согласен?

Я попытался поговорить с Генри, но тот ясно показал, что хочет остаться один. Я позже еще раз увидел его, он был мрачен и необщителен. На следующее утро я встретил его в наружной галерее.

Это было наше любимое место, где через отверстия можно было смотреть на внешний мир. В тысячах футов внизу виднелась богатая зеленая равнина с дорогами, как черные нити, с крошечными домиками, коровами с булавочную головку на миниатюрных лугах. Генри сидел у стены. Увидев меня, он отвернулся. Я неловко сказал:

— Если хочешь, чтобы я ушел...

— Не важно.

— Мне жаль.

Он вымученно улыбнулся.

— Не так, как мне.

— Если повидаться с Джулиусом... Не понимаю, почему бы не послать четверых вместо троих.

— Я уже виделся с ним.

— Надежды нет?

— Никакой. Я лучший из наших, но они думают, что у меня нет шансов на играх. Может, в следующем году.

— Не понимаю, почему не попытаться и в этом году?

— Я говорил об этом. Он ответил, что трое и так уже слишком большая группа. Легче оказаться заподозренными, да и труднее с доставкой.

С Джулиусом не спорят. Я сказал:

— Что ж, у тебя будет возможность в будущем году.

— Если он будет, этот год.

Если наша экспедиция не удастся, состоится еще только одна. Я подумал о том, что означает неудача лично для меня. Долина с полями, домами и ленточками-реками, на которую я с такой жадностью смотрел, показалась вдруг менее привлекательной. Я смотрел на нее сквозь темное отверстие, но здесь я был в безопасности.

Но даже в приступе страха я жалел Генри. Я тоже мог бы быть не избран. Не думаю, что перенес бы это так же достойно, как он.

Глава 2

ПЛЕННИК В ЯМЕ

Мы выступили во второй половине дня, тайно пробрались через ближайшую долину и дальше шли при луне. До восхода солнца мы не отдыхали; к этому времени мы прошли половину пути — до берега дальнего из двух озер, лежавших под нашей крепостью. Мы спрятались на склоне холма; высоко над нами сверкал белый пик, с которого мы начали свой путь. Мы устали. Поели и уснули, несмотря на жару.

Сто миль отделяло нас от того пункта на реке, где нас будет ждать «Эрлкениг». У нас был проводник — человек, знавший местность благодаря участию в набегах. Он доведет нас до баржи. Мы шли по ночам, а днем отдыхали.

Прошло несколько недель после пира и речи Джулиуса. Все это время мы продолжали готовиться, начав с того, что постригли волосы и надели специально подогнанные фальшивые шапки. Вначале было неудобно, но постепенно я привык к этому жесткому металлическому шлему. Волосы у меня уже проросли сквозь сетку, и мы были уверены, что во время игр не будем отличаться от тех, на кого надели шапки в первые недели лета. Ночью мы надевали шерстяные шапочки, иначе холод металла не давал уснуть.

Генри не было среди тех, кто нас провожал. Я понимал это. И я не пошел бы, если бы нас поменяли местами. Мне хотелось злиться на Фрица, занявшего место Генри, но я помнил, что говорил Джулиус о моей несдержанности. Помнил я и то, как негодовал из-за дружбы Бинпола и Генри во время нашего путешествия на юг и как это повлияло на меня во время пребывания в замке де ла Тур Роже.

Я решил, что больше такое не повторится, и делал особые усилия, чтобы преодолеть вражду к Фрицу. Но он не отвечал на мои попытки, оставаясь молчаливым и замкнутым. Видя это, я еще больше готов был невзлюбить его. Но мне удалось подавить свое раздражение. Хорошо, что с нами был Бинпол. Обычно, когда обстоятельства позволяли, мы с ним разговаривали. Наш проводник Примо, смуглый, внешне неуклюжий, но на самом деле удивительно ловкий человек, говорил немного, кроме необходимых предупреждений и указаний.

Нам была дана неделя на то, чтобы добраться до баржи, но мы покрыли это расстояние за три-четыре дня. Мы шли по вершине гряды, огибая развалины одного из огромных городов. Он расположен на изгибе реки, которая была нашей целью. Река течет с востока, и раннее утреннее солнце сверкает на ее поверхности, потом она поворачивает и устремляется на север. Две баржи шли вниз по течению, примерно с дюжину были пришвартованы в гавани небольшого островка.

Примо указал вниз.

— Одна из них — «Эрлкениг». Сможете спуститься сами?

Мы уверили его, что сможем.

— Тогда я возвращаюсь. — Он кивнул. — И удачи вам всем.

«Эрлкениг» оказался одной из самых маленьких барж, примерно пятидесяти футов в длину. Ничего в нем не было особенного — длинное низкое сооружение, всего на несколько футов возвышающееся над водой, с навесом на носу, который давал некоторую защиту от непогоды. Экипаж состоял из двух человек, оба с фальшивыми шапками. Старшего из них звали Ульф. Это был приземистый, с бочкообразной грудью человек около сорока лет, с грубыми манерами и привычкой постоянно сплевывать. Он мне не понравился, особенно когда он сделал насмешливое замечание по поводу хрупкости моего тела. Его товарищ Мориц был лет на десять моложе и, я думаю, в десять раз приятнее. У него были красивые волосы, тонкое лицо и теплая улыбка. Но не было сомнений в том, кто из них хозяин: Мориц автоматически подчинялся Ульфу. И именно Ульф, сплевывая и бранясь через довольно регулярные интервалы, давал нам указания на время пути.

— У нас баржа с экипажем из двух человек, — сказал он нам. — Один лишний мальчишка — это ничего, он сойдет за ученика. Но если их больше, привлечет внимание, а нам это не нужно. Поэтому вы по очереди будете работать на палубе — и когда я говорю «работать», я именно это и имею в виду, — а остальные двое будут лежать в трюме и не выйдут, даже если баржа перевернется. Вам говорили о необходимости дисциплины, так что я не буду повторяться, хочу сказать только: я выкину всякого, кто вызовет неприятности, и независимо от причины.

Я знаю, какая работа вам предстоит, и надеюсь, что вы ее выполните. Но если вы не сможете вести себя разумно и по пути повиноваться приказам, значит, из вас не будет толку и потом. Поэтому я, не задумываясь, выполню свое обещание. А поскольку мне не нужно, чтобы он остался в гавани и люди начали задавать ему вопросы, я скорее всего привяжу ему железо к ногам и брошу в воду.

Он откашлялся, сплюнул и хмыкнул. Вероятно, последнее замечание должно сойти за шутку. Но я не был уверен в этом. Он выглядел вполне способным выполнить угрозу.

Он продолжал:

— Вы пришли рано, и это, конечно, лучше, чем прийти поздно. Нам нужно еще погрузиться, и, во всяком случае, известно, что мы не тронемся еще три дня. Мы можем выйти на день раньше, но не более. Итак, первой паре придется два дня просидеть внизу, прежде чем снова увидеть небо. Хотите бросить жребий?

Я посмотрел на Бинпола. Два дня на палубе, конечно, лучше двух дней в трюме. Но тогда была возможность потом провести в заключении два дня с молчаливым Фрицем. Бинпол, который, по-видимому, пришел к такому же заключению, сказал:

— Мы с Уиллом пойдем вниз.

Ульф взглянул на меня, я кивнул. Хозяин баржи сказал:

— Как хотите. Покажи им койки, Мориц.

Когда мы спускались с холма, Бинпола занимало, как баржи движутся. У них не было парусов, да те мало помогали бы на реке. Конечно, они легко могли идти вниз по течению, но как они движутся обратно вверх? Подойдя ближе, мы увидели по бокам барж колеса с планками. Бинпол был возбужден мыслью, что, может быть, тут с древних времен сохранились и машины.

Ответ оказался обескураживающим. Каждое колесо имело внутри привод, который при плавании против течения двигал осел. Приученные к этой работе с юности, ослы равномерно шли вперед, их усилия передавались колесу и двигали баржу по воде. Их жизнь казалась мне тяжелой и скучной, и мне было их жаль, но Мориц, который любил животных, хорошо смотрел за ними. В плавании вниз по реке они работали мало и паслись, где только представлялась возможность. И теперь они в поле, недалеко от речного берега, и останутся там до отплытия «Эрлкенига». Пока их не привели на борт, мы с Бинполом оставались в их маленьких стойлах, где запах ослов и сена смешивался с запахом старых грузов.

На этот раз грузом служили деревянные часы и резные украшения. Их делали жители большого леса на востоке, а теперь их повезут вниз по реке для продажи. Их нужно было грузить осторожно из-за хрупкости, и на борт пришли приглядывать за этим владельцы. Мы с Бинполом прятались за тюками сена, которое держали для ослов, и старались не шуметь. Однажды я не удержался и чихнул, но, к счастью, люди в это время громко смеялись и ничего не услышали.

Но все же это было облегчение, когда прошли два дня и баржа рано утром двинулась по реке. Ослы тянули привод — двое работали, а один отдыхал, а мы с Бинполом бросили жребий, кому сменять Фрица на палубе. Повезло мне, и я вышел на палубу. Был сумрачный ветреный день, часто шел дождь. Но воздух был легким и свежим, особенно после заточения внизу, и так много можно видеть на реке и по берегам. На запад лежала обширная плодородная равнина, где на полях работали люди. На востоке поднимались холмы, над их вершинами висели темные тучи. Впрочем, у меня было немного времени, чтобы восхищаться картиной. Ульф позвал меня и дал ведро и швабру с горстью мягкого желтого мыла. Палуба, как он справедливо отметил, не убиралась несколько недель. Я принесу пользу, исправив это.

«Эрлкениг» двигался ровно, но не быстро. К вечеру мы причалили к длинному острову, где уже стояла одна баржа. Это был один из многих остановочных пунктов вдоль всей пятисотмильной реки. Мориц объяснил мне, что они расположены на расстоянии дневного перехода друг от друга. Вниз по течению обычно легко проходили два таких отрезка за день, но на третьем рисковали очутиться в темноте. Баржи не плыли по ночам.

На всем пути к реке мы ни разу не видели треножников. За один день на палубе я видел два. Оба в отдалении шагали на западном горизонте, по крайней мере в трех-четырех милях. Один их вид заставил меня вздрогнуть от страха, который мне пришлось подавлять. Можно на время забыть об окончательной цели нашего пути, но их вид напомнил мне о ней.

Я старался успокоить себя тем, что до сих пор все шло хорошо, мы не встретили никаких препятствий. Это помогало мало, но к следующему вечеру даже этого небольшого утешения не стало.

«Эрлкениг» остановился в небольшом торговом городке. Мориц сказал, что у Ульфа здесь какое-то дело. Оно должно было занять не больше часа, но он решил, поскольку мы и так идем раньше намеченного, задержаться здесь до следующего утра. Наступил полдень, но Ульф не возвращался. И Мориц все заметнее нервничал.

В конце концов он высказал свои сомнения. Ульф, случалось, напивался. Мориц считал, что в этой поездке он так не сделает, учитывая всю ответственность нашего поручения, но если дело, которое он должен был завершить, не вышло, он мог рассердиться, зайти в таверну, рассчитывая немного выпить, чтобы успокоиться, но один стакан тянет за собой другой. Запив, он мог отсутствовать несколько дней.

Эта мысль обескураживала. Садилось солнце, а Ульфа не было. Мориц начал говорить о том, что он оставит нас на барже, а сам пойдет искать его.

Трудность заключалась в том, что «Эрлкениг», Ульф и Мориц были хорошо известны в городе. Постоянно к барже подходили люди поздороваться и поболтать. Если Мориц уйдет, с ними придется иметь дело Бинполу (был его день на палубе), и Мориц из-за этого беспокоился. Могли возникнуть подозрения. Вряд ли Бинпол подходил для нового ученика. Люди на реке любопытны, хорошо знают друг друга, и Бинпол мог сказать что-нибудь такое, что сразу бы выдало его.

Бинпол предложил другой выход. Мы можем поискать Ульфа. Выбрав момент, когда поблизости никого не будет, мы выскользнем с баржи и побродим по тавернам, пока не найдем его. Тогда мы либо уговорим его вернуться, либо по крайней мере скажем Морицу, где он. Если нас станут расспрашивать, мы выдадим себя за пришельцев из дальних районов: в конце концов, город же торговый. Это не то же самое, что отвечать на вопросы, как мы оказались на борту «Эрлкенига».

Мориц колебался, но согласился, что в этом есть смысл. Постепенно он позволил нам убедить себя. Конечно, втроем мы не можем искать Ульфа, но один может — Бинпол, поскольку это была его идея. Бинпол ушел, и я тут же начал убеждать Морица отпустить и меня.

Мне помогло то, что моей настойчивости сопутствовало равнодушное молчание Фрица. Он не делал никаких замечаний и ясно показывал, что собирается ждать, пока дела сами собой, без его помощи, придут в порядок. Я знал, что уговорю Морица, он был гораздо дружелюбнее Ульфа, но и гораздо менее самоуверен. Он сказал, что я должен вернуться через час, найду Ульфа или же нет, и я согласился. Я дрожал от возбуждения: мне предстояло оказаться в незнакомом городе чужой страны. Я убедился, что никто не следит за баржей, быстро спрыгнул на причал и пошел.

Город оказался больше, чем я думал, глядя на него с борта баржи. К реке выходил ряд складов и амбаров, многие в три этажа. Часть зданий была каменная, но больше деревянные, дерево резное и расписанное фигурами людей и животных. Поблизости находилось несколько таверн, и я быстро пробежался по ним, хотя Бинпол, очевидно, уж побывал здесь. В одной сидели за большими кружками два старика и курили трубки. А в другой была дюжина посетителей, но я тут же увидел, что среди них нет Ульфа.

Я вышел на дорогу, которая под прямым углом уходила от реки, и пошел по ней. Тут располагались магазины, двигались экипажи и всадники. Людей было множество. Я понял почему, когда пришел к первому перекрестку: поперечная улица в обоих направлениях была перекрыта столами, за которыми продавали пищу, одежду и другие товары. В городе был торговый день.

Как интересно после долгой зимы, проведенной в темном тоннеле в горах, оказаться снова среди множества людей, занятых повседневными делами. И особенно интересно для меня. Ведь до побега к Белым горам я знал лишь спокойствие деревенской жизни. Несколько раз я бывал в Винчестере на рынке. Этот город был, вероятно, больше Винчестера.

Я прошел мимо рядов. На первом были навалены груды овощей: морковь и картошка, толстые бело-зеленые стебли спаржи, горох, большие кочаны капусты, белой и цветной. Во втором продавали мясо — и не просто куски, какие мясник привозил к нам в деревню, а ноги, челюсти, внутренности. Я бродил, глазея и принюхиваясь. Один ряд был целиком отдан сыру десятков различных оттенков и цветов, форм и размеров. Я и не знал, что их может быть так много. А рыбный ряд с сушеной и копченой рыбой, свисающей с крюков, со свежей рыбой, только что пойманной и уложенной на каменные плиты, с еще влажной чешуей! С приближением темноты некоторые киоски закрывались, но многие еще торговали, и людей было множество.

Между двумя киосками — в одном торговали кожей, в другом свертками тканей — я увидел вход в таверну и виновато вспомнил о том, что мне полагалось делать. Я вошел и осмотрелся. Там было темнее, чем в предыдущих тавернах, помещение было заполнено табачным дымом и едва видимыми фигурами, некоторые сидели за столиками, другие стояли у прилавка. Когда я подошел, чтобы всмотреться повнимательнее, меня окликнули из-за прилавка. Говоривший оказался высоким толстым человеком в кожаном переднике. Грубым голосом, с акцентом, который я с трудом понимал, он спросил:

— Что тебе, парень?

Мориц дал мне несколько местных монет. Я сделал то, что мне казалось самым благоразумным: заказал кружку темного эля — обычный здешний напиток. Кружка оказалась больше, чем я ожидал. Он принес мне кружку с пеной по краям, и я дал ему монету. У пива был горьковатый вкус, впрочем, не неприятный. Я осмотрелся в поисках Ульфа, вглядываясь в темные углы, где на деревянных стенах висели головы оленей и диких кабанов. На мгновение мне показалось, что я его вижу, но человек передвинулся в более светлое место. Это был не Ульф.

Я начал нервничать. С шапкой меня признавали мужчиной, поэтому я вполне мог находиться здесь. Но мне не хватало уверенности тех, у кого были настоящие шапки, и я, конечно, сознавал свое отличное от остальных положение. Установив, что Ульфа здесь нет, я хотел уйти побыстрее. Как можно незаметнее я поставил кружку и начал продвигаться к улице. Не успел я сделать и двух шагов, как человек в кожаном переднике окликнул меня. Я обернулся.

— Эй! — Он протягивал несколько мелких монет. — Ты забыл сдачу.

Я поблагодарил его и хотел идти дальше. Но тут он увидел, что моя кружка на две трети полна.

— Ты не допил свой эль. Тебе он не понравился?

Я торопливо сказал, что эль понравился, просто я не очень хорошо себя чувствую. К своему отчаянию я увидел, что посетители начали проявлять ко мне интерес. Человек за прилавком отчасти, казалось, смягчился, но сказал:

— Ты не вюртембуржец, говоришь не так. Откуда ты?

На это у меня был готов ответ. Мы должны были называть себя приезжими из отдаленных мест. В моем случае это была местность на юге, называемая Тироль. Я так и сказал.

Что касается возможных подозрений, то это подействовало. С другой точки зрения, выбор оказался неудачен. Позже я узнал, что в городе были сильные антитирольские настроения. В прошлом году на играх тиролец победил местного чемпиона и, как утверждали, победил нечестно. Один из посетителей спросил, отправляюсь ли я на игры, и я, ничего не подозревая, ответил, что да. Последовал поток оскорблений... Тирольцы все лгуны и воры, они презирают добрый вюртембургский эль. Их нужно выгнать из города, выкупать в реке, чтобы немного очистить...

Нужно было убираться, и побыстрее. Я проглотил оскорбления и пошел. Снаружи я затерялся бы в толпе. Думая об этом, я не смотрел себе под ноги. Из-под одного столика протянулась нога, и под аккомпанемент общего хохота я растянулся на опилках, которыми был посыпан пол.

Даже это я готов был вынести, хотя при падении больно ушиб колено. Я начал вставать, но в этот момент кто-то ухватил меня за волосы, проросшие сквозь шапку, затряс яростно и ударил о землю.

Нужно быть благодарным, что при этом у меня не свалилась фальшивая шапка. Нужно было думать только об одном — о возможности благополучно уйти и добраться до баржи. Но боюсь, что в тот момент я не мог думать ни о чем, кроме боли и унижения. Я встал, увидел перед собой ухмыляющееся лицо и размахнулся.

Мой противник был примерно на год старше меня и гораздо тяжелее. Он презрительно отразил мою атаку. Не сознавая, как глупо я себя веду, я использовал то, чему меня научили во время долгих тренировок. Я поднырнул под его руку и нанес ему сильнейший удар в грудь. Теперь была его очередь упасть, и люди, стоявшие вокруг нас, взревели. Мой противник медленно встал, его лицо было искажено гневом. Остальные образовали круг и раздвинули столы. Я понял, что боя не избежать. Я не боялся, но понимал собственную глупость. Джулиус предупреждал меня о моей несдержанности, и вот, спустя всего неделю после начала важнейшего дела, эта несдержанность подвела меня.

Он двинулся на меня, и я снова сосредоточился на настоящем. Я увернулся и сбоку ударил его. Хотя он и был тяжелее меня, ему не хватало умения. Я мог сколько угодно плясать вокруг него, нанося удары. Но этого нельзя было делать. Нужен один решающий удар. Со всех точек зрения, чем скорее это кончится, тем лучше.

Поэтому, когда он в следующий раз атаковал меня, я отразил удар левым плечом и сам сильно ударил его в уязвимое место под ребрами. Я вложил всю свою силу в этот хук. Глотая воздух, он непроизвольно пошел головой вперед. От второго моего удара он еще быстрее двинулся, но уже назад и ударился об пол. Зрители молчали. Я поглядел на лежащего противника и, видя, что он и не собирается вставать, направился к двери, ожидая, что кольцо зрителей расступится и меня выпустят.

Но этого не случилось. Они продолжали молча и неподвижно смотреть на меня. Один из них наклонился над лежащим. Он сказал:

— Удар в голову. Он может быть серьезно ранен.

— Нужно вызвать полицию, — заметил кто-то другой.

Несколько часов спустя я смотрел на звезды, ярко горевшие на чистом черном небе. Я был голоден, замерз. Но больше всего я был недоволен собой. Я был пленником в яме.

Член магистрата, который допрашивал меня, проявил вопиющую несправедливость. Мой противник оказался его племянником и сыном богатейшего купца в городе. Ясно было, что я спровоцировал его, унизительно отозвавшись о вюртембуржцах, и ударил, когда он не смотрел на меня. Это совершенно не соответствовало случившемуся в действительности, но большинство свидетелей подтвердили эту версию. Правда, нужно сказать, что моего противника среди них не было: он все еще не пришел в себя после удара головой об пол. Меня предупредили о том, что, если он не поправится, меня повесят. А тем временем я был приговорен к заключению в яме до городского праздника.

Именно в этот день и производилось наказание преступников. Яма оказалась круглой, примерно пятнадцати футов в диаметре и такой же глубины. Дно и стены вымощены камнем. Гладкие стены не давали возможности выбраться, а вверху торчали остриями внутрь железные прутья, которые вообще делали невозможным побег. Меня бросили сквозь них, как мешок картошки, и оставили. Мне не дали еды, мне нечем было укрыться на ночь, которая оказалась очень холодной. При падении я разбил локоть и ободрал руку.

Но по-настоящему веселье, как с удовлетворением сказали мне, начнется завтра. Яму содержали отчасти для наказания, отчасти для развлечения жителей. В их обычае было бросать в несчастных пленников все, что подвернется под руку. Предпочитали обычно гнилые овощи, комки грязи, помои и тому подобное, но если они сердились по-настоящему, то могли использовать камни, поленья и разбитые бутылки. В прошлом бывало, что пленников тяжело ранили или даже убивали. Они ожидали получить завтра большое удовольствие и не преминули сообщить мне об этом.

Хорошо еще, что небо оставалось ясным. Тут не было защиты от дождя. У стены стояло корыто с водой. Хотя я и хотел пить, но не настолько: света было достаточно, чтобы разглядеть зеленую слизь по краям корыта. Пленникам не давали еды. Достаточно проголодавшись, они могли есть гнилые отбросы, кости, черствый хлеб и все прочее, чем в них швыряли. Это тоже считалось развлечением.

Какой я все же дурак! Дрожа, я ругал себя за глупость.

Ночь тянулась медленно. Я несколько раз ложился, свернувшись клубком, и пытался уснуть. Но было так холодно, что я должен был встать и походить, чтобы восстановить кровообращение. Я ждал наступления дня и боялся его. Что случилось с остальными? Вернулся ли Ульф? Я не надеялся на его вмешательство. Его хорошо знали в этом городе, но он не мог пойти на риск и признать свою связь со мной. Завтра они уплывут вниз по реке и оставят меня здесь. Что еще они могут сделать?

Широкий круг неба надо мной посветлел, и я смог определить, где восток, по начинающемуся рассвету. Для разнообразия я сел спиной к стене. Усталость, несмотря на холод, надвинулась на меня. Голова опустилась на грудь. Потом какой-то звук сверху заставил меня очнуться. Я увидел чью-то голову. Кому-то не терпится добраться до жертвы, сонно подумал я. Скоро начнется забава.

И тут я услышал негромкий голос:

— Уилл, как ты там?

Голос Бинпола.

Он принес с баржи веревку. Вытянувшись, он привязал ее к одному из железных прутьев и бросил мне другой конец. Я схватил его и подтянулся. Трудно было пробраться сквозь прутья, но Бинпол помог мне. Через несколько секунд я перевалил через край ямы.

Мы не стали тратить время на разговоры. Яма находилась на окраине города. Сам город, еще спящий, но уже озаренный рассветом, отделял нас от реки и от «Эрлкенига». У меня сохранились лишь смутные воспоминания, как меня привели сюда, но Бинпол бежал уверенно, и я следовал за ним.

Нам потребовалось лишь десять минут, чтобы добраться до реки, и мы видели только одного человека в отдалении. Он что-то закричал нам, но не сделал попытки нас преследовать. Я понял, что Бинпол хорошо рассчитал время. Мы миновали улицу, где был рынок. Еще пятьдесят ярдов, и мы будем в гавани.

Мы добежали до нее и повернули налево. Сразу за таверной, рядом с баржей, которая называлась «Зигфрид», я остановился как вкопанный, и Бинпол сделал то же. Да, «Зигфрид» был на месте, но следующий кнехт оказался пустым.

Бинпол потянул меня за рукав. Я посмотрел, куда он показывал, — на север. В четверти мили от нас посредине реки «Эрлкениг» направлялся вниз по течению — крошечная лодка, быстро уменьшавшаяся на расстоянии.

Глава 3

ПЛОТ НА РЕКЕ

Первой нашей задачей было уйти подальше, пока не стало известно о моем побеге из ямы. Мы прошли несколько кварталов, застроенных хижинами, совсем не похожими на крашеные резные дома в центре города, и вышли на дорогу, которая шла вдоль берега реки. Справа из-за лесистых холмов поднялось солнце. С угрожающей быстротой формировались облака. Через полчаса они затянули все небо и закрыли солнце, а еще четверть часа спустя в лицо нам ударил дождь. Пять минут спустя, уже абсолютно промокнув, мы нашли убежище в разрушенном здании в стороне от дороги. Тут у нас было время подумать о случившемся и о том, что делать дальше.

По пути Бинпол рассказал, что было с ним. Он не нашел Ульфа, но когда вернулся на баржу, Ульф уже был там. Он был пьян, но это не улучшило его характера. Он разъярился на меня и Бинпола за то, что мы ушли в город. Он решил, что мы вдвоем проведем оставшуюся часть пути под палубными досками. А Фриц, очевидно, единственный, на кого можно рассчитывать, в ком есть разум.

Шло время, я не возвращался, и гнев Ульфа усиливался. Вечером пришел один его знакомый и рассказал о молодом тирольце, который затеял драку в таверне и был приговорен к яме. Когда этот человек ушел, Ульф заговорил с холодным гневом и нетерпением. Моя глупость поставила все под угрозу. Я не только не гожусь для дела, но являюсь просто помехой. Он не станет ждать и не будет пытаться освободить меня утром. «Эрлкениг» продолжит путешествие. В играх будет два участника вместо трех. А что касается меня, то я могу оставаться в яме и сгнить в ней.

Хотя Бинпол не говорил мне об этом, но он решил, что Ульф жесток и несправедлив. Мы находились в его распоряжении и должны были повиноваться всем его приказам. Больше того, в его словах был определенный смысл. Прежде всего дело, а не личности. Задача Бинпола — как можно лучше выступить в играх, добиться доступа в город треножников и добыть информацию, которая поможет уничтожить их. Только это и было важно.

Но Бинпол расспросил Морица о яме: что это такое, где она помещается. Не знаю, то ли Мориц не понял, к чему направлены эти вопросы, то ли понял и одобрил. Я думаю, он был слишком мягким человеком для работы, которая требует суровости. Во всяком случае, Бинпол узнал все, что ему было нужно, на рассвете взял веревку и отправился искать меня. По-видимому, Ульф слышал, как он уходил, и либо в гневе, либо холодно и логично рассудил, что нужно спасти единственного достойного члена трио от возникающих подозрений и расспросов.

И вот мы оказались на мели в сотнях миль от цели.

* * *

Дождь прекратился так же внезапно, как и начался, и сменился горячим солнцем, в лучах которого наша влажная одежда начала парить. Менее часа спустя мы снова вымокли; на этот раз убежища вообще не было, ливень вымочил нас до костей. И так продолжалось весь день. Мы мокли, мерзли и все время сознавали — особенно я, — в какую историю попали.

К тому же мы были голодны. Со вчерашнего обеда я ничего не ел, и как только возбуждение от спасения и бегства спало, я почувствовал жестокий голод. У нас оставалось еще немного денег, но негде было истратить их, а мы не хотели ждать, когда в городе откроются магазины. Мы шли по лугам, где паслись коровы. Я предложил подоить одну и с помощью Бинпола загнал ее в угол поля. Она сопротивлялась моим неуклюжим и неумелым попыткам, вырвалась и убежала. Пытаться снова казалось бесполезным.

Спустя несколько часов мы увидели поле репы. Поблизости виднелся дом, но мы рискнули нарвать ее немного. Репа оказалась мелкой и горькой, но все же ее можно было жевать. Снова пошел дождь и на этот раз продолжался без перерыва больше часа.

Мы нашли развалины, в которых решили провести ночь. Других источников пищи мы не встретили и жевали траву в попытках унять голод. Это оказалось бесполезно, и к тому же у нас разболелись животы. И, конечно, одежда оставалась мокрой. Мы пытались уснуть, но безуспешно. Когда же ночь начала сереть, усталые и невыспавшиеся, мы пошли дальше.

День, хоть и без дождя, выдался облачным и холодным. Река, широкая и могучая, текла рядом, мы видели плывущую вниз баржу, и нам показалось, что до нас долетел аромат жареной свинины. Вскоре нам встретилась небольшая деревушка. Бинпол хотел притвориться вагрантом, надеясь получить пищу. Я предложил заменить его, но он сказал, что это его идея и я не должен показываться. Я спрятался за изгородью и ждал.

В моей родной деревне был дом вагрантов, в котором останавливались эти бедные блуждающие безумцы. Там им давали еду и белье, стирали и чинили их одежду. Бинпол говорил мне, что в его стране ничего подобного нет. Вагранты спали где придется — в сараях, если повезет, или в развалинах. Они выпрашивали пищу у дверей, и ее давали им с различной щедростью.

Мы полагали, что-нибудь подобное может существовать и здесь. В деревне было с полдюжины домов, и я видел, как Бинпол подошел к первому и постучал. Дверь не открыли; позже он рассказал мне, что голос изнутри велел ему убираться, добавив проклятие. У второй двери вообще не было ответа. В третьем доме открылось окно, и на него в сопровождении хохота выплеснули ведро грязной воды. Когда же он, еще более мокрый, пошел дальше, дверь отворилась. Он обернулся, готовясь перенести унижение, если есть надежда получить пищу, и побежал. На него спустили огромного свирепого пса. Собака гнала его почти до того места, где лежал я, а потом стояла и лаяла ему вслед.

В полумиле дальше мы нашли картофельное поле. Картошка была маленькая и, конечно, вареная она вкуснее. Но у нас не было возможности развести костер. Мы тащились вперед и, когда наступил вечер, увидели у берега баржу. Я думаю, одна и та же мысль пришла нам в голову: это «Эрлкениг»; по какой-то причине Ульф задержался, и мы можем присоединиться к ним. Это была весьма нелепая надежда, но все же разочарование оказалось горьким. Баржа была большая, и шла она вверх по течению, а не вниз. Мы ушли от реки.

Позже мы снова вышли на берег и сидели, дрожа, в хижине с обвалившейся крышей. Мы молчали. Не думал ли Бинпол, что, если бы не я, он сейчас в тепле и безопасности плыл бы на барже?

Но Бинпол сказал:

— Уилл.

— Да.

— Там, где стояла баржа, была пристань и несколько домов. Должно быть, это остановочный пункт.

— Может быть.

— Первый, который мы миновали после выхода из города. Я подумал об этом.

— Да, это так.

— Ульф предполагал проходить два пункта за день, двигаясь не очень быстро. Значит, за два дня...

За два дня мы прошли расстояние, которое баржа проходит за утро, хотя мы шли с рассвета дотемна. Я ничего не сказал.

Бинпол продолжал:

— Планировалось, что мы прибудем за три дня до начала игр. Путь должен был занять пять дней. А так нам потребуется двадцать дней. Игры начнутся до нашего прибытия.

— Да. — Я старался унять дрожь. — Ты думаешь, нам придется вернуться?

— В тоннель? Мне не хочется думать, что нам скажет там Джулиус.

Мне тоже этого не хотелось, но я не знал, что еще мы можем сделать.

Бинпол сказал:

— Мы должны двигаться быстрее. Есть река.

— Мы не смеем приблизиться к баржам. Ты знаешь, что нам сказали об этом. К незнакомцам тут относятся подозрительно и никогда не пускают на борт.

— Если бы у нас была своя лодка...

— Неплохо бы, — сказал я без сарказма. — Или бы вдоль реки шло шмен-фе.

Бинпол терпеливо проговорил:

— Лодка — или плот? Стена хижины, может быть? Она и так отпала. Если мы сможем оторвать ее и спустить в воду... течение понесет нас вдвое быстрее.

Я почувствовал неожиданный прилив надежды, которая на мгновение позволила мне забыть холод и ноющую пустоту в желудке. Это возможно. Давным-давно мальчишкой я помогал своему двоюродному брату Джеку строить плот, и мы плавали на нем по пруду. Он перевернулся, и мы оказались в воде и тине. Тогда мы были детьми. Но сейчас положение другое.

— Ты думаешь, мы сможем... — сказал я.

— Утром, — ответил Бинпол. — Попробуем утром.

День, как бы для того чтобы подбодрить нас, был ясный. При первом свете мы принялись за работу. Сначала она оказалась ободряюще легкой, а потом обескураживающе трудной; стена, о которой говорил Бинпол, была площадью примерно в шесть квадратных футов и почти отделилась от крыши. Мы завершили это отделение и высвободили бока. Осталось только нажать. Стена обрушилась... и раскололась на несколько частей.

Надо, сказал Бинпол, скрепить их перекрестными планками. Доски будем брать из других стен. Придется вытаскивать гвозди, распрямлять их и снова забивать, где понадобится. Говорил он со спокойной убежденностью.

Беда в том, что большинство гвоздей было не только изогнуто, но проржавело, и они ломались иногда от легкого нажима. Нам приходилось отыскивать сравнительно сохранившиеся, осторожно распрямлять их и прибивать ими доски. Конечно, молотка у нас не было. Мы пользовались камнями с ровной поверхностью. Бинпол отыскал хороший камень и отдал мне, так как, сказал он, я лучше смогу его использовать. Это верно. У меня всегда были умелые руки — боюсь, более умные, чем голова.

Работа была тяжелой и долгой. К концу мы вспотели, а солнце уже высоко стояло в небе. Оставалось стащить плот в воду, но это тоже было нелегко. Хижина находилась примерно в пятидесяти футах от воды, а земля была неровной. Поднять плот мы не могли, он был слишком тяжел, и нам пришлось тащить и толкать его, время от времени отдыхая между усилиями. Однажды, когда на пути попались колючие кусты, я готов был сдаться и в гневе пнул доски. Бинпол вытащил плот из кустов. Вскоре мы добрались до берега и без сил упали на песок. И снова благодаря Бинполу нам повезло: он наткнулся на гнездо какой-то водной птицы. Мы съели четыре яйца сырыми, облизали скорлупу и взялись за последнюю часть работы. Бинпол тащил с одной стороны, а я — с другой. Плот зловеще заскрипел, я увидел, как зашатался гвоздь, но все же плот коснулся воды и поплыл. Мы взобрались на него и оттолкнулись от берега.

Путешествие не было триумфальным. Течение подхватило нас, повернуло и понесло вниз. Но под нашим весом один угол плота ушел под воду. Впрочем, из-за каких-то капризов равновесия поверхность плота ушла под воду лишь на несколько дюймов. Мы по очереди сидели в воде и на сравнительно сухом конце. Вода была холодна, ведь речка питается тающим снегом в горах.

Но мы по крайней мере продвигались быстрее, чем по суше. Берега проплывали мимо. И погода держалась хорошая... Солнце сияло в небе, голубизна которого отражалась в гладкой поверхности, по которой мы двигались. Бинпол окликнул меня и указал: на западе через поля огромными скачками шел треножник. Я почувствовал некоторое удовлетворение от этого зрелища. Хоть мы и малы сравнительно с ним, но нам предстоит сражаться.

Когда я в следующий раз увидел треножника, мне было не до таких рассуждений.

Час спустя мы миновали баржу. Она шла вверх по течению, и поэтому встреча была короткой. Человек на палубе с любопытством смотрел на нас и задал какой-то вопрос, который мы не расслышали. Должно быть, мы представляли странное зрелище, плывя на своем диком сооружении.

Голод не был утолен четырьмя яйцами и становился все сильнее и сильнее. Мы видели поля, которые как будто могли дать нам пищу, но тут нам стала ясна одна особенность нашего плота: мы не могли управлять им. У нас было несколько досок, но они лишь могли отталкивать плот от препятствий. Я понял, что нам придется положиться на течение, и добраться до берега мы можем, лишь покинув плот и пустившись вплавь. Мы находились теперь далеко от берега, а течение было сильное; нужно быть хорошим пловцом, чтобы добраться до берега. Тем временем поля сменились террасами с ровными рядами виноградных лоз. Здесь пищи не было. Плоды винограда в это время еще зелены.

Большая рыба, вероятно, семга, выпрыгнула около нас. Мы не могли бы изжарить ее, но если бы удалось поймать, я думаю, мы съели бы ее сырой. Видения еды проходили передо мной, когда я цеплялся за дерево плота. Жареное мясо на вертеле... баранья нога с соусом, который моя мать готовила из садовой мяты... или просто хлеб с сыром, хлеб, запеченный снаружи, но мягкий изнутри, сыр, желтый и крошащийся при прикосновении. Я глотал слюну.

Проходили часы. Солнце поднялось высоко и начало клониться к западу. Мне было и жарко, и холодно. Я пил воду, черпая ладонями, чтобы заполнить ноющую пустоту в желудке, но чувствовал себя все хуже. В конце концов я сказал Бинполу, что мы должны как-то добыть пищу. Мы проплыли две деревни, по одной на каждом берегу... Там еда, что-нибудь съедобное, по крайней мере в огородах, если не найдется чего-то получше. Если мы будем сильно грести к берегу обломками досок... и постараемся доставить плот на берег при виде следующего человеческого жилища... Бинпол сказал:

— Лучше бы продержаться до вечера. Тогда больше возможностей для добычи.

— Мы можем тогда не увидеть деревни.

— Это значит бросить плот.

Конечно! Я был голоден.

— Мы не можем жить без пищи. Безумием было садиться на плот, не имея возможности управлять им.

Бинпол молчал. Все еще раздраженный, я сказал:

— А как же ночью? Здесь невозможно даже спать. Если уснешь, то скатишься в воду и утонешь. До темноты все равно придется бросить плот.

— Да, я согласен. Но подождем еще. Сейчас домов не видно.

И верно. Река текла мимо зеленых берегов, на которых не было никаких признаков жизни. Я угрюмо сказал:

— Пожалуй. Не пора ли нам поменяться?

Позже мы проплыли пустынные развалины, а севернее встретили еще одну баржу. Было сильное искушение закричать и попросить подобрать нас. Я преодолел его, но с трудом. Вскоре после полудня мы миновали остановочный пункт. Он был пуст, белела на солнце маленькая гавань. У второго поста были привязаны две баржи, а в миле к нему направлялась и третья.

Потом мы снова увидели развалины, но по-прежнему никаких следов обитания. Река стала шире, и мы плыли по ее центру. Плыть тут было бы нелегко в любых обстоятельствах, а тем более для нас, голодных и уставших, замерзших и промокших. Недовольство, которое я испытывал по отношению к Бинполу, поблекло перед предстоящим испытанием.

И вдруг совершенно неожиданно все изменилось. Треножник появился с севера, идя по западному берегу. Он должен был миновать нас в ста ярдах ближе, чем любой другой в этом путешествии. Я испытал огромное облегчение, когда он прошел мимо. Но тут он повернул и направился к нам, и я услышал улюлюканье, которое дважды слышал раньше и имел все основания бояться. Вода взметнулась фонтанами, когда огромные ноги погрузились в воду. Не оставалось никаких сомнений, что его цель — мы. Неужели они захватили «Эрлкениг»? Неужели они каким-то фантастическим способом узнали о нашей цели и ищут нас? Я смотрел на Бинпола, а он на меня. Я сказал:

— Лучше нырнуть.

Но было уже поздно. Из полушария свесилось щупальце. Оно ударило между нами, расколов хрупкий плот. И в следующее мгновение мы оба барахтались в воде.

Глава 4

ОТШЕЛЬНИК НА ОСТРОВЕ

Я ожидал быть схваченным щупальцем. То, что оно вместо этого разбило плот, одновременно удивило и встревожило меня. Я ушел на глубину и наглотался воды, прежде чем сообразил, что произошло. Вынырнув, я огляделся и увидел, что треножник молча удаляется прежним курсом на юг. Казалось, его поступок совершенно бессмыслен, точно так же, как кружение вокруг «Ориона», когда мы пересекали пролив. Как озорной мальчишка, он увидел что-то, разбил его с бессмысленной злобой и пошел своим путем.

Но у меня были более важные дела, чем размышления над мотивами поступков треножника. Плот раскололся на два бруса, один из них плясал рядом со мной в воде. В несколько гребков я доплыл до него, ухватился и осмотрелся в поисках Бинпола. Я видел только реку, серую от приближающегося вечера, и подумал, что, возможно, конец щупальца ударил друга, и он уже под водой. Потом я услышал его голос и, повернувшись назад, увидел, что он плывет ко мне. Он ухватился за другой конец бревна, и мы, отплевываясь, начали грести.

— Поплывем к берегу? — спросил я.

Он закашлялся, потом сказал:

— Еще нет. Посмотри вперед. Река изгибается. Если мы просто будем держаться, нас может прибить ближе.

Бревно, которое нас удерживало, я, во всяком случае, не хотел оставлять. Течение казалось более быстрым и бурным. По обоим берегам возвышались холмы, река пробивала себе путь среди них. Мы приблизились к месту, где она резко поворачивала на запад. И тут я увидел, что зеленый берег справа от нас разделяется.

— Река... — сказал я. — Тут она разделяется.

— Да, — ответил Бинпол. — Уилл, я думаю, сейчас нужно плыть.

Я учился плавать в речках около моего родного Вертона и один или два раза в озере вблизи поместья. Это лучше, чем ничего, но Бинпол вырос в приморском городе. Он быстро поплыл, гребя мощными ударами, и, поняв, что я отстаю, окликнул меня:

— У тебя все в порядке?

— В порядке, — отозвался я и сосредоточился целиком на плавании. Течение было очень сильное. Берег, к которому мы плыли, скользнул мимо и назад. Только постепенно я стал правильно оценивать расстояния. А потом увидел то, что меня испугало. Впереди от берега отходила отмель, за которой виднелось обширное водное пространство. Река вовсе не разделялась здесь. В ней просто был остров. Если я не попаду на него, то окажусь в трудном положении. Я и так устал, а плыть еще дальше... Я сменил направление и поплыл поперек течения. Бинпол снова окликнул меня, но я не стал тратить силы на ответ. Руки мои становились все тяжелее, а вода холоднее. Я больше не смотрел, куда направляюсь, сосредоточившись на том, чтобы передвигать руки. Что-то ударило меня по голове, и я погрузился в воду. Больше я ничего не помню, кроме смутного сознания, что меня тащат и под ногами у меня твердая земля.

Меня вытащил на травянистый берег Бинпол. Придя в себя, я увидел, как близко находился к гибели. Мы лежали в нескольких ярдах от северного конца острова. Остров находится в середине речного изгиба, и сразу за ним река сильно расширяется. Голова у меня болела, я положил ладонь на лоб.

— Тебя ударило бревно, — сказал Бинпол. — Я думаю, от плота. Как ты себя чувствуешь, Уилл?

— Голова кружится. И голод. Тут есть...

— Да, деревня.

Сквозь сгущающийся мрак мы разглядели дома на восточном берегу. В окнах горел свет. К этому времени я готов был принять ведро помоев или встретиться со злой собакой — и даже подвергнуться расспросам о том, что мы делаем здесь, — лишь бы снова не доверяться реке. Голова у меня прояснилась, но физически я был так слаб, словно провел месяц в постели.

— Утром мы пойдем туда, — сказал Бинпол.

— Да, — устало кивнул я, — утром.

— На дальнем берегу деревья гуще. Хоть какая-то защита от дождя.

Я опять кивнул, заставил свои свинцовые ноги сделать несколько шагов и остановился. Кто-то стоял у деревьев и смотрел на нас. Поняв, что мы его увидели, он направился к нам. В тусклом свете я разглядел, что это мужчина средних лет, высокий и худой, одетый в грубые темные брюки и рубашку. У него были длинные волосы и борода. Я увидел кое-что еще. На лбу волосы у него редели. Они были черные и начинали седеть. И там, где должна была находиться полоса шапки, виднелась только кожа, задубевшая и смуглая.

Он говорил по-немецки с сильным акцентом. Он видел, как мы барахтались в воде и как Бинпол вытащил меня на берег. Манеры у него были странные, как будто он в одно и то же время и недоволен, и приветлив. Мне казалось, что он с удовольствием увидел бы, как мы проплываем мимо, и даже не задумался бы о наших шансах на спасение. Но мы уже были здесь...

Он лишь сказал:

— Вам нужно просушиться. Идемте со мной.

Множество вопросов мелькало у меня в голове, и среди них самый важный: почему на нем не было шапки? Но казалось более благоразумным подождать с вопросами. Я посмотрел на Бинпола, он кивнул. Человек провел нас к утоптанной тропе. Она извивалась между деревьями, и через несколько минут мы оказались на поляне. Перед нами был деревянный дом, в окне горела масляная лампа, из трубы поднимался дым. Наш проводник открыл дверь и вошел, мы же за ним.

В очаге горели дрова. На полу лежал большой ковер, красный, с изображением черных и желтых животных; на ковре сидели три кошки. Человек отпихнул их ногой, не грубо, просто заставляя их уступить место. Он подошел к шкафу и достал два холщовых полотенца.

— Снимите мокрое, — сказал он. — Согрейтесь перед огнем. У меня есть несколько пар брюк и рубашек, сможете надеть, пока ваши не просохнут. Вы голодны?

Мы взглянули друг на друга. Бинпол сказал:

— Очень голодны, сэр. Если вы...

— Не называйте меня «сэр». Я Ганс. Хлеб и холодное мясо. Я не готовлю на ночь.

— Достаточно одного хлеба, — сказал я.

— Нет. Вы голодны. Вытритесь.

Брюки и рубашки были, конечно, велики, особенно для меня. Я закатал штанины, и он дал мне ремень, которым я подпоясался. Внутри рубашки я вообще потерялся. Пока мы переодевались, он ставил все необходимое на выскобленный деревянный стол: ножи и тарелки, блюдце с желтым маслом, большой плоский хлеб с коричневой корочкой и мясо, частично нарезанное: розовое мясо было окружено чистым белым жиром, с одной стороны запеченным. Я отрезал его, пока Бинпол кромсал хлеб. Ганс следил за мной, и я слегка устыдился толщины кусков. Но он одобрительно кивнул. Потом принес две кружки, поставил их около тарелок и опять вернулся с большим глиняным кувшином, из которого налил нам темного пива. Мы принялись за еду. Я уговаривал себя есть медленно, но тщетно. Мясо было нежным, хлеб мягким, а масло таким, какого я не пробовал с тех пор, как ушел из дому. Пиво, которым я запивал все это, было крепким и вкусным. Челюсти у меня заныли от жевания, но живот требовал еще и еще.

Ганс сказал:

— Вы действительно были голодны. — При этом я виновато взглянул на свою тарелку. — Ничего. Ешьте. Люблю, когда радуются еде.

Наконец я остановился; Бинпол закончил есть намного раньше. Я чувствовал себя наполненным, даже переполненным, и счастливым. Уютная комната с мягким светом лампы и отблесками огня в очаге, с тремя кошками, мурлыкавшими у очага. Я решил, что сейчас начнутся расспросы: откуда мы, как оказались в реке. Ничего подобного. Наш хозяин сидел в деревянном кресле-качалке, как будто самодельном, и курил трубку. Он не считал тишину неловкой. В конце концов заговорил Бинпол:

— Как случилось, что у вас нет шапки?

Ганс достал трубку изо рта.

— Я никогда не беспокоился об этом.

— Не беспокоились?

Он медленно, с усилием отвечал на наши расспросы. Отец привез его на этот остров ребенком после смерти матери. Они жили вдвоем, выращивали овощи, держали кур, свиней и продавали продукты в деревне за рекой. Потом, в свою очередь, умер и его отец, и он остался один. Никто в деревне не беспокоился о нем: его не считали своим. Так случилось, что всю весну того года, когда на него должны были надеть шапку, и все лето он не покидал острова, сосредоточившись на выполнении своих работ, в которых раньше помогал отцу. Он рассказал нам, что похоронил отца недалеко от дома и за длинные месяцы зимы вырезал на каменной плите его имя. С тех пор он бывал в деревне не больше двух раз в год. У него была лодка, в которой он плавал туда и назад.

Вначале я не поверил ему, думая о том, как мы бежали к Белым горам, чтобы избежать надевания шапки. Этот же человек оставался просто на месте и ни о чем не беспокоился. Разве могут существовать такие пробелы во власти треножников над Землей? Но чем больше я думал, тем менее удивительным мне это казалось. Он был один и жил отшельником. Господство треножников основывалось на рабстве людей, на представлении о том, что там, где собираются несколько человек, хотя бы два-три, шапки естественны и неизбежны. Один человек был не важен, пока он сидел тихо и не вызывал неприятностей. В тот момент, как он начал их вызывать, ему, конечно, пришлось бы иметь дело либо с самим треножником, либо с его человеческими слугами.

Бинпол, разобравшись во всем этом, начал расспрашивать его о треножниках. Много ли он их видел? Что он испытывает к ним? Я видел, куда ведут вопросы, и решил предоставить дело ему. Наш хозяин не казался удивленным или обеспокоенным таким поворотом разговора, и одно это показывало, как ничтожны его контакты с внешним миром. Обычаи в разных странах меняются, но повсюду разговор о треножниках и шапках был табу. Ни один человек в шапке не говорил бы так, как он.

Но он оставался абсолютно равнодушным... Да, время от времени он видит треножники. Ему кажется, что они повреждают посевы; да и как им избежать этого, слишком уж велики. Но он рад сказать, что ни один из них не ставил свою тяжелую ногу на этот остров. Что касается шапок, что ж, люди носят их, но они, похоже, не приносят ни вреда, ни пользы... Он знает, что они имеют какое-то отношение к треножникам, потому что треножники забирают мальчишек в день надевания шапок. Бинпол смело спросил, не препятствуют ли шапки людям воевать против треножников.

Ганс задумчиво посмотрел на него.

— Ну, вы ведь знаете об этом больше меня, не так ли? А какой смысл воевать с треножниками? Нужно иметь очень сильную руку, чтобы добросить камень хотя бы до середины его роста, а что это даст? И зачем? Конечно, какой-то вред они приносят. Посевы, иногда скот, даже люди, если не уберутся вовремя с дороги. Но молния может убить тоже, а град уничтожает посевы.

Бинпол сказал:

— Мы плыли по реке на плоту. Треножник разбил наш плот. Поэтому мы и оказались здесь.

Ганс кивнул.

— Неудачи случаются у всех. Какая-то болезнь скосила всех моих кур два года назад. Осталось только три.

— Мы вам очень благодарны за убежище, — сказал Бинпол.

Ганс перевел взгляд с его лица на огонь и обратно.

— Я обхожусь без людей, но теперь вы здесь... Мне нужно вырубить деревья на верхнем конце. У меня болит плечо, я не могу сам. Сделаете завтра и отплатите мне за еду и жилье. Позже я перевезу вас в деревню.

Бинпол хотел что-то сказать, но передумал и кивнул. Наступило молчание. Ганс опять уставился на огонь. Я сказал, отчасти раздраженный, но все же надеясь:

— Но если бы вы встретили людей, которые борются с треножниками, разве вы не помогли бы им? В конце концов, вы ведь свободный человек.

Он некоторое время смотрел на меня, потом ответил:

— Странный разговор. Я не имею ничего общего с людьми, но разговор странный. Ты не из нашей местности, парень.

Частично это было утверждение, частично вопрос.

— Но если бы существовали люди, которые не желают быть рабами треножников, вы же сделали бы все, что можете...

Я замолчал под спокойным взглядом бородатого человека.

— Странный разговор, — повторил он. — Я занимаюсь своими делами. Всегда только ими занимался и буду. Может, вы из тех, кого называют вагрантами? Но они бродят сами по себе, а не парами. У меня нет ни с кем неприятностей, потому что я держусь в стороне. Похоже, вы мечтаете о неприятностях. Если вы об этом думаете...

Бинпол прервал его. Он сказал, бросив мне предупреждающий взгляд:

— Не обращайте на него внимания, Ганс. Он просто плохо себя чувствует. Его ударило в воде бревно. Видите у него шишку на лбу?

Ганс встал и подошел ко мне. Долго смотрел на мою голову. Потом сказал:

— Да. Может, он слегка свихнулся. Но это не помешает ему завтра работать топором. Вам обоим будет полезен хороший сон. Я встаю рано, поэтому вечером не засиживаюсь.

Из другой комнаты он принес одеяла, пожелал нам доброй ночи и ушел, забрав с собой лампу. Мы с Бинполом легли на полу по обе стороны очага. Мне было слегка нехорошо: после двух дней голодания не так-то легко переварить ужин весьма обильный. Я думал, что ночь будет у меня беспокойной. Но усталость оказалась сильнее. Я смотрел на огонь и трех кошек, по-прежнему сидевших перед ним. А потом сразу увидел освещенный солнцем холодный пепел, кошек не было, и Ганс, чьи тяжелые шаги разбудили меня, велел нам вставать.

Он приготовил плотный завтрак. Большие куски жареного окорока с яйцами (яиц можно было съесть сколько угодно, я съел три штуки) и горячие коричнево-золотистые картофельные пирожки. И пиво, такое же, как и накануне вечером.

— Ешьте хорошо, — сказал Ганс. — Чем больше съедите, тем лучше поработаете.

Он отвел нас на северную часть острова. Там было картофельное поле примерно с акр, и он объяснил нам, что хочет увеличить его, срубив деревья в примыкающем к полю лесу. Он сам начал это делать, но ревматизм сначала задержал, а затем совсем помешал ему работать. Он дал нам топор, лопаты, мотыгу, посмотрел немного, как мы начали, и ушел.

Работа была тяжелой. Между деревьями рос густой подлесок, корни переплетались, и их невозможно было выкопать. Бинпол считал, что если мы хорошо поработаем, то за утро можно будет отплатить нашему хозяину за гостеприимство, и после полудня он перевезет нас в деревню. Но хотя мы вспотели от напряжения, работа шла медленно. В середине дня пришел Ганс и критически глянул на результаты нашего труда.

— Я думал, вы сделаете больше. Но начало есть. Сейчас вам лучше пообедать.

Он дал нам жареных цыплят и груду вареной картошки с кислой капустой. И еще дал вина, сказав, что если мы напьемся в полдень пива, то захотим спать. Потом была сладкая черника с кремом. Ганс сказал:

— Отдохните с полчаса, переварите еду, пока я убираю. Потом вернетесь на поле. Большой дуб оставьте на завтра. Я хочу быть уверен, что он правильно упадет.

Он оставил нас лежать на солнце. Я сказал Бинполу:

— Завтра? Не много ли за то, чтобы перевезти нас к деревне?

Бинпол медленно ответил:

— Завтра, и послезавтра, и еще один день. Он решил держать нас, пока не будет расчищен лес.

— Но это займет неделю, а то и две!

— Да. А времени у нас мало, если мы хотим участвовать в играх.

— Но пешком мы не доберемся. Нужно найти материал и построить другой плот. Впрочем, вряд ли мы сумеем. Нужна лодка.

И тут я удивился, как эта идея не пришла мне в голову раньше. По пути на поле мы видели лодку Ганса. Она была привязана в маленьком заливчике на востоке острова, неуклюжая шестифутовая лодка с парой весел. Мысли Бинпола, судя по его взгляду, шли в том же направлении.

Я сказал:

— Если нам удастся вечером улизнуть... Конечно, это подло, но...

— Лодка очень много значит для него, — заметил Бинпол. — Без нее ему не добраться до деревни. Вероятно, он построил ее сам, и построить другую ему будет нелегко, особенно с его ревматизмом. Но мы знаем из его слов, что он не станет нам помогать, хотя у него и нет шапки. Он стал бы удерживать нас и заставлять работать, даже если бы знал, что нам предстоит. Добраться до города, Уилл, важнее, чем этот одинокий человек с его лодкой.

— Итак, вечером...

— Пропадет еще полдня, да и может не представиться случая, когда еще мы будем одни. — Он встал. — Лучше сейчас.

Мы как можно невиннее пошли с поля. Я увидел открытую дверь дома, но Ганса не было. После этого мы побежали в направлении заливчика с лодкой. Она закачалась, когда Бинпол забрался на борт и достал из нее весла, а я занялся веревкой. Лодка была привязана к дереву сложным узлом, который сначала мне не поддавался.

— Торопись, Уилл, — сказал Бинпол.

— Если бы был нож...

— Мне кажется, я что-то слышу.

Я тоже услышал — сначала топот бегущих ног, затем хриплый крик. Я отчаянно дернул узел, и он поддался. Когда я карабкался в лодку, она опасно наклонилась подо мной. Бинпол оттолкнулся от берега, и тут же из-за деревьев показался Ганс. Он выкрикивал проклятия. К тому времени, как он добежал до воды, мы были уже в десяти футах от дерева на берегу. Ганс не остановился, он бросился в воду вслед за нами. Вода поднялась ему до колен, потом до пояса, но он продолжал с криками идти вперед. Ему удалось ухватиться за весло, но Бинпол выдернул его. Течение подхватило нас и понесло.

Ганс замолчал, и выражение лица у него изменилось. Я легко перенес его гнев и ругань, но тут было другое. Мне и сейчас становится плохо, когда я вспоминаю ужасное отчаяние на его лице.

Мы быстро плыли вниз по течению. Мы по очереди гребли весь день с самого утра. Пища вновь была проблемой, но мы как-то продержались, хотя в первые дни сильно голодали. Мимо вверх и вниз проплывали баржи, но мы держались от них подальше, и это становилось все легче делать, так как русло реки сильно расширялось. Сама река представляла огромный интерес: по берегам мелькали роскошные леса, пастбища, виноградники, пшеничные поля и молчаливые руины гигантских городов древних. Много раз мы видели треножники, а однажды слышали и их охотничье улюлюканье, но достаточно от нас далеко. Ни один из них не приблизился к нам. В реку впадали притоки, древние замки вздымали свои башни на утесах, а в одном месте огромная красновато-коричневая скала, поросшая деревьями, выше треножника, торчала из середины реки.

Наконец мы прибыли к месту, где проходили игры. К берегу было причалено множество барж, и среди них был «Эрлкениг».

Глава 5

ИГРЫ

Это была земля цветущих лугов, богатой почвы, маленьких богатых деревень и множества ветряных мельниц, чьи крылья медленно поворачивались под порывами теплого ветра. Стояла прекрасная погода. Настоящая погода игр, говорили люди.

Город лежит на запад от реки, за лугами. Здесь шло множество людей, и не только участники игр, но и зрители. Город и прилегающие деревни кишели ими, а еще тысячи расставляли на полях палатки. Чувствовалось праздничное оживление — все ели, пили пиво и прошлогоднее вино, все были довольны, одеты в лучшее платье. Мы пришли за день до начала. Ночь мы провели под открытым небом, под ивой, у быстрого ручья, но завтра, если удастся пройти предварительные испытания, мы станем участниками и будем жить в длинном низком деревянном здании, построенном рядом с полем.

По пути к этому месту нужно пройти через город, с его большим собором с двумя одинаковыми башнями, с заново раскрашенными домами, и пересечь холмы. Бродя там, мы однажды обнаружили огромное овальное углубление, его пологие склоны спускались к каменной платформе в центре. Мы не могли догадаться о назначении этого места, но камни его, треснувшие и выветрившиеся, несли на себе следы не годов, а столетий. Бесчисленных поколений, подумал я, до прихода треножников. Далее была деревня, а рядом с ней — поле. Оно было огромно, и местные жители рассказывали, что во времена древних здесь происходили великие сражения, в которых — хотя в это трудно поверить — люди убивали друг друга. Это поле самой свирепой, самой жестокой битвы, и некоторые говорили, что такая же битва еще предстоит. Я надеялся, что это предзнаменование нашего успеха. Нам действительно предстоит битва, и мы авангард нашей армии.

На барже мы встретили Морица, но не Ульфа, который где-то пил. Мориц был рад видеть нас, но советовал не оставаться, потому что Ульф продолжал ругать нас и вряд ли обрадовался бы, узнав, что мы все же добрались вовремя. Мориц сказал нам, что Фриц утром ушел на поле.

В городе и деревнях повсюду висели знамена и вымпелы, они окружали поле, как тысячи огромных цветов. Вокруг поля были сооружены деревянные трибуны, на которых сидели зрители, множество разносчиков ходили среди них, продавая безделушки, ленты, сладости, вино и горячие сосиски. С одной стороны выдавался судейский павильон с помостом, на котором победитель получал свой чемпионский пояс. Мы отчаянно надеялись побывать на этом помосте.

В первый день, как я и сказал, отсеивались те, у кого были совсем низкие результаты. Мы не сомневались, что пройдем квалификацию, и действительно легко прошли ее. Я боксировал с парнем примерно моего возраста и веса, и меньше минуты спустя судья прекратил бой, отправив меня взвешиваться. В палатке, где происходили дальнейшие процедуры, я встретил Фрица. Он не проявил ни удивления при моем появлении, ни любопытства. Я сказал ему, что Бинпол тоже здесь, и он кивнул. Трое лучше одного. Но у меня было впечатление, что он лишь себя считает способным проникнуть в город, что на нас не стоит рассчитывать. Я почти надеялся, что он проиграет в первом же забеге, но тут же спохватился и стал ругать себя за глупость. Важно только, чтобы кто-нибудь победил, и трое лучше одного.

Позже я нашел Бинпола. Он тоже без труда прошел квалификацию, с большим запасом прыгнув в длину и в высоту. Вместе мы пошли на обед: нам дали теперь еду и постель. Я спросил его, что он думает о своих шансах. Он серьезно ответил:

— Все в порядке. Я особенно и не напрягался. А ты, Уилл?

— Тот, кого я победил, тоже получил квалификацию. Я видел его в доме.

— Неплохо. Не поискать ли нам Фрица?

— Позже. Сначала поедим.

На следующее утро состоялась церемония открытия. Из города двинулась процессия со знаменами, и капитан игр, седой старик, председатель городского магистрата, приветствовал участников, собравшихся на поле, и произнес немало пышных фраз о соперничестве и чести. Может, его слова и произвели бы впечатление на меня, если бы не необычные зрители. Во время турнира в замке де ла Тур Роже молчаливым часовым возвышался один треножник, здесь их было шесть. Они пришли рано утром и, когда мы проснулись, уже окружили поле. Соперничество и честь — пустые слова, когда вспомнишь, что игры предназначены поставлять рабов этим металлическим чудовищам. Рабов — или жертвы. Ведь хотя ежегодно сотни мужчин и женщин входили в город, не было известно ни об одном вернувшемся оттуда. Думая об этом, я дрожал, несмотря на жаркое солнце.

В этот день бокса не было, и я мог следить, как разворачиваются события в других видах. Фриц участвовал в беге на сто и двести метров. Это было популярное состязание: вначале проводилось двенадцать забегов по десять участников в каждом; занявшие первое и второе места участвовали в следующих трех забегах, победители которых уже встречались непосредственно... Фриц пришел вторым в четвертом забеге. Он, возможно, вводил в заблуждение соперников, но мне казалось, что он бежал изо всех сил. Первая группа участников в прыжках в длину начала состязания после полудня, и Бинпол легко победил, на полметра опередив ближайшего соперника.

Мой первый бой состоялся на следующее утро. Мой противник, высокий тощий парень, только защищался. Я гонял его по всему рингу, изредка пропускал удары, но гораздо больше нанес и не сомневался в результате. Позже я опять дрался и снова легко выиграл. Бинпол был среди зрителей.

После боя я надел тренировочный костюм, который мне выдали, и мы отправились наблюдать за событиями на поле. Шли состязания на двести метров. Бинпол вглядывался в доску объявлений. Он спросил, какой забег проводится. Я ответил: седьмой.

— Значит, Фриц уже пробежал. Он в шестом забеге. Есть ли уже результаты?

— Сейчас вывешивают.

Доска объявлений находилась рядом с павильоном судей. При помощи сложной системы окошечек и лестниц группа мальчишек развешивала номера победителей. Вот на доске появились номера двух победителей шестого забега.

— Ну? — спросил Бинпол.

Я покачал головой:

— Нет.

Ни Бинпол, ни я больше ничего не сказали. Проигрыш Фрица в одном из двух видов был нашим первым поражением, и мы понимали, что возможны и другие. Конечно, было бы ужасно, если бы мы все проиграли, но и с такой возможностью приходилось считаться.

Для меня лично такая возможность стала совершенно реальной в следующем бою. Мой противник, подобно первому, был быстр, но более искусен и агрессивен. В первом раунде он нанес мне несколько сильных ударов и заставил меня промахнуться при контакте. Я не сомневался, что проиграл раунд и вполне мог проиграть весь бой. В начале второго раунда я постарался сблизиться и наносить удары по корпусу. Это мне удалось, но я чувствовал, что все еще проигрываю. Последний раунд я начал в отчаянном настроении. Атаковал яростно и привел противника в замешательство. Он на мгновение открылся, и я поймал его на удар справа в голову. Он упал. Правда, встал немедленно, но начал нервничать и держался на расстоянии. К тому же он явно устал, очевидно, от ударов по корпусу во втором раунде.

К концу боя я был уверен, что последний раунд за мной, но относительно всего боя сомневался. Я видел, как совещались судьи. Они делали это дольше обычного, и моя неуверенность перешла в физическую слабость. Я дрожал, когда мы шли к центру ринга, и с трудом мог поверить, когда судья поднял мою руку в знак победы.

Фриц и Бинпол следили за боем. Бинпол сказал:

— Я думал, ты проиграешь.

Я все еще дрожал, но чувствовал себя уже лучше.

— И я тоже.

— Поздно спохватился, — заметил Фриц.

— Но не так поздно, как ты на двухсотметровке.

Ответ был глупый, но Фриц не возмутился. Он просто сказал:

— Правда. Поэтому я должен выложиться в следующем забеге.

Вероятно, его невозмутимость была хорошим качеством, но меня она раздражала.

После обеда произошли два события: Фриц вышел в финал бега на сто метров, а Бинпол проиграл прыжки в высоту. Фриц опять пришел вторым, но победитель опередил его на несколько ярдов, и шансы Фрица казались мне незначительными. Бинпол был весьма угнетен поражением. В предварительных состязаниях он прыгал хорошо и уверенно, и казалось несомненным, что он победит. И вот в первой же финальной попытке его подвела координация, и он нелепо сбил планку бедром. Вторая попытка была лучше, но все же с ошибками. Мне показалось, что в третьей попытке он уже преодолел планку, но в последнее мгновение задел ее ногой.

— Не повезло, — сказал я.

Когда он натягивал тренировочный костюм, лицо у него было белым от гнева на самого себя.

— Как я мог прыгать так плохо? — спросил он. — Ведь раньше я прыгал намного выше. И теперь, в самый нужный момент...

— Есть еще прыжки в длину.

— У меня не получается взлет...

— Забудем об этом.

— Легко сказать.

— Вспомни, что говорил Фриц. Выложись во втором виде.

— Да. Это хороший совет.

Но он не выглядел убежденным.

Наступил день финалов. Вечером процессия отправилась в город, где в честь игр будет дан ужин. Будут приветствовать всех участников, особенно победителей в их алых поясах. А утром, после того как они парадом в последний раз пройдут по полю, их подберут треножники и унесут в свой город.

Ночью было очень жарко, а небо, больше не голубое, затянулось тучами, которые каждую минуту угрожали проливным дождем. В отдалении гремел гром. В случае дождя торжества переносятся на следующий день. Я смотрел на небо через двери дома и молился, чтобы дождя не было. Нервы у меня были напряжены до предела. Я старался заставить себя позавтракать, но пища не шла в горло.

Сначала шел вид Бинпола, затем мой и, наконец, Фрица. Я начал следить за состязанием по прыжкам и постепенно отвлекся. Бинпол прыгал хорошо, и было ясно, что лишь двое участников смогут тягаться с ним. Они прыгали раньше, и после первой попытки их разделяли дюймы. Остальные намного отстали. Во второй попытке они показали почти такие же результаты, но Бинпол прыгнул дальше всех и захватил лидерство. Я видел, как он возвращается из ямы, отряхивая песок, и подумал: он выиграет.

Один из его соперников в финальной попытке прыгнул недалеко. Зато другой, долговязый веснушчатый парень, у которого волосы пучками пробивались сквозь серебряную шапку, прыгнул намного лучше и вышел на первое место. Разница составляла девять сантиметров — около четырех дюймов по нашим английским мерам. Само по себе немного, но на этой стадии соревнований огромное преимущество. Я видел, как Бинпол собрался, разбежался по травянистой дорожке и бросил свое тело в воздух. Раздались крики. Это, несомненно, был лучший прыжок дня. Но восторженные крики превратились в стон разочарования, когда судья поднял флажок. Прыжок не засчитали, долговязый парень выиграл.

Бинпол ушел, я пошел за ним, говоря:

— Ты же не виноват. Ты сделал все, что мог.

Он поглядел на меня без всякого выражения.

— Я заступил на планку. С самых первых тренировок я этого не делал.

— Ты вложил в попытку слишком много усилий. Это могло случиться с любым.

— Я хотел победить. Но и боялся последующего. Но все же я старался.

— Мы все это видели.

— В прыжках в высоту я не собрался в решающий момент. А на этот раз глупо нарушил правила. Я старался, но зачем?

— Ты говоришь глупости. Ты слишком старался.

— Оставь меня одного, Уилл. Сейчас я не хочу разговаривать.

Боксерские финалы проходили в середине дня, и мой вес шел вторым. Мне предстояло драться с немцем с севера, сыном рыбака. Он был даже меньше меня ростом, но мускулистый и крепко сложенный. Я видел, как он дерется, и понял, что это сильный боец, быстрый и с мощным ударом.

Первую минуту мы осторожно кружили по рингу. Потом он быстро ударил слева и справа, я парировал. Я контратаковал его и прижал к канатам, сильно ударив по ребрам и сбив дыхание. Но он ушел, прежде чем я ударил еще. Мы снова дрались на дистанции, но в последние тридцать секунд я сумел приблизиться к нему и несколько раз ударить. Раунд был за мной.

Я уверенно начал второй раунд, атаковал, а он отступал. Он был почти прижат к канатам. Сильный хук в челюсть. Я промахнулся — ненамного, но все же промахнулся. А следующее, что я помню: я лежу на полу, а рефери надо мной считает:

— ...три, четыре, пять...

Бинпол позже сказал мне, что это был короткий апперкот — снизу вверх в подбородок. Удар подбросил и перевернул меня.

В тот момент я сознавал лишь, что плыву в каком-то тумане боли и земля прочно держит меня в объятиях. Мне нужно встать, но я не знаю, как это сделать. Да и срочности никакой нет. Между словами судьи такие длинные промежутки.

— ...шесть, семь...

Я, конечно, проиграл, но по крайней мере сделал все возможное. Как и Бинпол. Сквозь туман я увидел его печальное лицо.

— Я старался, но зачем?

А я? Поймал удар, потому что ослабил бдительность. Неужели в глубине души я хотел этого? И теперь могу сказать себе: ты сделал все, что мог, и никто не имеет права упрекнуть тебя? Можешь возвращаться в Белые горы вместо города треножников. Но с сомнением в душе, от которого нелегко избавиться.

— Восемь!

Каким-то образом я умудрился встать. Я плохо видел и шатался. Парень с севера атаковал. Я сумел уйти от его ударов, но не представляю, каким образом. Оставшуюся часть раунда он гонялся за мной, однажды загнал в угол и сильно ударил. На этот раз я не упал, но когда сел в своем углу и меня начали обтирать влажной губкой, то понял, что безнадежно проигрываю. Чтобы победить, мне нужен только нокаут.

Он тоже понимал это. Убедившись в начале третьего раунда, что я пришел в себя, он не пытался сближаться, а боксировал на расстоянии. Я шел за ним, он уходил. Вероятно, я получил несколько очков, но потерял гораздо больше. А часы, большие деревянные часы, показывали, как уходили секунды. В начале каждого раунда их пускали в ход и три минуты спустя останавливали.

Я пришел в отчаяние. Отказавшись от защиты, на этот раз сознательно, я стал наносить удары. Чаще всего я промахивался, а он сумел несколько раз сильно достать меня по корпусу. Но я продолжал отчаянно драться, а не боксировать, надеясь на чудо. И оно произошло. Он нанес удар, который закончил бы дело, начатое апперкотом, но промахнулся. Зато я своим ударом в челюсть не промахнулся. Колени его подогнулись, он упал, и я был уверен, что он не встанет ни при счете десять, ни пятьдесят. У меня лишь оставалось сомнение, не прозвучит ли гонг раньше конца счета. Мне казалось, что идут последние секунды боя. Но я ошибся. К моему изумлению, до конца оставалось еще больше минуты.

Мы с Бинполом молча следили за финалом бега на сто метров, испытывая разные чувства. Но наше молчание кончилось, когда стало ясно, что Фриц держится наравне с бегуном, который обошел его в предыдущем финале. Мы оба закричали, когда они пересекли финишную ленту. Бинпол считал, что победил Фриц, я — что он проиграл. Наступило время объявления результатов, и оба мы ошиблись. Победитель не был назван. И предстоял новый забег всего с двумя участниками.

И на этот раз Фриц не допустил ошибки. Он с самого начала захватил лидерство и удерживал его до конца. Я горячо его приветствовал вместе со всеми. Я был бы еще более рад, если бы на его месте оказался Бинпол, но я радовался тому, что в городе у меня будет союзник.

Вечером во время пира разверзлись небеса, непрерывно гремел гром, и через высокие окна я видел молнии над крышами домов города. Мы ели прекрасную пищу в огромных количествах, пили вино, которое пузырилось в бокалах и щекотало горло. А я сидел за высоким столом среди других победителей в алых поясах.

Утром, когда начался парад, шел мелкий дождь. Поле было мокрое, и наша обувь покрылась грязью. Я попрощался с Бинполом и сказал, что надеюсь снова увидеться с ним в Белых горах.

Но надежда на это была слабой. Церемония прощания продолжалась, а шесть треножников неподвижно стояли на прежних местах. Я смотрел на лица спутников, счастливые и возбужденные мыслью о службе треножникам, пытался придать своему лицу такое же выражение. Ноги у меня дрожали. Я сделал усилие и сдержал дрожь, но несколько мгновений спустя они снова дрожали.

Нас было более тридцати, разбитых на шесть групп. Группа с Фрицем первой направилась к ближайшему треножнику. Когда они приблизились к металлическим ногам гиганта, сверху опустилось щупальце. Оно по очереди подняло их к отверстию в полушарии; точно в такое отверстие год назад я бросил взрывающееся металлическое яйцо древних. Сейчас у меня не было защиты и не должно было быть. Я следил, как пошла следующая группа, за ней третья, четвертая. Наступила наша очередь, и, шлепая по лужам, я побрел за остальными.

Глава 6

ГОРОД ЗОЛОТА И СВИНЦА

Когда щупальце приблизилось ко мне, я больше всего боялся, что начну сопротивляться и тем самым покажу, что отличаюсь от остальных. Мне даже казалось, что щупальце каким-то образом прочтет мои мысли. Когда наступила моя очередь подниматься, я постарался отвлечься. Я думал о доме, о послеполуденных прогулках по полям, о плавании по реке со своим двоюродным братом Джеком. Но тут дыхание у меня оборвалось, и я полетел вверх сквозь пронизанный дождем воздух. Надо мной раскрылась дверь в полушарии — зияющая пасть, к которой несло меня.

Я ожидал, что потеряю сознание, как и в первый раз, у замка де ла Тур Роже, но этого не случилось. Позже я понял, почему так. У треножников есть для этого способ, но они применяют его только к тем, у кого нет шапок, кто может испугаться и сопротивляться. Но для тех, кто преклоняется перед ними, это не нужно.

Щупальце внесло меня внутрь и освободило, и я смог оглядеться. Полушарие имело не менее пятидесяти футов в основании, но часть, где мы находились, была гораздо меньше. Это было неправильной формы помещение примерно в семь футов высотой. Внешняя стена с дверью изгибалась, в ней виднелись иллюминаторы, закрытые чем-то вроде толстого стекла. Остальные стены были прямые и слегка наклонные, при этом внешняя стена была длиннее внутренней. И имелась еще одна, но запертая дверь.

Никакой мебели не было. Я провел ногтем по металлу: он был жесткий, но шелковистый на ощупь. В моей группе было шестеро, я поднимался пятым. Внесли последнего, и дверь закрылась — поднимающаяся круглая крышка, которая прилегла без всякой щели. Я смотрел на лица своих товарищей. Они были в смущении, но в то же время радостно возбуждены, и я постарался скопировать их выражение. Все молчали, и для меня это было облегчением. Я не знал бы, что сказать и как.

Молчание в течение бесконечных минут, затем пол неожиданно наклонился. Погрузка закончилась, очевидно. Началось наше путешествие в город.

Двигались мы гладко. Три ноги машины прикреплялись к кольцу под полушарием. В местах соединений имелись сегменты, которые обладали способностью удлиняться и сокращаться, когда ноги перемещались относительно друг друга. Между кольцом и полушарием имелось такое устройство из пружин, которое компенсировало толчки. Поэтому мы ощущали только легкую качку. Она вначале вызывала тошноту, но мы к ней быстро привыкли.

Треножник мог спокойно двигаться в любом направлении, но сейчас то помещение, в котором мы находились, оказалось расположенным впереди. Мы столпились у иллюминаторов.

Впереди и немного справа виднелся холм с древним полукругом каменных ступеней, за ним город, где мы пировали накануне вечером. Дальше лента реки. Мы направлялись к ней, двигаясь на северо-восток. Дождь прекратился, и на небе появилась просинь между облаками. Все внизу казалось маленьким и далеким. Поля, дома, скот, которые мы видели в долине из тоннеля, были еще меньше, но там панорама не менялась. Тут же картина постоянно изменялась. Мы как будто висели на животе у огромной птицы, пролетающей над местностью.

Вспомнив треножники, которым ноги служили плотами, я подумал, смогут ли и эти так, когда достигнут реки. Но ничего подобного. Передняя нога с фонтаном брызг ушла в воду, остальные за ней. Треножник пересек реку по дну, как всадник пересекает ручей ниже мельницы моего отца в Вертоне. На другом берегу треножник изменил направление и двинулся на юг. Вокруг расстилалась открытая местность, затем пустыня.

Мы с Бинполом видели развалины одного из городов-гигантов на своем пути на север. Река на протяжении миль текла меж черных угрюмых берегов. Но с высоты видно было гораздо больше. Город тянулся на восток от реки — темная отвратительная масса разрушенных зданий и разбитых дорог. И среди них росли деревья, но меньше, чем в том городе, который мы пересекали на пути в Белые горы. Этот город казался больше и отвратительнее. Я не видел здесь остатков широких улиц и площадей, тут не было чувства, что наши предки до прихода треножников жили в порядке и красоте. Но здесь было сознание силы и власти, и я снова удивился, как они могли быть побеждены, как мы, горсточка беглецов, можем надеяться победить там, где они проиграли.

Один из нас увидел его первым и закричал, остальные начали тесниться, чтобы тоже увидеть. Оно поднималось за краем развалин, кольцо тусклого золота, встающее на сером горизонте, увенчанное и накрытое огромным пузырем зеленоватого хрусталя. Стена была втрое выше треножника, гладкая и без всяких перерывов. Все это, хотя и находилось на земле, казалось странно не связанным с нею. На некотором расстоянии от того места, куда мы направлялись, из-под золотого щита вырывался поток и устремлялся к большой реке за нами. Следуя взглядом за течением, можно было подумать, что иллюзия вот-вот рассеется, город исчезнет и останется только река, текущая среди обычных полей. Но город не исчезал. Стена поднималась все выше, становилась зловещей и угрожающей.

Небо посветлело. Время от времени сквозь тучи прорывалось солнце. Оно блестело на стене, отражаясь от хрустальной крыши. Мы видели гигантское золотое кольцо, на котором сверкал титанический изумруд. И узкую темную щель, которая все расширялась. В сплошной стене открылась дверь. Первый треножник прошел в нее.

Я был совершенно не подготовлен к тому, что случилось, когда наш треножник вошел в город. Я упал, как будто получил свирепый удар, но такой удар, который одновременно пришелся по всем частям тела, удар спереди, сзади, а больше всего сверху. Я увидел, падая, что с моими товарищами происходит то же самое. Пол, как магнитом, притягивал нас к земле. Пытаясь встать, я понял, что это не удар, а нечто совсем другое. Все мои члены налились свинцом. И огромных усилий стоило поднять руку, даже пошевелить пальцем. Напрягая все силы, я встал. На спине я нес огромную тяжесть. И не только на спине — на каждом квадратном дюйме тела.

Остальные выглядели удивленными и испуганными, но не несчастными. В конце концов, треножники хотят им добра. Вокруг разлился тусклый зеленоватый свет, как в густом лесу или в пещере на дне моря. Я пытался понять, что все это значит, и не мог. Вес тела сгибал мне плечи. Я распрямлял их, но чувствовал, как они снова провисают.

Время шло. Мы ждали. Тишина, тяжесть и тусклая зелень. Я старался сосредоточиться на самой важной мысли — мы достигли первой цели и находимся внутри города треножников. Нужно иметь терпение. Это не мое отличительное качество, как указывал Джулиус, но теперь мне придется им обзавестись. Ждать было бы легче без этой полутьмы и сокрушительной тяжести. Было бы облегчением сказать что-нибудь, что угодно, но я не осмеливался. Я переминался, пытаясь найти положение поудобнее, но не смог.

Я смотрел на внутреннюю дверь, но со слабым свистом открылась наружная. Снаружи видна была все та же тусклая зелень. Появилось щупальце и вынесло одного из моих товарищей. Я понял, что оно каким-то образом видит нас снаружи. Может ли быть, что треножники живые, что мы пленники живой разумной машины? Щупальце вернулось. На этот раз оно взяло меня.

Зал, длинный и узкий, но невероятных размеров, не менее восьмидесяти футов в высоту и в три раза больше в длину. Что-то вроде стойла для треножников. У стены в полутьму уходил их длинный ряд. Они были едва освещены тусклым зеленоватым светом висящих шаров. Их полусферы прислонились к стене высоко над нашими головами. Те, в которых мы прибыли, разгружали свой человеческий груз. Я увидел Фрица, но не заговорил с ним. Мы заранее условились, что на первом этапе не будем общаться. Так безопаснее. Один за другим к нам присоединялись остальные. Наконец щупальце неподвижно застыло. И послышался голос.

Он тоже звучал так, будто говорила машина, глубокий и без интонаций, он гулко отражался от стен. Говорил он по-немецки.

— Люди, вам оказали великую честь. Вы избраны служить хозяевам. Идите туда, где виден синий свет. Там вы найдете других рабов, которые научат вас, что делать. Идите за синим светом.

Он вспыхнул, когда еще звучал голос, — глубокий синий свет у основания стены, вдоль которой стояли треножники. Мы пошли к нему или, скорее, заковыляли, преодолевая свинцовую тяжесть, тянувшую книзу. Воздух стал жарче, чем был внутри треножника. Свет горел над открытой дверью, через которую мы попали в небольшое помещение, почти такое же, как в треножнике, но с правильными стенами. Когда мы все вошли, дверь за нами закрылась. Щелчок, скрежет, и неожиданно вес стал еще больше. Желудок у меня потянуло книзу, я ощутил неодолимую тошноту. Это длилось несколько секунд, затем кратковременное ощущение легкости. Скрежет прекратился, дверь открылась, и мы вышли в другое помещение.

Оно оказалось большим, но все же скромным сравнительно с залом треножников. Тот же зеленоватый свет шел от ламп на стенах, я заметил, что свет этот не мигал, как в наших лампах. У меня создалось смутное впечатление рядов столов или, скорее, скамей. И полуодетых стариков.

Именно они должны были инструктировать нас. На них были только шорты, они напоминали мне тех, кто работал на уборке урожая. Но на этом сходство кончалось. Зеленый свет отражался в их глазах, но даже в нем я видел, что кожа у них бледная и нездоровая. Но так ли они стары, как кажутся? Двигались они старчески, и кожа у них была в морщинах, но в остальном... Они подошли к каждому, и я пошел за своим проводником к одной из скамей. Здесь лежала небольшая кучка предметов.

Большинство из них не требовали объяснений. Две пары шортов, такие же, как на инструкторах, носки, две пары туфель. Нет, пара туфель и пара сандалий. Позже я узнал, что сандалии полагается носить в домах. Но было также устройство, удивившее меня. Усталым голосом с южно-немецким акцентом раб объяснил:

— Перед выходом ты должен надеть это и носить всегда, пока дышишь воздухом хозяев. В доме твоего хозяина будет комната, в которой ты будешь есть и спать, там это тебе не нужно, но во всех других местах не снимай. Воздух хозяина слишком силен для таких, как мы. Если ты будешь дышать им без защиты, ты умрешь.

Устройство было как будто сделано из толстого стекла, но на ощупь производило другое впечатление. Даже самая толстая его часть, которую надевали на голову и плечи, слегка поддавалась при нажиме. Заканчивалось оно тонким пояском, который прилипал к телу. Шлем удерживался еще и поясом, который шел по груди и под мышками. С обеих сторон шеи в отверстиях видны были пласты темно-зеленого материала, похожего на губку. Через сеть тонких отверстий они пропускали воздух. По-видимому, эти губки фильтровали воздух хозяев, которым не могли дышать их рабы. Мой инструктор указал на них:

— Их нужно менять ежедневно. Твой хозяин снабдит тебя новыми.

— А кто мой хозяин?

Это был глупый вопрос. Инструктор тускло взглянул на меня.

— Твой хозяин выберет тебя.

Я напомнил себе, что должен наблюдать и не задавать вопросов. Но было одно обстоятельство, которое я хотел выяснить.

— Давно ты в городе?

— Два года.

— Но ты не...

Остатки прежней гордости пробились сквозь тяжелую тусклость его голоса:

— Два года назад, через месяц после того, как мне надели шапку, я выиграл бег на тысячу метров на играх. Никто в моей области не добивался этого раньше.

Я с ужасом смотрел на его старческое лицо, на бледное дряхлое тело. Он не больше чем на два года старше меня, может, и меньше.

— Переоденься. — Голос его снова стал тусклым и лишенным всякого выражения. — А старую одежду брось в груду.

Я снял свой алый чемпионский пояс.

— А это куда?

— Туда же. В городе он тебе не нужен.

Мы переоделись, сложили ненужные вещи в специальные мешки и надели маски. Потом нас построили и провели в другое помещение, меньшего размера. Дверь за нами закрылась, и я увидел в противоположной стене такую же дверь. Послышался свист, и по полу подул ветерок. Я понял, что воздух уходит сквозь решетку у основания одной из стен. Но из другой решетки на уровне головы поступал другой воздух. Я чувствовал его, а спустя некоторое время мне показалось, что я вижу его — густой, зеленоватый в зеленом свете. Каким-то непонятным образом воздух в помещении менялся, обычный уступал место тому, которым дышат хозяева. Это продолжалось несколько минут. Затем свист прекратился, и двери впереди открылись. Нам велели выходить.

Вначале меня поразил зной. Мне казалось, что в треножнике и во внешних помещениях города жарко, но это было прохладой в сравнении с жаром, в который вступил я. К тому же воздух был не только горячий, но и влажный. Пот сразу покрыл все тело, но особенно голову, закрытую прозрачной жесткой оболочкой. Он тек по лицу и шее, собираясь в том месте, где пояс прижимал маску к груди. Я вдохнул горячий воздух. Тяжесть снова согнула меня. Ноги начали подгибаться. Один из моих товарищей упал, за ним другой, третий... Спустя несколько мгновений двое из них сумели встать, третий лежал неподвижно. Я хотел помочь ему, но вспомнил свое решение ни в чем не проявлять инициативы. Я был рад, что есть повод ничего не делать. И так трудно было удержаться от падения и потери сознания.

Постепенно я немного привык к обстановке и смог бросить взгляд вперед. Мы находились на чем-то вроде карниза, и под нами проходила главная улица города. Непривычная картина ошеломляла. Ни одна из дорог не была прямой, и лишь некоторые шли на одном уровне: они опускались и поднимались, огибали здания и терялись на расстоянии в зеленой полутьме. Город изнутри казался обширнее, чем через иллюминатор треножника, но я решил, что это впечатление создает густой зеленоватый воздух. В нем невозможно было видеть далеко и ясно. Хрустальный купол, покрывавший город, не был виден изнутри. Зеленый туман, казалось, тянулся бесконечно.

Здания тоже поразили меня. Они были разных размеров, но одной формы — пирамидальной. Непосредственно под нашим карнизом я увидел несколько приземистых пирамид с широким основанием. Дальше пирамиды становились тоньше и поднимались на разную высоту, самые низкие доходили до уровня карниза, но большинство было гораздо выше. В них виднелись треугольные отверстия, похожие на окна, но размещены они были без всякого порядка и последовательности. У меня уставали глаза при взгляде на них.

Странные экипажи двигались по дорогам. В общем, это тоже были пирамиды, но лежали они не на основании, а на боковой поверхности. Верхние части этих экипажей были сделаны из того же прозрачного материала, что и наши шлемы, и я смутно видел внутри фигуры. Другие фигуры двигались между зданиями и по карнизам, которые отходили от зданий через неравные промежутки. Фигуры были двух видов, одни гораздо меньше других. Хотя на расстоянии трудно разглядеть подробности, ясно было, что одни — хозяева, другие — рабы: меньшие фигуры двигались медленно, как будто несли большую тяжесть, большие двигались легко и быстро.

Один из инструкторов сказал:

— Смотрите! Это жилища хозяев.

Голос его, хоть и приглушенный, звучал почтительно. Под нишами с губками находились маленькие металлические устройства. Они передавали звуки через маски. Голос звучал искаженно, но к этому можно было привыкнуть. Он указал на ближайшую пирамиду:

— А это место выбора. Спускайтесь.

Мы медленно, пошатываясь, спускались по спиральной рампе, чья крутизна вызывала добавочную боль в мышцах ног и головокружение, от которого то один, то другой падали. Парень, который потерял сознание на карнизе, пришел в себя и тоже был с нами. Это был тот, который победил Бинпола в прыжках в длину, — веснушчатый верзила, вложивший все свои силы в последнюю попытку. Здесь бы он далеко не прыгнул. Жара продолжала уносить наши силы, а пот образовывал неприятную лужу у основания маски. Мне отчаянно хотелось вытереть пот, но, конечно, это было невозможно. Для этого пришлось бы снять маску, а меня предупредили, что вдыхание воздуха хозяев означает смерть.

Я по-прежнему не видел вблизи ни одного хозяина. Но по крайней мере одна проблема была решена. Треножники не были хозяевами, как думали некоторые, а просто хитроумными машинами, чтобы нести хозяев во внешнем мире. Я не видел, чем это может помочь Джулиусу и остальным, но это была информация. Постепенно узнаю больше, гораздо больше. После этого мне и Фрицу нужно будет бежать. И все! Я рассмеялся бы, если бы у меня были силы. И, конечно, мне следовало помнить свою роль избранного, но добровольного раба.

Рампа привела в одну из приземистых пирамид, примерно на полпути от ее основания. Внутри было светло от множества зеленых шаров, которые на разной высоте свисали с потолка. Во всяком случае, светлее, чем снаружи. Нас провели по извивающемуся коридору в длинную комнату со сводчатым потолком. Вдоль одной из стен тянулся ряд прямоугольных помещений с открытой передней стенкой. Стены их были сделаны из жесткой стеклоподобной субстанции. Нам сказали, что каждый из нас должен занять одно из таких помещений. После этого нужно ждать. Хозяева придут в должное время.

Мы ждали долго. Другим, я полагаю, было легче ждать. Желание служить хозяевам давало им терпение. У нас с Фрицем не было такого преимущества. Он находился примерно через десять клеток от меня, и я не мог его видеть.

Я видел лишь тех, что находились рядом, и очень смутно еще двоих-троих. Напряжение усиливалось, но я знал, что не должен его показывать. Было очень неудобно. Большинство из нас сидели или лежали на полу. Лежать было легче, но пот собирался внутри маски. Это вообще неприятно, а когда голова и плечи не подняты, то непереносимо. К этому времени я ужасно захотел пить. Я подумал, может, нас забыли и мы умрем от жажды и истощения. Наверно, мы представляли какую-то ценность для хозяев, но не очень большую. Нас легко заменить.

Я скорее почувствовал вначале, чем услышал, — ропот пробежал по рядам клеток, ропот благоговения, удивления, обожествления. Я понял, что наступил этот момент, и изогнул шею, пытаясь рассмотреть что-нибудь. Они входили на дальнем конце комнаты и приближались к клеткам. Хозяева.

Несмотря на все неудобство и усталость, несмотря на страх перед будущим, первым моим желанием было рассмеяться. Они были так нелепы! Гораздо выше человека, примерно вдвое, и пропорционально толще. Тела их были шире у основания: внизу четыре-пять футов в окружности, но заострялись кверху.

Голова... если это была голова, потому что никакого признака шеи. Потом я заметил, что их тела опираются не на две ноги, а на три, и эти ноги толстые и короткие. Им соответствовали три руки или, скорее, щупальца, выдававшиеся примерно из середины тела. А их глаза — я видел, что их тоже три, и размещены они треугольником, один вверху и два внизу, примерно в футе от верхушки. Эти существа были зеленые, хотя и разного оттенка, от темного, почти коричневого, до бледного. Это, а также разный рост служили мне единственным средством отличить их друг от друга. Да, слабое средство!

Позже я узнал, что, когда к ним привыкнешь, различать их становится легче. Отверстия, служившие им ртом, носом, ушами, тоже различались по размеру и форме, а также по расположению относительно друг друга. Но по первому впечатлению они были безлики и совершенно одинаковы. Я почувствовал дрожь страха, когда один из них, остановившись передо мной, заговорил.

— Встань, мальчик, — произнес он.

Я решил, что звуки доносятся изо рта, и принял за рот нижнее отверстие, но потом заметил, что как раз открывается и закрывается верхнее, а нижние два остаются закрытыми. У хозяев органы питания и дыхания не соединены, как у человека; они дышат и говорят через одно отверстие, а едят и пьют через нижнее, большее по размеру.

Я встал, как мне было приказано. Ко мне протянулось щупальце, слегка коснулось меня, потом прочнее схватило за руку. Оно пробежало по телу, и я сдержал дрожь.

— Двигайся, — сказал хозяин. Голос был холодный, ровный, негромкий, но отчетливый. — Походи, мальчик.

Я начал ходить по кругу внутри клетки. Однажды я видел в Винчестере продажу лошадей — мужчины щупали их мускулы, смотрели, как они ходят по кругу. Хозяин стоял и смотрел, как я сделал несколько кругов. Затем, не добавив ни слова, пошел дальше. Я снова сел.

Они быстро передвигались на своих приземистых ногах, подпрыгивая ритмичными движениями. По-видимому, они были гораздо сильнее нас, раз так легко могли двигаться в свинцовом городе. Когда им действительно надо было передвигаться быстро, они могли вращаться, как волчки, очень быстро перемещаясь при этом вперед, каждая нога касалась земли через несколько ярдов. Я думаю, что это была их разновидность бега.

Выбор продолжался. Еще один хозяин осмотрел меня, и еще один. Парень в соседней клетке был взят; хозяин приказал ему идти за собой, и тот повиновался. Они исчезли в толпе. Некоторые хозяева осматривали меня внимательнее других, но все проходили мимо. Я думал, не подозревают ли они что-то, может, мое поведение в чем-то отклоняется от обычного. Я размышлял также о том, что будет со мной, если меня никто не выберет. Известно, что из города не возвращаются. Значит...

Эта тревога оказалась неоправданной. Я узнал, что те, кто не попадал в личные слуги, отправлялись в общую группу. Но тогда я этого не знал и сознавал, что клетки вокруг меня пустеют. Я видел, как мимо прошел Фриц, следуя за хозяином. Мы посмотрели друг на друга. К моей клетке подошел хозяин, молча посмотрел на меня и пошел дальше.

Количество хозяев, как и рабов, уменьшалось. Я печально сидел на полу. Я устал и хотел пить, у меня болели ноги, а кожу на груди и плечах жгло от соленого пота. Я прислонился к прозрачной стене и закрыл глаза. И поэтому не видел, что подошел новый хозяин, лишь услышал его голос:

— Встань, мальчик.

Мне его голос показался приятнее, чем у других, его можно было назвать почти теплым. Я встал и с любопытством посмотрел на него.

Он был меньше среднего роста и более темного цвета. Коричневый оттенок на темно-зеленом был вполне заметен. Он смотрел на меня сверху вниз, кожа между его глазами дергалась. Он велел мне походить. Я собрал все силы и пошел как можно резвее.

Мне было приказано остановиться. Хозяин сказал:

— Подойди ближе.

Щупальце обвилось вокруг моей левой руки. Я сжал зубы. Второе щупальце прошло по телу, ощупало ноги, грудь. От его сжатия у меня перехватило дыхание. Оно отступило. Послышался голос:

— Ты странный, мальчик.

Эти слова, подводя итог моим страхам, оледенили меня. Я глядел на безликую колонну чудовища. Чем-то я, несомненно, выдал себя. Возбуждением? Недостаточным счастьем от перспективы служить одному из этих нелепых и отвратительных существ? Я старался прогнать это настроение. Хозяин снова заговорил:

— Как ты стал чемпионом игр — в каком из ваших человеческих видов спорта?

— В боксе... — Я поколебался и добавил: — Хозяин.

— Ты маленький, но, я думаю, сильный для своего роста. Из какой земли ты пришел сюда?

— С юга, хозяин. Из Тироля.

— Горная страна. С высокогорья приходят сильные люди.

Он замолчал. Щупальце, державшее мою левую руку, разжалось. Три глаза смотрели на меня. Затем тот же голос произнес:

— Иди за мной, мальчик.

Я нашел своего хозяина.

Глава 7

КОШКА МОЕГО ХОЗЯИНА

Мне повезло с моим хозяином. Он отвел меня к своему экипажу, стоявшему в ряду других у здания, велел сесть и повез нас. Он объяснил, что моей обязанностью будет управлять экипажем. Это оказалось нетрудно. Экипаж приводился в движение невидимой силой, которая шла из-под земли. Я видел, что некоторые хозяева тут же принялись обучать своих новых рабов, но мой не стал этого делать, потому что видел: я устал и расстроен. Экипажи передвигались на множестве колес, поставленных на одной стороне пирамиды, и водитель сидел в заостренной части. Хозяин отвез нас к центру города, где он жил.

По пути я разглядывал окружающее. Трудно было в нем разобраться: улицы, здания, рампы были в одно и то же время очень похожи и совершенно различны; в их размещении либо не было никакого плана, либо я не мог понять этот план. Тут и там виднелись небольшие площадки, которые показались мне садами. Они были треугольной формы и заполнены водой, из которой поднимались странные растения различных цветов: красного, коричневого, зеленого, синего, но все тусклые. У них тоже была одинаковая форма, широкая у основания и заостренная кверху. Над многими садами-бассейнами поднимался туман, а в некоторых медленно передвигались или стояли хозяева, погруженные, как растения, в воду.

Мой собственный хозяин жил в высоком здании, выходящем на большой сад-бассейн. Здание было пятиэтажное и больше походило на треугольник, которые, по-видимому, так любили хозяева: три его стороны были короче других и образовывали почти прямые линии. Мы оставили экипаж у входа — оглянувшись, я увидел, как раскрылась земля и он опустился в яму — и прошли в здание. Внутри оказалась движущаяся комната, такая же, в какой мы покинули зал треножников. На этот раз я понял, что происходит: комната поднималась вверх, и мы вместе с нею. Мы вышли в коридор, и я побрел вслед за хозяином к двери, которая была входом в его дом.

Многое, конечно, я понял гораздо позже. Пирамиды делились на квартиры хозяев. Внутри находились меньшие пирамиды, накрытые внешней; они использовались как склады, помещения для экипажей, общие комнаты рабов и тому подобное. Дома хозяев находились в другом месте, и о важности хозяина для города можно было судить по расположению его дома. Самые важные жили вверху. Ниже находились еще два треугольных дома. Несколько таких домов размещалось в беспорядке по углам пирамиды. Мой хозяин не отличался значительностью, и дом его был в углу, ближе к основанию, чем к вершине.

При первом взгляде на город с его пирамидами я решил, что количество хозяев фантастически велико. Но при более близком знакомстве я понял, что это впечатление обманчиво. Все у них было в гораздо больших масштабах, чем у людей. Особенно просторны были дома с большими высокими комнатами, не менее двадцати футов в высоту.

Коридор вел в проход с несколькими дверями. Двери круглые и работали на том же принципе, что и в треножнике: нужно было нажать кнопку, и часть стены поднималась внутрь и вверх. Не было ни замков, ни задвижек. В одном направлении проход поворачивал под прямым углом и вел в наиболее важную часть дома — треугольную комнату с видом наружу. Здесь хозяин ел и отдыхал. В центре пола был сделан небольшой круглый сад-бассейн, с поверхности которого поднимался пар. Это было любимое место хозяина.

Но мне его показали не сразу. Хозяин провел меня по коридору в противоположном направлении. Проход оканчивался тупиком, но сразу перед ним находилась дверь. Хозяин сказал:

— Это твое убежище, мальчик. Там воздушный шлюз — место, где меняется воздух, — за ним ты сможешь дышать без маски. Здесь ты будешь есть и спать. Когда мне не нужны твои услуги, можешь оставаться здесь или в общем помещении. Сейчас отдохни. В нужное время услышишь звонок. Тогда снова наденешь маску, пройдешь через шлюз и придешь ко мне. Найдешь меня в комнате с окном, в конце прохода.

Он повернулся и легко заскользил на своих толстых ногах вдоль широкого высокого прохода. Я понял, что получил разрешение быть свободным, и нажал кнопку двери прямо перед собой. Она открылась, я вошел и дверь автоматически закрылась за мной. Послышался свист, по ногам подуло — воздух хозяев уходил и заменялся человеческим. Все это заняло мало времени, но мне показалось, что прошел целый век, прежде чем открылась дверь в противоположной стене и я смог войти. Дрожащими пальцами я сорвал крепления пояса, удерживающего маску.

Не думаю, чтобы я смог дольше выдерживать эту затхлую маску с лужей собственного пота на груди. Но позже я узнал, что мне повезло. Фрица еще несколько часов учили его обязанностям, прежде чем позволили отдохнуть. Поведение моего хозяина и в другом оказалось особым. Помещение для слуги было маленьким по площади, но таким же высоким, как все другие помещения в доме. Хозяин соорудил промежуточный пол, к которому вела лестница, там была моя спальня. У других рабов постель помещалась в том же крохотном пространстве.

Помимо этого, здесь находился стул, стол (оба простые), шкаф с двумя ящиками и отделением для запаса пищи, маленькая туалетная секция. Все голое и некрасивое. Дополнительного подогрева не было, но не было и возможности освежиться. Изнемогая от жары, можно было лишь пройти в туалет, где специальное приспособление позволяло разбрызгивать воду по телу. И эта вода, и вода для питья всегда были теплыми, но по крайней мере холоднее окружающего воздуха. Я долгое время стоял под ней, потом переоделся. Чистая одежда тут же стала влажной от воздуха. В городе никогда не ходишь сухим.

В шкафу я нашел еду в пакетах. Она была двух разновидностей: нечто вроде сухаря и порошок, который нужно было смешивать с водой. Пища всегда была одинаковой и невкусной. Ее изготовляли где-то в городе машины. Я попробовал сухарь, но обнаружил, что недостаточно голоден, чтобы есть его. Устало вскарабкался я по лестнице — в городе свинца это тяжелая работа — и упал на жесткую голую постель, ожидавшую меня. В моей комнате, конечно, не было окон. Свет давал зеленый шар, который включался нажатием кнопки. Я нажал кнопку и погрузился в темноту и забвение. Я снова был в Белых горах и говорил Джулиусу, что треножники сделаны из бумаги, а не из металла, и что можно отрубить им ноги топором. Но в середине моего рассказа Джулиус начал звонить. Я тут же проснулся, вспомнил, где нахожусь, и понял, что меня зовут.

Ничего не зная об условиях внутри города, мы с Фрицем не могли конкретно условиться о встрече, хотя, разумеется, нам хотелось увидеться, как только появится возможность. Когда я оценил размеры и всю сложность города, отчаяние овладело мной: у нас не было никакой надежды на встречу. В городе были тысячи хозяев, даже учитывая их любовь к просторным помещениям. Если у каждого из них есть слуга...

В одном отношении это оказалось гораздо легче, чем я думал; в других — труднее. И начать с того, что не каждый хозяин обладал рабом. Это была привилегия определенного ранга, и ею пользовались, вероятно, менее тысячи хозяев, да и не все использовали это право. Среди хозяев было распространено движение, возражавшее против присутствия людей в городе. Оно основывалось не на страхе перед восстанием: никто не сомневался в покорности рабов. Но многие считали, что, пользуясь услугами враждебных рабов, хозяева ослабнут и деградируют. Общее количество людей, отбираемых на играх и другими способами, никогда не превышало пятисот — шестисот.

Но для этих пяти или шести сотен средства общения были крайне ограниченны. Помимо индивидуальных помещений для еды, сна и тому подобного, в каждой пирамиде имелись общие помещения для рабов. В большой без окон комнате можно было встретиться и поговорить: на стенах в специальных окошках загорался номер раба, которого вызывал хозяин. В общие места других пирамид нельзя было уходить без риска, что тебя потребует хозяин. И рабы никогда не шли на этот риск, не из страха перед наказанием, а потому что не представляли себе, что могут доставить какое-нибудь неудобство своим хозяевам.

Мы могли встретиться на улице, исполняя поручения своих хозяев, но вероятность этого была мала. Наиболее реальной возможностью встретиться, по-видимому, служило место, где наши хозяева выполняли какие-то функции и где также имелось общее место-помещение для рабов.

Я обнаружил, что таких функций несколько. Самым любимым занятием моего хозяина было погружение в бассейн в центре пирамиды; в гостиной группы хозяев особое устройство, приводимое в движение щупальцами, волновало воду, издавая в то же время дикие звуки, которые мне казались отвратительными, а хозяевам доставляли удовольствие. В другом случае хозяева разговаривали друг с другом на своем языке, полном свистящих и хрюкающих звуков; в третьем хозяева на помосте подпрыгивали и кружились — я думаю, это было их вариантом танцев.

Я всюду сопровождал своего хозяина и охотно отправлялся в общее помещение, чтобы вымыться, съесть сухарь и лизнуть соленую палочку, которыми нас снабжали. И поискать среди других рабов Фрица. Но я его не видел и начал думать, что это безнадежная задача. Я знал, что не все хозяева отпускают своих рабов. К счастью, было одно событие, которое привлекало к себе общий интерес. Они называли это охотой за шаром.

Оно происходило через равные промежутки времени на арене шара. Это было большое открытое пространство в центре города, и разумеется, в форме треугольника. Его покрывал какой-то красноватый материал: на пространстве было установлено семь столбов около тридцати футов высотой, на конце каждого столба имелось приспособление в форме корзины. Три таких столба стояли в вершине треугольника, три — на полпути к центру и один — в центре.

Смысла того, что происходило на площадке, я не понял. Вероятно, это была какая-то игра, но она резко отличалась от игр людей. Маленькие треножники, не больше двадцати футов высотой, появлялись из-под земли, выстраивались на площадке и начинали преследовать друг друга. В ходе этого преследования между щупальцами треножников появлялся один или несколько золотых шаров. Их появление приветствовалось гулкими возгласами хозяев, которые следили за происходящим с террас вокруг площадки. Возгласы усиливались, когда золотые шары начинали взлетать в воздух. Время от времени один из шаров оказывался в корзине и вспыхивал там, а зрители разражались пронзительными возгласами. Когда шар оказывался в корзине центрального столба, то вопли усиливались. Потом преследование начиналось заново, и появлялся новый шар.

Я обнаружил, что в маленьких треножниках находились один или два хозяина. Казалось, охота шаров требует немалого искусства, и лучшие ее участники пользовались почетом.

Именно охота шаров дала мне возможность после нескольких недель бесплодных поисков найти Фрица. Я проводил хозяина к его сиденью на той стороне площадки, которая отведена для хозяев высшего ранга, и заторопился — то есть потащился несколько быстрее обычного — в общую комнату. Она была больше других общих комнат, но густо заполнена: в ней было не менее нескольких сотен рабов. Я стянул маску, положил ее в один из ящиков у входа и отправился на поиски. Он стоял в дальнем конце в очереди за солеными палочками, которые мы сосали, чтобы возместить соль, утраченную нами при постоянном потении. Он увидел меня, кивнул и принес две соленые палочки туда, где стоял я.

Я был поражен его видом. Я знал, что такая жизнь, сочетание тяжести с жарой и влажностью, быстро губит людей. Многие из них находились в жалком состоянии, они состарились и ослабли гораздо раньше времени. Я понимал также, что и мои силы постепенно слабеют, хотя и научился беречь энергию. Но перемены во Фрице превосходили все мои ожидания.

Мы все похудели, но он, высокий и отлично сложенный, казалось, потерял в весе гораздо больше. Ребра его торчали, лицо было истощено. Он согнулся так, как те, что провели год и больше в городе. Я с ужасом заметил кое-что еще — следы ударов на его спине. Я знал, что некоторые хозяева бьют своих рабов за неосторожность и глупость, пользуясь при этом чем-то вроде летающего хлыста. Его прикосновение обжигало тело. Но Фриц был не глуп и не допустил бы неосторожности.

Отдавая мне соленую палочку, он негромко сказал:

— Самое важное — условиться о следующих встречах. Я живу в 71-й пирамиде, 43. Нам легче встретиться там, если у тебя хороший хозяин.

— Но как? Я не найду туда пути.

— Возле... Нет. Где ты живешь?

— 19-я пирамида, 15.

— Я знаю, где это. Слушай. Мой хозяин ежедневно уходит в бассейн-сад точно в два-семь. И остается там целый период. Я думаю, мне хватит времени добраться до тебя. Если ты сумеешь выйти в общее помещение...

— Конечно.

— Я буду рабом хозяина, посещающего твоего хозяина.

Я кивнул. Мы использовали деление времени, принятое хозяевами. День делился на девять периодов, а каждый период делился на девять частей. Два-семь означало приблизительно полдень. В это время мой хозяин тоже отправлялся в бассейн-сад. Даже если бы он не сделал этого, я смог бы уйти по какому-нибудь поручению.

— Твой хозяин... он плохой?

Фриц пожал плечами.

— Мне не с чем сравнивать.

— Твоя спина...

— Это ему нравится.

— Нравится?

— Да. Вначале я думал, будто что-то делаю неверно, однако это не так. Он находит причины. Я кричу и вою, и это доставляет ему удовольствие. Я научился кричать громче, тогда он быстрее кончает. А как твой хозяин? У тебя на спине ничего нет.

— Мне кажется, он из хороших.

Я рассказал Фрицу о своей жизни. Он внимательно выслушал меня и кивнул:

— Даже очень хороший.

Он кое-чем еще поделился со мной, и я понял, что не только побоями его жизнь в худшую сторону отличается от моей. Любыми возможными способами хозяин унижал, преследовал его и возлагал на него непосильные тяжести. Я почти стыдился своей жизни. Но Фриц сказал:

— Все это не важно. Главное то, что мы узнали в городе. Мы должны обмениваться информацией, чтобы знать все. Расскажи мне сначала, что узнал ты.

— Очень немного. Практически ничего. — Я мысленно собрал обрывки сведений и изложил их ему. — Вот и все.

Фриц серьезно слушал. Он сказал:

— Все это полезно. Я узнал, где расположены большие машины, которые дают тепло, свет и энергию их экипажам. Наверное, они же делают город тяжелым. Рампа 914 ведет на улицу 11. Улица проходит между двумя садами-бассейнами и уходит под землю. Там, внизу, машины. Я пока не смог туда спуститься — не знаю, могут ли вообще туда ходить люди, — но попытаюсь.

Еще я обнаружил место, где в город поступает вода. Это сектор стены 23. Река выходит из-под земли и проходит через машину, которая делает воду пригодной для хозяев. Там я был и пойду еще. Огромное помещение, и мне трудно в нем разобраться. Есть еще место счастливого освобождения.

— Счастливого освобождения?

Раз или два я слышал это выражение от других рабов, но не знал его значения, а Фриц сказал:

— Это недалеко отсюда, улица 4. Туда уходят рабы, когда у них уже нет сил служить своим хозяевам. Я пошел за одним из них и видел, что происходит. Раб становится под металлическим куполом. Вспыхивает свет, и он падает мертвый. Пол, на котором он лежит, движется. Открывается дверь, там печь, и тело сгорает без следа.

Он продолжал рассказывать, что узнал о рабах в городе. Они поступают не только после игр; в других странах существуют и другие способы отбора, но выбирают всегда молодых и сильных. Жизнь в городе, даже у такого хозяина, как мой, медленно, но верно убивает человека. Некоторые умирают почти сразу же после прибытия; другие — через год, два. Фриц встретил раба, который провел в городе пять лет, но он был исключением. Когда раб чувствует, что приближается смерть, он добровольно уходит в место счастливого освобождения и умирает с радостной уверенностью, что отдал хозяину все свои способности и энергию.

Я внимательно выслушал все это. Вот теперь мне действительно стало стыдно. Я считал свою жизнь тяжелой, и это служило мне извинением того, что я ничего не сделал. В сущности, я тянул время, ожидая встречи с Фрицем и надеясь тогда решить, что делать. Он же, страдавший гораздо больше, тем не менее выполнял нашу задачу, от решения которой зависело будущее всего человечества.

Я спросил его:

— Как ты сумел все это узнать, если у тебя есть только два часа, которые твой хозяин проводит в бассейне? Этого времени просто не хватит.

— Часть дня мой хозяин проводит с другом. Его гость не одобряет рабов, и поэтому хозяин уходит без меня. Я свободен и отправляюсь на разведку.

— А если он неожиданно вернется или же вызовет тебя?

В каждом доме были средства для вызова рабов. Фриц сказал:

— Я придумал предлог. Он, конечно, меня побьет, но к этому я привык.

Бывали случаи, когда я оставался один. Тогда я целый день отдыхал. Однажды я вышел, но путаница улиц, рамп и пирамид угнетала меня, и я вернулся. Я почувствовал, что краснею при этом воспоминании.

Мы говорили в стороне от остальных, но все больше и больше рабов прибывало с арены, и в помещении стало тесно.

— Хватит, — сказал Фриц. — 19-я пирамида, 15. В общем помещении около двух-девяти. До свидания, Уилл.

— До свидания, Фриц.

Следя, как он исчезает в толпе рабов, я принял решение — действовать активнее и меньше жалеть себя.

Обязанности, которые я выполнял по отношению к своему хозяину, сами по себе не были обременительны. Я прибирался в доме, готовил и сервировал еду, следил за ванной, стелил постель и тому подобное. Что касается пищи, то приготовление ее было очень легким: нужно было смешать несколько веществ разной плотности, цвета и, вероятно, вкуса, которые поступали в прозрачных мешках. Некоторые нужно было смешивать с водой, а другие поступали уже в готовом виде. Другое дело — сервировка. Порции пищи размещались на треугольном подносе и съедались в определенной последовательности. Очень важно было, как положить и разместить пищу. Я быстро усвоил все это и получил похвалу. Все это несколько труднее, чем кажется, потому что существовали десятки вариантов, и их было необходимо запомнить все.

Хозяин несколько раз в день принимал ванну, кроме того, он ежедневно уходил в сад-бассейн и много времени проводил в бассейне комнаты с окном: все хозяева погружались в воду, как только получали возможность. Его ванна находилась в соседнем со спальней помещении. В нее вели ступени, а сама ванна представляла собой яму, в которую хозяин полностью погружался. Вода в ванне была особенно горячей: кипящая, она поднималась со дна. Я должен был добавлять в нее порошок и масла для цвета и запаха, а также приносить необычные устройства, похожие на щетку. С их-то помощью хозяин растирал свое тело.

Постель находилась вверху и была такой же формы, как ванна, но к ней поднимались не по ступеням, а по спиральной рампе. Она была очень крутой, и я тяжело дышал, поднимаясь по ней. Внутри находилось нечто вроде влажного мха, и я ежедневно должен был убирать старый мох и заменять его свежим из шкафа. Это была самая трудная моя обязанность.

Кроме этих и им подобных обязанностей, я выполнял и другие функции — функцию общения. Если не считать совместных посещений охоты шаров и других развлечений, хозяева вели необыкновенно одинокую жизнь. Они навещали друг друга, но не часто, а большую часть времени проводили дома в одиночестве. Я заметил, что даже в садах-бассейнах они много не разговаривают друг с другом. Но я подозреваю, что моему хозяину одиночество давалось труднее, чем остальным. Раб-человек был для него не просто исполнителем работ по дому, не просто знаком принадлежности к определенному рангу, он был и существом, которое могло слушать. В моей родной деревне у старой миссис Эш было шесть кисок, и большую часть дня она разговаривала то с одной, то с другой из них. Я был кошкой своего хозяина.

Но кошкой, которая умела говорить. Хозяин не только говорил со мной о вещах, имевших отношение к нему (я редко понимал смысл его слов и так и не разобрался, какую же работу он выполнял), но он и расспрашивал меня. Ему любопытно было узнать о моей жизни до победы на играх и прибытия в город. Вначале я решил, что он что-то подозревает, но быстро убедился, что интерес его невинен. И я рассказал ему, что я сын мелкого фермера в Тироле. Я рассказывал, как пас коров на высокогорных лугах с раннего утра и до вечера, когда наступало время доения. Я изобрел братьев и сестер, двоюродных братьев, дядюшек и тетушек, изобрел целый образ жизни, который, по-видимому, очень его заинтересовал. Когда у меня не было обязанностей, я лежал в постели и выдумывал, что еще рассказать ему. Так проходило время.

Вернее, так оно проходило, пока я не понял, как мало сделал сравнительно с Фрицем. Но когда я при нашей следующей встрече в общем помещении сказал об этом Фрицу, он со мной не согласился. Он сказал:

— Тебе повезло с хозяином. Я и понятия не имел, что хозяева разговаривают с рабами, кроме отдачи приказов. Мой, во всяком случае, этого не делает. Сегодня утром он снова побил меня, но молча. Может, ты больше узнаешь от него, чем бродя по городу.

— Если я начну задавать вопросы, он заподозрит меня. Люди в шапках не касаются чудес хозяев.

— Не нужно вопросов. Ты можешь направлять его. Ты говоришь, он не только расспрашивает, но и рассказывает о своей жизни?

— Иногда. Но его слова не имеют смысла. Он использует слова своего языка, когда говорит о своей работе, потому что в человеческом языке нет слов для соответствующих понятий. Несколько дней назад он заявил, что чувствует себя несчастным, потому что во время зутлебута цуцуцу вошел в спивис и поэтому было невозможно издул цуцуцу. Во всяком случае, звучало похоже. Я даже не пытаюсь понять, что он говорит.

— Если будешь продолжать слушать, то со временем сможешь понять.

— Не вижу, каким образом.

— Ты должен быть настойчив, Уилл. Побуждай его к разговорам. Он использует газовые пузыри?

Это маленькие резиновые шарики, которые приставлялись к коже хозяина возле носового отверстия. Когда хозяин нажимал на такой шарик щупальцем, из него поднимался красновато-коричневый туман и медленно окружал голову хозяина.

Я проговорил:

— Один или два раза, когда сидел в бассейне комнаты с окном.

— Похоже, они действуют на хозяев, как крепкие напитки на людей. Мой бьет меня сильнее после того, как нанюхался газовых пузырей. Может, твой будет разговорчивее. Принеси ему, когда он будет в бассейне.

— Сомневаюсь, подействует ли.

— Попробуй.

Фриц выглядел больным и истощенным. Рубцы на его спине кровоточили. Я сказал:

— Завтра же попробую.

Я принес их, но хозяин отослал меня. Он спросил меня, сколько телят бывает у коровы, а потом сказал, что пушлу струлгупали. Я немногого добился.

Глава 8

ПИРАМИДА КРАСОТЫ

Когда я уже отчаялся получить полезную информацию от своего хозяина, он сам решил за меня эту проблему. Его работа, чем бы она ни была, происходила примерно в полнолуние в полумиле от того места, где он жил. Я отвозил его туда в экипаже и оставался в общем помещении, пока он не освобождался. Это продолжалось около двух периодов (примерно пять человеческих часов), и я использовал это время, как и другие рабы, чтобы отдохнуть и если возможно, то поспать. В городе быстро привыкаешь максимально беречь энергию. В общих помещениях стояли диванчики. Они были жесткие и на всех их обычно не хватало, но это была исключительная роскошь, и я был благодарен и за нее.

В этот раз я был настолько счастлив, что мне достался диванчик, и я лежал на нем и дремал, когда меня затрясли. Я сонно спросил, в чем дело. Мне сказали, что на доске горит мой номер, меня вызывает хозяин. Первой моей мыслью было, что кто-то хитрит, пытаясь занять мой диванчик. Будивший меня раб сам хочет занять его. Я так и сказал ему. Но он настаивал, что говорит правду. Наконец я встал и увидел, что так оно и есть.

Готовясь надеть маску, я сказал:

— Не понимаю, почему хозяин вызывает меня. Сейчас только три-девять. Должно быть, ошибка.

Раб уже занял мое место и разлегся. Он заметил:

— Может, это болезнь.

— Какая болезнь?

— Время от времени она случается с хозяевами. Два или три дня, а то и больше, они остаются дома. Чаще это случается с такими, как твой хозяин, у которых коричневая кожа.

Я вспомнил, что утром мне показалось, что у хозяина кожа темнее обычного. Когда я вышел из общей комнаты и, как полагалось, низко поклонился, я увидел, что теперь она много темнее. Щупальца хозяина слегка дрожали. Он велел мне ехать домой, и я повиновался.

Я подумал, вспомнив человеческие болезни, что он захочет лечь в постель, и вспомнил, что еще не сменил мох. Но он отправился в бассейн и сидел там молча и неподвижно. Я спросил, не нужно ли ему что-нибудь. Он не ответил. Тогда я отправился в спальню и принялся за работу. Я уже почти закончил и укладывал старый мох в шкаф, где он уничтожался, как услышал звонок.

Хозяин все еще сидел в бассейне. Он сказал:

— Мальчик, принеси мне газовый пузырь.

Я принес и смотрел, как он пристраивает к месту между ртом и носом и нажимает щупальцем. Как жидкость, вылился красновато-коричневый туман и поднялся вверх. Хозяин глубоко вдыхал его. Так продолжалось, пока пузырь не опустел. Он отбросил его и велел мне принести новый. Это было необычно. Хозяин опустошил его и велел принести третий. Вскоре он заговорил.

Вначале слова его были непонятны. Я понял, что он говорит о болезни. Он говорил о проклятии Склудзи — то ли это имя его семьи, то ли расы. Много говорил он о злобе — я не понял, собственной или всех хозяев вообще. Болезнь — это наказание за злобность, и переносить ее нужно стоически. Центральным щупальцем он отбросил пустой третий пузырь и велел мне принести четвертый, да побыстрее.

Газовые пузыри находились в комнате, где хранились запасы пищи. Когда я вернулся в комнату с окном, хозяина не было в бассейне. Он сказал нетвердым голосом:

— Я велел принести быстро, мальчик.

Два его щупальца схватили меня и подняли в воздух легко, как котенка. С нашей первой встречи в месте выбора он не притрагивался ко мне, и я был поражен. Но удивление тут же сменилось болью. Третье щупальце взметнулось в воздухе и хлестнуло меня по спине. Меня как будто ударили тяжелым кнутом. Я дернулся, но щупальца держали крепко. Хлыст обрушился снова и снова. Теперь он походил не на веревку, а на палку. Я подумал, что он сломает мне ребра, а может, и позвоночник. Фриц говорил, что он кричит, потому что его хозяин хочет этого. Вероятно, мне тоже следовало закричать, но я не стал. Я закусил губу, ощутив соленый вкус крови во рту. Избиение продолжалось. Я потерял ударам счет: их было слишком много. Потом шум в ушах и забвение.

Очнулся я на полу. Пошевелившись, почувствовал сильную боль. Тело мое превратилось в сплошной кровоподтек. Я заставил себя встать. Как будто кости не сломаны. Я поискал хозяина и увидел, что он молча и неподвижно сидит в бассейне.

Я чувствовал унижение и гнев, все во мне болело. Я выбрался из комнаты и побрел в свое убежище. Внутри я снял маску, вытер пот с шеи и плеч и забрался в постель. И тут я понял, что, уходя, не поклонился хозяину. Я, разумеется, не чувствовал почтения к нему, но таков был обычай. Мне ведь следовало имитировать поведение людей в шапках. Это ошибка и, может, опасная. Когда я думал об этом, прозвенел звонок. Хозяин снова вызывал меня.

Устало я спустился, надел маску и покинул убежище. Мысли мои путались, я не знал, чего ожидать. Нового избиения я бы не перенес: мне было больно даже идти. Но я совершенно не был подготовлен к тому, что произошло в комнате с окнами. Хозяин был не в бассейне, а стоял у входа. Щупальце схватило меня и подняло. Но пока я готовился к удару, второе щупальце слегка коснулось меня, гибким змеиным движением обернулось вокруг моих избитых ребер. Кошку сначала наказали, а потом приласкали.

Хозяин сказал:

— Ты странный мальчик.

Я ничего не ответил. Мне было неловко, голова оказалась намного ниже туловища. Хозяин продолжал:

— Ты не издаешь громких звуков, как другие. В тебе какое-то отличие. Я сразу это увидел в месте выбора.

От его слов я оцепенел. Я не понимал, что естественная реакция людей в шапках на такое избиение — плакать, как дети... Фриц понял и вел себя соответственно, а я глупо сопротивлялся. И умудрился потом не поклониться. Меня ужаснула мысль, что сейчас хозяин концом щупальца коснется шапки через мягкую часть маски. Он тут же поймет ее отличие от настоящей шапки, которая срастается с телом. А тогда...

Но он отпустил меня. Я сделал запоздалый поклон и чуть не упал при этом. Хозяин поддержал меня и сказал:

— Что такое дружба, мальчик?

— Дружба, хозяин?

— В наших архивах есть то, что вы, люди Земли, называете книгами. Интересуясь вашей расой, я изучал некоторые из них. В этих книгах ложь, но ложь, похожая на правду. И в них говорится о дружбе. О близости между двумя существами... для нас, хозяев, это странно. Скажи мне, мальчик, была ли в твоей жизни до того, как тебя избрали служить, дружба? Был ли у тебя друг?

Я поколебался, но потом сказал:

— Да, хозяин.

— Расскажи о нем.

Я рассказал о своем двоюродном брате Джеке, который был моим ближайшим другом до того, как на него надели шапку. Я изменил подробности нашей жизни, чтобы они соответствовали горному Тиролю, но в целом описал наши занятия и убежище, которое мы устроили за деревней. Хозяин внимательно слушал. Наконец сказал:

— Между тобой и твоим другом установилась связь, связь добровольная, а не вынужденная обстоятельствами... вы хотели быть вместе, говорить друг с другом. Я прав?

— Да, хозяин.

— Это часто у вас бывает?

— Да, хозяин.

Он замолчал. Он молчал так долго, что я решил, будто он уже забыл обо мне, и собрался уйти... отдав, конечно, поклон. Но тут хозяин снова заговорил:

— Собака. Это маленькое животное, которое живет с людьми?

— Некоторые, хозяин. Есть и дикие собаки.

— В одной из ваших книг говорится: «Его единственным другом была собака». Может это быть правдой или это ложь?

— Может быть правдой, хозяин.

— Да, я так и думал. — Щупальца его шевельнулись особым образом. Я знал, что так он выражает удовлетворение. Потом одно из них мягко обернулось вокруг моей талии.

— Мальчик, — сказал хозяин, — ты будешь моим другом.

Я был поражен. Значит, я все же ошибся. В конце концов я не кошка в глазах хозяина. Я его щенок!

* * *

Когда я при следующей встрече рассказал об этом Фрицу, я думал, что это его позабавит. Но он воспринял мой рассказ серьезно.

— Это удивительно, Уилл.

— Что удивительно?

— На первый взгляд хозяева кажутся одинаковыми. Я думаю, и люди для них таковы. На самом деле они сильно различаются. У меня хозяин странный в одном отношении, у тебя — в другом. Но странность твоего хозяина может помочь нам кое-что узнать о них, а странность моего... — он заставил себя улыбнуться, — приносит только боль.

— Я все-таки не осмеливаюсь задавать вопросы, которые не задают люди в шапках.

— Может, ты не прав. Тебе следовало кричать, когда он бил тебя, но именно потому, что ты не кричал, он заинтересовался тобой. Он заметил, что ты странный, раньше. Вспомни, они не привыкли иметь дело со свободными людьми, им в голову не придет, что человек может быть опасен. Я думаю, ты можешь его расспрашивать, если будешь придерживаться общих тем и станешь вовремя кланяться.

— Пожалуй, ты прав.

— Полезно было бы найти архив с книгами. Они заставили людей в шапках уничтожить все книги, в которых хранились знания древних, но здесь они их сохранили.

— Попробую узнать об этом.

— Но осторожно, — предупредил он. — Твоя задача нелегка.

Вероятно, он подумал, что справился бы с ней лучше, и я склонен с ним согласиться. Вместо моего упрямства и гордости он обладал удивительной выносливостью. Он выглядел больным и был опять жестоко избит в это утро. Следы хлыста его хозяина исчезали через сорок восемь часов, но эти были свежие. Один или два раза хозяин избивал его щупальцем, и Фриц сказал, что хотя следы от этого долго не заживают, но сами побои не так болезненны. Мне ненавистна была мысль об этом хлысте.

Фриц рассказал мне о своих новых открытиях. Наиболее полезным из них было помещение, где на стенах была картина звездного неба, и хозяева могли приводить эту картину в движение. В той же пирамиде был шар размером с человека, покрытый картой. Фриц не хотел проявлять особого любопытства, но часть карты он узнал: на карте было узкое море, через которое переправились мы с Генри, были далеко на юге Белое горы и большая река, вниз по которой плыл «Эрлкениг». И примерно в том месте, где мы сейчас находились, к карте был прикреплен золотой кружок. Это мог быть только город хозяев.

На шаре были еще два золотых кружка, оба гораздо ниже нашего и далеко друг от друга: один на краю большого континента на востоке, другой на перешейке между двумя континентами на западе. Они тоже должны были обозначать города хозяев. Значит, было всего три города, которые правили миром. В этот момент в комнату вошел хозяин, и Фриц вынужден был уйти, делая вид, что оказался здесь по какому-то поручению. Но он собирался вернуться в ту комнату и получше запомнить расположение городов.

У меня по-прежнему не было ничего достойного упоминания. Кроме того, что я щенок своего хозяина. Фриц сказал, что моя задача не из легких. В одном отношении он оказался прав. Но во всем остальном его положение было гораздо труднее. И в то же время только он и добывал полезную информацию.

Болезнь моего хозяина продолжалась несколько дней. Он не выходил из дома и большую часть времени проводил в бассейне. Много раз он использовал газовые пузыри, но больше не бил меня. Изредка он выходил из бассейна, поднимал меня и ласкал, а также разговаривал со мной. Часто его слова были для меня непонятны, но не всегда. Однажды, когда зеленоватый туман снаружи поредел от приближавшегося света солнца, я понял, что он говорит о завоевании Земли хозяевами.

Они явились на огромном корабле, который может передвигаться в пустоте между планетами и в еще большей пустоте между звездами, которые согревают вращающиеся вокруг них планеты. Этот корабль двигался с немыслимой скоростью, почти так же быстро, сказал хозяин, как летит солнечный луч, но даже с такой скоростью путешествие продолжалось много лет. Я теперь понял, что хозяева живут гораздо дольше нас. Этот хозяин, как и другие в городе, прилетел на этом корабле и жил с тех пор. Это была экспедиция, посланная на поиски миров, которые их народ может завоевать и колонизировать. Экспедиция испытала множество неудач и разочарований. Не все звезды имели планеты, а там, где планеты были, они по разным причинам не подходили для обитания.

Хозяева происходили с планеты, которая была гораздо больше и теплее Земли. Предметы на ней были тяжелее. Некоторые планеты, найденные хозяевами, оказались слишком малы, другие слишком велики для их целей, одни слишком холодны — они были удалены от своих звезд, другие же слишком горячи. Из десяти планет нашего солнца только одна подходила им, но у нее была ядовитая атмосфера и слишком малое тяготение. И все же они решили, что этот мир следует захватить.

Большой корабль облетел вокруг Земли, а хозяева изучали жизнь внизу. У древних были удивительные машины, при помощи которых можно было говорить и видеть на расстоянии, и хозяева слушали и смотрели, оставаясь незамеченными. Много лет они изучали наш мир, изредка посылая меньшие корабли, чтобы выяснить важные детали. Некоторые из древних, говорил мой хозяин, сообщали, что видели эти корабли, но им никто не верил. С хозяевами этого не могло случиться, но у людей было странное обыкновение — оно называется «ложью» — говорить то, чего не было, и поэтому они не верят друг другу.

Хозяева понимали, что человек может быть опасным противником. У них были многочисленные чудеса: передача изображений на расстоянии, гигантские города в расцвете могущества и силы и многое другое. Люди начали уже строить корабли, которые могли пронести их через пустоту. Конечно, им было далеко до кораблей хозяев, но начало было положено, а учились они быстро. И у них было оружие. Такое, как металлическое яйцо, найденное Бинполом в городе-гиганте, и гораздо мощнее, как бык по сравнению с муравьем. Хозяин сказал, что с помощью этого оружия можно было выжечь многие квадратные мили и полностью уничтожить один из городов-гигантов.

Если бы они посадили корабль на Землю и захватили плацдарм, этот плацдарм был бы уничтожен. И хозяева нашли другой способ. Он был основан на той области знаний, в которой они преуспели даже больше, чем в межзвездных путешествиях, — в понимании деятельности мозга и контроле над ним.

Когда в нашем путешествии к Белым горам они посадили мне под мышку пуговицу, по которой треножник шел за нами, а Генри сказал, что я должен был бы знать о ней, Бинпол рассказал о человеке из цирка, который заставлял людей спать и выполнять его приказы. Я сам однажды видел такого человека в Вертоне. Хозяева умели гораздо больше. Они могли легко заставлять людей повиноваться им даже без шапок — по крайней мере на время. Но все же нужно было поставить людей в такое положение, чтобы они могли отдавать свои приказы. Чтобы изготовить рагу из кролика, сначала нужно поймать кролика.

И они поймали кролика при помощи чуда самих древних — передачи изображений. Эти изображения посылались по невидимым лучам и принимались в миллионах домов по всему миру. Хозяева нашли способ не выпускать лучи из их источника и заменять их своими с теми изображениями, которые им были нужны. А их лучи подчиняли мозг человека... Люди смотрели изображения, а те передавали им приказ спать. Когда они впадали в гипносон, изображения отдавали команды.

Этот контроль, как я сказал, ослабевал с течением времени, но длился несколько дней, и хозяева хорошо использовали это время. Приземлились сотни маленьких кораблей, и люди собрались к ним толпами, как им и было приказано. На их головы надевали шапки — сначала сами хозяева, а потом и люди, уже носившие шапки. Этот процесс все расширялся. Нужно было лишь достаточное количество шапок, а их хватало. План был хорошо продуман.

К тому времени, когда те, кто не смотрел картины, поняли, что происходит, было уже поздно. Эти люди были разрознены, а те, кто действовал по приказу хозяев, объединялись общей целью. И когда приказ, отданный изображениями, ослабел, уже столько людей носили шапки, что пришельцы встретили лишь неорганизованное слабое сопротивление. Первое, что сделали люди в шапках, они захватили контроль над могучим оружием древних. Тогда приземлился большой корабль, и была организована первая оккупационная база.

Это не было концом, сказал мой хозяин... Сопротивление продолжалось. Были большие корабли в море, были подводные корабли. И некоторые из них обладали оружием, способным нанести удар через половину мира. Хозяева выслеживали их и уничтожали. Один из таких подводных кораблей продержался больше года и в конце концов определил положение главной базы. Он выпустил гигантское яйцо по воздуху и промахнулся совсем немного. Но при этом он обнаружил и свою собственную позицию, и хозяева, используя аналогичное оружие, потопили его.

На суше сопротивление длилось годы, все время ослабевая, так как число людей в шапках увеличивалось, а свободных — уменьшалось. Треножники расхаживали по миру, направляя послушных им людей на плохо вооруженные отряды свободных. В конце концов наступил мир.

Я сказал:

— Теперь все люди счастливы. У них есть хозяева, которые правят ими и помогают им. Больше нет войн и злобы.

Только такое замечание и должно было ожидать, и я постарался вложить в него как можно больше энтузиазма.

Хозяин ответил:

— Не совсем так. В прошлом году напали на треножник, и хозяева в нем погибли от ядовитого воздуха.

Я спросил в ужасе:

— Кто же мог это сделать?

Одно щупальце с плеском опустилось в бассейн.

— Прежде чем тебе надели шапку, мальчик мой, любил ли ты хозяев, как теперь?

— Конечно, хозяин. — Я колебался. — Ну, может, не так сильно. Шапка помогает.

Он шевельнул щупальцем. Я знал, что этот жест означает согласие. Он сказал:

— Шапки надевают на череп к тому времени, когда заканчивается период роста. Среди хозяев некоторые думают, что их нужно надевать раньше, потому что люди за год или за два до надевания шапки начинают бунтовать против хозяев. Это было известно, но считалось не важным, потому что шапки снова делают их хорошими. Но именно такие мальчики нашли древнее оружие, сохранившее силу, и использовали его так, что четверо хозяев были убиты.

Отметив про себя, что, по-видимому, обычный экипаж треножника состоит из четырех хозяев, я изобразил дрожь ужаса и страстно сказал:

— Тогда, конечно, на мальчиков следует надевать шапки раньше!

— Да, — согласился хозяин. — Я думаю, что так и будет. Это значит, что люди в шапках будут умирать раньше и испытывать сильные боли, потому что шапка сжимает растущий череп, но было бы неразумно допускать риск, даже самый незначительный.

Я сказал:

— Хозяевам не должна грозить опасность.

— С другой стороны, некоторые говорят, что это не имеет значения, так как мы уже приближаемся к завершению плана. Когда же это произойдет, шапки вообще не потребуются.

Я ждал продолжения, но он молчал. Наконец я осмелился:

— Плана, хозяин?

Он по-прежнему не отвечал, а я не решился настаивать. Спустя полминуты он сказал:

— Иногда по ночам я думаю об этом. Вероятно, это болезнь, проклятие Склудзи... Что такое добро, мальчик, и что такое зло?

— Добро — это повиновение хозяевам.

— Да. — Он глубже погрузился в парующую воду бассейна и обернул щупальца вокруг себя. Я не знал, что означает этот жест. — В каком-то смысле ты счастлив, мальчик, что носишь шапку.

Я горячо сказал:

— Я знаю, что я счастлив, хозяин.

— Да. — Щупальце развернулось. — Подойди ближе, мальчик.

Я подошел к краю бассейна. Щупальце, от воды скользкое, гладило меня, а я изо всех сил старался скрыть отвращение. Хозяин сказал:

— Я рад нашей дружбе, мальчик. Она мне особенно помогает во время болезни. В той книге, что я читал, человек давал собаке вещи, которые ей нравились. Ты чего-нибудь хочешь, мальчик?

Я колебался недолго, потом сказал:

— Я хотел бы увидеть чудеса города, хозяин. Какое счастье видеть их!

— Это можно сделать. — Щупальце отдернулось, он начал вставать. — Теперь я хочу есть. Приготовь стол.

На следующий день болезнь кончилась, и хозяин вернулся к своей работе. Он дал мне браслет, который я должен был носить на руке, и объяснил, что в любой части города эта штука зажужжит, как множество пчел, если я ему понадоблюсь. Тогда я должен вернуться к нему, а в остальном я свободен. Мне не обязательно, например, оставаться в общем помещении, пока он работает.

Я был удивлен тем, что он не забыл мою просьбу, но еще больше удивился последовавшему. Он действительно брал меня с собой на экскурсии. Многое из увиденного оказалось неинтересным или непонятным. В одной маленькой пирамиде не было ничего, кроме разноцветных пузырьков, которые медленно двигались вверх и вниз. То, что сказал о ней хозяин, вообще не имело для меня смысла. Было также несколько поездок к большим водяным садам: я стоял или сидел на берегу, а он бродил в воде среди растений. Он пригласил меня восхититься их красотой, и я послушно восхитился. Они были отвратительны.

Но он брал меня также в место, о котором говорил Фриц, с вращающимся шаром, покрытым картой, с яркими звездами на стенах. Когда хозяин произнес несколько слов на своем языке, звезды двинулись. Это были звездные карты, и на одной из них он показал мне звезду, с планеты которой давным-давно вылетели хозяева. Я постарался как можно лучше запомнить ее положение, хотя трудно было сказать, что мне это даст.

А однажды он взял меня в пирамиду красоты.

С первого дня в городе меня поражало, что все рабы были мужчины. Элоиза, дочь графа де ла Тур Роже, была избрана королевой турнира и после этого с радостью, как она сказала мне, пошла служить треножникам в их город. Я думал, что встречу ее здесь — этого я хотел и не хотел в одно и то же время. Ужасно было бы увидеть ее измученной, как все остальные рабы. Но я не видел девушек, и Фриц, когда я спросил его, сказал, что тоже не видел. Я увидел их однажды, когда устало тащился рядом с хозяином и пот собирался у меня под подбородком.

Это была не одна, а несколько пирамид, соединявшихся у основания. Мы добирались долго, две девятые (более получаса) в экипаже от того места, где жил хозяин. Я увидел прогуливающихся хозяев, некоторые были с рабами. Мы вошли в первую пирамиду, и я чуть не закричал при виде того, что лежало передо мной: сад с земными цветами — красными, голубыми, желтыми, розовыми и белыми. Я почти забыл о них, окруженный вечной зеленой полутьмой, видя лишь отвратительные тусклые растения садов-бассейнов.

Коснуться их я не мог. Они были защищены от атмосферы города стекловидным материалом. Но мне потребовалось больше времени, чтобы понять, что, несмотря на всю видимость жизни, они были мертвы. Впервые я понял это, когда заметил на алом бархате розы пчелу. Она не двигалась. Я увидел других пчел, бабочек — самых разных насекомых, но все они были неподвижны. И цветы тоже были неподвижны и безупречны. Это было пышное зрелище, панорама истинной жизни мира, который завоевали хозяева. Там, внутри, даже свет был белый, а не зеленый, и от этого цветы сверкали с ослепительной яркостью. Дальше находилась лесная поляна с белочками на ветках, с птицами, каким-то образом подвешенными в воздухе, с бегущим ручьем, на берегу которого сидела выдра с рыбой в зубах. И все застывшее, мертвое. Оно не имело ничего общего с миром, который я знал, как только я пригляделся, потому что мой мир был живой, движущийся, пульсирующий жизнью.

Тут была дюжина различных видов, некоторые оказались мне незнакомы. Одни показывали темное водянистое болото, чем-то похожее на сады-бассейны хозяев. В воде плавало несколько странных существ. Я бы принял их за бревна, если бы не их разинутые пасти со множеством зубов. В некоторых пирамидах работали хозяева в масках, похожих на наши, и мой хозяин сказал мне, что время от времени виды меняются. Но это была лишь смена одной мертвой сцены другой.

Однако у хозяев была особая цель. Мы прошли к центральной пирамиде. Тут поднималась вверх спиральная рампа с выходами на разные уровни. Я устало тащился за хозяином. Как всегда, после четверти часа ходьбы, я чувствовал сильную усталость, а рампа была крутой. Мы прошли мимо первого выхода. А во втором хозяин подвел меня к треугольному отверстию и сказал:

— Смотри, мальчик.

Я посмотрел, и соленый пот у меня на лице смешался с солеными слезами — слезами не только горя, но и гнева. Думаю, что большего гнева я в жизни не испытывал.

У викария в Вертоне была комната, которую он называл своим кабинетом, а в нем шкаф со множеством ящичков. Однажды меня послали к нему по какому-то делу, и он, вытаскивая ящички, показывал, что в них лежит. Там под стеклом были ряды бабочек, приколотых с расправленными крылышками. Я вспомнил об этом, глядя на то, что было здесь выставлено. Здесь тоже были ряды ящичков, все прозрачные, и в каждом лежала девушка, одетая в прекрасное платье.

Хозяин сказал:

— Это женщины, которых привозят в город. Ваш народ избирает их за красоту, а потом еще хозяева, которые владеют этим местом, отбирают их. Время от времени тут случаются замены, но самые прекрасные будут долго храниться перед восхищенными хозяевами. Долго после завершения плана.

Я был слишком полон ненависти и горечи, чтобы обратить внимание на это загадочное замечание о плане. Мне бы хоть одно из тех железных яиц, что мы нашли в городе-гиганте...

Он повторил:

— Будут долго храниться перед восхищенными хозяевами. Разве это не прекрасно, мальчик?

И я, давясь, ответил:

— Да, хозяин. Это прекрасно.

— Я давно не смотрел на них, — продолжал хозяин. — Сюда, мальчик. В этом ряду особенно прекрасные образцы. Временами я сомневаюсь в назначении нашей расы распространять свое господство по всей галактике, править ею. Но мы по крайней мере умеем хранить красоту. Мы сохраняем самое прекрасное на колонизируемых планетах.

Я сказал лишь:

— Да, хозяин.

Я уже говорил, что одновременно я хотел и не хотел найти в городе Элоизу. Здесь, в этом отвратительном месте, желание и нежелание усилились тысячекратно. Глаза мои жадно искали того, от чего я мог отвернуться лишь в горести и отвращении.

— Здесь все рыжеволосые, — сказал хозяин. — Это необычно для вашей расы. Оттенки красного различаются. Посмотри, в каком порядке они уложены, — красный оттенок все усиливается. Я вижу здесь два новых промежуточных образца, которых не было при моем последнем посещении.

Но мои глаза искали черные волосы, которые я видел лишь однажды, — короткие волосы, проросшие сквозь серебряную сетку шапки.

— Ты хочешь идти дальше, мальчик, или ты видел уже достаточно?

— Я хочу идти дальше, хозяин.

Хозяин издал негромкий гудящий звук, который означал, что он доволен. Вероятно, ему нравилось думать, что он делает приятное своему другу-щенку. Он пошел дальше, а я за ним, и наконец увидел ее.

Она была в том же простом темно-синем платье, отделанном белыми кружевами, что и на турнире, когда лес мечей взлетал в солнечных лучах и все рыцари провозгласили ее королевой турнира. Ее карие глаза были закрыты, лицо порозовело. Если бы не ящик, так похожий на гроб, и не сотни других вокруг нее, я мог бы принять ее за спящую.

Но на голове у нее не было ни короны, ни тюрбана. Я смотрел на ее короткие локоны. Они не совсем закрывали то, что она носила на голове, — шапку, которая привела ее, радостную, сюда, в это отвратительное место.

— Прекрасный образец, — сказал хозяин. — Ты достаточно видел, мальчик?

— Да, хозяин, — ответил я, — я видел достаточно.

Глава 9

Я НАНОШУ ОТЧАЯННЫЙ УДАР

Проходили дни и недели. В городе были постоянные зеленые сумерки, которые иногда чуть рассеивались, и тогда можно было догадаться, что снаружи прекрасный летний день и солнце сверкает в высоком голубом небе. Из города оно виднелось как бледный диск, заметный лишь в зените. Жара не менялась, не менялась и сокрушительная тяжесть. И день за днем жара и тяжесть уносили силы. По вечерам я без сил ложился на жесткую постель, с каждым утром все труднее становилось вставать.

Мне мало помогало то, что хозяин становился все более привязанным ко мне. Его ласки, вначале случайные, стали ежедневным ритуалом, и я должен был делать что-то подобное в ответ. У него на спине под задним щупальцем было место, которое он любил растирать. Он заставлял меня это делать и указывал, чуть выше или ниже. Я до крови обрывал свои ногти о его жесткую кожу, а он требовал еще и еще. Наконец я нашел замену — предмет, похожий на щетку странной формы, который производил аналогичный эффект. Это спасло мне ногти, но не мышцы правой руки, а он требовал от меня все новых усилий.

Однажды я поскользнулся и, так как он в то же время повернулся, слегка задел место между его носом и ртом. Результат был поразительный. Он издал дикий воющий звук, и мгновение спустя я лежал на спине, отброшенный рефлекторным движением его щупалец. Я почти потерял сознание. Он протянул щупальце, и я был уверен, что меня ожидает новое избиение. Но он лишь поставил меня на ноги.

По-видимому, его действие было инстинктивным и оборонительным. Он объяснил, что место между двумя отверстиями у хозяев наиболее чувствительно. Мне нельзя его касаться. Хозяина можно тяжело ранить, если ударить в это место. Он поколебался, а затем добавил: такой удар может даже убить хозяина.

Я выглядел несчастным и раскаявшимся, как и следует верному рабу в подобных обстоятельствах. Я продолжал растирать и царапать его спину, и он скоро успокоился. Его щупальца обернулись вокруг меня, как у отвратительного страстного спрута. Через полчаса я был отпущен в свое убежище. Хотя я и устал, но прежде чем лечь, я записал самое важное из того, что узнал.

Я уже давно поступал так. Узнавая что-либо новое, даже самое банальное, я все записывал. Это лучше, чем полагаться на память. Я по-прежнему не знал, сумею ли выбраться из города или передать свои записи, но важно было продолжать сбор информации. Я гордился тем, что изобрел свой журнал. Хозяин однажды взял меня с собой в то место, где находились книги, и позволил унести одну из них с собой, чтобы я мог читать во время отдыха. Я обнаружил, что черная жидкость, которую хозяева употребляют в пищу, может служить чернилами, и изготовил примитивное перо. Писать было нелегко, но я умудрился царапать заметки на полях книги в безопасности, так как хозяин не мог прийти в мое убежище из-за атмосферы в нем.

Кроме журнала, я, конечно, пересказывал узнанное Фрицу во время наших встреч, а он сообщал мне о своих открытиях. Город брал с него тяжелую пошлину — и город, и в особенности его хозяин. Однажды его не было несколько дней. Я дважды ходил к пирамиде его хозяина и расспрашивал других рабов в общем помещении. В первый раз я ничего не узнал, но во второй мне сказали, что его поместили в больницу для рабов. Я спросил, где это, и мне объяснили. Больница находилась далеко, слишком далеко, чтобы тут же отправиться туда. Пришлось ждать следующего рабочего времени хозяина.

Больница находилась в секции пирамиды, отведенной под склад. Она была просторнее общих помещений, там стояли кровати и не было больше ничего. Больница была устроена хозяином, более благосклонным к рабам, чем остальные. В ней должны были приходить в себя рабы, заболевшие от перенапряжения, но еще недостаточно изношенные, чтобы отправиться в место счастливого освобождения. Больницей распоряжался раб, который выбирал себе помощника. Этот помощник со временем сменял его. Хозяева не обращали на больницу никакого внимания. И если раб падал и быстро не приходил в себя, его доставляли в больницу. Здесь он находился, пока ему не становилось лучше или пока он не решал, что пора идти в место счастливого освобождения.

Конечно, никакого присмотра тут не требовалось, потому что рабы стремились служить своим хозяевам, а если они не в силах были это сделать, то кончить жизнь. Фриц лежал в кровати немного в стороне от остальных. Я спросил его, что случилось. Его хозяин избил его и сразу же отправил по поручению, не дав зайти в убежище. По пути Фриц упал. Я спросил, как он сейчас чувствует. Он ответил, что ему лучше. Но вид у него был плохой. Он сказал:

— Завтра я возвращаюсь к хозяину. Если он взял другого раба, я пойду в место выбора. Может, меня выберет другой хозяин... Но не думаю. Сейчас должна прибыть новая партия рабов с игр, которые проводятся на востоке. Новые рабы сильнее меня.

— Тогда ты пойдешь в общую группу? — заметил я. — Может, это и к лучшему...

Он покачал головой.

— Нет. Туда идут только новые, которых никто не выбрал.

— Значит...

— Место счастливого освобождения.

Я с ужасом сказал:

— Тебя не могут заставить сделать это!

— Если я не захочу, это покажется странным. А мы не должны делать ничего необычного. — Он вымученно улыбнулся. — Не думаю, что это произойдет. Новички еще не прибыли. Хозяин пока ждет. Я думаю, он возьмет меня назад, по крайней мере на время. Но здесь мне нельзя больше оставаться.

— Мы должны искать выход из города, — сказал я. — Когда с одним из нас что-либо случится, он сможет бежать.

Фриц кивнул:

— Я думал об этом; но это нелегко.

— Если бы мы смогли пробраться в зал треножников и украсть один из них. Может, нам удалось бы привести в действие его механизмы.

— Не думаю, что на это много шансов. Ты вспомни, они вдвое выше нас, и все предметы в городе, кроме экипажей, рассчитаны на их рост. К тому же я не вижу способа проникнуть в зал треножников, у нас нет предлога оказаться там.

— Должен быть какой-то выход.

— Да. Мы узнали многое, что хотел бы знать Джулиус. Один из нас должен вернуться в Белые горы.

Возвращаясь из больницы и позже, я думал о Фрице. Если его хозяин все же взял нового раба... Если даже нет, Фриц был слаб и все слабел. И не только из-за побоев: хозяин сознательно давал ему задания, превосходившие его силы. Я пытался вспомнить — казалось, это было так давно, — как не хотел, чтобы он участвовал в нашей экспедиции. Хотя мы с ним виделись и редко, он стал мне сейчас ближе, чем когда-либо были Генри и Бинпол. Мы как будто стали братьями.

Некоторые наслаждаются дружбой в хорошие времена, когда светит солнце и мир ко всем добр. Но именно общие беды соединяют людей. Мы оба были рабами этих чудовищ, и из всех рабов города только мы двое понимали, что эти существа сделали с нами: что это не боги, которым радостно служить, а мерзкие чудища. Я долго не спал этой ночью, беспокоясь о Фрице и стараясь придумать хоть какой-нибудь способ бегства из города. Конечно, он должен будет уйти первым. Самые нелепые планы приходили мне в голову — например, взобраться по золотой стене и прорубить дыру в куполе. Я лежал, потел и приходил в отчаяние.

На следующий день я снова увидел Фрица. Он ушел из больницы, и хозяин взял его назад. И снова избил. Необходимость срочно отыскать выход отступила, но недалеко.

Я сначала недоумевал, зачем хозяева изучали наш язык, вместо того чтобы заставить рабов изучать их речь, но потом сообразил. Хозяева жили долго, гораздо больше обычных людей, и сравнительно с ними рабы в городе были бабочками-однодневками. Раб приходил в негодность уже к тому времени, как научался понимать настолько, чтобы быть полезным. Были, вероятно, и другие факторы. Хозяева сохраняли возможность разговаривать друг с другом, не опасаясь рабов. У них были какие-то способы обучения, неизвестные людям. Они не нуждались в книгах, но передавали знания от мозга к мозгу непосредственно. Поэтому и обучение было для них легким делом. Мой хозяин говорил со мной по-немецки, но с рабами из других стран он мог говорить на их языке. Это его забавляло — деление людей на расы так, что один не понимает другого. Кажется, сами хозяева всегда принадлежали к одной расе.

Люди не только забавляли моего хозяина. Он изучал человека более внимательно, чем другие хозяева: читал старые книги, расспрашивал меня. У него было странное отношение к людям. В нем соединялись отвращение и презрение, очарование и сожаление. Сожаление выступало на первый план, когда он впадал в меланхолию — одну из фаз болезни — и подолгу сидел в бассейне, вдыхая газовые пузыри. В один из таких периодов он кое-что рассказал мне о плане.

Я принес ему третий пузырь и вынужден был вытерпеть обычную ласку влажных слизистых щупалец. И тут он стал жаловаться, что такая удивительная дружба будет длиться недолго. Я, его собака, и так живущая недолго, еще сокращаю свою жизнь пребыванием в городе. Ему не пришло в голову, что он может продлить мою жизнь, освободив меня. А я, конечно, не предложил это. Разумеется, я предпочитаю год или два счастья быть его рабом долгой жизни на свободе. Это была не новая тема. Он говорил об этом и раньше, а я старался выглядеть удивленным, восхищенным и довольным своей участью.

Но на этот раз предсказания моей близкой смерти перешли в размышления и даже сомнения. Начались они на личном уровне... Он снова начал расспрашивать о моей жизни до прихода в город, и я нарисовал картину — комбинацию правды и вымысла. Мне кажется, иногда я противоречил сказанному ранее, но он не обращал на это внимания. Я рассказывал о наших детских играх, о рождественском пире — я знал, что на юге он проходит примерно так же, как у нас в Вертоне, только у нас чаще выпадал снег. Я рассказывал об обмене подарками, о службе в церкви и о последующем пире — жареный индюк с каштанами, окруженный сосисками и золотистой картошкой, горячий сливовый пудинг. Я описывал все это ярко, потому что, несмотря на жару и растущую слабость, у меня текли слюнки при мысли о пище, так отличной от той, что поддерживала нашу жизнь в городе. Хозяин сказал:

— Трудно понять удовольствие низшего существа, но я вижу, что все это приносило тебе радость. И если бы ты не победил на играх, ты бы многие годы наслаждался этим. Ты об этом думал, мальчик?

— Но, победив на играх, я получил разрешение войти в город, где я могу быть с вами, хозяин, и служить вам.

Он молчал. Красноватый туман перестал подниматься из пузыря, и я без приказания встал и принес ему новый. Он все еще молча взял его, приставил и нажал. Когда поднялся туман, он сказал:

— Так много вас, год за годом — это печально, мальчик. Но все это ничто по сравнению с теми мыслями, которые приходят в мою голову, когда я думаю о плане. И все же он должен быть выполнен. Таково наше назначение в конце концов.

Он замолчал. Я сидел тихо, и немного погодя он продолжил. Он говорил о плане.

Как я уже говорил, существовало несколько отличий Земли от того мира, откуда пришли хозяева. Их мир больше, поэтому предметы на нем тяжелее, а также более жаркий и влажный. Эти отличия особенного значения не имели. В городе машины создавали тяжесть, но хозяева могли жить и без нее. Тяжесть в городе была меньше той, что существовала на их планете, а их потомки научатся жить при нашей силе тяжести. Что касается жары, то на Земле были достаточно жаркие участки — далеко на юге, где располагались другие два города.

Но было отличие, к которому они не могли приспособиться, — наша атмосфера была ядовита для них, а их — для нас. Это значило, что за пределами города они могут жить только в масках, и маски закрывали у них не только голову, но и все тело, потому что наше яркое солнце для них вредно. В сущности, за исключением очень редких случаев, они не покидали треножники — а в холодных краях Земли вообще никогда.

Все это, однако, можно было изменить и... будет изменено. На их родную планету сообщили об успехе экспедиции по завоеванию Земли. Были взяты образцы воздуха, воды и других составляющих нашего мира. Их изучили, и в должное время было получено сообщение: земная атмосфера может быть изменена, и хозяева смогут жить в ней. Колонизация будет завершена.

На это требуется время. Нужно построить могучие машины. Некоторые их части могут быть созданы здесь, другие привезут с родной планеты. Их установят в тысячах мест по всей Земле, и они начнут поглощать наш воздух и выделять пригодный для хозяев. Атмосфера станет густой и зеленой, как под куполом золотого города, солнечные лучи не будут пробиваться сквозь нее, а все живое — цветы и деревья, животные, птицы и люди — задохнется и умрет. Рассчитано, что через десять лет после установки машин планета будет пригодна для хозяев. Задолго до этого человеческая раса прекратит свое существование.

Я слушал в ужасе. Подчинение людей не было конечным злом, оно лишь предшествовало их полному уничтожению. Я умудрился вставить несколько подобающих замечаний о том, что хозяева всегда желают лишь добра.

Хозяин сказал:

— Ты не понимаешь, мальчик. Но и среди нас есть такие, кого печалит мысль о неизбежной гибели всего живого на этой планете. Это тяжелая ноша.

Я навострил уши. Возможно ли, что хозяева не едины? Не сможем ли мы это использовать?

Он продолжал:

— Те из нас, кто так думает, считают, что должны быть устроены места, где существа вашей планеты продолжали бы жить. Например, города. Можно устроить так, что в них смогут расти деревья, жить люди и животные. А хозяева смогут посещать их в масках или защитных экипажах и рассматривать — не мертвыми, как в пирамиде красоты, а живыми. Разве это не хорошо, мальчик?

Я подумал, как он мне ненавистен, как они все ненавистны, но улыбнулся и сказал:

— Да, хозяин.

— Некоторые говорят, что в этом нет необходимости, напрасная трата ресурсов, но я думаю, они ошибаются. В конце концов, мы, хозяева, ценим красоту. Мы сохраняем лучшее на колонизируемых мирах.

Места, где горсточка людей и животных будет жить, чтобы удовлетворять любопытство и тщеславие хозяев... «Мы ценим красоту...» Мне необходимо было знать важнейшую деталь. Нужно было рисковать. Я спросил:

— Когда, хозяин?

Вопросительно шевельнулось щупальце.

— Когда?.. — повторил он.

— Когда исполнится план, хозяин?

Сначала он не ответил, и я подумал, что его удивил мой вопрос, может, даже насторожил. Некоторые его реакции я научился угадывать со временем, но большинство было скрыто от меня. Он сказал:

— Большой корабль со всей необходимой аппаратурой уже вылетел. Через четыре года он будет здесь.

Через четыре года машины начнут изрыгать свой яд. Я знал: Джулиус уверен, что времени у нас достаточно, что нашу кампанию доведут до конца последующие поколения. И вдруг время стало нашим врагом, таким же неумолимым, как хозяева. Если мы потерпим неудачу и в следующем году будет предпринята вторая попытка, мы потеряем четверть драгоценного периода, отведенного нам для действий.

Хозяин сказал:

— Великолепное зрелище, когда большой корабль летит в ночи, как звезда. Я надеюсь, ты увидишь это, мальчик.

Он надеялся, что я доживу до этого: четыре года — очень большая продолжительность жизни для раба в городе. Я горячо сказал:

— Я тоже надеюсь, хозяин. Это будет весьма славный и счастливый момент.

— Да, мальчик.

— Принести еще газовый пузырь, хозяин?

— Нет, мальчик. Теперь я поем. Приготовь мой стол.

Фриц сказал:

— Один из нас обязан уйти.

Я кивнул. Мы находились в общем помещении пирамиды Фрица. Здесь было с полдюжины других рабов, двое играли в карты, остальные лежали неподвижно и даже не разговаривали. В мире за куполом начиналась осень; воздух после утреннего заморозка резок и приятен. В городе же влажная жара не изменялась. Мы сидели в стороне и негромко разговаривали.

— Ты нашел что-нибудь? — спросил я.

— Только установил, что доступа к залу треножников нет. Рабы в месте входа не имеют ничего общего с рабами внутри города. Это те, что не выбраны хозяевами, и они завидуют входящим в город. Они не пропустят никого в противоположном направлении.

— Можем попытаться... напасть на них...

— Их слишком много. И еще одно.

— Что?

— Твой хозяин говорил тебе об уничтоженном треножнике. Они знают об опасности, но думают, что она исходит только от ребят, которым не надели шапки. Если они узнают, что мы проникли в город с фальшивыми шапками... Этого они не должны узнать.

— Но если один из нас сбежит, — возразил я, — разве это не предупредит их? Никто из тех, у кого настоящая шапка, не захочет покинуть город.

— Только через место счастливого освобождения. Тех, кто туда идет, не проверяют. Побег должен быть тайным.

— Любой способ бегства лучше, чем ничего. Мы должны сообщить новости Джулиусу и остальным.

Фриц кивнул, а я снова обратил внимание на его худобу, непропорционально большую голову на тощей шее. Если кому-то из нас суждено бежать, то это должен быть он. С хозяином, добрым, по их меркам, я продержусь еще больше года. Хозяин сказал, что я сумею увидеть большой корабль. Но Фриц не переживет зиму, если не убежит, это несомненно.

Фриц сказал:

— Я кое-что придумал.

— Что именно?

Он поколебался, потом сказал:

— Да, лучше, если ты будешь знать, пусть даже это только идея. Река.

— Река?

— Она входит в город, ее очищают и делают пригодной для хозяев. Но она и вытекает. Помнишь, мы видели с треножника поток из-под стены? Если бы мы нашли место в городе... возможно, это выход.

— Конечно. Выход должен быть в противоположной стороне города.

— Не обязательно. Но там есть район, в котором не разрешается жить рабам. И его трудно исследовать, опасно привлекать к себе внимание.

— Нужно попытаться. Стоит использовать любой шанс.

Фриц сказал:

— Как только мы найдем выход, один из нас должен идти.

Я кивнул. Не было сомнений в том, кто это должен быть. Я подумал, как одиноко будет в городе без друзей, не с кем будет поговорить. За исключением, конечно, хозяина. Эта перспектива заставила меня вздрогнуть. Я подумал об осени снаружи, о первом снеге, о том, как снег покрывает полгода выход из тонneля в Белых горах. Я взглянул на часы на стене, разделенные на периоды и девятые — время хозяев. Через несколько минут нужно надевать маску и везти хозяина домой с работы.

Это произошло четыре дня спустя.

Хозяин услал меня с поручением. У них была привычка натираться разными маслами и мазями, он велел мне отправиться в определенное место и привезти определенное масло. Это нечто вроде магазина с узкой спиральной рампой в центре, а по бокам на разных уровнях разложены разные предметы. Никто не следил за магазином и не платил денег. Пирамида, куда меня послали, находилась гораздо дальше, чем обычные места моих посещений. Я решил, что ближе такого масла нет, — он дал мне пустой контейнер, чтобы я мог взять такой же. Я больше часа тащился по городу и возвращался, измученный и мокрый от пота. Мне отчаянно хотелось в убежище — снять маску, умыться и растереться, но было немыслимо, чтобы раб сделал это, не доложившись вначале хозяину. Поэтому я отправился в комнату с окном, ожидая застать хозяина в бассейне. Но он находился не там, а в дальнем углу комнаты. Я подошел к нему и поклонился.

— Подать масло сейчас, хозяин, или поставить его с другими?

Он не ответил. Я подождал и приготовился уходить. Временами он бывал необщителен и погружен в свои размышления. Выполнив долг, я мог поставить масло в шкаф и отправиться в убежище, пока он не позовет меня. Но когда я повернулся, он схватил меня щупальцем и поднял. Еще ласка, подумал я, но ошибся. Щупальце держало меня, а он разглядывал меня немигающим взглядом.

— Я знал, что ты странный, — сказал хозяин. — Но я не предполагал, насколько ты странен.

Я не ответил. Мне было неудобно, но я привык к его неожиданным действиям и не испытывал особых опасений.

Он продолжал:

— Я хотел тебе помочь, мальчик, потому что ты мой друг. Я решил, что тебя можно поудобнее устроить в твоем убежище. В одной из ваших книг рассказывается о человеке, который приготовил своему другу то, что называется «сюрприз». Я тоже хотел сделать тебе сюрприз. И нашел там любопытную вещь.

Второе щупальце он держал за собой, а теперь вытянул его вперед — в нем была книга, в которой я делал свои записи. Я отчаянно пытался найти какое-нибудь объяснение, сказать что-нибудь и не смог.

— Странное существо, — повторил он. — Слушает и записывает в книгу. Зачем? Люди в шапках знают, что все, касающееся хозяев, — чудо, которое людям не дано узнать. Я рассказывал об этих чудесах, а ты слушал. Ты ведь мой друг, верно? Впрочем, странно, что ты не проявлял страха при разговоре о запретных вещах. Странный, я уже сказал. Но записывать потом, тайно, в убежище... Шапка должна была абсолютно исключить это. Осмотрим твою шапку, мальчик.

И тут он сделал то, чего я постоянно опасался. Держа меня в воздухе одним щупальцем, другим он коснулся мягкой части маски и потянул вверх. Я подумал, что вот маска порвется и я отравлюсь, но этого не случилось. Кончик щупальца пробежал по краю фальшивой шапки.

— Действительно странно, — сказал хозяин. — Шапка не приросла к телу. Что-то неверно, очень неверно. Необходимо расследовать. Мальчик, тебя должны осмотреть...

Он произнес непонятное слово; я думаю, он говорил об особой группе хозяев, имеющих отношение к надеванию шапок. Ясно, что мое положение стало отчаянным. Я не знал, смогут ли при исследовании прочесть мои мысли, но по крайней мере им станет известно о существовании фальшивых шапок, и они встревожатся. Они проверят всех рабов в городе. Фриц тоже погибнет.

Сопротивляться бесполезно. Человек даже при нормальной тяжести гораздо слабее хозяина. Щупальце держало меня за талию, так что руки у меня были свободны. Но что с того? Разве только... Центральный глаз над носом и ртом смотрел на меня. Хозяин понял: что-то не так, но все еще не думал, будто я могу быть опасен. Он не помнил, что рассказал мне однажды, когда я растирал его и поскользнулся.

Я проговорил:

— Хозяин, я покажу вам. Поднесите меня ближе.

Щупальце приблизило меня к нему, теперь я был не более чем в двух футах. Я повернул голову, как бы собираясь показать что-то. Это скрыло мое следующее движение, пока уже было поздно парировать его или отбросить меня. Удар пришелся точно в то место, между носом и ртом, что и в тот раз, но теперь за ним стоял весь вес моего тела.

Он взвыл, щупальце, державшее меня, развернулось и отбросило меня. Я упал в нескольких ярдах на пол и скользнул к самому краю бассейна. Я так ударился, что чуть не потерял сознание. Я с трудом поднялся.

Но хозяин перевернулся, отбросив меня, и лежал вытянувшись и молча.

Глава 10

ПОД ЗОЛОТОЙ СТЕНОЙ

Я стоял у бассейна, стараясь сообразить, что делать. Голова у меня кружилась от удара и от того, что я наделал. Тем же самым ударом, который нокаутировал моего противника в финальном поединке игр, я уложил хозяина. Теперь мне казалось это невероятным. Я смотрел на большое упавшее тело и пытался собраться с мыслями. Удивление и гордость смешивались со страхом: даже без шапки невозможно было не чувствовать страха перед размером и силой этих существ. Как я, простой человек, осмелился ударить такое существо?

Но постепенно я начал соображать более трезво. То, что я сделал, было вынужденно. Но сейчас мое положение стало ненамного лучше. Ударив хозяина, я непоправимо выдал себя. Нужно решать, и решать быстро. Он без сознания, а надолго ли? И когда он очнется...

Первой моей мыслью было бежать. Но я тут же понял, что при этом сменю меньшую западню на гораздо большую. В городе, где я не проживу долго без убежища или общего помещения, меня легко выследить. Все остальные рабы будут искать дьявола, осмелившегося поднять руку на одного из их божеств.

Я осмотрелся. Все было обычно. Только в маленькой прозрачной пирамиде, которой хозяин измерял время, поднимались разноцветные пузырьки. Хозяин не двигался. Я снова вспомнил его слова: хозяина можно ранить, ударив в это место, можно даже убить. Возможно ли это? Конечно же, нет. Но он не двигался, щупальца его безжизненно вытянулись на полу.

Я должен знать правду. Следовательно, его нужно осмотреть. На его теле были места, к которым близко подходят сосуды, и там, несмотря на жесткую плотную кожу, можно было ощутить медленные удары пульса. Нужно поискать их. Но при мысли о том, что придется приблизиться к нему, страх мой удвоился. Снова я захотел убежать, выбраться из пирамиды, пока есть возможность. Ноги мои дрожали. Несколько мгновений я вообще не мог двинуться с места. Затем заставил себя подойти к хозяину.

Конец одного щупальца лежал рядом. Я с дрожью коснулся, отдернул руку, сделав большое усилие, поднял его. Оно было влажное и упало, когда я его выпустил. Я подошел ближе, наклонился над телом и потрогал то место у основания щупальца, где проходили сосуды. Ничего. Я снова и снова нажимал, преодолевая отвращение. Никакого пульса.

Я встал и отошел от него. Невероятное стало еще невероятнее. Я убил хозяина.

— Ты уверен? — спросил Фриц.

Я кивнул.

— Точно.

— Во время сна они похожи на мертвых.

— Но пульс сохраняется. Я заметил это, когда он однажды уснул в бассейне. Он мертв, это несомненно.

Мы находились в общем помещении пирамиды Фрица. Я скользнул в дом его хозяина, привлек внимание Фрица так, чтобы его хозяин меня не увидел. Фриц догадался, что случилось нечто непредвиденное, потому что раньше мы не связывались таким экстренным способом. Но правда поразила его, как раньше поразила меня. Выслушав мои уверения, что хозяин мертв, он замолчал.

Я сказал:

— Я должен выбраться. Может, все же попытаться через зал треножников? Но прежде я решил рассказать тебе.

— Да. — Он пришел в себя. — Зал треножников не подойдет. Лучше всего река.

— Но мы не знаем, где выход.

— Можно поискать. Но на это нужно время. Когда его хватятся?

— Не раньше следующей работы.

— Когда это?

— Завтра. Второй период.

Это значит после полудня. Фриц сказал:

— В нашем распоряжении ночь. Это лучшее время для поисков в месте, где не должно быть рабов. Но раньше нужно кое-что сделать.

— Что?

— Они не должны знать, что человек, носящий шапку, способен причинить вред хозяину, ударить или убить его.

— Немного поздно, я уже сделал это. Не знаю, как мы сможем избавиться от тела, а даже если и сможем, его все равно будут искать.

— Можно придать этому вид несчастного случая.

— Ты думаешь, можно?

— Попробуем. Он говорил, что удар в это место может убить, значит, такое случалось в прошлом. Я думаю, мы должны немедленно идти туда и посмотреть, что можно сделать. Меня послали с поручением, которое послужит предлогом. Но лучше идти не вместе. Иди, а я через несколько минут.

— Ладно, — кивнул я.

Я заторопился назад, но, подходя к знакомой пирамиде, начал спотыкаться. Несколько секунд я простоял в коридоре, не решаясь нажать кнопку, открывающую дверь. А вдруг я ошибся. Не заметил слабого пульса, и теперь он пришел в себя. Или его нашел другой хозяин. Правда, они вели одинокий образ жизни, но изредка навещали друг друга. Снова я почувствовал сильное желание убежать. Вероятно, меня удержало сознание, что вскоре вслед за мной подойдет Фриц.

Ничего не изменилось. Хозяин лежал тут же, неподвижный, молчащий, мертвый. Я смотрел на него, снова поражаясь происшедшему. И продолжал смотреть, пока не услышал шаги Фрица.

Он тоже был потрясен увиденным, но быстро пришел в себя. Он сказал:

— У меня есть план. Ты говоришь, он использовал газовые пузыри?

— Да.

— Я заметил, что, когда мой хозяин брал их много, его движения становились неуверенными. Однажды он даже поскользнулся и упал в бассейн. Это могло случиться и с твоим...

— Но он далеко от бассейна.

— Нужно подтащить его туда.

Я с сожалением сказал:

— А сможем ли? Он, должно быть, ужасно тяжел.

— Попробуем.

Мы потащили его за щупальца. Прикосновение вызывало отвращение, но вскоре я об этом забыл. Вначале казалось, что он прикован к полу. Я решил, что ничего не выйдет. Но Фриц, который стал гораздо слабее меня, напрягал все силы, и я устыдился... Тело слегка двинулось, потом еще.

Медленно, тяжело дыша, потея сильнее обычного, мы со множеством остановок тащили его к бассейну.

Нам пришлось самим спуститься в бассейн, чтобы завершить работу. Вода была нестерпимо горячей, под ногами на дне хлюпала неприятная слизь. Вода дошла до пояса, державшего маски. Мы брели, продираясь сквозь тугие растения, которые липли к нам. Мы дергали за щупальца, подтягивая тело. И вот оно перевалилось через край и наполовину погрузилось в воду.

Выбравшись, мы посмотрели на него. Хозяин плавал в воде, погрузившись на три четверти, один его невидящий глаз смотрел вверх. Он вытянулся почти во всю длину бассейна.

Я был слишком измучен, чтобы думать. Мне хотелось упасть на пол и лежать неподвижно. Но Фриц сказал:

— Газовые пузыри.

Мы открыли с полдюжины, прижали их, чтобы выпустить красноватый туман, и разбросали их вокруг бассейна. Фриц додумался даже снова спуститься в бассейн и прикрепить один пузырь к хозяину. Потом мы вместе пошли в убежище, сняли маски и вымылись. Я нуждался в отдыхе и хотел, чтобы Фриц тоже отдохнул, но он сказал, что должен возвращаться. Уже наступила ночь. Снаружи зажглись зеленые шары. Фриц уйдет, а вскоре я должен буду пойти за ним и подождать в общем помещении его пирамиды. Он спустится, когда его хозяин ляжет в постель, и мы вместе пойдем искать реку.

Когда он ушел, я немного полежал, но боялся уснуть. Мне казалось, что, проснувшись, я увижу другого хозяина, и смерть будет обнаружена. Поэтому я встал и начал готовиться. Вырвал те страницы, на которых делал записи, и сложил их в пустой контейнер, а книгу бросил в шкаф, который уничтожал ненужное. Закупорил контейнер и положил его в маску, прежде чем надеть ее на себя.

Потом мне в голову пришла новая мысль, я взял еще два маленьких контейнера и вышел из убежища. Один я наполнил водой из бассейна, другой воздухом, которым дышат хозяева, и закрыл оба контейнера. Потом вернулся в убежище и тоже положил эти контейнеры в маску. Они могут оказаться полезны Джулиусу и остальным.

Конечно, в случае, если мы выберемся из города. Я старался не думать, как это маловероятно.

Мне пришлось долго ждать Фрица, а когда он пришел, я заметил, что его спина и руки покрыты новыми рубцами. Он сказал, что его побили за опоздание. Фриц выглядел усталым и больным. Я предложил, чтобы он остался и немного отдохнул, пока я буду искать выход реки, но он не захотел даже слушать. Я не найду дороги и буду лишь блуждать по городу. И верно: я так и не научился ориентироваться в этом лабиринте.

— Ты поел, Уилл? — спросил Фриц.

— Не хочу, — покачал я головой.

— Ты должен поесть. Я принес с собой еду. Напейся и возьми соленую палочку. И смени губки в маске перед выходом. Мы не знаем, когда снова сможем дышать хорошим воздухом.

Это тоже было верно, но я ни о чем таком не подумал. Мы были одни в общем помещении. Я проглотил пищу, раскрошил соленую палочку, съел ее и пил воду, пока мне не показалось, что я лопаюсь. Потом сменил губки в маске и надел ее.

— Не будем тратить времени.

— Не будем. — Голос Фрица звучал из-под маски глухо. — Лучше выйти немедленно.

Снаружи было темно, лишь лампы отбрасывали маленькие круги зеленого света; мне они показались похожими на гигантских светящихся червей. Жара, конечно, не спала. Она никогда не спадала. Почти тут же у меня под маской начал собираться пот. Мы шли особой медлительной походкой, которая вырабатывается у рабов как лучший способ экономии энергии. До сектора, в котором, как считал Фриц, вытекает река, был неблизкий путь. Один из экипажей быстро бы доставил нас туда, но для рабов немыслимо передвигаться в экипажах без хозяев. Пришлось тащиться пешком.

На улице почти не было хозяев, а рабов мы не встретили вовсе. По предложению Фрица мы разделились. Он шел впереди, на пределе видимости. Один раб ночью может сказать, что послан с поручением все еще бодрствующего хозяина, но два сразу — это уже подозрительно. Я согласился с ним, хотя мне не хотелось оставаться одному, и я все время держался так, чтобы не терять Фрица из виду. Мы двигались от одного круга света к другому, и на середине между ними был участок тьмы с едва заметным зеленым свечением впереди. Трудно было напрягать зрение и мозг, особенно мне, так как я должен был внимательно следить за Фрицем.

Приближение хозяина можно определить на некотором расстоянии. Их круглые толстые ноги производят отчетливый шлепающий звук на ровной твердой дороге. Проходя под лампой, я услышал за собой такой звук. Он становился громче, так как хозяева двигаются быстрее нас. Мне захотелось свернуть. Но поворота поблизости не было, да и мое поведение могло показаться подозрительным. К тому же я мог потерять из виду Фрица. Я шел, вспоминая стихотворение, которое отыскал в старой книге дома:

Как тот, что на одинокой дороге
Идет в страхе и тревоге,
Не поворачивая головы,
Он знает, что ужасный враг
Не отстает от него ни на шаг.

Я не поворачивал головы: и так знал, кто идет за мной. Мы были в незнакомой для меня части города, и я неожиданно понял, что, если меня начнут расспрашивать, я не сумею ответить. Я старался придумать ответ и не мог.

Приближался темный участок, а шаги по-прежнему звучали за мной. Сейчас он поравняется со мной. Мне показалось, что хозяин сознательно замедлил шаг, что он рассматривает меня и сейчас заговорит. Я шел, ожидая каждую минуту оклика или же щупальца, которое, обвившись вокруг моей талии, поднимет меня в воздух. Я смутно видел, как фигура Фрица исчезает на следующем темном участке. Приближалась очередная лампа. Я чуть не побежал, но сумел сдержаться. Шлепающие шаги слышались гораздо ближе. И вот они прошли мимо, и я чуть не упал от слабости облегчения.

Фриц уже исчез во тьме, и хозяин вслед за ним. Я двигался за ними. Свет слабел, оставив лишь отдаленное свечение. Снова оно стало ярче. Я увидел лампу на длинном прямоугольном стержне. А под ней...

Там стояли хозяин и Фриц. Стояли рядом, и фигура хозяина возвышалась над Фрицем. Я слышал отдаленные звуки их разговора.

Я хотел остановиться, повернуть назад в тень, но это могло привлечь внимание. Что бы ни случилось, нужно идти вперед. К тому же отступить — значит покинуть Фрица. Я пошел дальше. Если он в опасности... Я дрожал от страха и решимости. Затем с волной облегчения увидел, как пошел хозяин, а за ним гораздо медленнее двинулся Фриц.

Он ждал меня на следующем темном участке. Я спросил:

— Что ему было нужно?

Фриц покачал головой:

— Ничего. Ему показалось, что он узнал меня. Я думаю, он хотел что-то передать со мной. Но я был не тем рабом, который ему был нужен, и он ушел.

Я перевел дыхание:

— Мне казалось, все пропало.

— Мне тоже.

Я не видел Фрица, но слышал дрожь в его голосе.

— Ты хочешь отдохнуть?

— Нет. Нужно идти.

Мы отдохнули час спустя. У большого треугольного бассейна-сада было открытое место, на котором росли деревья, похожие на ивы, только с более толстой корой. Ветви их свешивались в воду. Под ними мы и укрылись, так что прохожие не могли нас увидеть. Мы легли, и плотные листья шумели над нами, хотя в городе не было ветра. Земля притягивала нас, и было такое счастье просто лечь и лежать тихо и неподвижно.

Я сказал:

— Ты бывал в этой части города, Фриц?

— Только один раз. Мы недалеко от края.

— И против того места, где втекает река в город?

— Примерно против.

— Найдя стену, мы сможем начать поиски выхода воды.

— Да. Нужно теперь быть гораздо осторожнее. Уже слишком поздно для поручений, и мы достигли той части города, где не разрешается жить рабам.

— Похоже, хозяева тоже не ходят по ночам.

— Да. В этом нам повезло. Но мы не можем быть абсолютно уверены в этом. Хочешь пить?

— Немного.

— Я хочу. Но думать об этом не нужно... Здесь нет рабов и поэтому нет общих помещений. — Он медленно встал. — Лучше идти, Уилл.

Мы видели много странного во время поисков. Например, большую треугольную яму со сторонами примерно в сто ярдов, где далеко внизу зеленый свет отражался на поверхности густой жидкости, из которой через равные промежутки времени поднимались и лопались пузыри. В другом месте сложное сооружение из металлических прутьев и переходов возвышалось во тьме, казалось, устремленное к звездам. Однажды, завернув за угол, Фриц остановился, потом поманил меня. Я осторожно подошел, и мы вместе смотрели на открывшуюся перед нами сцену. В маленьком саду-бассейне всего с несколькими растениями были два хозяина, первые увиденные нами в этом районе. Они, казалось, боролись друг с другом, щупальца их переплетались, вода кипела от их борьбы. Мы смотрели несколько мгновений, потом молча повернулись и пошли другим путем.

Наконец мы увидели стену. Спустились по рампе между двумя маленькими пирамидами, и она оказалась перед нами. Стена тянулась в обе стороны, золотая даже в тусклом зеленом свете лампы, слегка изгибаясь внутрь на расстоянии. Поверхность у нее была гладкая и твердая, без какой-либо опоры. Взгляд на нее обескураживал.

— Ты думаешь, река близко? — спросил я.

Я видел, как поднимаются и опускаются при каждом вдохе ребра Фрица. Я был истощен, но он гораздо больше. Он ответил:

— Должна быть. Но она под землей.

— А есть ли спуск?

— Будем надеяться.

Я посмотрел на гладкую стену.

— Куда же мы пойдем?

— Не имеет значения. Налево. Ты ничего не слышишь?

— А что?

— Звук воды.

Я внимательно прислушался.

— Нет.

— Я тоже. — Он покачал головой. — Пойдем налево.

Вскоре я начал испытывать жажду. Старался выбросить мысль о воде, но она настойчиво возвращалась. Ведь в конце концов мы искали воду. Я думал о ней, холодной, кристально чистой, как ручьи, что сбегают с Белых гор. Эта картина была пыткой, но я не мог выбросить ее из головы.

Мы проверили каждую рампу, ведущую вниз. Там, внизу, мы блуждали в диком лабиринте, иногда уставленном грудами ящиков, барабанов, металлических шаров, иногда забитом машинами, которые выли, гудели и даже искрились. Большинство из них работало без присмотра, но в одном или двух местах было несколько хозяев, что-то делавших у доски с дырками и кнопками. Мы шли тихо и осторожно, и они нас не увидели. В одной из пещер изготовлялись газовые пузыри. Они появлялись из пасти машины и по сужающемуся пандусу съезжали в ящики, которые, наполнившись, сами закрывались и автоматически отвозились куда-то. В другом, гораздо большем месте, делалась пища. Я узнал ее по цвету и форме прозрачного мешка, в котором доставляли особенно любимую моим хозяином еду. Вспомнив о хозяине, я снова почувствовал страх. Нашли ли уже его тело? Ищут ли исчезнувшего раба?

Возвращаясь на поверхность, Фриц сказал:

— Может, мы зря пошли налево? Мы уже долго идем. Надо повернуть назад и проверить противоположное направление.

— Сначала отдохнем.

— У нас нет времени.

И вот мы потащились назад, время от времени останавливаясь и прислушиваясь, не уловим ли звук текущей воды. Но всюду был слышен лишь гул мощных машин. Мы достигли места, где впервые увидели стену, и побрели дальше. Поглядев вверх, я увидел, что чернота ночи сменяется тусклым зеленым светом. Ночь подходит к концу. Рассветает, а мы все еще не нашли реку.

Становилось светлее. Жажда победила голод, а физическая слабость была хуже всего. Погасли зеленые шары. Мы увидели в отдалении хозяина и спрятались за краем сада-бассейна, пока он не прошел. Четверть часа спустя мы увидели еще двоих. Я сказал:

— Скоро улицы будут кишеть ими. Нужно ждать следующей ночи. Мы пойдем куда-либо, где можно снять маски, поесть и попить.

— Через несколько часов они найдут его.

— Знаю. Но что еще мы можем сделать?

Он покачал головой:

— Мне нужно отдохнуть.

Он лег, а я рядом с ним. Голова у меня кружилась от слабости, жажда, как злобный зверь, рвала горло. Фрицу было еще хуже. Но мы не могли оставаться здесь. Я сказал Фрицу, что мы должны вставать. Он не ответил. Встав на колени, я потянул его за руку. И тут он неожиданно возбужденно сказал:

— Мне кажется... слушай...

Я прислушался и ничего не услышал. Так я ему и сказал. Он ответил:

— Ложись и приложи ухо к земле. Так лучше передается звук. Слушай!

Я лег и через мгновение услышал — далекий звук текущей воды. Я теснее прижался к земле. Да, где-то здесь подземный поток. Жажда еще усилилась, но я не обращал на нее внимания. Мы наконец нашли реку. Вернее, мы приблизительно знаем, где она. Теперь предстояло найти ее на самом деле.

Мы систематически проверяли все идущие вниз рампы в этом районе, вслушиваясь ухом к земле. Кое-где звук был громче, кое-где слабее. Однажды мы совсем потеряли его, и нам пришлось возвращаться. Были спуски, казавшиеся такими многообещающими, но приводившие в тупик. Все чаще и чаще нам приходилось прятаться и ждать, когда пройдет хозяин. Один многообещающий спуск привел в огромный зал, где на скамьях сидели несколько десятков хозяев. Река могла прятаться в дальнем конце зала, но мы не осмелились идти туда. Время шло. Уже наступил день. И тут совершенно неожиданно мы нашли.

Очень крутая рампа, за которую мы цеплялись, боясь упасть, привела к площадке и, повернувшись, углубилась дальше. Фриц схватил меня за руку. Впереди было подземное помещение с заостренной крышей, где лежали груды ящиков в рост человека. В дальнем конце, едва видная в свете зеленых ламп, из огромного отверстия вырывалась вода и образовывала бассейн примерно в пятьдесят футов в поперечнике.

— Видишь? — спросил Фриц. — Стена.

Правда. В конце помещения за бассейном тускло блестело золото, безошибочно обозначая подземную часть кольца, которое окружает город и на котором покоится огромный купол. Бассейн доходил до стены. Эта вода прошла по городу, питая сотни садов-бассейнов. От нее поднимался пар. Она заполняла бассейн, а из бассейна... Она должна уходить под стену, другого пути нет.

Осторожно между грудами ящиков мы прошли к краю бассейна. В воде виднелось что-то вроде вертикальных сетей, и мы увидели, что она парит только при входе. Около стены Фриц протянул руку и коснулся воды.

— Она здесь гораздо холоднее. Сети забирают тепло, чтобы оно не уходило из города. — Он смотрел на темную глубину, зеленую от висящих над ней ламп. — Уилл, пусть тебя несет течением. Перед тем как ты нырнешь, я закрою воздушный клапан твоей маски. Внутри маски воздуха хватит для дыхания на пять минут. Я проверял это.

У нас было вещество, которым хозяева закрывали контейнеры. Оно выходило из тюбика жидким, но почти мгновенно твердело.

Я сказал:

— Сначала я закрою твой клапан.

— Но я не иду.

Я молча смотрел на него.

— Не глупи. Ты должен идти.

— Нет. Они ничего не должны заподозрить.

— Но они и так заподозрят, когда увидят, что я ушел.

— Не думаю. Твой хозяин погиб. Ударился при падении. Что должен в этом случае делать раб? Ему незачем жить, и он уходит в место счастливого освобождения.

Я видел, что он прав, но с сомнением сказал:

— Может, они так и подумают, но мы не можем быть уверены в этом.

— Нужно помочь им подумать так. Я знаю некоторых рабов в твоей пирамиде. Я скажу им, что видел тебя, и ты говорил, куда направляешься...

И тут он был прав. Фриц все заранее продумал. Я сказал:

— Если ты убежишь, я вернусь...

Он терпеливо возразил:

— Это не поможет. Твой хозяин мертв, а не мой, это ты должен уйти в место счастливого освобождения. Если ты вернешься, тебя начнут расспрашивать. А это конец.

— Мне это не нравится.

— Не имеет значения, нравится тебе это или нет. Один из нас должен передать сведения Джулиусу и остальным. Тебе это сделать безопаснее. — Он схватил меня за руки. — Я выберусь. Сейчас это легче. Я знаю, где река. Через три дня я скажу рабам в своей пирамиде, что слишком слаб для работы и потому выбираю счастливое освобождение. Я спрячусь и приду сюда ночью.

— Я подожду тебя снаружи.

— Но не больше трех дней. Ты должен вернуться в Белые горы до начала зимы. А теперь посторонись. — Он заставил себя улыбнуться. — Чем скорее ты нырнешь, тем скорее я смогу вернуться и попить.

Он запечатал отверстия в моей маске, велев мне предварительно глубоко вдохнуть. Через несколько секунд он кивнул. Пожал мне руку и сказал: «Удачи!» Голос его звучал глуше обычного.

Я больше не смел задерживаться. Поверхность воды находилась в шести футах под низким парапетом. Я встал на ноги и прыгнул в воду.

Глава 11

ДВОЕ ВОЗВРАЩАЮТСЯ ДОМОЙ

Вниз, вниз, во тьму. Течение подхватило меня и потащило, а я помогал ему гребками. Я продвигался вперед и вниз. Рука задела за что-то, я больно ударился плечом. Это была стена. В ней по-прежнему нет отверстия, и течение увлекало меня вниз.

Страх охватил меня. В воде может оказаться решетка, которую я не смогу преодолеть. Или запутаюсь в какой-нибудь сети. Все предприятие казалось мне безнадежным. В голове начало шуметь. Я перевел дыхание. Пять минут, сказал Фриц. Сколько же я под водой? Я понял, что не имею представления: может, десять секунд, а может, в десять раз дольше. Растущий страх охватил меня, я хотел повернуть и плыть назад, против течения, туда, где оставил Фрица.

Но я продолжал спускаться, пытаясь выбросить из головы посторонние мысли. Если я поверну, все погибло. А мы не имеем на это права. Один из нас должен вырваться. Далеко внизу виднелся тусклый зеленый свет, но вокруг было темно, и я погружался в эту тьму. Я еще раз вдохнул, чтобы уменьшить боль в легких.

Течение резко изменило направление. Я протянул руку и опять наткнулся на стену. Вниз, вниз... И отверстие. Течение внесло меня в него, здесь оно было гораздо сильнее.

Вода шла более узким каналом. Теперь возврата уже не было.

Меня продолжало тащить вперед в абсолютной тьме. Изредка я вдыхал воздух, когда становилось невмоготу. Время становилось все более неизмеримым. Мне казалось, что я нахожусь под водой не минуты, а часы. Я иногда ударялся головой о твердую поверхность. А под собой я мог коснуться дна канала. Однажды я оцарапал вытянутую руку о стену, но мне было не до того, чтобы измерять ширину потока.

Воздуха уже не хватало: я дышал своим же выдохнутым воздухом. В голове начало стучать. Меня охватывала темнота. Все это безнадежно, ловушка, из которой нет выхода. Со мной все покончено, и с Фрицем тоже, и со всеми теми, кого мы оставили в Белых горах, и со всем человечеством. Можно остановиться, прекратить борьбу. И все же...

Вначале оно было очень слабым, только самый убежденный оптимист мог принять его за свет, но я шевелил уставшими руками, и оно росло. Становилось все ярче, белее. Там должен быть конец тоннеля. Боль в груди становилась невыносимой, но я решил не обращать на нее внимания; ярче и ближе свет, но все еще за пределами досягаемости. Еще гребок, говорил я себе, и еще, и еще. Свет теперь находился надо мной, и я пробивал себе дорогу вверх. Ярче и ярче, и вот надо мной ослепляюще яркое земное небо.

Небо, но не воздух, в котором нуждались мои измученные легкие. Закрытая маска душила меня. Я старался расстегнуть на поясе пряжку, но пальцы не слушались. Меня потянуло вниз, и лишь маска удерживала меня на поверхности. Удерживала, но и душила. Я снова попытался снять ее и снова не смог. Какая ужасная ирония, подумал я. Зайти так далеко и задохнуться на пороге свободы. Я вцепился в маску — безуспешно. Чувство поражения и стыда охватило меня, а затем тьма, от которой я так долго отбивался, обрушилась на меня и поглотила.

Меня окликали по имени, но откуда-то издалека.

— Уилл...

Я сонно подумал, что здесь что-то не так. Это мое имя, но... оно произносится по-английски, а не так, как я привык слышать в городе, где говорили по-немецки. Я умер? Может, я уже на небе?

— Как ты, Уилл?

На небе говорят по-английски. Но это английский с акцентом, да и голос мне сей знаком. Бинпол! Неужели Бинпол тоже на небе?

Я открыл глаза и увидел, что лежу на тенистом берегу реки. Надо мной склонился Бинпол. Он с облегчением произнес:

— Ты пришел в себя?

— Да. — Я собрался с мыслями. Яркое осеннее утро... текущая мимо река... солнце, от которого я все еще автоматически отводил глаза... а дальше... огромная золотая стена, увенчанная обширным зеленым куполом. Я выбрался из города.

— Как ты здесь оказался? — спросил я у Бинпола.

Объяснение было простым. Когда нас с Фрицем унесли треножники, он решил вернуться в Белые горы и рассказать Джулиусу о случившемся. Но он был еще не готов к этому и остался на несколько дней в городе, слушая и запоминая все, что может оказаться полезным. Он узнал приблизительные размеры города и решил, что попробует его обойти. Ему сказали, что город лежит на притоке большой реки, по которой мы плыли. Он взял лодку отшельника и поплыл на юго-восток.

Отыскав город, он решил понаблюдать за ним. Он не осмеливался приблизиться к стене днем, но вел наблюдение по ночам, при лунном свете. Результаты его не обрадовали. В стене не было ни одного отверстия. Не было и возможности взобраться на нее. Однажды ночью он начал подкоп и углубился на несколько футов, но стена уходила глубже, и ему пришлось на рассвете закопать яму и уйти. Никто из людей с шапками не приближался к стене, поэтому он мог их не опасаться. Сравнительно недалеко располагались фермы, и он питался там, находя или просто крадя пищу.

Когда он обошел вокруг стены, повода для того, чтобы остаться здесь, больше не было. Но тут ему пришло в голову, что единственным выходом из города служит река. Воды ее выходили из города; примерно на милю ниже выхода на берегах ничего не росло, не было и рыбы, хотя выше города она водилась во множестве. Бинпол время от времени находил в воде странные предметы. Он показал мне некоторые — различные контейнеры, включая несколько пустых газовых пузырей. Их должны были уничтожить, но каким-то образом они оказались в воде. Однажды он видел, как по течению плывет что-то большое. Оно находилось слишком далеко, чтобы он ясно мог рассмотреть, особенно с его зрением без линз, но он взял лодку и вытащил этот предмет. Он был металлический, полый, так что мог плавать, размером шесть футов на два при толщине в фут. Бинпол рассудил, что если выплыл такой предмет, то может выплыть и человек. И он решил остаться и подождать.

Проходили дни и недели. Надежды Бинпола на то, что кто-нибудь из нас вырвется, рассеивались. Он не имел представления о том, что происходит в городе: нас в первый же день могли раскрыть как носящих фальшивые шапки и убить. Но он оставался, потому что, как он сказал, уйти означало вообще оставить всякую надежду. Наступила осень, он понял, что не может больше откладывать возвращение. Он решил ждать еще неделю и на утро пятого дня увидел, как что-то плывет вниз по течению. И он снова взял лодку, нашел меня и ножом разрезал мягкую часть маски.

— А Фриц? — спросил он.

Я коротко рассказал ему. Он помолчал, а потом спросил:

— Много ли у него шансов?

— Боюсь, что мало. Даже если он снова доберется до реки, он гораздо слабее меня в настоящее время.

— Он сказал, что попытается в течение трех дней?

— Да.

— Будем следить внимательнее. И у тебя глаза лучше моих.

Мы ждали три дня, и трижды по три дня, и еще три дня, каждый раз находя все менее убедительные причины, чтобы остаться. Ничего не выплывало из города, кроме обычных обломков. На двенадцатый день пошел дождь, и мы дрожали, замерзшие и голодные, под перевернутой лодкой. На следующее утро, без обсуждения, мы тронулись к большой реке.

Один раз я оглянулся. Снег таял, но земля по обе стороны реки была белой и обнаженной. Река серой стеной неслась по алебастровой пустыне к золотому кольцу, увенчанному зеленым куполом. Я поднял руку. Как приятно не чувствовать на себе свинцовую тяжесть. Потом я подумал о Фрице, и радость освобождения сменилась печалью и глубокой жгучей ненавистью к хозяевам.

Мы возвращались домой, но только чтобы вооружиться. Мы еще вернемся.

КНИГА ТРЕТЬЯ
ОГНЕННЫЙ БАССЕЙН

Глава 1
ПЛАН ДЕЙСТВИЙ

Везде звучала вода. Иногда это был слабый шепот, слышный только из-за тишины вокруг; иногда причудливое отдаленное журчание, как будто какой-то гигант разговаривал с собой в глубинах земли. Но в некоторых местах журчание звучало чисто и громко, и было видно течение в свете масляных ламп: вода вырывалась из-под каменной стены и падала с крутого обрыва водопадом. А кое-где вода лежала спокойно в черных глубинах... капли падали бесконечные столетия и будут падать еще бесконечно долго.

Меня освободили от охраны для участия в совещании, и поэтому я шел по тускло освещенному коридору поздно и в одиночестве.

Потолок пещеры, где происходило совещание, уходил во тьму, которую не могли рассеять лучи наших слабых ламп; мы сидели под конусом ночи, в которой не сверкала ни одна звезда. На стенах мерцали лампы, такие же стояли на столе, за которым на самодельных деревянных стульях сидели Джулиус и его ближайшие помощники. Джулиус встал, чтобы поздороваться со мной, хотя многие физические действия причиняли ему неудобство или даже боль. Ребенком он упал в пропасть и на всю жизнь остался калекой. Сейчас он был стариком, седовласым, но розовощеким от долгих лет, проведенных в разреженной атмосфере Белых гор.

— Садись рядом, Уилл, — сказал он. — Мы только начали.

Прошел месяц с тех пор, как мы с Бинполом пришли сюда. Вначале я рассказал Джулиусу и другим членам совета все, что знал, и передал образцы зеленого воздуха хозяев и воды из города, которые мне удалось принести с собой. Я ожидал немедленных действий, хотя не знал, каких именно. К Земле приближался большой корабль с родной планеты хозяев. Он вез машины, которые превратят земную атмосферу в пригодную для дыхания хозяев, чтобы они смогли выйти из-под защитных куполов своих городов. Люди и все другие живые существа Земли задохнутся. Мой хозяин сказал мне, что корабль прибудет через четыре года. Времени оставалось мало.

Джулиус как будто обращался ко мне, отвечал на мои сомнения. Он сказал:

— Я знаю, многим из вас не терпится. Так и должно быть. Мы знаем, какая огромная задача стоит перед нами, знаем ее важность. Не может быть никаких извинений для неоправданной траты времени. Важен каждый день, каждый час, каждая минута.

Но не менее важно и другое. Именно потому, что события так торопят, мы должны все тщательно обдумать, прежде чем начать. Мы не можем допускать неверных ходов. Поэтому совет долго и напряженно думал, прежде чем выработать план действий. Сейчас я расскажу вам о нем в общих чертах, но у каждого из вас есть в нем своя роль, и об этом он узнает позже.

Он замолчал, и я увидел, как встал кто-то из сидящих за столом. Джулиус спросил:

— Вы хотите говорить, Пьер? Вы знаете, позже для этого будет возможность.

Когда мы в первый раз пришли в Белые горы, Пьер был членом совета. Это был смуглый человек с трудным характером. Мало кто решался спорить с Джулиусом, а он мог. Я знал, что он был против нашей экспедиции в город золота и свинца и против решения покинуть Белые горы. В конце концов он вышел из совета или был исключен из него: мне трудно судить об этом. Он пришел с юга Франции, с тех гор, что находятся на границе с Испанией. Пьер сказал:

— То, что я собираюсь сказать, Джулиус, лучше сказать сейчас, чем потом.

Джулиус кивнул:

— В таком случае говорите.

— Вы сказали, что совет познакомит нас с планами. Вы говорили о нашем участии в планах, о том, что каждому из нас отведена своя роль. Я хочу напомнить вам, Джулиус: перед вами свободные люди, а не люди в шапках. Нам следует не приказывать, а спрашивать у нас. Не только вы и ваш совет должны решать, как сражаться с треножниками. Есть и другие, у которых хватит мудрости. Все свободные люди равны, и им должны быть предоставлены равные права. Этого требует не только справедливость, но и здравый смысл.

Он замолчал, но продолжал стоять среди более ста человек, собравшихся в подземном зале. Снаружи царила зима, холмы покрыл снег, но здесь мы были защищены толстым слоем скал. Здесь температура никогда не менялась, и одно время года ничем не отличалось от другого.

Джулиус помолчал недолго, потом сказал:

— Свободные люди правят собой по-разному. Живя и работая совместно, они должны частично отказаться от своей свободы. Разница между нами и людьми в шапках в том, что мы отказываемся от нее добровольно, с радостью, ради общей цели, тогда как их разум порабощен чуждыми существами, которые обращаются с ними, как со скотом. Есть и другая разница. Свободные люди отказываются от своей свободы лишь временно. И делают это по согласию, а не из-за хитрости или силы. И это соглашение всегда может быть расторгнуто.

— Вы говорите о соглашении, Джулиус, — сказал Пьер, — на чем основана ваша власть? На совете. А кто назначил совет? Сам совет под вашим контролем. Где же тут свобода?

— На все свое время, — ответил Джулиус, — будет время обсудить и вопрос, какую форму правления нам избрать. Но этот день придет лишь тогда, когда будут уничтожены те, кто сегодня правит человечеством. До этого у нас нет возможности для обсуждения и споров.

Пьер начал что-то говорить, но Джулиус поднял руку и заставил его замолчать.

— Сейчас не должно быть разногласий и сомнений. Возможно, то, что вы говорите, справедливо, независимо от мотивов, которыми вы руководствуетесь; соглашение заключается свободными людьми и может быть расторгнуто. Оно может быть и подтверждено. Итак, я спрашиваю: пусть тот, кто сомневается в праве совета говорить от имени всех, встанет.

Он замолк. В пещере наступило молчание, слышался только бесконечный отдаленный шум воды. Мы ждали. Никто не встал. Когда прошло достаточно времени, Джулиус сказал:

— Вам не хватает поддержки, Пьер.

— Сегодня. Но посмотрим, что будет завтра.

Джулиус кивнул:

— Вы хорошо сделали, что напомнили мне. Поэтому я спрошу еще кое о чем. Я прошу вас признать совет нашим правительством, пока не настанет время, когда те, что называют себя хозяевами, потерпят полное поражение. — Он помолчал. — Прошу встать тех, кто за это.

На этот раз встали все. Итальянец по имени Марко сказал:

— Я предлагаю изгнать Пьера за сопротивление воле общины.

Джулиус покачал головой:

— Нет. Никаких изгнаний. Мы нуждаемся в каждом человеке. Пьер тщательно исполнит свой долг, я знаю это. Слушайте. Я расскажу вам о нашем плане. Но вначале Уилл расскажет вам о том, как выглядит изнутри город наших врагов. Говори, Уилл.

Раньше меня просили временно хранить молчание и не отвечать на расспросы. В обычном состоянии мне было бы это нелегко. Я разговорчив по природе, а голова моя забита чудесами, которые я видел в городе, — чудесами и ужасами.

Но настроение мое в это время не было нормальным. На обратном пути с Бинполом вся моя энергия уходила на преодоление трудностей и опасностей, на размышления не оставалось времени. Но после возвращения в пещеры стало по-другому. В мире вечной ночи и тишины я смог думать, вспоминать и чувствовать угрызения совести. Я обнаружил — мне не хочется говорить с другими о том, что я видел, и о случившемся.

Теперь, услышав предложение Джулиуса, я смутился. Начал неуверенно, с остановками и повторами. Но постепенно я успокоился и заметил, с каким напряжением они слушают меня. Меня самого увлекли воспоминания об этом ужасном времени, о том, как ужасно было сгибаться под тяготением мира хозяев, потеть в неуемной жаре и влажности, смотреть, как слабеют и падают другие рабы, не выдержав напряжения, и знать, что меня ждет такая же судьба. Такой оказалась и судьба Фрица. Бинпол позже сказал, что я говорил страстно и легко, что обычно мне не свойственно. Когда я кончил и сел, наступила тишина, которая говорила о том, как глубоко поражена услышанным аудитория.

Потом снова заговорил Джулиус:

— Я хотел, чтобы вы выслушали Уилла, по нескольким причинам. Одна из них: его рассказ — это свидетельство очевидца. Вы сами слышали и убедились в этом. Он все это видел. Другая причина: я хотел подбодрить вас. Хозяева обладают колоссальной властью и силой. Они преодолели неизмеримые расстояния между звездами. Наша жизнь по сравнению с их долгой жизнью кажется танцем бабочки-однодневки над текущей рекой. И все же...

Он замолчал и с удивительной улыбкой посмотрел на меня.

— И все же Уилл, обычный парень, не умнее большинства, даже меньше других ростом, он, этот Уилл, ударил и убил одного из чудовищ. Ему, конечно, повезло. У хозяев есть место, уязвимое для удара, и Уиллу удалось узнать о нем. Но остается фактом, что он убил одного из них. Они вовсе не всемогущи. Этот факт должен подбодрить нас. То, чего Уилл добился благодаря удаче, мы можем достигнуть подготовкой и решительностью.

Это приводит меня к третьему пункту, к третьей причине, по которой я хотел, чтобы вы послушали Уилла. Это тем более существенно, что речь пойдет о неудаче. — Он посмотрел на меня, и я почувствовал, что краснею. Джулиус спокойно и неторопливо продолжал: — Хозяин стал подозревать Уилла, найдя в его комнате записи о городе и его обитателях. Уилл не думал, что хозяин зайдет в его комнату, где ему приходится надевать маску; но это было поверхностное суждение. Уилл знал, что его хозяин больше других заботится о рабах, что он уже раньше бывал в убежище, организуя там мелкие удобства, и, следовательно, мог побывать еще раз. Следовало предположить, что он зайдет туда еще и обнаружит книгу с записями.

Он говорил спокойно, размышляя, а не критикуя, но тем больший стыд и замешательство я ощущал.

— Уилл с помощью Фрица сумел наилучшим образом использовать ситуацию. Он бежал из города и сообщил нам сведения, ценность которых невозможно определить. Но можно было добиться и большего. — Глаза Джулиуса снова остановились на мне. — Если бы все было рассчитано заранее, Фриц тоже мог бы вернуться. Он передал часть своих сведений через Уилла, но, конечно, лучше было бы, если бы он рассказал обо всем сам. В нашей борьбе ценна каждая крупица знаний.

Затем Джулиус говорил о том, что у нас мало времени, что из глубин космоса приближается большой корабль, а с ним смерть для всего живого на Земле. И он сообщил нам о решении совета.

Самое главное заключалось в том, чтобы ускорить — в десять, сто, даже тысячу раз — привлечение к нам молодежи. Для этого пойдут все, кто может, убеждая и обучая молодых людей по всему миру. Должны повсюду возникать очаги сопротивления и вызывать к жизни другие новые очаги. У совета есть карты, и он скажет, куда идти... В особенности необходимы такие очаги по соседству с двумя другими городами хозяев — один за тысячи миль к востоку, другой — за большим океаном на западе. Возникала при этом проблема языка. Возникали и другие проблемы, на первый взгляд, неразрешимые. Но их нужно разрешить. Не должно быть слабости, отчаяния — ничего, кроме решимости отдать последнюю каплю энергии и сил общей цели.

Разумеется, этот курс связан с возможностью насторожить хозяев. Может, они и не станут особенно тревожиться, так как их план близок к осуществлению. Но нам следует подготовиться к контрмерам. У нас должен быть не один штаб, а дюжина, сотня — и каждый должен быть способен действовать самостоятельно. Совет рассеется, и члены его будут переезжать с места на место, встречаясь лишь изредка, с должными предосторожностями.

Такова первая часть плана — мобилизация всех сил, способных бороться, разведка и организация колоний вне пределов досягаемости трех вражеских городов. Но есть и вторая часть, может быть, более важная. Поиски средств для уничтожения врага. А это означает напряженную работу и испытания. Должна быть создана особая база, но лишь непосредственно связанные с ее работой будут знать, где она находится. С ней связаны все наши надежды. Ее мы не смеем обнаруживать перед хозяевами.

— Теперь я сказал все, что мог. Позже вы получите индивидуальные указания и карты. Есть ли у кого-нибудь вопросы или предложения? — закончил Джулиус.

Все молчали, даже Пьер.

— Тогда можно расходиться. — Джулиус помолчал. — Мы в последний раз собрались все вместе. Следующий раз соберемся после выполнения задуманного. Задача наша ужасна и грандиозна, но мы не должны бояться. Ее можно решить. Но только если каждый из нас все сделает для ее решения. Идите, и да будет с вами Бог.

Сам Джулиус давал мне инструкции. Мне предстояло отправиться на юг и восток, с вьючной лошадью, выдавая себя за торговца, набирая добровольцев, организуя сопротивление. Потом мне предстояло вернуться с докладом в центр.

— Тебе все ясно, Уилл?

— Да, сэр.

— Посмотри на меня, Уилл.

Я поднял голову. Джулиус сказал:

— Мне кажется, тебе все еще больно от моих слов после твоего рассказа на собрании.

— Я понимаю, что ваши слова были справедливы, сэр.

— Но их не легче переносить, особенно если рассказываешь о храбрости, изобретательности и мужестве, а потом все это оказывается окрашенным в иной цвет.

Я не отвечал.

— Слушай, Уилл. Я сделал это сознательно. Мы сами должны устанавливать себе нормы, и эти нормы должны быть высокими, почти невозможными. Я использовал твой рассказ, чтобы вывести мораль: неосторожность одного человека может погубить всех — не должно быть самоуспокоения; сколько бы мы ни сделали, предстоит сделать еще больше. Но теперь я могу сказать: то, что сделали вы с Фрицем, имеет для нас огромное значение.

— Фриц сделал больше. И он не вернулся.

Джулиус кивнул.

— Придется тебе это перенести. Важно, что один из вас вернулся, что мы не потеряли год из того короткого времени, что у нас осталось. Нам всем придется привыкнуть к утратам, а горе должно спаять нас.

Он положил мне руку на плечо.

— Я знаю тебя и поэтому говорю так. Ты запомнишь это, но запомнишь и мои слова на совете. Верно, Уилл?

— Да, сэр. Запомню.

Мы втроем — Генри, Бинпол и я — встретились в найденном мною месте, у расселины высоко в скале; через расселину пробивался дневной свет, его вполне хватало, чтобы мы могли видеть друг друга без помощи лампы. Это место находилось довольно далеко от жилой части пещеры, но мы любили приходить сюда из-за напоминания о внешнем мире; обычно лишь во время дежурств у выходов можно было убедиться в том, что этот мир по-прежнему существует, что где-то есть свет, ветер, дождь. А мы жили в постоянной темноте и непрерывном журчании и капании подземных вод. Однажды, когда снаружи бушевала буря, капли дождя проникли в трещину, и маленький ручеек потек в пещеру. Мы подставили лица под капли, наслаждаясь прохладной влажностью. Нам казалось, что дождь приносит с собой запах деревьев и растений.

Генри сказал:

— Мне предстоит переправиться через западный океан. Мы пойдем на «Орионе» с капитаном Куртисом. Он рассчитал свой экипаж в Англии, остался лишь один моряк с фальшивой шапкой. Вдвоем они приведут корабль в порт на западе Франции, там мы присоединимся к ним. Нас будет шестеро. Земля, куда мы направляемся, называется Америка, а население там говорит на английском языке. А ты, Уилл?

Я коротко ответил. Генри кивнул, очевидно, считая свое поручение более важным и интересным. Я был с ним согласен, но это меня теперь не трогало.

— А ты, Бинпол?

— Не знаю, куда именно.

— Но ты получил назначение?

Он кивнул.

— На исследовательскую базу.

Этого и следовало ожидать. Бинпол принадлежал к тем людям, которые нужны, чтобы тщательно продумать нападение на хозяев. Наше трио должно разойтись, подумал я. Но это не имело особого значения. Мысли мои были с Фрицем. Джулиус был совершенно прав: я все время вспоминал его слова, и мне было стыдно. Еще одна-две недели подготовки, и мы бежали бы вдвоем. Моя неосторожность ускорила события и привела к гибели Фрица. Мысль горькая, но неизбежная.

Генри и Бинпол разговаривали, а я молчал. Они заметили это. Генри сказал:

— Ты очень молчалив, Уилл. Что случилось?

— Ничего.

Он настаивал:

— В последнее время ты мрачен.

Бинпол сказал:

— Я читал когда-то об американцах, о той земле, куда ты направляешься, Генри. Кажется, у них красная кожа, они одеваются в перья, носят с собой топоры и бьют в барабаны, когда начинают войну, а когда заключают мир, курят трубку.

Бинпол всегда слишком интересовался предметами — как они устроены, как действуют, — чтобы обращать внимание на людей. Но я понял, что он заметил мое настроение и догадался о его причине — ведь именно он ждал со мной Фрица из города и добирался со мной — и теперь пытается отвлечь Генри от расспросов. Я был благодарен ему за это и за ту чепуху, что он рассказывал.

Предстояло многое сделать до выхода.

Меня учили торговать, рассказывали о странах, в которых мне предстояло побывать, учили языкам, советовали, как организовать ячейку сопротивления и что говорить, когда я уйду. Все это добросовестно запоминал я с твердой решимостью больше не допускать ошибок. Но плохое настроение не покидало меня.

Генри выступил раньше меня. Он отправился в отличном настроении вместе с Тонио, который был моим спарринг-партнером и соперником при подготовке к играм. Все они были очень веселы. Все в пещерах казались веселыми, кроме меня; Бинпол пытался развеселить меня, но безуспешно. Потом меня вызвал Джулиус. Он прочел мне лекцию о самоистязании, о том, что нужно извлечь хороший урок из прошлого, чтобы не допускать подобных ошибок в будущем. Я слушал, вежливо соглашался, но плохое настроение меня не покидало. Джулиус сказал:

— Ты воспринимаешь это неверно, Уилл. Ты плохо переносишь критику, особенно от самого себя. Но такое настроение делает тебя менее пригодным для выполнения задач, поставленных советом.

— Задание будет выполнено, сэр, — сказал я. — И выполнено вовремя. Я обещаю это.

Он покачал головой:

— Не уверен, что такое обещание поможет тебе. Другое дело, если бы у тебя был характер Фрица. Да, я говорю о нем, хотя тебе и больно. Фриц был меланхолик по натуре и легко переносил печаль. Ты сангвиник и нетерпелив, с тобой совсем другое дело. Угрызения совести и сожаления могут привести тебя к болезни.

— Я сделаю все возможное.

— Знаю. Но достаточно ли будет этого. — Он задумчиво посмотрел на меня. — Ты должен был выйти через три дня. Я думаю, мы отложим выход.

— Но, сэр...

— Никаких «но», Уилл. Таково мое решение.

— Я готов, сэр. А у нас нет времени.

Джулиус улыбнулся.

— В этом есть что-то от неповиновения, значит, не все еще потеряно. Но ты забыл уже, что я говорил на последнем совете. Мы не можем допустить неверных ходов или планов или недостаточно подготовленных людей. Ты пока останешься здесь, парень.

В тот момент я ненавидел Джулиуса. Даже пережив это, я продолжал негодовать. Уходили другие, и собственная бездеятельность раздражала меня. Тянулись темные бессолнечные дни. Я знал, что должен изменить свое отношение, и не мог. Я пытался изобразить веселье, но знал, что это не обманет никого, тем более Джулиуса. Наконец Джулиус снова вызвал меня.

Он сказал:

— Я думал о тебе, Уилл. Мне кажется, я нашел ответ.

— Я могу выступить, сэр?

— Подожди, подожди! Ты знаешь, торговцы разъезжают парами, чтобы иметь товарища и чтобы в случае необходимости защитить товары. Хорошая идея — дать тебе такого товарища.

Он улыбался. В гневе я ответил:

— Я вполне управлюсь и сам, сэр.

— Но если вопрос стоит так: идти вдвоем или остаться здесь — что ты выберешь?

Похоже, он считал меня не способным выполнить задание в одиночку. Но ответ мог быть только один. Я угрюмо ответил:

— Я выполню ваше решение, сэр.

— Хорошо, Уилл. Тот, кто пойдет с тобой... ты хочешь увидеть его сейчас?

Он улыбался. Я стесненно ответил:

— Да, сэр.

— В таком случае... — Его глаза устремились во тьму в глубине пещеры, где ряд известняковых столбов создавал каменный занавес. — Подойди.

Появилась фигура человека. Мне показалось, что глаза обманывают меня. Легче было считать так, чем поверить в возвращение из мертвых.

Потому что это был Фриц.

Позже он рассказал мне, что произошло. Убедившись, что река унесла меня под золотую стену, он вернулся и, как мог, замел мои следы, рассказывая другим рабам, будто я обнаружил своего хозяина мертвым в бассейне и прямиком отправился к месту счастливого освобождения, не желая оставаться в живых после смерти хозяина. Его рассказ никого не удивил, и Фриц готовился последовать за мной. Но тяжелые условия жизни вместе с дополнительным напряжением бессонной ночи сказались на нем. Он упал вторично и был доставлен в больницу для рабов.

Мы условились с ним, что если я выберусь, то буду три дня ждать его. Прошло гораздо больше времени, прежде чем он смог встать с постели, и он решил, что я ушел. На самом деле мы с Бинполом ждали его 12 дней, прежде чем отчаяние и снег заставили нас уйти; но Фриц, конечно, этого не знал. Поверив в мой уход, он начал снова, как это характерно для него, медленно и логично обдумывать все заново. Он решил, что выход под водой будет труден — я погиб бы, если бы Бинпол не вытащил меня из реки, — и знал собственную слабость. Ему нужно было окрепнуть, а больница для этого вполне годилась. Оставаясь в ней, он избегал побоев хозяина и тяжелой работы, которую обычно должен был выполнять. Он оставался там две недели, изображая растущую слабость, а потом заявил, что он не в состоянии больше служить хозяину, а потому должен умереть. Поздно вечером он покинул больницу и направился к месту счастливого освобождения. Укрывшись до наступления ночи, он пошел к стене и свободе.

Вначале все шло хорошо. Он в темноте вынырнул, устало доплыл до берега и пошел на юг по тому же маршруту, что и мы. Но он на несколько дней отставал от нас и отстал еще больше, когда лихорадка вынудила его пролежать несколько дней в заброшенном сарае, потея от слабости и умирая от голода. Он все еще был отчаянно слаб, когда снова двинулся в путь, и вскоре его остановила более серьезная болезнь. На этот раз, к счастью, за ним ухаживали: у него было воспаление легких. Его нашла женщина, сын которой несколько лет назад стал вагрантом после надевания шапки.

Оправившись, он убежал и продолжил свой путь. В буран добрался он до Белых гор и некоторое время был вынужден скрываться в долине, прежде чем начать подъем. В тоннеле его окликнул единственный дежурный, именно на этот случай и оставленный Джулиусом. Сегодня утром дежурный привел его в пещеры.

Все это я узнал позже. А в этот момент я просто смотрел, не веря своим глазам. Джулиус сказал:

— Я думаю, вы с ним сработаетесь. Как ты считаешь, Уилл?

И я понял, что улыбаюсь, как идиот.

Глава 2

ОХОТА

Мы вышли на юго-восток, уходя от зимы. Вначале был крутой подъем, осложненный сугробами, по горному переходу, который нас привел в страну итальянцев, но потом идти стало легче. Миновав плодородную равнину, мы пришли к морю, которое билось о скалистые берега с маленькими рыбачьими гаванями. Оттуда мы уже пошли на юг, оставляя слева холмы и отдаленные горы, пока снова не настало время повернуть на запад.

Нас везде встречали радостно, не только из-за товаров, но и из-за того, что мы были новыми людьми, а в маленьких коммунах волей-неволей все слишком хорошо знают друг друга. Мы продавали ткани, резное дерево и маленькие деревянные часы из Черного Леса: наши люди захватили несколько барж на большой реке и доставили ими груз. Торговля шла хорошо: по большей части это были богатые сельскохозяйственные земли, женщины охотно покупали здесь обновки. Доход, помимо того, что шло на еду, выражался в золотых и серебряных монетах. Повсеместно нам охотно предоставляли жилье. В ответ на гостеприимство мы похищали детей хозяев.

Эту проблему я никак не мог разрешить для себя. Для Фрица все было ясно и очевидно: у нас есть долг, и мы обязаны его выполнить. Я понимал, что мы спасаем этих людей от уничтожения хозяевами, но все же завидовал прямолинейности Фрица. Отчасти это происходило потому, что я легче сходился с людьми. Фриц, дружелюбный в глубине души, внешне оставался неразговорчив и сдержан. Он лучше меня владел языками, но я больше разговаривал и гораздо больше смеялся. В каждом новом поселке я завязывал быстро хорошие отношения и часто уходил с истинным сожалением.

Еще в замке де ла Тур Роже я понял, что, хотя мужчина или женщина носит шапку и считает треножники огромными металлическими полубогами, это не мешает им во всех других отношениях оставаться людьми, способными на дружбу и любовь.

Моя роль заключалась в том, чтобы общаться с ними и торговать. Я делал это, как мог, но не способен был при этом оставаться равнодушным. Было нелегко узнавать их, ценить их доброту и в то же время продолжать наше дело. В сущности, с их точки зрения, мы завоевывали их доверие, чтобы предать их. Мне часто становилось стыдно от того, что сами мы делали.

Нашу главную заботу составляли мальчики, которым примерно через год должны были надеть шапку. Вначале мы завоевывали их интерес подкупом, раздавая мелкие подарки — ножи, свистки, кожаные пояса и тому подобное. Они толпились вокруг нас, и мы с ними разговаривали, искусно вызнавая, кто из них начал сомневаться в праве треножников владеть человечеством и до какой степени простираются эти сомнения. Вскоре мы научились быстро распознавать потенциальных повстанцев.

А их оказалось гораздо больше, чем можно было предполагать. В самом начале я удивился, узнав, что Генри, которого знал с рождения и с которым много раз дрался, не меньше меня хочет освободиться от предстоящего обряда и от тесных рамок жизни, которую мы вели, он тоже сомневается в том, что старшие называли благословением, — в надевании шапки. Я не знал об этом, потому что на такие темы никто не разговаривал. Немыслимо было высказывать сомнения, но это не означало, что сомнений не существует. Постепенно нам стало ясно, что какие-то сомнения возникают у всех, кому предстоит надевание шапки. Для мальчиков было невероятным облегчением оказаться в обществе двух взрослых в шапках, но которые в отличие от родителей не запрещали говорить на загадочные темы, а, напротив, подбивали на это, внимательно слушали и говорили сами. Конечно, нам приходилось соблюдать осторожность. Вначале шли завуалированные намеки, вопросы, внешне невинные. Наша задача заключалась в том, чтобы в каждой деревне найти одного-двух мальчиков, сочетавших умственную независимость с надежностью. Таких незадолго до своего ухода мы поодиночке отводили в сторону.

Мы рассказывали им правду о треножниках и о мире, о том, какую роль они могут сыграть в организации сопротивления. Сейчас уже нельзя было посылать их в наши штаб-квартиры. Напротив, они должны были оставаться в своих деревнях и поселках, организовывать группы до весеннего надевания шапок. Это должно было произойти много времени спустя после нашего ухода, чтобы избавить от подозрений. Они должны были найти место для жизни в стороне от людей в шапках, но так, чтобы оттуда можно было добывать пищу и наблюдать, набирая новых добровольцев. И там они должны были ждать новых указаний.

Мы мало что могли дать им: успех целиком зависел от их индивидуальных качеств и умения приспосабливаться к обстановке. Мы давали им средства связи. У нас с собой были голуби в клетках, и мы время от времени оставляли новобранцам пару. Эти птицы могли через большие расстояния вернуться к месту, где они вылупились из яйца. Они переносили сообщения на листочках бумаги, привязанных к лапам.

Мы сообщали новым добровольцам опознавательные знаки: лента, вплетенная в гриву лошади, шляпа определенного фасона и надетая под определенным углом, определенные жесты, крики птиц. Договаривались о месте, где будет оставлено сообщение для нас или наших сменщиков. В сообщении должен быть указан путь к их убежищу. Кроме этого, мы ничего не могли им дать. Мы шли все дальше и дальше по пути, указанному Джулиусом.

Вначале мы часто видели треножники. Но потом они встречались все реже и реже. Не зима вызывала их неактивность, а отдаленность от города. В земле, называемой Эллада, нам рассказывали, что они появляются лишь несколько раз в году, а в восточной части этой страны треножники появлялись лишь раз в год на церемонии надевания шапок, и не в маленьких поселках, как в Англии: родители свозили детей с больших расстояний в одно место, где им надевали шапки. Конечно, это вполне объяснимо. Треножники могли передвигаться быстро, гораздо быстрее лошади, и безостановочно, но расстояние даже для них имело значение. Районы вблизи города они неизбежно должны были посещать чаще, чем отдаленные места. Для нас было большим облегчением оказаться на территории, где в это время года ни одно металлическое полушарие на трех суставчатых ногах не появится на фоне горизонта. К тому же возникала еще одна мысль. Два города хозяев расположены по краям огромного континента. Чем дальше мы отходили от города, тем слабее становился их контроль над местностью. Не значило ли это, что на полпути между городами существует территория, где их контроля нет совсем, где люди не носят шапок и свободны? На самом деле, как мы узнали позже, контролируемые территории перекрывали друг друга, и на середине между ними находились главным образом океан на юге и ледяные пустыни на севере. Те же земли, дальше к югу, которые они не контролировали, хозяева превратили в абсолютную пустыню.

Наша задача не стала легче, как можно было подумать, оттого, что здесь треножники встречались реже. Наоборот, по-видимому, из-за своей редкости они вызывали особое преклонение. Мы наконец добрались до места, где за полуостровом между двумя морями были развалины огромного города. Он сравнительно мало зарос растительностью, но выглядел гораздо более древним, чем другие. В городе находились большие деревянные купола на трех столбах, куда вели ступени. Здесь люди молились. Проводились длинные службы с продолжительным пением и плачем. Над каждым куполом стояла модель треножника, выложенная золотыми листами.

Но мы и здесь сумели найти последователей. К тому времени мы стали очень искусны в своей работе.

Конечно, бывало и трудно. Хотя мы двигались на юг, в солнечные теплые земли, временами было холодно, особенно в высокогорных районах, и потому мы ночью, чтобы не замерзнуть, жались к своим лошадям. И долгие сухие дни в пустынных районах, когда мы беспокойно искали признаки воды, не столько для нас, сколько для лошадей. Мы полностью зависели от них, и для нас страшным ударом было, когда лошадь Фрица заболела и спустя несколько дней умерла. Я был настолько эгоистичным, что обрадовался, ведь это произошло не с моей лошадью, Кристом, которая мне очень нравилась. Если Фриц испытывал нечто подобное к своей лошади, то никак этого не проявлял.

Мы находились на краю пустыни и на большом удалении от обитаемых мест. Мы навьючили багаж на Криста и побрели в направлении ближайшей деревни. Уходя, мы видели, как с неба спустились большие отвратительные птицы и начали рвать мясо бедного животного. За час они очистят его до костей.

Это было утром. Мы шли весь день и половину следующего, прежде чем достигли нескольких хижин, жавшихся к небольшому оазису. Здесь не было никакой надежды получить лошадь, и мы шли еще три дня к поселку. Местные жители называли его городом, но он был не больше моей родной деревни Вертона. Здесь были лошади, а у нас было золото, чтобы заплатить за них. Трудности заключались в том, что в этой местности лошадей никогда не использовали для перевозки грузов. Украшенные дорогими попонами, они носили на себе важных и богатых людей. Мы не могли купить такую лошадь, потому что нанесли бы смертельное оскорбление местным обычаям, если бы взвалили на нее груз.

Но здесь были животные, которых я видел на рисунке в Белых горах. Тогда, глядя с любопытством на рисунок, я принял его за необъяснимый предмет древних. Теперь я увидел это животное в жизни. Выше лошади, оно покрыто жесткой коричневой шерстью, и у него на спине большой горб. Нам сказали, что в горбу находится запас воды, и животное может обходиться без воды дни и даже недели. Вместо копыт у него расплющенные ступни с пальцами. Голова на длинной шее очень уродлива, с отвислыми губами, большими желтыми зубами и отвратительным запахом. Животное кажется неуклюжим, но может передвигаться удивительно быстро и переносить большие тяжести.

У нас с Фрицем произошел спор. Я хотел купить одно такое животное, он возражал. Я испытал обычное раздражение, когда мы в чем-то расходились. Мои страстные доводы в защиту этого предложения встретились с его упорным несогласием. Я негодовал — он возражал еще спокойнее; я негодовал сильнее... и так далее. Я перечислял достоинства животного, а он просто возражал, что мы достигли пункта, где должны повернуть назад и возвращаться к пещерам. Сколько бы ни было полезно оно в этой местности, там, где его не знают, оно будет казаться странным, а наша задача — не привлекать к себе внимания. К тому же, вероятно, продолжал Фриц, животное, привыкшее к жаркому климату, заболеет и сдохнет в северных землях.

Конечно, он был совершенно прав, но мы два дня спорили, прежде чем я сдался. И даже признался, что меня привлекла прежде всего причудливость этого животного. Я уже видел себя (бедный Крист был тут же забыт) едущим по улицам незнакомого города на раскачивающейся спине животного, а вокруг толпятся люди и...

За ту же сумму мы купили двух ослов — это были маленькие, но сильные и послушные животные — и навьючили на них товары. У нас хватило денег и на покупку местных товаров: фиников, различных пряностей, шелков, красивых ковров. Все это позже мы с выгодой продали. Но у нас были и неудачи. Много трудностей принес нам язык. Торговаться можно было при помощи жестов, но чтобы говорить о свободе и борьбе с рабством, нужны слова. К тому же здесь очень был силен культ треножников. Повсюду виднелись полушария, под самыми большими из них стояли навесы, откуда жрецы трижды в день призывали верующих к молитве: на рассвете, в полдень и на закате. Мы вместе с остальными склоняли головы и что-то бормотали.

Так мы достигли обозначенной на карте реки — широкого теплого потока, который медленными змеиными изгибами тек по зеленой долине. И повернули назад.

Обратный путь был другим. Мы прошли через горы и выбрались к восточному берегу того моря, которое видели из развалин гигантского города на перешейке. Мы обогнули море с севера и запада и на этот раз хорошо использовали время, завоевав много последователей. Здесь говорили по-русски, а мы заранее немного изучили этот язык. Мы пришли на север, но лето перегоняло нас: земля была покрыта цветами, и я помню, как однажды мы целый день ехали в одуряющем аромате апельсинов, зреющих на ветках деревьев. По плану нам до наступления зимы нужно было вернуться к пещерам, и поэтому приходилось торопиться.

Конечно, мы одновременно приближались и к городу хозяев. Время от времени на горизонте показывались треножники. Впрочем, вблизи мы их не видели и были благодарны и за это. Точнее, не видели до дня охоты.

* * *

Хозяева, как мы уже знали, по-разному обращались с людьми в шапках. Может, разнообразие человеческих обычаев забавляло их — сами они всегда представляли одну расу, и национальные различия, языки, войны, которые вели между собой народы, — все это было им совершенно незнакомо. Во всяком случае, хотя они покончили с войнами, все другие формы различий они поощряли. Так, в церемонии надевания шапок они подчинялись ритуалу, выработанному их рабами, и появлялись в определенное время с характерным звуком, совершая предписанные движения. На турнирах во Франции и на играх они терпеливо ждали, хотя их интересовали только рабы, которых они получали в конце. Возможно, как я уже сказал, это их забавляло. А может, они думали, что это соответствует их роли богов. Во всяком случае, мы увидели необычное и ужасное доказательство этого, когда от конца пути нас отделяло несколько сотен миль.

Много дней двигались мы вдоль большой реки, на которой, как и на той реке, по которой мы добирались до игр, шло большое движение. Там, где на пути нам встретились руины гигантского города, мы вступили в более возвышенную область. Земля была хорошо обработана, обширные участки занимали виноградники, с которых уже сняли урожай. Местность была густо населена, и мы остановились на ночь в городе на противоположном от руин берегу реки. За городом начиналась обширная равнина, освещенная осенним закатом.

Город был наполнен возбужденными толпами, люди приезжали за пятьдесят миль для того, чтобы присутствовать на следующий день на торжественной церемонии. Мы расспрашивали, и нам с готовностью ответили. То, что мы узнали, было ужасно.

Следующий день называли по-разному: день охоты или день наказания.

У меня на родине, в Англии, убийцу вешали — это жестоко и отвратительно, но по крайней мере понятна необходимость защиты невинных; к тому же это делалось быстро и как можно гуманнее. Здесь, напротив, преступников содержали в тюрьме до осеннего дня, когда созревал виноград и было готово свежее вино. Тогда приходил треножник, и приговоренных выпускали одного за другим. Треножник охотился за ними, а горожане смотрели, пили вино и обсуждали зрелище. Завтра предстояла охота на четверых — больше, чем за многие предыдущие годы. Поэтому зрители были особенно возбуждены. Новое вино не полагалось пить до завтрашнего дня, но было достаточно и старого, и многие утоляли им жажду, предвкушая завтрашнее развлечение.

— Мы можем уйти на рассвете. Нам незачем оставаться и видеть это.

Фриц спокойно взглянул на меня.

— Но мы должны, Уилл.

— Смотреть, как человека, сколь бы велико ни было его преступление, как зайца, преследует треножник? А другие люди в это время заключают пари, сколько он продержится? — Я рассердился и не скрывал этого. — Я не назвал бы это развлечением.

— Я тоже. Но все, связанное с треножниками, важно. Все равно как тогда, когда мы были в городе. Ничего нельзя упустить.

— Тогда ты и смотри. Я подожду тебя на следующей остановке.

— Нет. — Он говорил терпеливо, но решительно. — Нам приказано действовать вместе. К тому же на пути к следующей остановке Макс может оступиться, сбросить меня, и я сломаю шею.

Макс и Мориц — так он назвал наших ослов по какой-то истории, которую немецким детям рассказывали родители. Мы оба улыбнулись, представив себе, как основательный Макс спотыкается. Но я понял, что Фриц прав: наша задача — наблюдать и не отказываться от наблюдений, даже если они нам неприятны.

— Да уж ладно, — сказал я. — Но как только все будет кончено, мы выступим. Не хочу ни на одну минуту здесь задерживаться.

Он осмотрел кафе, где мы сидели. Посетители пели пьяными голосами, стучали стаканами по столам, расплескивая вино. Фриц кивнул:

— Я тоже.

Треножник пришел ночью. Утром он, как огромный часовой, стоял у города, неподвижный, молчаливый, как те треножники

ники, что возвышались над турнирным полем в замке де ла Тур Роже и над полем игр. Наступил день праздника. Всюду были развешены флаги, от крыши к крыше через узкие улицы протянулись ленты, уличные торговцы вышли рано с горячими сосисками, сладостями, бутербродами с мясом и луком, лентами и безделушками. Я видел у одного из них лоток, на котором стояло с десяток маленьких деревянных треножников. Каждый треножник держал в вытянутом щупальце человечка. Торговец был веселый, краснощекий; и преуспевающий фермер, в гамашах, с седой головой, купил два треножника своим внукам: аккуратному мальчику и девочке с прической хвостиком шести-семи лет.

Шла борьба за лучшие места. Я не хотел добиваться одного из них, но Фриц уже заранее все обеспечил. Многие домовладельцы, чьи окна выходили на равнину, продавали места у них, и он купил для нас два места. Цена была высокая, но в нее входило вино и сосиски. А также использование увеличительных стекол.

Я уже видел в витрине множество биноклей и решил, что здесь центр их изготовления. Но тогда мне не ясна была связь с предстоящим зрелищем. Теперь я понял: под нами толпились люди, и солнце отражалось во множестве стекол. Неподалеку, там, где дорога круто спускалась в долину, кто-то установил телескоп на треноге. Владелец телескопа кричал:

— Замечательное зрелище! Пятьдесят грошей за десять секунд! Десять шиллингов за сцену смерти! Так близко, будто на другой стороне улицы!

Напряжение в толпе росло. Заключались пари, сколько продлится охота, далеко ли уйдет человек. Вначале мне казалось это нелепым. Я не понимал, как он вообще может уйти. Но кто-то в комнате объяснил мне. Преступнику дают лошадь. Конечно, треножник легко перегонит лошадь, но человек, используя складки местности, может продержаться даже с четверть часа.

Я спросил, сумел ли кто-нибудь спастись. Мой собеседник покачал головой. Теоретически это возможно: существовало правило, что за рекой охота кончается. Но за все годы, когда велась охота, никому не удалось туда добраться.

Неожиданно толпа зашумела. Я увидел, как на поле, над которым возвышался треножник, вывели оседланную лошадь. Служители в серых мундирах привели человека, одетого в белое. В бинокль я разглядел, что это высокий, очень худой мужчина примерно тридцати лет, выглядевший испуганным и озлобленным. Ему помогли сесть верхом, служители с обеих сторон держали поводья. Шум усилился. Послышался звон церковного колокола: пробило девять часов. При последнем ударе служители отскочили, хлопнув лошадь по боку. Она прыгнула вперед, и толпа испустила возбужденный крик.

Преступник скакал вниз по холму к отдаленно блестевшей реке. Он проскакал не менее четверти мили, прежде чем треножник шевельнулся. Поднялась огромная металлическая нога, затем другая. Треножник не торопился. Я подумал о человеке на лошади и ощутил его страх. Оглянулся. Фриц, как всегда, смотрел с невозмутимым выражением лица. А остальные... их лица вызывали у меня большее отвращение, чем то, что происходило снаружи.

Охота длилась недолго. Трсножник настиг человека, когда тот поднимался по обнаженному коричневому склону виноградника. Щупальце подняло его с той аккуратностью, с какой девушка вдевает нитку в иголку. Зрители снова закричали. Щупальце держало бьющуюся куклу. А потом второе щупальце двинулось...

Меня вывернуло наизнанку. Я стремглав выбежал из комнаты.

Когда я вернулся, в комнате была уже другая атмосфера: лихорадочное возбуждение сменилось расслаблением. Люди пили вино и говорили об охоте. Плохой образец, решили они. Один из них, кажется, слуга из ближайшего замка графа, проиграл пари и особенно негодовал. Мое появление встретили смехом и язвительными замечаниями. Они говорили, что я чужеземец со слабыми нервами, и советовали мне подкрепиться вином. Снаружи тоже расслабление, почти пресыщение. Выплачивались ставки, шла оживленная торговля горячими пирожками и сладостями. Я заметил, что треножник вернулся на исходную позицию.

Постепенно напряжение снова стало нарастать. В десять часов церемония повторилась — с тем же самым ростом возбуждения, с теми же криками, когда началась охота. Вторая жертва доставила зрителям больше удовольствия. Преступник прекрасно владел лошадью и в первый раз сумел увернуться от щупальца под прикрытием деревьев. Когда он выбрался на открытое место, я хотел крикнуть ему, чтобы он оставался в укрытии. Но это не дало бы ему ничего, и он это знал: треножник мог вырвать вокруг него все деревья. Человек устремился к реке. Я видел, что впереди, в полумиле от него, была всего одна рощица. Но он не успел доскакать до нее. Щупальце двинулось к нему. Резко повернув лошадь, он сумел сначала увернуться, так что металлическая веревка ударилась о землю. Я подумал, что у него есть шанс добраться до рощи, а там уже близко река. Но вторая попытка треножника была точнее. Тело человека взвилось в воздух и было разорвано на части. Толпа затихла, и в чистом осеннем воздухе прозвучал крик агонии.

После этого убийства я не возвращался... Есть пределы, через которые я не смог переступить, даже повинуясь долгу. Фриц остался, но когда я потом увидел его, он был угрюм и даже более молчалив, чем обычно.

Несколько недель спустя мы добрались до пещер. Их мрачные глубины казались странно приветливыми — убежище от мира, в котором мы странствовали почти год. Нас окружили каменные стены, тепло мерцали огоньки ламп. Но самое главное — мы были свободны от напряжения, которое всегда испытывали, общаясь с людьми в шапках. А здесь нас окружали свободные люди.

Три дня мы отдыхали, исполняя лишь обычные обязанности. Затем получили очередные распоряжения от местного начальника — немца по имени Отто. Через два дня нам предстояло сделать доклад в месте, обозначенном точкой на карте. Отто сам не знал, где это.

Глава 3

ЗЕЛЕНЫЙ ЧЕЛОВЕК НА ЗЕЛЕНОЙ ЛОШАДИ

Путь занял у нас два дня, большую часть его мы ехали верхом. Приближалась зима, дни укорачивались, короткое бабье лето сменилось холодной неустойчивой погодой. Одно утро нам пришлось ехать под холодным дождем. Первую ночь мы провели в небольшой гостинице, но на второй день вечер застал нас в пустынной местности. Поблизости не видно было ни пастуха, ни пастушьей хижины.

Мы знали, что приближаемся к концу пути. На вершине холма мы остановили лошадей. Внизу лежало море. Волны бились о хмурый скалистый берег. Только... На севере, на самом краю видимости, что-то торчало, как поднятый палец. Я показал его Фрицу, он кивнул, и мы направились туда.

Подъехав ближе, мы увидели развалины замка на скалистом мысу. Еще ближе стала видна небольшая гавань, тоже в развалинах, но более современного вида. Вероятно, дома рыбаков. Когда-то здесь был рыбацкий поселок, но теперь он пустовал. Мы не видели признаков жизни ни в поселке, ни в замке, который черным силуэтом вырисовывался на фоне темнеющего неба. Разбитая дорога вела к воротам замка, где виднелась покосившаяся деревянная створка, обитая железом. Проехав в ворота, мы оказались во дворе.

Он был пуст и обширен, но мы спешились и привязали лошадей к железному пруту, который использовался для этой цели, наверно, и тысячу лет назад. Даже если мы неверно поняли отметку на карте, все равно нам придется отложить поиски на утро. Но я не мог поверить в то, что мы ошиблись. В амбразуре окна я рассмотрел отблески света и тронул Фрица за руку, показывая туда. Свет исчез и спустя миг появился дальше. Я догадался, что где-то есть дверь, и свет движется в том направлении. Мы пошли туда и увидели уходящего вниз коридора человека с лампой. Он поднял лампу, освещая наши лица.

— Вы немного опоздали. Мы ждали вас еще днем.

Я со смехом пошел вперед. Лица мне по-прежнему не было видно, но голос я узнал: Бинпол!

Часть помещений, выходящих главным образом в сторону моря, и подвалы были расчищены и приспособлены для жизни. Нас накормили горячим ужином: жаркое, домашнего приготовления хлеб с французским сыром в форме колеса, пыльно-белым снаружи, масляно-желтым изнутри, с прекрасным острым вкусом. Была и горячая вода для мытья, и постели с чистыми простынями. Мы отлично выспались под рокот волн, разбивающихся о скалы, и проснулись освеженными. Завтракали мы вместе со всеми, в том числе с Бинполом. Я узнал двоих или троих. Это все были члены группы, изучавшей чудеса древних. Пока мы ели, появился еще один знакомый человек. С улыбкой, хромая, к нам шел Джулиус.

— Добро пожаловать, Фриц. И Уилл. Приятно снова видеть вас.

Мы расспрашивали Бинпола и получали уклончивые ответы. Он сказал, что нам все объяснят утром. И после завтрака мы с Джулиусом и полудюжиной других пошли в большую комнату на первом этаже замка. Огромное окно выходило на море, в огромном очаге пылали дрова. Мы сели на стулья за длинный, грубо вырубленный стол без особого порядка. Заговорил Джулиус:

— Сначала я удовлетворю любопытство Уилла и Фрица. — Он посмотрел на нас. — Это одно из нескольких мест, где ведутся поиски средств, способных привести к поражению хозяев. Было выдвинуто много идей, в том числе немало очень остроумных. Но у всех них есть недостатки, и самый существенный — несмотря на ваши сообщения, мы очень мало знаем о враге.

Он немного помолчал.

— Этим летом на игры было послано второе трио. Только один его член сумел победить и был взят в город. С тех пор мы ничего о нем не знаем. Может, он еще спасется — мы надеемся на это, — но не можем от этого зависеть. Во всяком случае, сомнительно, чтобы он доставил нужную нам информацию. Решено, что прежде всего нам необходимо захватить одного из хозяев, и желательно живым, чтобы мы могли его изучить.

Должно быть, у меня на лице появилось скептическое выражение. Мне уже говорили, что лицо у меня все выражает. Во всяком случае, Джулиус сказал:

— Да, Уилл, можно подумать, что это немыслимо. Но не совсем так. Именно поэтому мы и вызвали вас. Вы видели треножник изнутри, когда вас доставляли в город. Вы уже описывали его нам, и достаточно подробно. Но если мы хотим захватить хозяина, его нужно извлечь из этой металлической крепости, в которой он шагает по нашей земле. И здесь будет полезна любая, даже самая незначительная деталь, которую вы сумеете вспомнить.

Фриц сказал:

— Вы говорите о том, чтобы захватить хозяина живым. Но как это сделать? Как только он выйдет из треножника, то через несколько секунд задохнется в нашей атмосфере.

— Правильное возражение, — сказал Джулиус, — но у нас есть на него ответ. Вы привезли с собой образец из города. Мы научились изготовлять зеленый воздух, которым дышат хозяева. В этом замке уже подготовлено герметическое помещение с шлюзом.

— Но если привести сюда треножник и тут разбить его, — продолжал возражать Фриц, — за ним явятся другие. Они легко смогут уничтожить весь замок.

— У нас есть герметический ящик, достаточно большой, чтобы вместить одного хозяина. Если мы сумеем захватить его дальше на берегу, то сюда его можно будет доставить на лодке.

— А как его захватить, сэр? — спросил я. — Не думаю, чтобы это было легко.

— Конечно, нелегко, — согласился Джулиус со мной. — Но мы изучали хозяев. Они педанты и всегда следуют заведенному порядку. Мы отметили время и место появления многих треножников. В пятидесяти милях к северу отсюда есть место, где раз в девять дней проходит треножник. Он идет по неровной местности на берегу моря. От одного его появления до другого у нас есть девять суток, чтобы выкопать яму и накрыть ее ветвями и землей. Треножник упадет, и нам останется извлечь хозяина, посадить в ящик и отнести в лодку, которая будет прятаться поблизости. Из вашего с Фрицем рассказа следует, что они дышат медленно — особой опасности, что он задохнется перед тем, как мы наденем на него маску, нет.

Фриц возразил:

— Они могут связаться с другими треножниками и с городами по невидимым лучам.

Джулиус улыбнулся:

— Мы можем справиться и с этим. Теперь расскажите нам о треножниках. Перед вами бумага и карандаш. Рисуйте, делайте чертежи. Вспоминайте все, до мельчайших подробностей.

Перед тем как двинуться на север, мы неделю провели в замке. За это время я от Бинпола и остальных узнал немного о тех огромных успехах, которые были достигнуты в изучении тайн древних. Была организована экспедиция в развалины города-гиганта, и там нашли библиотеку с тысячами и тысячами книг, рассказывающих о чудесах мира, еще до треножников. Эти книги дали нам доступ в мир знаний. Бинпол сказал, что теперь мы можем делать лампы, которые благодаря электричеству дают более яркий свет, чем масляные лампы и свечи, к которым мы привыкли. Можно было получать тепло от сооружения из проводов, можно было построить экипаж, который движется без лошадей. Когда Бинпол сказал это, я вопросительно взглянул на него.

— Значит, можно снова пустить в ход шмен-фе?

— И очень легко. Мы знаем, как плавить металл, умеем изготовлять искусственный камень, который древние называли бетоном. Можем снова строить огромные здания, создавать города-гиганты. Можем посылать и сообщения по невидимым лучам, как это делают хозяева, можем даже передавать по воздуху изображения. Мы очень многое можем сделать или научиться делать за короткое время. Но мы сосредоточились лишь на том, что даст немедленную помощь в борьбе с хозяевами. Например, в одной из лабораторий мы построили машину, которая при помощи высокой температуры режет металл. Эта машина будет ждать нас на севере.

Лаборатории, подумал я, где же они? Мой мозг был смущен услышанным. Мы многое узнали после расставания, но его знания были обширнее и удивительнее моих. Он выглядел гораздо старше. Неуклюжее сооружение из линз, которое он носил, когда мы впервые встретились в прокуренной таверне в рыбачьем французском городке, сменилось новыми симпатичными очками, аккуратно сидевшими на длинном тонком носу и придававшими ему взрослый и авторитетный вид. То, что это сооружение называется очками, нам сказал Бинпол. Их носили многие ученые. Очки, ученые... так много слов, выходящих за пределы моего кругозора.

Вероятно, он понял, что я чувствую. Он расспрашивал меня о наших путешествиях, и я рассказывал, что мог. Он слушал внимательно, как будто и мои обычные путешествия были не менее интересны и важны, чем фантастические науки, которыми он занимался. Я был благодарен ему за это. Недалеко от места намеченной засады мы разбили лагерь в пещере. Лодка, которую мы хотели использовать — сорокафутовая рыбачья шхуна, — находилась поблизости. Рыбаки бросали сети и внешне ничем не привлекали внимания. Они даже наловили немало рыбы, главным образом сардины; часть мы съедали, остальное приходилось выбрасывать. В одно определенное утро мы укрылись, а двое из нас проползли дальше, чтобы видеть проход треножника. Те, что оставались в пещере, тоже слышали его: он издавал звук, значения которого мы не знали, — причудливый вибрирующий вопль. Когда звук затих в отдалении, Джулиус заметил:

— Точно минута в минуту, начнем работу.

Мы напряженно работали, готовя ловушку. Девять дней — не очень большой срок, если нужно выкопать яму для машины с сорокафутовыми ногами, и к тому же так замаскировать следы работы, чтобы ничего не было видно. Бинпол в перерывах между копанием задумчиво говорил о чем-то, называвшемся бульдозер. Эта штука могла тоннами передвигать землю и камни. Но на сооружение ее у нас не было времени. Во всяком случае, мы выполнили задание, и у нас еще остался день в запасе. Он нам казался длиннее предыдущих восьми. Мы сидели у входа в пещеру, глядя на серое спокойное холодное море, местами затянутое туманом. По крайней мере поездка по морю будет нетрудной. Конечно, если мы поймаем треножник и захватим хозяина.

На следующее утро погода оставалась сухой и холодной. Мы заняли места — на этот раз все — за час до появления треножника. Мы с Фрицем были вместе, Бинпол вместе с другим человеком занимался джаммером. Так называлась машина, которая испускала невидимые лучи, заглушавшие лучи треножника и не дававшие ему связаться с другими. Я был полон сомнений на ее счет, но Бинпол чувствовал абсолютную уверенность. Он говорил, что невидимые лучи могут прерываться по естественной причине, например, из-за грозы. Хозяева решат, что произошло нечто подобное, а потом будет уже поздно.

Медленно шли минуты. Постепенно напряженность сменилась у меня чем-то вроде дремоты. Вернул меня к действительности Фриц, молча тронувший меня за плечо. Я увидел к югу на холме треножник. Он направлялся прямо к нам. Я мгновенно почувствовал напряжение во всем теле. Треножник шел на средней скорости. Менее чем через пять минут... Но тут без предупреждения он остановился. Он стоял, подняв одну ногу, и выглядел нелепо, как собака, выпрашивающая кость. Три или четыре секунды стоял он так. Нога опустилась. Треножник продолжал идти, но уже не в нашем направлении. Он изменил курс и пройдет в нескольких милях от нас.

Я ошеломленно следил, как он удаляется. Из-за деревьев по ту сторону ямы вышел Андре, наш предводитель, и помахал рукой. Мы вместе с остальными присоединились к нему.

Вскоре была установлена причина неудачи. Колебания треножника совпали с моментом включения джаммера. Треножник остановился и свернул в сторону. Человек, включивший джаммер, сказал:

— Я не знал, что он будет так действовать. Мне нужно было подождать, пока он достигнет ловушки.

Кто-то спросил:

— Что же нам делать?

Все явно впали в уныние. Работа и ожидание оказались напрасными. Наш план победы над хозяевами казался безнадежным и почти детским.

Хромая, к нам подошел Джулиус.

— Подождем, — сказал он. Его спокойствие казалось непоколебимым. — Подождем следующего раза и включим джаммер лишь в самый последний момент. Тем временем мы сможем расширить ловушку.

Еще девять дней работы и ожидания. Снова настал нужный час. Как и в предыдущий раз, появился треножник, прошел по склону холма, достиг того места, где он остановился в прошлый раз. На этот раз он не остановился. Но и не пошел к нам. Без колебаний он двинулся тем же курсом, что и в прошлый раз после остановки. Вдвойне горько было видеть, как он проходит мимо и исчезает вдали.

На последующем военном совете все были в подавленном настроении. Даже Джулиус, показалось мне, был обескуражен, хотя делал все, чтобы не показать этого. Мое собственное отчаяние я совершенно не скрывал.

Джулиус сказал:

— Теперь ясно, как он действует. Следует по строго определенному курсу. Если этот курс почему-либо изменился, в следующий раз изменение повторяется.

— Вероятно, у него автопилот, — заметил один из ученых. Я гадал, что бы могли означать его слова. — Курс неизменен, и если в него вносятся поправки, они тоже сохраняются до следующего изменения. Я видел такой механизм.

Это было выше моего понимания. Как да почему — это не казалось мне важным. Вопрос в том, как теперь добраться до треножника.

Кто-то предложил выкопать другую яму на новом месте на пути треножника. Наступило молчание, которое прервал Джулиус:

— Мы можем это сделать. Но треножник не подходит к морю ближе, чем на две мили, и дорога там трудная. Прежде чем мы доберемся с пленником до лодки, вокруг нас будут толпиться треножники.

Снова наступила тишина, на этот раз более долгая. Потом Андре сказал:

— Может, отложим операцию? Поищем другой курс, вблизи моря.

Кто-то другой возразил:

— Нам потребовалось четыре месяца, чтобы найти этот. Другой мы можем искать еще дольше.

А счет шел на дни, никому из нас не нужно было напоминать об этом. Снова все замолчали. Я старался придумать что-либо, но в голове у меня была пустота. Дул сильный ветер, в воздухе пахло морем. Земля и море были пустыми и мрачными под низко нависшим небом. Наконец заговорил Бинпол. Скромно в присутствии старших он сказал:

— Похоже, использование джаммера не насторожило его. Иначе он вторично не подошел бы так близко. Или подошел бы еще ближе для расследования. Изменение курса — это случайность.

Андре кивнул:

— Похоже на правду. Но чем это нам поможет?

— Если попробовать приманить его на тот прежний курс...

— Прекрасная идея. Вопрос только: как? Что может привлечь треножник? Ты знаешь? Кто-нибудь знает?

Бинпол сказал:

— Я вспомнил рассказ Уилла и Фрица.

Он коротко пересказал наш рассказ об охоте. Все слушали, но когда Бинпол кончил, один из ученых сказал:

— Мы знаем об этом. Такое бывает и в других местах. Но эта традиция поддерживается как треножниками, так и людьми в шапках. Ты предлагаешь за следующие девять дней основать новую традицию?

Бинпол начал говорить что-то, но его прервали. Нервы у всех были напряжены, и вот-вот могла вспыхнуть ссора. Джулиус успокоил всех и сказал:

— Продолжай, Бинпол.

Нервничая, Бинпол слегка заикался. Но по мере того как он излагал свою идею, заикание прекратилось.

— Я думал... мы знаем, что они любопытны... их привлекает необычное... Когда мы с Уиллом плыли на плоту по реке... один из них изменил курс и разбил плот щупальцем. Если бы кто-то привлек внимание треножника и привел бы его к ловушке... И я думаю, это может подействовать.

Андре возразил:

— Привлечь внимание и избежать его щупальцев — это невозможная задача.

— Пешком это невозможно, — сказал Бинпол. — Но на охоте Уилл и Фриц видели всадника. Один всадник продержался достаточно долго и покрыл очень большое расстояние, прежде чем был пойман.

Новая пауза. Мы обдумывали услышанное, и Джулиус задумчиво сказал:

— Возможно, и подействует. Но можем ли мы быть уверены, что он клюнет на приманку? Ты говоришь, что их интересует необычное. Всадник... Они их ежедневно видят во множестве.

— Если человека одеть в яркое... и раскрасить лошадь...

— В зеленое, — сказал Фриц. — Это их собственный цвет. Зеленый человек на зеленой лошади. Я думаю, это привлечет их внимание.

Послышался одобрительный ропот. Джулиус сказал:

— Мне это нравится. Да, так и сделаем. Теперь нам нужны лошадь и всадник.

Я чувствовал, как во мне нарастает возбуждение. Все это были ученые, не привыкшие к такому занятию, как езда верхом. И оставались лишь Фриц и я. А за долгий год путешествия мы с Кристом привыкли друг к другу.

Я сказал, поймав взгляд Джулиуса:

— Сэр, если я могу предложить...

Мы выкрасили Криста в зеленый цвет. Позже краску легко будет смыть. Он хорошо перенес унижение, только раз или два фыркнул в знак отвращения. Цвет был ярко-изумрудный и действовал ошеломляюще. Я надел брюки и куртку того же цвета. Когда ко мне подошел Фриц с тряпкой, вымоченной в зеленой краске, я вначале сопротивлялся и подчинился лишь Джулиусу. Фриц, глядя на это, расхохотался. Он не склонен был к веселью, но, я думаю, не часто ему приходилось видеть такое комичное зрелище.

За предыдущие девять дней я много раз повторял свою роль в предстоящих утренних событиях. Я должен был привлечь внимание треножника и, как только он сделает движение в моем направлении, на полной скорости скакать в сторону ямы. Поверх ловушки мы проложили узкий мостик и надеялись, что он выдержит тяжесть Криста со мной на спине. Мостик был обозначен приметами, видными мне, но вряд ли способными привлечь внимание хозяев в треножнике. Самая большая опасность ждала именно здесь, и я много тренировался, несколько раз чуть не упав в яму.

И вот все было готово. В десятый раз я проверил упряжь Криста. Все пожали мне руки и отошли. Я остался один. Снова ожидание, знакомое и в то же время незнакомое. На этот раз все зависело от меня, а я был один.

Сначала я почувствовал: земля под нами дрожит от далеких ударов огромных металлических ног. Удар, еще удар, еще — устойчивая последовательность ударов, каждый последующий сильнее предыдущего. Крист стоял головой в сторону ямы, а я повернул голову направо, следя за приближением треножника. Он появился над вершиной холма. Я вздрогнул и почувствовал, что Крист тоже дрожит. Я постарался успокоить его. Если треножник не повернет ко мне, я должен буду скакать к нему. Я надеялся, что этого не случится. Это увело бы меня дальше от ямы и означало, что я буду еще поворачивать. Обе эти задержки делали предприятие еще более опасным.

Курс треножника изменился. Машина не остановилась, но ноги ее повернулись. Я не стал ждать и коснулся коленями боков Криста. Он прыгнул, и охота началась.

Я хотел оглянуться, посмотреть, насколько близок мой преследователь, но не осмеливался: каждая капля энергии нужна была мне для галопа. Но по сокращающимся интервалам между ударами я догадывался, что треножник увеличил скорость. Знакомые приметы местности мелькали по сторонам. Впереди берег, темно-серое море с белыми шапками пены на волнах от ветра. Ветер дул мне в лицо, и я почувствовал нелепое негодование против него: он уменьшал мою скорость, пусть даже на доли секунды. Я миновал знакомый кустарник, скалу в форме буханки хлеба. Еще не более четверти мили до ямы... И тут я услышал свист стали в воздухе. Я резко повернул Криста вправо. Мне показалось, что щупальце промахнулось. Но тут же Крист забился от удара стальной плети. Щупальце схватило его за туловище, сразу за седлом. Крист качнулся и упал. Я хотел выдернуть ноги из стремени и полетел через голову лошади. Перевернувшись, я вскочил на ноги и побежал.

Каждую секунду я ожидал, что взлечу в воздух. Но хозяин, управлявший треножником, вначале заинтересовался Кристом. Я видел, быстро оглянувшись, как слабо бьющуюся лошадь подняли и поднесли ближе к зеленым иллюминаторам полушария. Больше я не смел смотреть и побежал дальше. Еще несколько сотен ярдов... Если треножник достаточно долго будет заниматься Кристом, я добегу.

Когда я осмелился немного оглянуться, то успел увидеть, как моя бедная лошадь падает на землю с высоты в шестьдесят футов и как треножник начинает новое преследование. Быстрее я не мог бежать. Металлическая нога ударилась рядом, а край ямы, казалось, не приближался. Последние пятьдесят футов я думал, что пропал, что вот-вот щупальце схватит меня. Думаю, хозяин играл со мной, как большой сытый кот мышью.

Такое предположение позже высказал и Бинпол. Я чувствовал только, что ноги у меня подгибаются, а легкие готовы разорваться. Лишь подбежав к яме, я понял, что меня ждет новая опасность. Я изучил путь с лошадиной спины, а для бегущего человека все выглядит по-иному: изменение перспективы вводило в заблуждение. В последний момент я узнал нужный камень и бросился к нему. Я был на мостике. Но предстояло еще миновать его, а треножник был рядом.

Лишь услышав вместо тупого удара о прочную землю рвущий скрежещущий звук за собой, я понял, что моя задача выполнена. Поверхность под моими ногами вздрогнула. Я ухватился за ветвь одного из кустов, маскировавших яму. Она подалась, и я снова начал падать. Схватился за другую ветвь, колючую, она удержалась, разрывая мою ладонь. Я повис, и небо надо мной затмилось. Поверхность ямы подалась под передней ногой треножника, вторая его нога застыла на полпути в воздухе. Потеряв равновесие, он наклонился вперед. Полушарие беспомощно раскачивалось. Глядя вверх, я увидел, как оно пролетело мимо меня, и мгновение спустя услышал тупой удар о землю. Сам я висел, рискуя каждую секунду упасть на дно ловушки. Я знал, что никто не придет мне на помощь: все они были заняты более важным делом. Я собрался с силами и медленно, с трудом начал подниматься по сети ветвей.

К тому времени, как я выбрался на поверхность, дела уже зашли далеко. Дополнительной герметизации, как при перевозке рабов в город, не было, а круглый люк отверстия отпал при ударе. Фриц повел отряд с металлорежущей машиной внутрь, и они занялись внутренней дверью. Все они были в масках для защиты от зеленого воздуха, который вырвался наружу, когда они пробили дверь. Казалось, ждать пришлось целую вечность. На самом деле через несколько минут они были уже внутри и занялись потерявшими сознание хозяевами. Фриц подтвердил, что один из них, несомненно, жив, на него надели заранее подготовленную маску и закрепили ее. Я смотрел, как его вытаскивали. К яме подкатили телегу с большим ящиком из дерева, но обмазанным смолой, чтобы не выходил зеленый воздух. Гротескную фигуру с тремя короткими толстыми ногами, с длинным заостренным коническим телом, с тремя глазами и тремя щупальцами, с отвратительной зеленой кожей, которую я вспоминал с ужасом, вытащили из полушария и бросили в ящик. На ящик надели крышку и занялись герметизацией. Проведенную внутрь трубку временно закрыли: на борту шхуны через нее ему заменят воздух. Наконец был отдан приказ, и лошади потащили телегу с грузом к берегу.

Остальные, насколько возможно, уничтожили следы. Когда хозяева отыщут разбитый треножник, у них не будет сомнений, что они встретились с организованным сопротивлением — это не случайное нападение, как наша стычка с треножником на пути к Белым горам, — но даже если мы объявляем войну, нам незачем было давать врагу свидетельства нашего существования. Мне хотелось похоронить Криста, но на это не было времени. На случай, если понадобится еще раз применить тот же прием, мы смыли с его тела краску и оставили. Я шел последним. Мне не хотелось, чтобы видели слезы у меня на глазах.

Телега зашла в волны по твердому песчаному дну, пока вода не достигла груди лошадей. У шхуны была мелкая осадка, и она смогла подойти к самому берегу, ящик с пленником перетащили на борт. Видя, как гладко разворачивается операция, я еще раз подивился, как тщательно все предусмотрено. Лошадей выпрягли и отвели на берег; дальше их парами и поодиночке увели на север. Остальные, мокрые и усталые, забрались на борт. Оставалось сделать еще одно: к телеге привязали канат, шхуна двинулась и потащила ее за собой. Телега скрылась под водой. Канат перерезали, и шхуна, освободившись от груза, казалось, взлетела на верхушки волн. На берегу лошади уже исчезли. Остались лишь обломки треножника. Слабый зеленоватый туман еще виднелся над разбитым полушарием. Хозяева, оставшиеся в нем, теперь, несомненно, были мертвы. По-видимому, джаммер сработал: треножник лежал разбитый и одинокий, никто не явился к нему на помощь.

Наш курс лежал на юг. Сильный встречный ветер замедлял наше продвижение и раскачивал шхуну. Все взялись за весла, и постепенно расстояние от берега увеличивалось. С отчаянной медлительностью мы обогнули мыс, борясь с начинающимся приливом.

Но теперь берег был уже далеко, обломки треножника совсем уже не видны. Нам принесли из камбуза эль, чтобы мы согрелись.

Глава 4

НЕМНОГО ВЫПИВКИ ДЛЯ РУКИ

Когда мы вернулись в замок, Джулиус организовал быструю смену. Большинство из тех, кто принимал участие в захвате хозяина, получили различные поручения и разъехались. Три дня спустя уехал и Джулиус. Кризис миновал, осмотр и изучение пленника займут долгие недели и месяцы, и существовали еще десятки дел, которым он был должен уделить внимание. Я думал, нас с Фрицем тоже ушлют, но оказалось не так. Мы остались охранять замок. Перспектива относительной бездеятельности вызвала у меня смешанные чувства. С одной стороны, я боялся скуки, с другой — понимал, что мне не мешает отдохнуть. Позади был длинный и тяжелый год.

Приятно было также находиться в постоянном общении с Бинполом, который принадлежал к группе изучающих пленника. Мы с Фрицем теперь хорошо знали друг друга, я к нему привык, но мне не хватало изобретательного и любопытного Бинпола. Он сам не говорил этого, но я знал, что остальные ученые, гораздо старше его самого, относились к нему с большим уважением. Он никогда не проявлял никакого самодовольства и не беспокоился о своем положении. Его слишком интересовало происходящее, чтобы думать о себе.

Взамен наших многочисленных потерь мы получили приобретение, без которого я мог вполне обойтись. Это был Ульф, бывший шкипер «Эрлкенига», баржи, которая должна была доставить меня, Фрица и Бинпола по большой реке на игры. Из-за болезни Ульф должен был оставить баржу, и Джулиус назначил его командиром охраны замка. Это означало, что мы с Фрицем оказались у него в прямом подчинении.

Он хорошо помнил нас обоих и действовал в соответствии со своими воспоминаниями. Что касалось Фрица, то дело обстояло отлично. На «Эрлкениге», как и повсюду, он повиновался приказам пунктуально и без вопросов, предоставляя все остальное, за исключением своего непосредственного задания, руководителям. Нарушителями явились мы с Бинполом, вначале убедив его помощника отпустить нас на берег; потом я ввязался в ссору с горожанами и оказался в яме, а Бинпол, проявив неповиновение, пошел мне на выручку. Баржа уплыла без нас, и мы были вынуждены сами добираться до места игр.

Бинпол сейчас не подлежал юрисдикции Ульфа, и мне кажется, Ульф побаивался его как принадлежащего к мудрым людям, ученым. Мой случай был совершенно иным. Со мной не связывался ореол учености, а Ульф был моим непосредственным командиром. Тот факт, что, оставшись позади, мы все же сумели попасть на игры, что я победил и вместе с Фрицем попал в город, что я сумел вернуться назад с информацией, не смягчил Ульфа. Наоборот, еще больше ожесточил его. Удача, а ему казалось, что мне просто везет, не заменяет дисциплину; напротив, удача — враг дисциплины. Мой пример может подбить других на такие же глупые поступки. Неповиновение должно быть пресечено в корне, и он именно такой человек, который может это сделать.

Я видел его отношение ко мне, но вначале не воспринимал его серьезно. Мне казалось, что он просто негодует по поводу моего легкомысленного, я с этим согласен, поведения при нашей прежней встрече. Я решил отнестись к этому добродушно и больше не давать поводов для недовольства. Лишь постепенно я понял, что его нелюбовь ко мне имеет гораздо более глубокие корни и, что бы я ни делал, этого мне не изменить. Еще позже я понял, насколько он сложный человек: нападая на меня, он боролся с собственной слабостью и неустойчивостью, бывшими частью его характера. Я видел только, что чем послушнее, быстрее и исполнительнее я действую, тем больше издевательств и дополнительных нарядов получаю. Неудивительно, что через неделю я ненавидел его не меньше, чем своего хозяина в городе.

Его внешность и привычки не улучшали моего к нему отношения. Приземистость и бочкообразная грудная клетка, толстые губы и приплюснутый нос, густые черные волосы, видные сквозь петли его рубашки на теле, — все это вызывало во мне отвращение. Громче него никто не ел суп и жаркое. А привычка постоянно отхаркиваться и сплевывать не стала лучше от того, что теперь он плевал не на пол, а в большой красный платок, который носил за рукавом. Я не знал тогда, что красным был платок от его собственной крови и что он умирал. Впрочем, не уверен, что, знай я это, стал бы относиться к нему по-другому. Он постоянно изводил меня, и с каждым днем мне все труднее становилось сдерживаться.

Фриц очень помогал мне, успокаивая и, когда было возможно, беря на себя выполнение заданий. И Бинпол тоже. С ним я часто и подолгу разговаривал в свободное время. У меня были и другие отвлечения, сильно занимавшие мои мысли. Это был наш пленник-хозяин *Руки*.

Он хорошо выдержал то, что можно назвать мучительным и болезненным испытанием... Помещение, подготовленное для него, находилось в подвале замка, и мы с Фрицем посещали его там, проходя через шлюз и надевая маски. Это была довольно большая комната, высеченная в цельной скале. На основе наших докладов ученые сделали все возможное для его удобства, даже пробили в полу яму и наполнили ее теплой водой, чтобы он мог в нее погружаться. Не думаю, что, когда мы доставляли ее в ведрах, вода была так горяча, как ему хотелось, и сменяли ее не так часто, как у хозяев, постоянно смягчавших свою ящерицеподобную кожу, но это было лучше, чем ничего. То же самое относилось и к пище, которую для него производили, как и воздух, на основе образцов, которые сумел вынести из города Фриц.

Первые несколько дней Руки находился в шоке, потом началось то, что у них называется болезнью, или проклятием Склудзи — так называл это мой хозяин. На зеленой коже появились коричневые пятна, щупальца все время дрожали, он сам был апатичен и ни на что не реагировал. Мы не знали, как лечить его. У нас не было даже газовых пузырей, которые хозяева в городе используют, чтобы облегчить боль, и ему приходилось выкручиваться самому. К счастью, он выкрутился. Неделю спустя я зашел в его комнату и увидел, что кожа у него здорового зеленого цвета и он проявляет явный интерес к пище.

До этого он не отвечал на вопросы ни на одном из человеческих языков. Он и сейчас не ответил, и мы уже начали отчаиваться. Неужели нам попался хозяин, не знающий ни одного языка людей? Спустя несколько дней, когда он явно выздоровел, один из ученых предположил, что его невежество притворное. Нам велели на следующий день не приносить ему горячую воду в бассейн. Он тут же проявил недовольство и даже, подойдя ко мне, указал на нее щупальцем. Мы не обратили на это внимания. Когда мы собирались выйти, он наконец заговорил обычным для хозяев гулким голосом. По-немецки он сказал:

— Принеси мне воды. Мне необходимо выкупаться.

Я смотрел на морщинистое нелепое чудище вдвое выше меня.

— Скажите «пожалуйста».

Но это слово хозяева не употребляли ни на одном из наших языков. Он просто повторил:

— Принеси мне воды.

— Подожди, — ответил я. — Посмотрим, что скажут ученые.

После этого он не пытался изображать из себя глухонемого. Но, с другой стороны, и особенно разговорчивым не был. На одни из вопросов он отвечал, на другие следовало упрямое молчание. Не всегда легко было понять, почему он решил ответить или промолчать. Были случаи, когда вопросы имели явное отношение к возможной обороне города, но трудно понять, почему, например, подробно рассказав о роли людей-рабов и об отношении к ним хозяев, он отказался говорить об охоте с шарами. По-видимому, все хозяева страстно любили сей вид спорта, в который играли на треугольной арене в городе. Мне кажется, отдаленно он напоминает баскетбол, только здесь было семь «корзин», игроками являлись маленькие треножники, а мяч был сверкающим золотым шаром, который как бы возникал в воздухе. Руки не ответил ни на один вопрос об этом.

За долгие месяцы рабства я так и не узнал имени своего хозяина и было ли у него вообще имя: он всегда был «хозяин», а я «мальчик». Мы же не могли так называть своего пленника. На вопрос об имени он ответил, что его зовут Руки. Спустя короткое время я уже думал о нем не только как о представителе врага, державшего в рабстве наш мир, но и как об индивидууме. Я знал, конечно, что хозяева не представляют однородную массу одинаковых чудовищ. Мой собственный хозяин был относительно добрым, хозяин Фрица — жестоким. У них были и разные интересы. Но различия, которые я находил в городе, были сурово практичны, мы отыскивали их, чтобы использовать. В изменившейся же ситуации то же самое виделось под другим углом зрения.

Однажды, например, меня задержал Ульф, и я не принес Руки ужин вовремя. Когда я прошел через шлюз и увидел Руки в центре комнаты, то как-то попытался извиниться за опоздание. Он слегка дернул щупальцем, гулко ответил:

— Не важно. Здесь так много интересного.

Его окружали каменные стены, освещенные двумя маленькими лампами за зеленым стеклом для его удобства. Единственным нарушением монотонности были двери и дыра в полу. Она служила ему не только ванной, но и постелью; вместо используемого в городе вещества вроде мха мы клали туда водоросли. Невозможно было разгадать выражение этих абсолютно чуждых черт — голова без шеи, три глаза, отверстия для дыхания и питания, окруженные причудливой сетью морщин, — но в этот момент Руки выглядел по-своему печальным и несчастным. Я, во всяком случае, понял одно: он шутил! Неумелая, может быть, но шутка. Это было первое указание на то, что у хозяев существует, пусть и рудиментарно, чувство юмора.

Меня инструктировали при малейшей возможности вступать с ним в разговор. Конечно, ученые исследовали его, но мы тоже могли что-нибудь узнать. Выходя из его комнаты, мы каждый раз должны слово в слово повторять все услышанное одному из ученых. Я и сам находил интересными эти разговоры. Не всегда Руки отзывался на мои попытки, но иногда начинал говорить.

Например, он охотно отвечал о рабах в городе. Похоже, что он относился к числу противников их содержания в городе. Обычное основание оппозиции, как я уже знал, заключалось не в жалости к этим бедным созданиям, жизнь которых так ужасно сокращалась из-за жары, свинцовой тяжести и плохого обращения, а в том, что зависимость от рабов могла ослабить хозяев и постепенно ослабить их волю для распространения своей власти по всей вселенной. Что касается Руки, то, видимо, у него было слабое, но искреннее сочувствие к людям. Он не задумывался над правом хозяев владеть Землей и использовать шапки для подчинения человечества своей воле. Он считал, что сейчас люди более счастливы, чем до прихода хозяев. Сейчас меньше болезней и голода, и люди свободны от проклятий войн. Правда, и сейчас они прибегают иногда к насилию во время споров, и, с точки зрения хозяев, это ужасно, но насилие это не переходит определенных границ. По крайней мере положен конец отвратительному обычаю отрывать мужчин от дома и посылать их в далекие страны, чтобы убивать и быть убитыми незнакомыми, с которыми у них нет никаких личных счетов. Мне это тоже казалось отвратительным, но я понимал, что неодобрение Руки гораздо сильнее и более страстное, чем мое.

Одно это в его глазах оправдывало завоевание Земли и надевание шапок людям. Мужчины и женщины, которым надевали шапки, наслаждались жизнью. Даже ваграниы не казались несчастными, а подавляющее большинство человечества вело мирную и обеспеченную жизнь со множеством церемоний и праздников.

Я вспомнил человека, которого мальчишкой видел в бродячем цирке. Он говорил о животных точно так же, как Руки — о людях. Дикие животные, утверждал он, подвержены болезням, проводят дни и ночи, охотясь и спасаясь от охотников, и никогда не гарантированы от голода. Животные в цирке, с другой стороны, гладкие и сытые. Тогда его слова казались мне разумными, теперь я воспринимал их по-другому.

Во всяком случае, Руки, хоть и одобрял контроль хозяев над планетой и над воинственными существами, ранее правившими ею, считал, что не следует приводить их в город. Его точка зрения оправдывалась тем, что каким-то образом рабы, несмотря на шапки, передали нам информацию из города. Мы не говорили ему об этом, вообще не говорили ничего, что могло бы оказаться полезным хозяевам, но ему нетрудно было догадаться, что нам стали известны сведения, которые позволили нам подготовить для него воздух и пищу. Было странно видеть, что, несмотря на свое пленение, он испытывает некоторое удовлетворение от того, что оказался прав.

Нужно сказать, что он нисколько не опасался того, что наше восстание против хозяев окажется успешным. Его, конечно, удивила наша изобретательность при нападении на треножник, в котором он находился; но точно так же человек восхищается собакой, идущей по следу или приводящей назад заблудившуюся овцу. Все это очень интересно и даже разумно, хотя лично ему причинило неприятности. Но для реального положения это не составляло никакой разницы. Хозяева не могут быть побеждены горсткой непослушных пигмеев.

Помимо расспросов, наши ученые разными способами изучали его. Я присутствовал при некоторых опытах. Он не сопротивлялся, не проявлял неудовольствия (хотя сомнительно, чтобы мы сумели отличить недовольство от других его эмоций), он покорно позволил брать у себя пробы крови, как будто это происходило не с ним, а с кем-то другим. Единственная его жалоба касалась воды: он считал ее недостаточно горячей. Наши ученые получали тепло при помощи энергии, называемой электричеством; в его помещении стояла жара, но ему все равно было прохладно.

Мы экспериментировали также с его едой, напитками. Цель заключалась в том, чтобы выяснить, как влияют на него определенные вещества, но эксперимент окончился неудачей. Казалось, он ощущает присутствие вредных примесей. В таких случаях он просто не притрагивался к еде. Однажды я разговорился об этом с Бинполом, когда трижды подряд Руки отказывался от еды.

— А имеем ли мы право на это? — спросил я. — В конце концов, даже когда мы были рабами в городе, нам давали еду и питье. Руки почти два дня ничего не ест. Мне кажется это ненужной жестокостью.

— Жестоко вообще держать его здесь, если на то пошло, — ответил Бинпол. — Помещение мало, в нем холодно и нет привычного для него тяготения.

— Тут мы ничем не можем помочь. Но подмешивать яд в пищу или совсем не давать есть — это нечто другое.

— Мы должны делать все, что позволяет отыскать у них слабое место. Одно нашел ты сам — место между ртом и носом, удар в которое убивает их. Но это нам не поможет: не можем же мы надеяться ударить их всех одновременно. Нужно найти что-то другое. Что-то такое, что мы смогли бы использовать.

Я понимал, о чем он говорит, но не был вполне убежден.

— Жаль, что это случилось с ним. Я предпочел бы, чтобы на его месте был хозяин Фрица или даже мой. Руки кажется лучше остальных. Он хотя бы был против использования людей как рабов.

— Это он тебе сказал?

— Но они не лгут. Не могут. Я узнал это в городе. Мой хозяин не мог понять разницы между правдивым рассказом и ложью — для него все рассказы были одинаковыми.

— Они могут не лгать, — возразил Бинпол, — но в то же время они не всегда говорят всю правду. Он говорит, что был против рабства. Ну а как насчет плана заменить воздух, чтобы мы все задохнулись? Говорил ли он о том, что противился этому плану?

— Он вообще ничего не говорил об этом.

— Но он знает об этом, все они знают. Он не говорит, потому что не подозревает, что мы знаем. Может, он не такой плохой, как другие, но он один из них. У них никогда не было войн. Верность их своей расе нам непонятна, как непонятна им наша способность вести войны. Но, не понимая ее, мы все же должны с ней считаться. И использовать для защиты любое оружие. Если для этого потребуется причинить ему какие-то неудобства, даже убить, это не столь важно. Важно только одно: победить в борьбе.

Я только сказал:

— Не нужно напоминать мне об этом.

Бинпол улыбнулся.

— Я знаю. Во всяком случае, в следующий раз его пища будет нормальной. Мы не хотим убивать его без надобности. Он нам полезен живой.

— Пока не очень полезен.

— Нужно стараться.

Мы сидели на разрушенном укреплении замка, наслаждаясь свежим воздухом и бледным зимним солнцем. Оранжевый солнечный диск уже склонялся к западу. Но вот знакомый голос нарушил наш мир, прокричав со двора:

— Паркер! Где ты, образец бесполезности и неумения? Сюда! И немедленно!

Я вздохнул и приготовился подняться. А Бинпол сказал:

— Ульф не очень придирается к тебе?

— Какая разница?!

— Мы хотели, чтобы вы с Фрицем находились при Руки, потому что вы знакомы с хозяевами и раньше других подметите все необычное и интересное. Но не думаю, что Джулиус понимает, насколько плохие отношения у вас с Ульфом.

— Отношения между бревном и пилой. И я вовсе не пила.

— Если тебе очень трудно... можно перевести тебя в другое место.

Он сказал это скромно, как и все остальное, я думаю, потому что не хотел подчеркивать свое высокое положение — он и на самом деле мог организовать мой перевод.

— Я справлюсь с ним.

— Может, если ты не будешь так стараться...

— Стараться делать что?

— Справляться с ним. Вероятно, он еще больше сердится из-за этого.

Я с негодованием ответил:

— Я повинуюсь приказам, и быстро. Что ему еще нужно?

Бинпол вздохнул.

— Да. Ну что ж, мне тоже пора приниматься за работу.

Я заметил одно различие между Ульфом с «Эрлкенига» и тем, который так отравлял мне жизнь в замке. Прежний Ульф был пьяница: вся история со мной и Бинполом началась именно из-за того, что он не вернулся вовремя, а его помощник предположил, что он пьет в какой-нибудь таверне... Здесь он совсем не пил. Некоторые из старших иногда выпивали бренди — от холода, как они говорили, — он же никогда. Он не пил даже пиво, обычный местный напиток, или красное вино, которое все пили за обедом. Иногда я жалел, что он не пьет. Мне казалось, что это немного смягчило бы его характер.

Однажды в замок прибыл вестник от Джулиуса. Не знаю, с чем он прибыл, но он привез с собой несколько длинных каменных кувшинов. И он оказался старым знакомым Ульфа. В кувшинах был шнапс — бесцветный спирт, который пьют в Германии и который, по-видимому, они не раз пили с Ульфом. Возможно, неожиданная встреча со старым другом ослабила решимость Ульфа, а может, он просто предпочитал шнапс другим напиткам, употреблявшимся в замке. Во всяком случае, я видел, как они вдвоем сидели в караульной комнате, перед ними стоял кувшин и стаканы. Я был счастлив, что Ульф отвлекся, и благоразумно держался от него подальше.

В полдень вестник уехал, но оставил Ульфу кувшин. Ульф уже проявлял признаки опьянения, ничего не ел за обедом, распечатал кувшин и пил из него в одиночестве. По-видимому, он был в плохом настроении, ни с кем не разговаривал и ничего не замечал. Конечно, это плохо для командира охраны, но в его оправдание должен сказать, что единственной опасностью для замка могли быть треножники, а так жизнь шла по заведенному порядку, и все мы знали свои обязанности и исполняли их. Что касается меня, то я не порицал Ульфа и не искал для него оправданий, а просто радовался, что не слышу его неприятный голос.

День был пасмурный, и стемнело рано. Я подготовил еду для Руки — что-то вроде похлебки из составных частей, изготовленных нашими учеными, — и пошел через караульную комнату к его помещению. Караульная освещалась через высокие окна, и теперь в ней был полумрак. Я с трудом разглядел у стола фигуру Ульфа. Перед ним стоял кувшин. Я хотел пройти мимо, но он окликнул меня:

— Куда идешь?

Голос у него был пьяный. Я ответил:

— Несу пленнику еду, сэр.

— Иди сюда!

Я подошел и остановился перед столом, в руке я держал поднос. Ульф спросил:

— Почему ты не зажег лампу?

— Еще не время, сэр.

Оставалось еще четверть часа до времени, назначенного самим Ульфом. Если бы я зажег лампы, Ульф принял бы это за нарушение его приказа.

— Зажги, — сказал он. — И не возражай мне, Паркер. Когда я велю что-нибудь сделать, делай, и быстро. Понятно?

— Да, сэр. Но распоряжение...

Он встал, слегка покачиваясь, и наклонился, опираясь о стол. Я чувствовал, как от него несет спиртом.

— Ты недис... недисциплинирован, Паркер, и я тебе этого не спущу. Завтра получишь наряд вне очереди. А сейчас поставь поднос и зажги лампу. Ясно?

Я молча повиновался. Свет лампы упал на его тяжелое, покрасневшее от выпивки лицо. Я холодно сказал:

— Если это все, сэр, я займусь своими обязанностями.

Он смотрел на меня несколько секунд.

— Не можешь дождаться свидания со своим приятелем, а? Болтать с большой ящерицей легче, чем работать, верно?

Я хотел взять поднос.

— Я могу идти, сэр?

— Подожди.

Я послушно остановился. Ульф рассмеялся, взял стакан и вылил его содержимое в чашку с похлебкой для Руки. Я молча смотрел на него.

— Иди, — сказал он. — Неси своему приятелю его ужин. Пусть он немного оживится.

Я прекрасно знал, что должен был сделать. Ульф в пьяном виде совершил глупый поступок. Мне следовало унести поднос, вылить содержимое чашки и приготовить новую порцию для Руки. Но я, наоборот, спросил послушно и в то же время презрительно:

— Это приказ, сэр?

Гнев его был столь велик, как и мой, но у него гнев был горячий, а у меня холодный. И рассудок его затуманен был алкоголем. Он проговорил:

— Делай как я сказал, Паркер. И побыстрее!

Я взял поднос и вышел. Боюсь, я решил: Ульф попался. Я отнесу поднос Руки, он, как обычно, откажется от еды, я вынужден буду доложить об этом, и случай получит огласку. Простым повиновением приказу я получу возможность избавиться от своего мучителя.

Дойдя до шлюза, я услышал, как Ульф что-то ревет сзади. Я вошел в комнату Руки и поставил поднос. Оставив его, я вышел, чтобы узнать, о чем это кричит Ульф. Ульф неуверенно стоял на ногах. Он сказал:

— Приказ отменяется. Приготовь другой ужин для ящерицы.

— Я уже отнес поднос, сэр. Как было приказано.

— Так забери его! Подожди. Я иду с тобой.

Я был раздражен тем, что мой план не удался. Руки съест замененную пищу, и мне не о чем будет докладывать. Даже в моем состоянии раздражения я и не подумал бы сообщать, что Ульф был пьян на дежурстве. Я молча пошел с ним, горько думая, что ему все же удастся вывернуться.

В шлюзе едва нашлось место для двоих. Мы толкали друг друга, надевая маски. Ульф открыл внутреннюю дверь и вошел первым. Я слышал, как он в удивлении и отчаянии вскрикнул. Я быстро прошел вперед и увидел то же, что и он.

Чашка была пуста. А Руки, вытянувшись во всю длину, неподвижно лежал на полу.

Джулиус приехал в замок на совещание. Он хромал сильнее обычного, но был так же весел и уверен. Он сидел за длинным столом, а вокруг него собрались ученые, включая и Бинпола. Фриц и я сидели в самом конце. Первым говорил Андре, командир замка. Он сказал:

— Наш план заключался в подрыве города изнутри. Вопрос лишь как? Некоторое количество наших могло проникнуть в город, но этого недостаточно, чтобы сражаться с хозяевами, особенно на их поле. Мы могли бы, вероятно, вывести из строя некоторые машины, но это не означало бы уничтожение города. Хозяева починили бы машины, а мы оказались бы в еще худшем положении: они были бы предупреждены и готовы к нападению. То же самое относится и к попыткам повредить стену. Даже если бы нам удалось пробиться снаружи или изнутри — а это весьма сомнительно, — мы не смогли бы помешать хозяевам ликвидировать пролом.

Нам необходимо было найти способ поразить самих хозяев, причем всех сразу и одновременно. Предлагалось отравить их воздух. Вероятно, это возможно, но я не вижу способа осуществить это в отведенное для нас время. Вода представляет лучшую возможность. Они используют много воды для питья и купания, даже если учитывать, что они вдвое выше и вчетверо тяжелее людей, они соответственно используют в четыре — шесть раз больше воды, чем средний человек. Если бы мы могли подмешать им что-нибудь в воду, это могло бы подействовать.

К несчастью, как мы установили в опытах с пленником, хозяева очень чувствительны к примесям. Пленник отказывался от всего, что могло ему повредить. Но, по счастливой случайности, в пищу его попало немного шнапса. Пленник без колебаний съел пищу и менее чем через минуту был парализован.

— Сколько времени ему потребовалось, — спросил Джулиус, — чтобы очнуться от паралича?

— Через шесть часов к нему начало возвращаться сознание. Через двенадцать часов он был в полном сознании, но координация его движений все еще была нарушена. Через 24 часа он полностью оправился.

— И с тех пор?

— Абсолютно нормален, — сказал Андре. — И заметьте, он все еще обеспокоен и встревожен случившимся. И не так уверен уже в безнадежности наших попыток, я думаю.

Джулиус спросил:

— Как вы объясняете это? Паралич?

Андре пожал плечами:

— Мы знаем, что у человека алкоголь поражает отдел мозга, контролирующий работу тела. Пьяный не может идти прямо, и ему плохо повинуются руки. Он может даже упасть. Если он выпьет достаточно, то теряет сознание, как Руки. Похоже, что в этом смысле хозяева более чувствительны и уязвимы, чем мы. Важно также, что в этом случае не действует их способность распознавать посторонние примеси. Количество алкоголя может быть очень мало. В стакане были лишь остатки спирта. Я думаю, это хорошая возможность.

— Алкоголь в питьевую воду, — задумчиво проговорил Джулиус. — И лучше всего изнутри. Мы знаем, что вода при входе в город очищается, и к ней добавляют какие-то вещества. Значит, нужно действовать изнутри. Если мы сумеем провести туда отряд... А как же алкоголь? Хоть каждому из них нужно немного, в целом это очень большое количество. Его не удастся пронести.

— Алкоголь можно получить на месте, — сказал Андре. — В городе есть сахар. Хозяева используют его при изготовлении своей пищи и пищи рабов. Потребуется лишь установка для дистилляции. Когда алкоголя наберется достаточно, его можно влить в питьевую воду.

Кто-то возбужденно сказал:

— Может, получится!

Андре не отрывал взгляда от Джулиуса. И говорил:

— Это должно быть сделано во всех трех городах одновременно. Хозяева теперь знают, что у них есть противник: им сказано об этом нападении на треножник и похищении одного члена экипажа. Но последние сообщения говорят, что они по-прежнему доставляют людей-рабов в город. Значит, они все еще доверяют людям в шапках. Но как только они обнаружат, что мы можем подделывать шапки, все будет по-другому.

Джулиус медленно кивнул.

— Мы должны ударить, пока они ни о чем не подозревают. Хороший план. Начнем подготовку.

Позже меня вызвали к Джулиусу. Он что-то писал, но когда я вошел в комнату, поднял голову.

— А, Уилл. Садись. Ты знаешь, что Ульф ушел?

— Я видел, как он уходил сегодня утром, сэр.

— И испытывал удовлетворение, я думаю? — Я промолчал. — Он очень болен, и я отослал его на юг, к солнцу. Он будет служить нам там, как делал всю жизнь, оставшееся ему короткое время. И еще он очень несчастен. Даже когда дела идут хорошо, он видит одни неудачи и свою главную ошибку — неспособность победить старую слабость. Не презирай его, Уилл.

— Нет, сэр.

— У тебя есть свои недостатки. Они иные, чем у него, но и они могут поставить тебя в дурацкое положение. Как и получилось на этот раз. Ошибка Ульфа в том, что он напился, а твоя — в том, что ты гордость предпочел разуму. Сказать тебе кое-что? Я свел тебя с Ульфом отчасти потому, что думал: это принесет тебе добро, дисциплинирует и научит сначала думать, а потом действовать. Кажется, результат оказался противоположным.

— Мне жаль, сэр.

— Это уже кое-что. И с Ульфом то же. Он со мной разговаривал перед уходом. Он обвиняет тебя в ваших трудностях на пути в город. Он знает, что не должен был останавливаться в городке и тем давать вам повод уйти на берег на его поиски.

Если бы я знал об этом, я не позволил бы ему находиться здесь. Некоторые люди несовместимы. Похоже, у вас такой случай.

Он помолчал, а я чувствовал себя все более неуютно под пристальным взглядом его глубоко посаженных голубых глаз. Он спросил:

— Ты хочешь принять участие в планируемой экспедиции?

Быстро и убежденно я ответил:

— Да, сэр.

— Разумнее было бы отказать тебе. Ты действовал неплохо, но все еще не умеешь обуздывать свою горячность. И я не уверен в том, что ты когда-нибудь научишься.

— Но ведь все обернулось хорошо, сэр.

— Да, потому что тебе везло. Я буду неразумен и снова пошлю тебя. К тому же ты знаешь город и поэтому будешь полезен отряду. Но признаюсь честно, меня больше всего поражает твоя удачливость. Ты... наш талисман, Уилл.

Я горячо ответил:

— Постараюсь, сэр.

— Я знаю, можешь идти.

Я уже подошел к двери, когда он окликнул меня:

— Еще одно, Уилл.

— Да, сэр?

— Думай иногда о тех, кому не везет. Об Ульфе особенно.

Глава 5

ШЕСТЕРО ПРОТИВ ГОРОДА

Экспедиция началась весной, но не сразу, а спустя год.

А до этого было очень много сделано: составлялись планы, велась подготовка и снова и снова репетировались действия. Были установлены контакты с группами сопротивления в районе двух других золотых городов; нам было бы легче, если бы мы могли обмениваться сообщениями по невидимым лучам, которые использовали наши предки и сами хозяева. Наши ученые могли бы построить для этого машины, но было решено не делать этого. Хозяева должны были считать себя в безопасности. Если мы используем так называемое радио, они узнают об этом и даже если не сумеют засечь передатчик, то поймут, что готовится большое восстание.

Поэтому мы вынуждены были пользоваться прежними примитивными средствами. У нас была сеть почтовых голубей, а в остальном мы полагались на быстрых лошадей, подменяя их как можно чаще. Были согласованы планы, и представители других центров сопротивления вернулись к себе.

Издалека вернулся Генри. Сначала я не узнал его: он вырос, похудел и стал бронзовым под лучами тропического солнца. Он казался самоуверенным и был доволен тем, как идут дела. К северу от перешейка, на котором стоит второй город хозяев, он обнаружил сильное сопротивление и объединил его силы. Обмен информацией оказался полезным, и он привез с собой одного из руководителей. Это оказался высокий тощий человек по имени Уолт. Он говорил со странным тягучим акцентом и очень мало.

Мы — Генри, я и Бинпол — целый день говорили о прошлом и будущем. Между разговорами мы наблюдали за организованной нашими учеными демонстрацией оборудования. Был конец лета, мы смотрели со стены замка на спокойное голубое море. Было тихо, и трудно себе представить, что в этом мире существуют треножники и хозяева. (Треножники никогда не приближались к изолированному мысу. Это было одной из причин, по которой выбран этот замок.) Прямо под нами небольшая толпа окружила двух человек в шортах, точно таких же, какие носил я, будучи рабом в городе. Сходство на этом не кончалось: на голове и плечах у них были маски, какие защищали нас в ядовитой атмосфере хозяев. С одним отличием: там, где у нас вкладывались губки, в этих масках находились трубки, которые вели к ящику на спине.

Был дан сигнал. Люди в масках вошли в воду. Она поднялась им до колен, до бедер, до груди. Затем одновременно они нырнули и исчезли под поверхностью. Еще одну-две секунды смутно видны были фигуры, плывущие от замка. Потом они исчезли, и мы ждали их появления.

Ждать пришлось долго. Секунды превращались в минуты. Хотя я знал, что придется ждать, я почувствовал опасение. Мне казалось, что что-то не так, что наши люди утонули в этой лазурной безмятежности. Они плыли против прилива. В этой части пролива есть сильные подводные течения и скалы. Медленно шло время.

Цель эксперимента заключалась в том, чтобы проверить способ проникновения в город. Мы не могли использовать прошлый способ, нужно было найти что-то более простое и быстрое. Очевидное решение заключалось в том, чтобы пройти назад тем путем, каким спаслись мы с Фрицем. Все три города стоят на реках, поэтому метод проникновения будет одинаков. Трудность заключалась в том, что, даже двигаясь по течению, мы исчерпаем свои физические силы. Плыть против течения мы без помощи не могли.

Наконец я не выдержал:

— Не сработало! Они не могут быть уже живы!

— Подожди, — сказал Бинпол.

— Уже больше десяти минут...

— Почти пятнадцать.

Генри вдруг сказал:

— Вон там! Смотрите!

Я взглянул, куда он показывал. Далеко в стеклянной синеве появилась точка, за ней другая. Две головы. Генри сказал:

— Получилось, но я все еще не понимаю, как именно.

Бинпол постарался объяснить. Оказывается, воздух, который я всегда считал ничем, состоит из двух газов, и один из них нам необходим для дыхания. Ученые научились разделять эти газы и помещать нужный в контейнеры на спине пловца. Специальные устройства, называемые клапанами, регулировали поступление газа. Можно было долгое время оставаться под водой. Надетые на ноги ласты позволяли плыть против течения. Мы нашли способ проникнуть в города хозяев.

На следующее утро Генри уехал. С ним был молчаливый худой незнакомец. Они увезли с собой запас масок, трубок и наспинных контейнеров для газа.

Из убежища на речном берегу я снова смотрел на город золота и свинца и не мог сдержать невольную дрожь. Золотая стена, увенчанная изумрудным защитным куполом, тянулась поперек реки и по полям по обе стороны, огромная, мощная и внешне неприступная. Нелепо и подумать, что ей может противостоять жалкая горсточка — шесть человек.

Никто из людей в шапках не подходил так близко к городу, поэтому мы не опасались помех с их стороны. Мы, конечно, видели множество треножников. Металлические гиганты выходили из города и входили в него. Но мы находились в стороне от их обычных маршрутов. Мы находились здесь уже три дня, и этот был последним. Приближался вечер. Оставалось несколько часов до начала.

Нелегко было синхронизировать нападение на три города. Войти нужно было в разное время, потому что ночь наступала не одновременно. В городе, которым занимался Генри, она началась через шесть часов после наступления темноты у нас. В городе на востоке вход происходил одновременно с нашим. Там в это время была самая слабая и маленькая база. Там люди в шапках были совершенно чужды нам и говорили на незнакомом языке. Наших сторонников там мало. Они побывали в замке прошлой осенью — худые малорослые желтолицые ребята, которые мало говорили и еще меньше улыбались. Они немного изучили немецкий, и мы с Фрицем рассказали им, что они найдут внутри города (мы предполагали, что все три города устроены одинаково), они слушали и кивали, но мы не были уверены в том, что они все поняли.

Во всяком случае, теперь мы ничего не могли сделать. Нам предстояла работа тут. Над городом сгущалась тьма, над рекой, над окружающей равниной и отдельными холмами, где находились развалины города-гиганта древних.

Я взглянул на товарищей. Они были одеты как рабы. Все держали наготове маски. У всех была бледная кожа от зимы, проведенной под землей без солнца. Фальшивые шапки плотно прилегали к голове, сквозь них росли волосы. Но они не были похожи на рабов, и я подумал, что маскировка не удастся. Конечно, первый же увидевший нас хозяин заподозрит правду и поднимет тревогу.

Но время сомнений и размышлений кончилось. На западе загорелась звезда. Фриц — руководитель нашей группы — взглянул на часы. Они были только у него, и он должен был прятать их в поясе своих шортов. Часы покажут время даже под водой. Они изготовлены не нашими мастерами, а великими умельцами, которые жили до прихода хозяев. Я вспомнил часы, которые нашел в развалинах города-гиганта и уронил в воду у замка де ла Тур Роже, катаясь в лодке с Элоизой. Как давно это было!

— Пора, — сказал Фриц. — Начинаем.

До нас пловцы уже изучили расположение подводных путей, по которым мы должны были проплыть. К счастью, выходы оказались большими, и их было четыре; каждый предположительно вел в бассейн, подобный тому, через который ушли мы с Фрицем из города. Выходы располагались в двадцати футах под поверхностью воды. Один за другим мы нырнули и поплыли против течения, руководствуясь слабым светом лампочек, привязанных лентой ко лбу каждого из нас. Это было еще одно чудо древних, воссозданное Бинполом и его коллегами. Бинпол просил разрешения идти с нами, но не получил его и вынужден был остаться на базе. И не потому, что он был слишком умен и им нельзя было рисковать. Главное — слабость его зрения. Очки не действуют под водой, к тому же они выделили бы его из других рабов в городе.

Огоньки двигались передо мной, один из них мигнул. Проход. Я продолжал углубляться и увидел закругленный металлический край и дальше едва различимую стену тоннеля. Оттолкнувшись ногой в ласте, я поплыл вперед. Тоннель казался бесконечным. Впереди по-прежнему виднелись огоньки, моя лампа бросала тусклый свет, ощущалось давление воды, которое я должен был преодолевать. Мне начало казаться, что мы вообще никуда не попадем, что течение настолько сильно, что наше продвижение вперед лишь кажущееся. Что мы скоро истощим запас воздуха, усталость одолеет нас, а течение выбросит назад. Вода как будто стала немного теплее, но это тоже могло быть иллюзией. Но в этот момент огоньки впереди исчезли, и я заставил себя плыть быстрее. Время от времени я вытягивал руку и касался потолка тоннеля. На этот раз мне не удалось до него дотронуться. А далеко вверху блеснул зеленый свет.

Я поплыл вверх, и вот моя голова показалась из воды. По плану мы должны были собраться у стены бассейна. Плывший передо мной молча кивнул. Одна за другой появлялись другие головы. С огромным облегчением я увидел Фрица.

В прошлый раз ночью в бассейне никого не было, но мы не могли рисковать. Фриц осторожно выглянул из-за стены. Он махнул рукой, и мы один за другим выбрались из воды. И мгновенно на нас обрушилась свинцовая тяжесть города. Хотя мои товарищи и знали, что их ждет, я видел, что они потрясены и шатаются от напряжения. Плечи у них обвисли. Я подумал, что отличие наше от рабов будет не столь уж велико.

Быстро мы проделали все необходимое, отсоединили трубки и сняли со спины бачки с кислородом. На нас остались лишь обычные маски с губками. Губки позже нужно будет сменить в одном из общих помещений. Мы пробили бачки и связали их трубками. А затем один из нас снова опустился в бассейн и держал бачки под водой, пока они не заполнились и не затонули. Течение унесет их вниз по реке. Даже если их кто-нибудь выловит завтра или позже, то примет за еще одно чудо треножников; мы знали, что из города время от времени выплывали различные предметы.

Мы могли разговаривать друг с другом, но опасались привлечь к себе внимание шумом. Фриц снова кивнул, и мы двинулись. Мимо сети, которая отнимала у воды тепло, так что вода около нее кипела и пузырилась, мимо большого водопада, образующего бассейн, мимо груд ящиков, доходящих до потолка зала, и так до самой крутой изгибающейся рампы, которая означала выход. От шаров, подвешенных высоко под потолком, шел зеленый свет. Фриц шел впереди, осторожно переходя от укрытия к укрытию, а мы следовали его сигналам. Хозяева редко показываются по ночам, но рисковать было нельзя: рабы вообще по ночам не выходят. К тому же мы несли с собой части дистилляционной аппаратуры, которые не могли бы найти здесь.

Медленно и осторожно мы шли по спящему городу. Миновали углубления, откуда доносился гул машин, покинутый сад-бассейн с его отвратительными тусклыми растениями, стоявшими, как молчаливые часовые. Прошли мимо большой арены, где происходили охоты за шарами. Когда я смотрел на эти знакомые предметы, годы свободной жизни казались мне сном. Я возвращался в 19-ю пирамиду, где меня ждал хозяин. Ждал, чтобы я приготовил ему постель, потер спину, приготовил еду — даже поговорил с ним, был его товарищем в том странном понимании товарищества, которое у него сложилось. Путь был долгим, а желание не рисковать еще более удлинило его. К тому времени, когда мы достигли нужного места в противоположном районе города, где в него влилась река, проходя через очистительные машины, тьма над нашими головами позеленела. Снаружи за отдаленными холмами занимался ясный рассвет. Мы устали, промокли от собственного пота, нам было жарко, хотелось пить, все тело болело от нескончаемого напряжения; огромный вес давил на нас и тянул книзу. Пройдет еще немало времени, прежде чем мы сумеем зайти в одно из убежищ, снять маски, напиться и поесть. Каково тем четверым, для кого все это ново? Мы с Фрицем по крайней мере испытывали это раньше.

Мы пересекли треугольную площадь, держась в тени изогнутого древовидного растения, склонившегося над невидимым бассейном. Фриц знаком велел остановиться. Я замер. В отдалении послышались звуки — ритмичные хлопающие удары. Я знал, что это такое. Последовательность ударов трех ног о гладкий камень.

Хозяин. По коже у меня пробежали мурашки, когда я увидел, как он проходит по дальней стороне площади. Мне казалось, что, много времени проведя с Руки, я привык к хозяевам, но Руки был наш пленник, заключенный в маленьком помещении. При виде этого хозяина в огромном городе, символе их власти и господства, во мне снова проснулись старый страх и старая ненависть.

Во время пребывания в городе мы с Фрицем установили, что некоторые места в нем посещаются очень редко. Прежде всего сюда входили склады, забитые ящиками, как та пещера, через которую мы проникли в город, или пустые и подготовленные для чего-то в будущем. Я решил, что хозяева предполагали расширить город и подготовили для этого оборудование.

Во всяком случае, мы могли воспользоваться этим. Хозяева, о чем свидетельствовали неизменные маршруты их треножников, были существами устойчивых привычек, а рабы действовали лишь по их прямым поручениям. Для раба немыслимо подсматривать за тем, что он считает святым божественным чудом.

Мы направились к пирамиде, которую ранее исследовал Фриц и которая находилась не более чем в ста ярдах от рампы, ведущей к очистительной машине. Очевидно, тут бывали очень редко: с пола и груд ящиков поднималась от наших движений коричневая пыль. Для большей безопасности мы спустились по рампе в нижний этаж пирамиды, где ящики были навалены еще выше. Здесь, в дальнем углу, мы расчистили место и занялись нашей аппаратурой.

В основном мы рассчитывали на то, что можно добыть в городе. Мы знали, например, что легко найдем стеклянные трубки и сосуды. С собой мы принесли только инструменты, резиновые шланги и клапаны. Для получения тепла мы также собирались воспользоваться оборудованием хозяев. Открытого огня в городе не было, зато были устройства, больше не казавшиеся нам чудом. Пластины разного размера после нажатия кнопки давали концентрированное тепловое излучение. Самые маленькие из них использовались рабами для подогрева жидкостей. А когда пластины переставали давать тепло, их нужно было подсоединять к розеткам, и час спустя они снова были готовы к работе. Бинпол объяснил, что это какая-то форма электричества, над которой сейчас трудятся наши ученые.

Наступил день, зеленая тьма сменилась зеленым полусветом, стал даже виден диск солнца. В две очереди под руководством Фрица и моим мы побывали в общем помещении, поели, попили и сменили фильтры в масках. Общее место тоже было выбрано заранее. Оно находилось в большой пирамиде, куда ежедневно собиралось множество хозяев из различных районов города. (Подобно многому другому, нам было совершенно непонятно, чем они там занимались.) Следовательно, в общем помещении этой пирамиды находилось постоянно много рабов, которые все время менялись, некоторые проводили здесь целые часы и спали на диванчиках; и большинство не знало друг друга. Все рабы были, разумеется, так истощены, что у них не было энергии, чтобы наблюдать друг за другом.

Здесь была наша главная база не только для еды и питья, но также для отдыха и сна. Мы решили работать по ночам, а днем отдыхать. Отдых был коротким — всего по нескольку часов.

В первый день мы добывали необходимые вещи. Поразительно, как гладко все шло. И Андре был прав, говоря, что нападение на три города должно быть одновременным. Вся наша надежда основывалась на абсолютной уверенности хозяев в том, что они полностью контролируют людей в шапках. Мы могли пойти куда угодно и взять все необходимое — невозможно было предположить, что мы действуем не по приказам хозяев. Мы ходили по улицам со своей добычей прямо под носом у врага. Двое из нас протащили на небольшой платформе чан по открытому пространству, а с обеих сторон не менее десяти хозяев резвились в парящей воде с полным отсутствием грации.

Чаны были нам необходимы в первую очередь. Мы доставили в наш подвал три таких чана и заполнили их смесью воды с размельченными сухарями, которые давались в качестве еды рабам. Добавили в это месиво немного сухих дрожжей, принесенных с собой. Вскоре началось брожение. Наши ученые утверждали, что брожение будет идти и в ядовитой атмосфере города, но все же было облегчением наблюдать, как поднимаются пузырьки. Первый шаг был сделан.

Сразу вслед за этим мы принялись за дистилляционные устройства. Это было нелегко. Обычно процесс дистилляции происходит при высокой температуре. Жидкость должна превратиться в пар. Алкоголь кипит при более низкой температуре, чем вода, поэтому, когда образовался первый пар, в нем был большой процент алкоголя. Далее следовало охладить пар, чтобы он снова сконденсировался в жидкость. Повторяя сей процесс неоднократно, можно получить все более и более концентрированный алкоголь.

К несчастью, нам мешала постоянная неизменная жара. Мы надеялись охлаждать пар, используя более длинные трубки, но вскоре выяснилось, что это не действует. Конденсация шла очень медленно. При таких темпах нужны были месяцы, чтобы заполнить коллектор. Необходимо было найти другой выход.

В эту ночь мы с Фрицем пошли вместе. Мы осторожно спустились по рампе в пещеру, где работала машина по очистке воды. Горел зеленый свет, гудели машины, но в пещере никого не было. Машины работали автоматически, а ставить охрану там, где могут находиться только хозяева и их верные рабы нецелесообразно. Ни одна дверь в городе не имела замка. По эту сторону от работающих машин находился бассейн с горячей водой более двадцати футов в ширину, от него отходили многочисленные трубы. Отсюда вода подавалась в пирамиды, шла в сады-бассейны и на аналогичные устройства.

Вода в машины поступала из другого бассейна. А этот бассейн питался потоком из широкого сводчатого тоннеля, проложенного в золотой стене. Вдоль тоннеля шел узкий карниз. Мы взобрались на него и пошли в сгущающейся тьме.

От поверхности воды повеяло прохладой. Именно это мы и искали. Но карниз был уж слишком узок для дистилляционной установки. Фриц шел впереди. Я не видел его и не знал, что он остановился, но понял по отсутствию звука его шагов. Я тихонько позвал:

— Где ты?

— Здесь. Возьми мою руку.

Мы находились прямо под стеной. Вода звучала здесь поиному, и я предположил, что именно здесь она вырывается из подземного потока. Она должна приходить из внешнего мира с достаточной глубины, чтобы не принести с собой воздуха. Ощупью идя за Фрицем, я обнаружил, что нахожусь в пространстве, ранее занятом рекой. Вдоль тоннеля тянулось нечто вроде платформы, от нее отходил меньший тоннель прямо под подземным потоком. Мы обнаружили в нем небольшое помещение, очевидно, для осмотра и ремонта. Вероятно, дальше были и другие помещения подобного назначения.

— Здесь есть место, Уилл, — сказал Фриц.

Я возразил:

— Но ведь тут темно.

— Придется работать в темноте. Глаза немного привыкают. Я теперь кое-что вижу.

Я ничего не видел. Но он был прав: придется работать. Нам необходимо охлаждение, и вот оно здесь, под нами.

Я спросил:

— Сможем начать сегодня же?

— По крайней мере доставим оборудование до утра.

В последующие ночи мы яростно работали. Вокруг было множество контейнеров, на вид из стекла, но чуть податливых на ощупь, и мы заполняли их плодами своей работы. На платформе для контейнеров не было места, и мы тащили их по тоннелю. Я молился, чтобы подводный поток не засорился и чтобы не потребовался его осмотр. Вряд ли этого стоило опасаться. Система была подготовлена на крайний случай и, вероятно, ни разу не использовалась за все время существования города.

Это была жизнь на износ. В тоннеле не было жары, но оставалась тяжесть и необходимость носить раздражающие лицо маски. Нам не хватало сна. Общими помещениями можно было пользоваться только днем, и мы отдыхали по очереди. И каким мучением было видеть в этих помещениях множество рабов. Однажды, смертельно уставший, я добрел туда и обнаружил, что все диванчики заняты. Я упал на жесткий пол, тут же уснул и проснулся от того, что меня трясли за плечо. Снова нужно вставать, надевать маску и выходить в зеленый туман.

Но время шло, и наши запасы алкоголя, хоть и медленно, пополнялись. Мы работали по плану и выполнили намеченное за неделю до срока. Мы продолжали производить алкоголь. Легче было работать, чем просто выжидать. И чем большей концентрации алкоголя в воде мы добьемся, тем эффективнее он подействует. Мы уже установили, какие трубы из бассейна доставляют питьевую воду. Наконец день настал.

Оставалось еще одно препятствие. Мы не знали, как скоро скажется действие алкоголя на хозяевах, на какой стадии они начнут осознавать, что что-то не так. Между тремя городами из золота поддерживалась связь, и один из них сможет предупредить остальных об опасности. Поэтому алкоголь должен быть влит в питьевую воду примерно в одно время.

И тут возникала проблема, связанная с тем, что наш мир — шар, вращающийся вокруг солнца. Днем очистительные машины обслуживаются группами хозяев. В течение дня эти группы сменялись трижды. Ночью машины работали автоматически. Было ясно, что две из трех диверсий можно будет предпринять в ночное время: одну сразу после окончания рабочего дня, другую незадолго до его начала. Следовательно, в третьем городе попытка должна быть предпринята около полудня.

Без всякого обсуждения было решено, что именно нашей экспедиции предстоит решить эту проблему. У нас были очевидные преимущества: мы ближе всего к штаб-квартире, и в составе нашего отряда два человека уже побывали в городе. Итак, мы должны были выполнить задачу, когда хозяева бодрствуют и заняты работой.

Мы много думали об этом. Хотя мы повсюду расхаживали с частями оборудования и четверо наших новичков настолько привыкли к виду хозяев, что относились к ним чуть ли не презрительно — у нас с Фрицем не было такого никогда: слишком свежи были наши горькие воспоминания, — вряд ли хозяева не стали бы нас расспрашивать, увидев, как мы выходим из тонneля с контейнерами и опустошаем их в питьевую воду. Ведь это был их участок работы, и любой человек-раб работал здесь только под их присмотром.

Один из нас предложил выдать себя за раба-вестника, который отзовет хозяев в другую часть города. Поскольку они никогда не сомневаются в рабах, то поверят в это. Фриц отверг предложение.

— Такое сообщение очень странно, и они решат, что раб что-то перепутал. Вероятно, они свяжутся с другими хозяевами, может, из того места, куда им сказано идти. Вспомните, они могут разговаривать друг с другом на больших расстояниях. И во всяком случае, я уверен, уйдут они не все. Хоть один останется с машинами.

— Что же тогда?

— Есть лишь одна возможность. — Мы посмотрели на Фрица, и я кивнул. — Нужно использовать силу.

В группу, обслуживающую машины, входило максимально четыре хозяина. Один из них появлялся изредка. Я думаю, он был вроде старшего. Еще один обычно отсутствовал и отдыхал в ближайшем саду-бассейне. Даже зная уязвимое место хозяев и превосходя их количественно, мы вряд ли могли надеяться справиться более чем с двумя. Даже в равных условиях они гораздо сильнее нас. Здесь же, при их тяготении, сравнение было явно не в нашу пользу. У нас не было оружия и не было способов его изготовлять.

Выбранный нами момент приходился примерно на середину второй дневной смены. Необходимо было действовать сразу, как только третий хозяин поднимется по рампе и направится к выходу в сад-бассейн. Следовательно, мы должны были находиться поблизости от выхода. Нужно было найти укрытие. Проблему решил Фриц. Он велел нарубить ветвей и сложить их кучей. Так часто делалось. Ветви потом убирали группы рабов. И вот, по очереди отдыхая в общем помещении, мы почти весь день провели в груде ветвей, чем-то похожих на водоросли: в своей резиновой гибкой отвратительности они казались почти живыми. Фриц находился в таком месте, откуда ему был виден выход; остальные забирались дальше вглубь и отдыхали. Я думаю, нам грозила опасность задохнуться, если бы случилась какая-то задержка.

А время шло мучительно медленно. Я лежал в своем неприятном гнезде, не видя ничего, кроме листьев перед глазами, умирая от желания выглянуть, но не осмеливался даже шептать. Листья становились клейкими, вероятно, начиная разлагаться, и это не делало ожидание более приятным. Ногу у меня свело, но я не решался пошевелиться. Боль становилась сильнее, и я подумал что не выдержу. Придется встать и помассировать ногу.

— Пора, — сказал Фриц.

Никого не было видно. Мы добежали до рампы, вернее добрели до нее несколько быстрее обычного. Спустившись, мы пошли медленнее. Виден был один хозяин, другой находился за машиной. Когда мы приблизились, он сказал:

— Что вам нужно? У вас здесь поручение?

— Сообщение, хозяин. Это...

Трое наших одновременно схватили его за щупальца. Фриц прыгнул, а остальные двое как можно выше подняли его за ноги. Все произошло почти мгновенно. Фриц сильно ударил его в уязвимое место; издав короткий оглушительный рев, хозяин упал, отбросив при этом нас в стороны.

Мы думали, что со вторым будет труднее справиться, а оказалось легче. Он вышел из-за машины, увидел, что мы стоим около упавшего, и спросил:

— Что здесь случилось?

Мы отвесили ритуальные поклоны. Фриц сказал:

— Хозяин ранен, хозяин. Мы не знаем, как это произошло

Еще раз уверенность в абсолютной преданности рабов выручила нас. Без колебаний и подозрений он подошел, накло нился и стал ощупывать лежащего. Уязвимое место оказалось в пределах досягаемости Фрица. Ему даже не пришлось прыгать. Второй хозяин упал молча.

— Оттащим их за машины, — сказал Фриц. — И за работу.

Подгонять нас не было необходимости. У нас было примерно полчаса до появления третьего хозяина. Двое из нас выносили контейнеры из тоннеля на узкий карниз, а остальные перетаскивали контейнеры по два за раз и выливали их в воду. Всего мы изготовили около ста контейнеров. Бесцветная жидкость смешивалась с водой и исчезала. Я считал свои мучительные пробежки. Девять... десять... одиннадцать...

Щупальце подхватило меня так, что я его даже не видел. Хозяин, должно быть, подошел ко входу на рампу и, вместо того чтобы идти дальше, почему-то заглянул вниз. Позже мы поняли, что это совершал один из своих регулярных обходов старший. Он увидел рабов, выливающих что-то из контейнеров в воду, и заинтересовался. Он спустился, поворачиваясь — это был их эквивалент бега, — причем сделал это почти бесшумно. Щупальце крепко держало меня за талию.

— Мальчик, что это? Где хозяева?

Марио, шедший за мной, уронил свой контейнер и прыгнул. Второе щупальце поймало его в воздухе. То щупальце, которое держало меня, напряглось, и я почувствовал, что задыхаюсь. Подбежали еще двое наших, но что они могли сделать? Боль стала невыносимой, и я закричал. Третьим щупальцем хозяин ударил Яна, датчанина, и, как куклу, бросил его на машину. И ухватил Карлоса. Мы были беспомощны, как цыплята со связанными лапами.

Хозяин не знал о двоих, оставшихся в тоннеле, но нас это не утешало. Мы были так близки к успеху...

Ян с трудом встал. Я висел вниз головой, и маска моя прижималась к телу хозяина. Я видел, как Ян поднял что-то — металлический прут примерно в шесть дюймов длиной и два толщиной, какое-то приспособление для работы. И тут я вспомнил: Ян готовился к участию в играх как метатель диска. Но если хозяин увидит его... Я вытянул руки и вцепился в ногу, стараясь ухватиться ногтями.

Вероятно, с таким же успехом комар мог пытаться ужалить слона. Но хозяин почувствовал это, потому что щупальце снова сжало меня сильнее. Я закричал от боли. Еще мгновение, и я потеряю сознание. Я видел, как Ян размахнулся. И тут для меня наступило забвение.

Очнувшись, я увидел, что сижу, прислоненный к одной из машин. Не пытаясь привести меня в чувство, остальные продолжали работу. Когда я попытался вдохнуть, мне показалось, что я глотаю огонь. Все тело мое стало кровоподтеком. Хозяин лежал недалеко от меня на полу, из раны у него подо ртом сочилась зеленоватая жидкость. Я смутно видел, как опустошались последние контейнеры. Подошел Фриц и сказал:

— Унесите пустые контейнеры в тоннель. Вдруг кто-нибудь из них заглянет. — Он заметил, что я пришел в себя. — Как ты себя чувствуешь, Уилл?

— Лучше. Мы действительно сделали это?

Он посмотрел на меня, и редкая улыбка появилась на его длинном унылом лице.

— Да.

Мы осторожно поднялись по рампе и пошли. Один хозяин увидел нас, но не обратил на нас внимания. Мы с Яном шли с трудом. Он сильно поранил ногу, а мне было больно дышать. Но это не было чем-то необычным — рабы в городе часто калечились. Третьего хозяина мы тоже оттащили от машины. Пора было возвращаться четвертому из бассейна-сада. Он найдет их и, возможно, поднимет тревогу, но машины будут работать, как обычно, посылая воду. Вода с алкоголем уже поступает в краны по всему городу.

Мы уже довольно далеко отошли от очистительных установок. Зашли в общее помещение. Я пил воду, но не ощущал ее вкуса. Наши ученые определили минимальное количество алкоголя, вызывающее паралич у Руки, но я не знал, добились ли мы нужной концентрации.

Фриц осмотрел меня и прощупал верхнюю часть тела. Я чуть не закричал от боли.

— Сломано ребро, — сказал он. — Надо что-то сделать.

В помещении были запасные маски. Разорвав одну из них, Фриц использовал материал для повязок, которые наложил выше и ниже больного места. Потом велел мне выдохнуть и затянул повязки. Было больно, но потом стало легче.

Мы подождали с полчаса. Хозяева поглощали воду в огромных количествах и пили не реже, чем через час. Когда мы вышли, то не заметили вначале никаких изменений. Хозяева проходили мимо с обычным высокомерием. Я почувствовал отчаяние.

Но вот мы увидели выходящего из пирамиды хозяина.

Марио схватил меня за руку, и я сморщился. Но какое значение имела моя боль? Хозяин качался, щупальца его двигались неуверенно. Мгновение спустя он упал и замер.

Глава 6

ОГНЕННЫЙ БАССЕЙН

Не знаю, поняли ли они, что случилось, но хозяева не сумели принять никаких мер. Возможно, они решили, что это болезнь под названием проклятие Склудзи действует новым, более острым способом. Мне кажется, что сама мысль об отравлении для них была непостижима. Как мы установили на примере с Руки, у хозяев была безошибочная способность определять вредные примеси в воде и еде. Трудно бороться с опасностью, о существовании которой даже не подозреваешь.

Они пили, начинали шататься и падали; вначале немногие, потом все больше и больше, пока наконец улицы не покрылись их нелепыми и чудовищными телами. Рабы наклонялись к ним, пытаясь поднять, робкие и умоляющие в одно и то же время. На большой площади, где лежало свыше десяти хозяев, раб с залитым слезами лицом сказал:

— Хозяев больше нет. Значит, наша жизнь бесцельна. Братья, идемте к месту счастливого освобождения.

Остальные охотно двинулись за ним. Фриц сказал:

— Нужно их остановить.

— Как? — спросил Марио. — И какое это имеет значение?

Не отвечая, Фриц поднялся на небольшую каменную платформу. Такие платформы время от времени использовались хозяевами для чего-то вроде размышлений. Он воскликнул:

— Нет, братья! Они не умерли! Они спят. Скоро они проснутся, и мы им понадобимся.

Рабы остановились в нерешительности. А тот, который выступил первым, спросил:

— Откуда ты это знаешь?

— Мой хозяин сказал мне перед тем, как это случилось.

Это был решающий довод. Рабы могут друг другу лгать, но никогда не лгут относительно своих хозяев. Это вообще немыслимо. Смущенные, но несколько пришедшие в себя от отчаяния, рабы разошлись.

Как только стало ясно, что наш замысел удался, мы обратились ко второй и не менее важной части плана. Мы знали, что алкоголь вызывает лишь временный паралич. Конечно, можно было попробовать убить всех хозяев поодиночке, пока они лежат в бессознательном положении, но, вероятно, мы не сумели бы отыскать всех вовремя... да и рабы, конечно, не позволили бы нам сделать это. Пока хозяева не мертвы, а только без сознания, власть шапок сохранялась.

Ответ мог быть лишь один — ударить в самое сердце города и разрушить его. Мы знали — это Фриц постарался установить в первую очередь, — где находится центр, контролирующий тепло, свет, энергию и свинцовую тяжесть в городе. Мы двинулись в том направлении. Идти было довольно далеко, и Карлос предложил использовать безлошадные экипажи, перевозившие хозяев. Но Фриц запретил. Рабы не ездят в экипажах без хозяев. Хозяева, конечно, не в состоянии заметить нарушение, но рабы заметят, и мы не знаем, как они отреагируют.

И вот мы тащились по улице 11 к рампе 914. Идти было нужно по самой большой площади города, обрамленной множеством садов-бассейнов. Сама рампа оказалась весьма широкой, она уходила под землю перед пирамидой, возвышающейся над всеми соседними. Снизу доносился гул машин, земля у нас под ногами дрожала. Спускаясь в глубины, я испытывал страх. К этому месту рабы никогда не приближались, и мы тоже здесь раньше не были. Здесь билось сердце города, а мы, горстка пигмеев, осмелились подойти к нему.

Рампа оканчивалась в пещере, втрое большей, чем все виденные мной. Вокруг центрального круга располагались три полукруга. В каждом полукруге стояло множество машин с сотнями циферблатов и шкал. На полу лежали хозяева, некоторые упали прямо на рабочих местах. Я видел, как одно щупальце все еще сжимало рукоять.

Количество машин и их сложность смутили нас. Я поискал переключатель, которым можно было бы выключить машины, но не нашел. Металл, блестевший желтизной, был необыкновенно прочен, все циферблаты покрыты прочным стеклом. Мы переходили от машины к машине в поисках слабого места, но ничего не находили. Неужели теперь, когда хозяева бессильны, их машины все же победят нас?

— Может быть, эта пирамида в центре, — предположил Фриц.

Она занимала самый центр внутреннего круга. Стороны ее у основания достигали более тридцати футов и образовывали равносторонний треугольник, вершина которого тоже поднималась на тридцать футов. Вначале мы не обратили внимания на пирамиду, потому что она не походила на машину. В ней виднелась лишь треугольная дверь, достаточно высокая, чтобы впустить хозяина. Поблизости от нее не было тел.

Пирамида была сделана из того же желтоватого металла, что и машины, но, приближаясь к ней, мы не слышали гула. Слышался лишь слабый свистящий звук, повышавшийся и падавший. За дверью оказался такой же металл. Внутри пирамиды находилась другая пирамида, между ними было пустое пространство. Мы прошли по узкому коридору и нашли дверь во внутренней пирамиде, но с другой стороны. Пройдя в нее, мы увидели третью пирамиду во второй!

В ней тоже оказалась дверь, но опять с противоположной стороны. Оттуда виднелся свет. Мы вошли и замерли.

Большую часть пола занимала круглая яма, и свет шел оттуда. Он был золотой, как золотые шары в охоте, но гораздо ярче. Это был огонь, но жидкий огонь, пульсирующий в медленном ритме, который соответствовал подъемам и падениям свиста.

Создавалось впечатление огромной силы, бесконечной, вечной, дающей энергию всему городу.

Фриц сказал:

— Я думаю, это оно. Но как его остановить?

— На дальней стороне... видишь? — спросил Марио.

По другую сторону бассейна стояла тонкая колонна примерно в рост человека. Из ее вершины что-то виднелось. Рычаг? Марио, не ожидая ответа, пошел к ней вокруг бассейна. Я видел, как он протянул руку, схватился за рычаг — и умер.

Он не издал ни звука и, вероятно, даже не понял, что случилось. Бледное пламя пробежало по его руке от рычага и десятком потоков устремилось по телу. Несколько мгновений он продолжал стоять, потом упал. Его тяжесть потянула за собой рычаг. Рычаг опустился. Затем пальцы Марио разжались, и он соскользнул на пол.

Все стояли в ужасе. Карлос шевельнулся, как бы собираясь подойти к Марио. Но Фриц сказал:

— Нет. Ничего хорошего это не даст, а ты тоже можешь погибнуть. Но смотрите! В яму!

Пламя угасло. Оно медленно, как бы неохотно опускалось, глубины его продолжали светиться, а поверхность вначале приобретала серебряный цвет, затем потемнела. Свист медленно-медленно стихал, перешел в шепот и совсем прекратился. Глубины ямы покраснели, затем потускнели. Появились и черные пятна, они все увеличивались, соединялись. И вот мы молча стояли над темной ямой.

Фриц сказал:

— Нужно выйти. Держитесь друг за друга.

В этот момент земля дрогнула под нами, как при небольшом землетрясении. И неожиданно мы освободились от свинцовой тяжести, которая нас все время сгибала. Тело мое снова стало легким. Как будто множество воздушных шариков, прикрепленных к мышцам и нервам, подняли меня вверх. Но странно! Несмотря на всю легкость и воздушность, я ощутил страшную усталость.

Мы держались друг за друга, выбираясь из лабиринта пирамид. В большой пещере тоже было темно, свет погас. Темно и тихо, потому что гул машин замер. Фриц вел нас туда, где, ка ему казалось, находился выход, но мы натолкнулись лишь на машины. Ощупывая металл руками, мы пошли вдоль них. Дважды Фриц натыкался на тела хозяев, и однажды я сам неожиданно наступил на щупальце. Оно тошнотворно прокатилось у меня под ногой, и меня чуть не вырвало.

Наконец мы нашли выход и, поднимаясь по рампе, увидели вверху зеленый свет дня. Мы пошли быстрее и скоро смогли видеть друг друга. И вот мы на большой площади с садами-бассейнами. Я видел плавающие тела хозяев и подумал, утонули ли они. Впрочем, теперь это не имело значения.

При выходе на улицу нас поджидали три фигуры. Рабы. Фриц сказал:

— Я думаю...

Они выглядели недоумевающими, как будто только что проснулись, но еще не вполне пришли в себя. Фриц сказал:

— Здравствуйте, братья.

Один из них сказал:

— Как выбраться из этого... места? Вы знаете выход?

Эти простые слова сказали нам все. Ни один раб не станет искать выход из небесного рая, где он может служить хозяевам. Это значило, что контроль прекратился, что шапки на их головах так же бессильны, как и наши. Это были уже свободные люди. И если так происходит в городе, значит, то же самое и во внешнем мире. Мы больше не были беглым меньшинством.

— Мы найдем выход, — сказал Фриц. — А вы нам поможете.

По пути к залу треножников, воротам города, мы разговаривали с ними. Естественно, они были сбиты с толку. Они помнили, что было с ними после надевания шапок, но не видели в этом смысла. Рабы, которые с радостью служили хозяевам, обожествляли их, теперь казались нашим собеседникам чужими, незнакомыми людьми. Однажды они остановились перед двумя лежащими хозяевами, и я подумал, что они начнут топтать их. Но, поглядев на них, они отвернулись, прошли дальше.

Мы встретили множество рабов. Некоторые присоединялись к нам, другие бесцельно бродили или сидели с отсутствующим взглядом. Двое несли чепуху, очевидно, превратившись в вагрантов. Третий, очевидно, тоже сошедший с ума, лежал на одной из рамп. Он сорвал с себя маску, и его мертвое лицо было искажено ужасной гримасой: он задохнулся в ядовитом воздухе города.

В нашем отряде было уже свыше тридцати человек, когда мы подошли к спиральной рампе на краю города. Я вспомнил, как спускался здесь в первый день, пытаясь удержаться на подгибающихся ногах. Мы поднялись на платформу и оказались выше окружающих малых пирамид. Здесь были двери, через которые мы прошли из комнаты переодевания. По ту сторону ее воздух, которым мы сможем дышать. Я шел первым и нажал кнопку, открывающую дверь шлюза. Ничего не произошло. Я нажал снова, и еще раз. Подошел Фриц. Он сказал:

— Нам следовало догадаться. Вся энергия в городе происходила от огненного бассейна. И для экипажей, и для открывания и закрывания дверей. Теперь механизмы не действуют.

Мы по очереди колотили в дверь, но безуспешно. Кто-то отыскал кусок металла и попытался бить им: на поверхности дверей появились царапины, но она не поддалась. А один из новичков с ужасом сказал:

— Значит, мы в ловушке?

Неужели это так? Небо потемнело: приближался вечер. Через несколько часов наступит ночь, и в городе станет совсем темно. Жара постепенно слабела. Я подумал о том, убьет ли их холод или они придут в себя раньше. Придут в себя и снова зажгут огненный бассейн... Нет, мы не можем потерпеть поражение сейчас.

Я думал и о другом. Если не открылась дверь здесь, то не откроются они и в общих помещениях. У нас нет ни пищи, ни воды. И, что гораздо важнее, нет свежих фильтров для масок. Мы задохнемся, как тот, на рампе. Посмотрев на Фрица, я понял, что он подумал о том же.

Тот, который колотил куском металла, заметил:

— Я думаю, она поддастся, если бить долго. Всем нужно найти что-нибудь и бить по двери.

— Это не поможет, — возразил Фриц. — За ней другая дверь. А дальше комната, которая поднимается вверх и вниз. Она тоже не работает. Мы не сможем пройти. К тому же там темно...

Наступившее молчание показало, что все согласились с его словами. Прекратились удары по двери. Мы неподвижно застыли в отчаянии. Карлос взглянул на огромный стеклянный купол, прозрачный зеленый пузырь, покрывавший лабиринт рамп и пирамид.

— Если подняться туда и пробить дыру... — сказал он.

Ян предложил:

— Можешь встать мне на плечи.

Он сидел, чтобы отдыхала раненая нога.

Это была невеселая шутка, и никто не рассмеялся. Ни у кого не было настроения для смеха. Я глубоко вздохнул и сморщился от боли в ребрах. Пытался придумать что-нибудь, но в голове звучало: «В ловушке... в ловушке...»

Тогда один из бывших рабов сказал:

— Есть путь наверх.

— Где?

— Мой... — Он колебался. — Один из... них... показал мне. Он осматривал купол, а я подвозил ему продукты. Путь наверх и карниз в куполе над самой стеной.

— Мы не сможем проломить купол, — сказал я. — Он, должно быть, крепкий, крепче стекла на циферблате. Сомневаюсь, сможем ли мы его даже поцарапать.

— Нужно попытаться, — сказал Фриц. — Другого выхода, кроме реки, я не вижу.

Я совсем забыл о реке!

— Конечно! А почему же нет? Бежим через реку!

— Не думаю, что ты выдержишь это, Уилл, ты ранен. Но в любом случае мы не уверены, что они не придут в себя. Надо уничтожить город.

Я кивнул. Оживление покинуло меня так же быстро, как и появилось. Река — не выход для нас.

Мы снова спустились по рампе, на этот раз нас вел новый проводник. В одном из садов-бассейнов мы вооружились металлическими прутьями; к ним крепились некоторые растения, и мы без труда выломали их. Когда я уходил, мне показалось, что один из хозяев в бассейне шевельнулся. Всего лишь дрожь в щупальце, но зловещий признак. Я рассказал об этом Фрицу, он кивнул и велел проводнику идти быстрее.

Путь вверх находился в районе города, застроенном высокими заостренными пирамидами. Сюда рабы ходили очень редко.

Здесь тоже была рампа, но шедшая вдоль стены, узкая и головокружительно крутая. Прекращение тяжести сделало подъем более легким физически, но когда мы поднимались все выше и выше и под нами открывался ничем не огражденный провал, ощущение было ужасное. Я прижимался к сверкающей поверхности стены и старался не смотреть вниз.

Наконец мы достигли карниза. У него тоже не было перил, и он был не шире четырех футов. Очевидно, хозяева не боялись высоты. Карниз уходил вдоль стены в оба направления, насколько хватало взгляда. Край хрустального купола находился в восьми футах над карнизом. Для хозяина он был на уровне глаз, но для нас...

Мы сделали попытку. Несколько человек подставили спины, другие взобрались, неуклюже размахивая прутьями. Я не принимал участия из-за сломанных ребер, но было ужасно смотреть на них. Одно неосторожное движение — и они упадут на твердую землю в трехстах футах внизу. Они били по куполу в том месте, где он соединялся со стеной. Но их удары не приводили ни к чему. Дальше образовалась вторая группа, еще дальше — третья, но без всякого успеха. Фриц сказал:

— Подождите...

Подойдя у нашему проводнику, он спросил у него:

— Ты встретил хозяина здесь?

Тот покачал головой.

— Нет, я его не видел. Мне было приказано принести еду и газовые пузыри и оставить их здесь. Я не оставался здесь дольше необходимого.

— И ты не видел его дальше по карнизу?

— Нет, но он мог быть далеко. Весь карниз не видно.

— Не видно и сквозь стену.

— Но за стеной они не могут жить, в обычном воздухе. А хозяин уходил без маски.

Фриц сказал:

— У них должна быть возможность осматривать купол не только изнутри, но и снаружи. Стоит поискать. — Он посмотрел на бледный диск солнца над куполом, клонившийся к западу. — Если только у кого-либо нет лучшей идеи.

Идей не было. Мы пошли по карнизу в направлении движения часовой стрелки. Справа крутой обрыв к улицам города. Некоторые из пирамид напоминали копья, готовые проткнуть упавшее на них тело. У меня кружилась голова и сильно болела грудь. Вероятно, мне следовало лечь или повернуть назад: все равно никакой пользы от меня не было. Но мысль о том, чтобы покинуть товарищей и остаться одному, была для меня еще ужаснее.

Мы тащились по карнизу. Верхушка рампы затерялась в дымке сзади. Я был уверен, что мы ничего не найдем. Хозяин был просто вне пределов видимости, как мы сейчас. И тут Фриц впереди сказал:

— Что-то есть!

Идущие впереди мешали мне видеть, но спустя минуту я разглядел, что он имел в виду. Впереди карниз кончался, вернее, он сменялся чем-то, выступающим из стены. Блокгауз — и в нем дверь. Но без кнопки. На двери виднелось колесо из того же золотого металла, что и стена.

Мы столпились вокруг, на минуту забыв о головокружении, когда Фриц взялся за колесо. Сначала у него ничего не получилось, но когда он попробовал вертеть в противоположном направлении, колесо шевельнулось. Немного, но у нас появилась надежда. Фриц нажимал изо всех сил, и колесо сдвинулось еще немного. Через несколько минут он уступил место другому. Организовали смены. Колесо поворачивалось ужасно медленно, но поворачивалось. И наконец мы увидели щель. Дверь открылась.

Как только щель стала достаточно широка, Фриц протиснулся внутрь, и мы последовали за ним. Внутри было светло от квадратных окон в потолке. Мы хорошо видели окружающее.

Блокгауз углублялся в стену и по обе стороны выступал из нее. В нем было несколько ящиков, очевидно, с инструментами, а на полке — с полдюжины масок, какие носили хозяева в земной атмосфере.

Фриц указал на них:

— Вот почему он не брал с собой маску. Их хранили здесь. — Он осмотрелся. — Сюда не проведена энергия. Поэтому дверь открывается механически. Все двери.

Противоположная дверь, очевидно, вела на продолжение карниза. Но у дальней стены блокгауза тоже виднелись две двери напротив друг друга. Вероятно, они открывались на такой же карниз, но уже снаружи купола. Я сказал:

— Но если это шлюз... нужна энергия, чтобы накачивать воздух.

— Не думаю. Вспомни: их воздух гуще, под более высоким давлением, чем наш. Тут простой клапан, действующий от разности давлений. А количество воздуха здесь, сравнительно с тем, что под куполом, ничтожно. Это не имеет значения.

Ян сказал:

— Значит, нам остается только открыть наружную дверь. Чего же мы ждем?

Фриц взялся руками за колесо. Мощные мускулы вздулись на его руках. Колесо не дрогнуло. Отдохнув, он попробовал снова. Ничего не случилось. Он отошел, вытирая лоб.

— Попробуйте кто-нибудь другой.

Попробовали несколько.

Карлос сказал:

— Это невероятно. Дверь точно такая же, как и эта. И колесо такое же.

— Подождите, — сказал Фриц. — Кажется, понял. Закройте внутреннюю дверь.

На внутренней стороне двери находилось такое же колесо. Оно повернулось так же неохотно: колеса были рассчитаны на силу хозяев, а не людей. Наконец дверь закрылась.

— Попробуем, — сказал Фриц.

Он снова взялся за колесо внешней двери. На этот раз оно поддалось. Медленно, медленно, но вот появилась щель, она все расширялась. Послышался свист выходящего воздуха, ветерок тронул наши тела. Десять минут спустя мы смотрели на внешний карниз и на земной ландшафт внизу: поля, ручьи, отдаленные горы и гиганты-города древних. Яркость дня заставила нас щуриться.

— Даже хозяева могли совершить ошибку, — сказал Фриц, — поэтому у них есть приспособление, мешающее открывать двери одновременно. Наружная дверь не откроется, пока не закрыта внутренняя. И наоборот, я думаю. Попробуйте сейчас открыть внутреннюю дверь.

Мы попробовали. Ничего не вышло. Очевидно, Фриц был прав.

Карлос сказал:

— Оставим открытой одну дверь и попробуем взломать другую.

Фриц осматривал открытую дверь.

— Это будет нелегко. Взгляни.

Дверь, в четыре дюйма толщиной, была сделана из того же прочного блестящего металла, что и стена. Она была отполирована и плотно, без зазора, прилегала к стене. Фриц поднял металлический стержень и постучал по двери. Никакого эффекта.

Итак, еще одно препятствие. Мы можем держать закрытой внутреннюю дверь, нас окружает наш земной воздух и мы не задохнемся. Но у нас нет пищи, нет воды и нет никакой возможности спуститься по крутому сверкающему утесу стены. К тому же если мы не пробьем купол города, всегда существует опасность, что хозяева проснутся и восстановят огненный бассейн. Мы все смотрели на дверь. Карлос сказал:

— Между этими дверями разница. Первая открывается внутрь, вторая — наружу.

Фриц пожал плечами.

— Из-за разницы в давлении. Так их легче открывать.

Карлос ощупывал место соединения двери со стеной.

— Сама дверь слишком прочна. Но петли...

Петли шли вдоль всей поверхности стены, тонкие, блестящие, чуть смазанные маслом. Вероятно, смазанные хозяином, который невольно указал нам путь сюда.

Фриц сказал:

— Я думаю, мы сможем их сломать. Но это возможно лишь с открытой дверью, значит, внутренняя дверь будет закрыта. Чем же это нам поможет?

— Не совсем сломать, — сказал Карлос. — Но если мы ослабим петли, затем закроем эту дверь, откроем внутреннюю и тогда...

— Попробуем взломать изнутри? Возможно. Во всяком случае, можно попытаться.

И вот по двое мы начали колотить по петлям. Было нелегко, но когда хрустнула первая петля, все испустили крик торжества. За первой последовали другие. Были разбиты все петли, кроме самой верхней и самой нижней. Потом снова закрыли наружную дверь, а внутреннюю открыли.

— Ну а теперь разобьем верхнюю и нижнюю, — сказал Фриц.

Начали Фриц и Карлос; когда они устали, их сменила другая тройка. Потом третья, и так далее. Под звон металла о металл проходили минуты. Прозрачные квадраты на потолке потемнели, приближался вечер. Я видел, как оживают на улицах хозяева, слабо, но целеустремленно движутся... и движутся к темной яме, где горел огонь... и снова может вспыхнуть.

— Можно мне?

— Боюсь, ты не поможешь, — ответил мне Фриц. — Давай, Карлос. Снова мы с тобой.

Удары продолжались. И тут я уловил какой-то новый звук. Он повторился, и еще.

— Сильней! — воскликнул Фриц.

Раздался звук рвущегося металла. Последние две петли отскочили одновременно. И дверь начала падать, и я увидел открытое небо, уже посеревшее. Но это было последнее, что я на некоторое время мог ясно видеть. Как только дверь упала, по блокгаузу пронесся шквал. Кто-то крикнул:

— Ложись!

Я упал на пол. Тут было немного легче. Ветер рвал меня, и я держался с трудом. И это был не ветер, а что-то неожиданное... Громкий постоянный рев. Говорить было невозможно, даже если бы хватило сил. Я видел других, лежащих на полу. Невероятно, как долго и без изменения это продолжалось.

Но изменение все же произошло. Шум ветра перекрылся другим, гораздо более резким и громким, более ужасным звуком. Как будто само небо раскололось на части. Мгновение спустя ветер затих. Я с трудом встал и тут только понял, что от падения на пол у меня невероятно болят ребра.

Мы подошли к внутренней двери и смотрели молча, слишком потрясенные, чтобы говорить. Хрустальный купол раскололся. Большая его часть по-прежнему цеплялась за стену, но в центре зияло огромное отверстие. Большие куски купола обрушились на улицы, один целиком накрыл арену шаров. Я поискал Фрица. Он один стоял у наружной двери.

— Все, — сказал я. — Ни один из них уже не встанет.

В глазах Фрица стояли слезы, одна скатилась по щеке. От радости, подумал я сначала, но на его лице не было радости.

— Что случилось, Фриц? — спросил я.

— Карлос...

Он указал на открытую дверь. Я в ужасе воскликнул:

— Нет!

— Ветер унес его. Я пытался его удержать, но не смог.

Мы смотрели друг на друга. Стена пропастью обрывалась у наших ног. Далеко внизу крошечный золотой прямоугольник обозначал упавшую дверь. Рядом лежала маленькая черная точка...

Мы сорвали маски и смогли дышать обычным воздухом. Зеленый воздух рассеялся в обширной атмосфере Земли. Мы вернулись по карнизу и спустились по рампе в город. Свет быстро слабел, и плохая видимость еще увеличила мое головокружение. Но все же мы наконец спустились.

Общие помещения внутри пирамид были по-прежнему закрыты для нас. Но в открытых складах мы нашли запасы пищи. В нескольких местах были питьевые фонтанчики, чтобы утолять жажду проходящих хозяев, и мы напились из них. Повсюду были разбросаны тела хозяев. К нам присоединялось все больше и больше рабов. Все они были потрясены и сбиты с толку, некоторые изранены упавшими осколками купола, и мы как могли позаботились о них. Потом принялись готовиться к долгой холодной ночи. Конечно, это не особенно приятно, но над головой сверкали звезды, яркие звезды земного неба.

Утром, дрожа, мы с Фрицем обсуждали, что же делать. Через вход мы по-прежнему не могли выйти без долгой и утомительной работы, а выход для треножников был в этом смысле вообще неприступен. Мы могли, конечно, уйти по реке, но это тоже нелегко, а в моем случае — самоубийство. Я сказал:

— Мы можем изготовить веревку; тут есть запасы ткани, которую они использовали для одежды рабов. Можно будет спуститься с блокгауза.

— Потребуется слишком длинная веревка, — возразил Фриц. — Я думаю, это будет даже хуже реки. Но я размышляю...

— О чем?

— Все хозяева теперь мертвы. Если мы снова зажжем огонь в бассейне...

— Как? Вспомни Марио.

— Я помню. Энергия убила его. Но ведь этот рычаг предназначен для щупальца. Щупальца из другого материала, чем наше тело. Может, энергия на них не действует. Разве что отрубить щупальце и попробовать им поднять рычаг?

— Это мысль, но я думаю не об этом. Тот огонь горел, когда Марио ухватился за рычаг. Он погас медленно. Если он и разгорается медленно... Понимаешь? Пока огонь не горит, опасности нет.

Я согласился:

— Может, ты и прав. Я сделаю это.

— Нет я, — решительно возразил Фриц.

Мы спустились по рампе в машинный зал. Тьма была полной, и мы наугад искали центральную пирамиду. В воздухе стоял странный запах, как от гниющих листьев, и, случайно наткнувшись на тело хозяина, я понял, откуда он исходит. Они начали разлагаться, и, я думаю, здесь, внизу, разложение шло быстрее, чем на улицах.

В первый раз мы прошли мимо пирамиды и наткнулись на ряд машин и полушарий за ней. Вторая попытка оказалась успешной. Я коснулся гладкого металла и окликнул Фрица. Вместе мы ощупью отыскали вход и прошли сквозь лабиринт внутренних пирамид. Здесь, конечно, было не темнее, чем в зале, но я почувствовал страх. Вероятно, дело было в закрытом помещении, а также в том, что мы приближались к темной яме.

Когда мы подошли к третьему выходу, Фриц проговорил:

— Оставайся здесь, Уилл. Дальше не ходи.

— Не говори глупостей. Конечно, я пойду с тобой.

— Нет. — Голос его звучал ровно и строго. — Это ты говоришь глупости. Если со мной что-то случится, ты меня заменишь... Нам нужен выход из города.

Я молчал, понимая, что он прав. Мне было слышно, как он обходит яму. Это заняло немало времени, потому что шел он осторожно. Наконец послышались его слова:

— Я добрался до колонны. Ищу рычаг. Я его поднял!

— Как ты? На всякий случай отойди.

— Уже отошел. Но ничего не случилось. И ни следа огня.

Я напрягал зрение во тьме. Может, огня не было слишком долго. Может, нужно еще что-то, о чем мы не смогли догадаться. И разочарованным голосом Фриц сказал:

— Я возвращаюсь.

Я протянул руку и нащупал его. Он добавил:

— Остается веревка или река. Жаль. А я надеялся, что мы сумеем управлять городом.

Вначале мне показалось, что глаза подводят меня, что я вижу искры во тьме, как это иногда бывает. Я сказал:

— Подожди...

А потом:

— Смотри!

Он повернулся. Внизу, там, где находилась яма, мелькнула искра, за ней другая. Они росли, сливались. Огонь поднимался, и послышался свистящий звук. И вот уже огонь заполнил всю яму, комната осветилась.

Глава 7

ЛЕТО НА ВЕТРУ

Хозяева умерли, но город снова ожил.

Свинцовая тяжесть снова навалилась на нас. В зале загорелись зеленые шары, загудели машины. Мы вышли на улицу и, найдя экипаж, отправились в нем к тому месту, где мы оставили остальных. Они стояли и таращили на нас глаза. По периметру города поднимался зеленый туман: машины, производящие воздух хозяев, тоже начали работать. Но это было уже не опасно. Он уходил через расколотый купол и терялся в бесконечной глубине.

Мы собрали своих послсдоватслсй и направились к выходу из города. На этот раз дверь открылась от нажатия кнопки. Внутри мы нашли рабов, которые должны были готовить новичков ко входу в город. Они были сбиты с толку, и воздух после 18 часов был спертый, но в остальном все было в порядке. Именно они показали нам, как действует поднимающаяся и опускающаяся комната и как открывается стена.

— Треножники... — сказал я. — Многие из них застигнуты снаружи. Может, они ждут там. Если мы откроем...

— Ждут чего? — спросил Фриц. — Они знают, что купол разбит.

— Но у хозяев в треножниках могут быть маски. А машины, производящие их воздух, работают. Они смогут что-нибудь сделать, починить...

Фриц вернулся к тому, чтобы выяснить, как открывается стена. Он спросил:

— В зале треножников человеческий воздух. Как они проходили туда, где снова могли дышать?

— Выход из треножника находится на уровне ворот в верхней части зала. Там они и выходили.

— Ворота открываются снаружи?

— Нет, отсюда. Мы нажимали кнопку по приказу хозяев. — Он указал на решетку в стене. — Их голоса доносились отсюда, хотя сами они находились снаружи, в треножниках.

— Оставайтесь здесь, — сказал Фриц. — Позже вас сменят, но до того времени ваша обязанность — следить, чтобы ворота были закрыты. Ясно?

Он говорил властно, как человек, имеющий право распоряжаться, и его приказы исполнялись без возражений. Нас, четверых оставшихся из отряда, вошедшего в город, окружили почтением и уважением. Хотя люди в шапках больше не находились под контролем хозяев, они испытывали благоговейный страх при мысли о тех, кто осмелился выступить против хозяев и победил их.

Мы поднялись в маленькой комнатке и оказались в зале треножников. Горели зеленые шары, но их свет терялся в блеске дня, лившемся через отверстие в стене в 50 футов шириною и вдвое больше в высоту. Ряды треножников стояли вдоль стен, неподвижные, неуправляемые. В их присутствии мы снова были пигмеями, но торжествующими пигмеями. Мы прошли в отверстие, и Ян схватил меня за руку.

Над нами угрожающе возвышался еще один треножник.

Фриц крикнул:

— Приготовьтесь разбежаться. Как можно шире, если он нападет. Всех сразу он не схватит.

Но щупальце безжизненно свисало с полушария. Угроза оказалась мнимой. В треножнике не было жизни. Через несколько минут мы поняли это и успокоились. Спокойно прошли в тени треножника, а несколько бывших рабов с криками и смехом радости вскарабкались на одну огромную ногу.

Фриц сказал мне:

— Я думал, у них большой запас воздуха, еды и питья. Ведь они уходят на целые дни и даже недели.

— Какая разница? — ответил я. — Они все мертвы.

Мне хотелось присоединиться к тем, кто карабкался на гиганта, и я продолжал:

— Может, у них разбились сердца!

И может, мое глупое предположение было не так уж далеко от истины. Позже мы установили, что все треножники замерли спустя несколько часов после гибели города. Наши ученые вскрывали тела хозяев. Невозможно было установить, от чего они умерли. Похоже, что от отчаяния. Их мозг не похож на наш. Руки, однако, не умер, вернее, умер, но не тогда. Возможно, что привык к плену и мог противостоять шоку от гибели города. У него еще оставалась надежда на спасение.

День был прекрасный, как бы в честь нашей победы. Большие пушистые облака висели в небе, но между ними виднелись голубые участки, и в них проглядывало солнце. Дул легкий теплый ветерок, пахло весенними цветами. Мы пошли вокруг стены к реке и к убежищу, откуда мы выступили. Нас уже ждали. Мы издали увидели машущих руками людей и поняли, что дни убежищ и страха миновали. Земля снова принадлежала нам.

Здесь был Андре, он сказал:

— Хорошая работа! Мы думали, что вы не сумеете выбраться.

Фриц рассказал, как мы вновь зажгли огненный бассейн.

Андре внимательно слушал.

— Это еще лучше. Ученые сойдут с ума от радости. Тайны хозяев открыты для нас.

Я потянулся и сморщился: напомнили о себе ребра.

— У них будет достаточно времени. Можно не торопиться.

— Нет, — возразил Андре. — Мы выиграли здесь, но возможны контратаки.

— Из других городов? — спросил Фриц. — Когда мы получим оттуда известия?

— Мы их уже получили.

— Но голуби не могут летать так быстро.

— Невидимые лучи быстрее голубей. Мы сами не осмеливались их использовать, но прослушивали переговоры хозяев. Передачи из двух городов прекратились, но продолжаются из третьего.

— Того, что на востоке? — предположил я сразу же. — Маленькие желтые люди потерпели неудачу...

— Нет, — возразил Андре. — Из города на западе.

Там должен был находиться Генри. Я подумал о нем, вспомнил наших погибших, и яркий день для меня потускнел.

Но Генри остался жив. Два месяца спустя в замке он рассказал нам троим — Бинполу, Фрицу и мне — о том, что произошло.

С самого начала их поджидали неудачи. В последний момент трое из шести заболели и были заменены другими, менее подготовленными. Один из новичков пытался отговорить их плыть через тоннель и попытаться сделать это на следующую ночь. Даже когда они проникли в город, их преследовали неудачи и задержки. Им долго пришлось искать склад с крахмалоподобным веществом, а когда они наконец нашли его, часть дрожжей оказалась негодной. Им также не удалось найти убежища вблизи от очистительных установок, а это означало, что по ночам им приходилось далеко тащить контейнеры с жидкостью.

Но к назначенному времени они получили необходимое количество, и Генри думал, что дальше будет легче. Они должны были начать на рассвете, до появления первой смены хозяев. Но к рампе, ведущей к очистительным машинам, нужно было идти через открытое пространство с садами-бассейнами, и они увидели в одном из бассейнов двух хозяев.

Хозяева как будто боролись, обхватив друг друга щупальцами, вода вокруг билась и пенилась. Мы с Фрицем видели такую картину, когда ночью искали выход из города. Мы не поняли этого — как не поняли и многих других обычаев хозяев, из-за которых ломают головы наши ученые. Генри тоже не понял. Ему оставалось только надеяться, что они скоро кончат и уйдут. Но они не уходили, а время шло. Скоро должна была появиться первая смена.

В конце концов Генри решил рискнуть. Хозяева казались поглощенными своим занятием. Он решил, что они смогут проскользнуть мимо бассейна и пробежать к рампе в тени. Троим это удалось, но четвертый был замечен. С удивительной быстротой хозяева выбрались из бассейна и отправились расследовать, что происходит.

Отряду Генри удалось убить одного из них, наверно, удалось бы убить и другого, как считал Генри, если бы он остался. Но второй хозяин при виде невероятного зрелища — нападения рабов на хозяев — убежал с невероятной скоростью, воя что-то на своем языке. Он, несомненно, вернется с другими; не было надежды вылить в воду больше десяти контейнеров до этого. Значит, хозяева узнают об опасности. Не только здесь, но и в остальных двух городах — туда немедленно будет послано сообщение по невидимым лучам.

Приходилось признать, что нападение не удалось. Теперь главная цель — избежать плена и раскрытия наших планов, по крайней мере пока не завершится нападение на два других города. Генри велел своим людям рассыпаться и пробираться разными путями к речному выходу.

Он выбрался из города, и с ним еще двое. Они не имели представления, что произошло с остальными тремя, но думали, что они захвачены: они следили за рекой в поисках их тел, но ничего не увидели. (Это была не настоящая река, а создание древних: огромный канал, соединяющий западный океан с еще большим восточным.) В последующие дни всюду бродили треножники, но беглецы отлежались в подземном убежище и не были обнаружены. Впоследствии им удалось добраться до корабля и приплыть к нам.

— Полная неудача, — закончил он.

— Тебе не повезло, — ответил я. — И нам всем нужна была удача для успеха, у тебя ее не было.

— И все же это не полная неудача, — сказал Фриц. — Что бы ни случилось с невернувшимися, очевидно, они продержались достаточно долго. Другие два города не получили предупреждения.

Бинпол сказал:

— Я был с Джулиусом, когда пришло сообщение об этом. Джулиус сказал, что был бы доволен, если бы удалось нападение хотя б на один город. Два — это больше, чем можно было ожидать.

— Но это не меняет того факта, что у них остается Американский континент, — заметил Генри. — Что нам теперь делать? Проникнуть в город теперь вряд ли удастся. И хозяева могут не знать, что произошло, но не будут больше доверять рабам.

— Не пойму, почему они не контратакуют, — сказал я.

— Они еще могут это сделать, — ответил Фриц.

— Немного поздно. Если бы они сумели установить новый передатчик до того, как мы вывели из строя шапки, тогда наше положение было бы гораздо труднее.

Шапки, которые срастались с телом тех, кто их носил, невозможно было снять, но наши ученые нашли способ разрезать их сетку, так что они больше не могли выполнять свое назначение. Мы смогли снять свои фальшивые шапки, которые носили для маскировки. Было удивительно приятно не ощущать давления металла на голову.

Фриц сказал:

— Может, они решили сосредоточиться на обороне. Их города здесь и на востоке разрушены, и тут они ничего не могут сделать. Но через полтора года придет большой корабль с их планеты. Вероятно, они рассчитывают продержаться до того времени. Удерживая один континент, они смогут установить на нем машины для замены воздуха.

— Полтора года... — беспокойно повторил Генри. — Немного же. Ты знаешь наши планы, Бинпол?

— Некоторые.

— Но тебе, наверно, нельзя говорить?

Бинпол улыбнулся.

— Вы скоро узнаете. Думаю, Джулиус все скажет завтра на банкете.

Погода стояла прекрасная, и поэтому банкет провели во дворе замка. На нем предполагалось отпраздновать победу над двумя городами, а мы были активными участниками нападения. Различная морская и речная рыба, цыплята, мясо дикой свиньи, голубиный пирог — все это стояло на столах. Было также искристое вино с севера, которое мы пили на банкете в честь окончания игр. И нам не нужно было готовить пищу, расставлять столы и тому подобное. Существовали люди в шапках. Они — все они — смотрели на нас как на героев; это смущало, но в то же время было приятно. К тому же пищу готовили повара, которые специально учились этому искусству.

Джулиус говорил о нашем деле. Его похвалы не были чрезмерны, но я почувствовал, что краснею. Особо он упомянул Фрица, и совершенно справедливо. Именно решительность и спокойствие Фрица помогли нам выиграть.

Джулиус продолжал:

— Мы все размышляли над тем, что же дальше. Нам удалось уничтожить города врага здесь и на востоке. Но один город остался невредим, и пока он существует, нож по-прежнему прижат к нашему горлу. Прошло больше половины отпущенного нам времени. Последняя крепость должна быть разрушена до прилета их корабля.

Но она одна. Одна-единственная атака, правильно подготовленная и организованная, может принести нам победу. И могу вам сказать, план ее разработан.

Он основан на их главном уязвимом месте — они чужаки в нашем мире и вынуждены повсюду создавать собственное окружение. В первой атаке мы опьянили хозяев и выключили энергию, приводящую в движение город, но разрушение наступило лишь тогда, когда треснул купол и их воздух сменился нашим. Именно это нужно сделать с оставшимся городом.

Бесполезно повторять попытку изнутри. В последних сообщениях говорится, что хозяева перестали набирать для города рабов. Мы не знаем, что случилось с рабами в самом городе, но почти несомненно, что они убиты или получили приказ убить себя сами. Нет, мы должны напасть на них. Вопрос: как?

Мы узнали, что в древние времена люди могли поразить такую большую территорию, как этот город, из-за половины мира. Мы тоже можем создать такие средства, но у нас нет времени. Мы могли бы построить более примитивные орудия, чтобы кидать взрывающиеся снаряды, но это не поможет. В другом сообщении из-за океана говорится, что хозяева опустошили всю территорию на много миль к югу и северу. Там теперь нет ничего живого. Нам нужно что-то другое.

И я считаю, что оно у нас есть. У наших предков было одно достижение, которое, по-видимому, никогда не существовало у хозяев. У них были машины, которые могли летать по воздуху. Хозяева пришли с планеты, тяготение которой делает полеты затруднительными, если не невозможными. Прямо с поверхности они перешли к межпланетным полетам. Вероятно, после завоевания Земли они могли бы скопировать земные машины для полетов в воздухе, но они не сделали этого. Возможно, из-за своеобразной гордости или потому, что считали треножники достаточными для своих целей... или из-за своеобразного каприза и особенностей строения мозга боялись их.

Я вспомнил собственный страх и головокружение, когда поднимался по рампе и шел по узкому карнизу вдоль стены над пирамидами города. Хозяева, очевидно, не испытывали ничего подобного, иначе они не построили бы такой ход. Но страх не всегда рационален. Возможно, они оставались спокойны, пока сохранялся контакт с поверхностью, иначе приходили в ужас.

Джулиус сказал далее:

— Мы построили летающие машины.

Он сказал это спокойно, без подчеркивания, но его слова завершил гул аплодисментов.

Джулиус, улыбаясь, поднял руку.

— Не такие, как у древних, — машины, которые могли переносить сотни людей через западный океан за несколько часов. Да, как ни невероятно вам это кажется, но это правда. Такие машины пока нам недоступны. Мы построили более простые и маленькие. Но они могут летать и нести человека и взрывчатку. Мы используем их и надеемся с их помощью разбить скорлупу врага.

Он продолжал говорить об общем плане. Я ожидал услышать слова о нашем конкретном участии в новом деле, но не услышал. Позже, когда мы смотрели представление нескольких жонглеров, я спросил у него прямо:

— Скоро ли мы начнем учиться летать на этих машинах, сэр? И будем ли учиться тут или за океаном?

Он посмотрел на меня смеющимися глазами.

— Я думал, ты насытился приключениями, Уилл. Как ты умудряешься столько проглотить и остаться маленьким?

— Не знаю, сэр. Машины действительно построены?

— Да.

— Значит, мы можем сразу начать учиться управлять ими?

— Люди уже учатся. В сущности, они уже научились. Сейчас им нужно лишь напрактиковаться.

— Но...

— Но как же твое участие? Послушай, Уилл, полководец не использует все время одно и то же оружие. Вы с Фрицем хорошо поработали и заслужили отдых.

— Сэр! Это было несколько месяцев назад. С тех пор мы ничего не делали, только отъедались. Я предпочел бы учиться летать на этих машинах.

— Я знаю. Но полководец должен уметь организовать своих людей и свое время. Нельзя ждать конца одной операции, чтобы лишь потом начать другую. Мы не смели поднимать машины в воздух, пока жили города хозяев. Но наши люди изучали их и старые книги о полетах. Первая машина поднялась на следующий день после разрушения купола.

Я возразил:

— Но я смогу присоединиться к ним и догнать. Вы говорите, я мал ростом. Разве это не ценно? Машине будет легче нести вес.

Он покачал головой.

— Вес не важен. И пилотов у нас больше, чем нужно. Ты знаешь наши правила, Уилл. Личные приверженности не имеют значения. Важны лишь эффективность и успех. Число машин у нас ограниченно. Даже если бы я считал, что ты сумеешь догнать других пилотов — а я так не считаю, — я все равно не пошел бы на это.

Он говорил решительно, и мне пришлось смириться. Позже я рассказал об этом Фрицу. Он выслушал с обычным спокойствием и заметил:

— Джулиус прав, конечно. Нас включили в отряд для нападения на город, потому что мы жили в нем и знали его. Но с летающими машинами у нас нет таких преимуществ.

— Значит, мы должны остаться здесь и бездействовать, когда по ту сторону океана решается все?

— Да. — Фриц пожал плечами. — Выбора у нас нет.

Боюсь, что я не очень хорошо перенес это. Я считал, что вполне могу догнать пилотов и что наши прошлые дела дают нам право участвовать в последнем нападении. Я надеялся, что Джулиус изменит свое решение, хотя такое случалось нечасто. И отказался от надежды, лишь когда он уехал из нашего замка на другую базу.

Когда я с разбитого укрепления смотрел за его отъездом, ко мне подошел Бинпол. Он спросил:

— Нечего делать, Уилл?

— Мне многое нужно делать. Купаться, загорать, ловить мух...

— Перед отъездом Джулиус разрешил мне начать одно дело. Ты можешь мне помочь.

— Что это? — безучастно спросил я.

— Я тебе рассказывал, что еще до нашей встречи заметил, как поднимается пар из котла. Я пытался построить шар, который смог бы поднять меня в воздух.

— Помню.

— Я хотел улететь на землю, где нет треножников. Конечно, у меня ничего не вышло. Прежде всего воздух быстро остывал, и шар тут же опускался. Но когда мы разделили воздух на отдельные газы, чтобы сделать для вас маски, мы обнаружили газы легче воздуха. Если наполнить шар одним из таких газов он поднимется и останется в воздухе. Такие шары были у древних до того, как они изобрели летающие машины.

Я сказал без всякого энтузиазма:

— Очень интересно. И что я должен буду делать?

— Я убедил Джулиуса выделить мне несколько человек для работы над такими шарами. Мы разобьем лагерь и будем там испытывать шары. Хочешь с нами? Фриц и Генри согласились.

Мое негодование, конечно, было детским, и, примирившись с обстоятельствами, я понял это. Мне помогло то обстоятельство, что воздушные шары оказались удивительно интересными. Мы на телегах отвезли шары в глубь континента, в дикую и почти не населенную местность. Это было высокогорье, конечно, не такое высокое, как Белые горы, но впечатляющее. Бинпол хотел научиться управлять шаром в разных условиях, а многочисленные холмы создавали потоки воздуха.

Сам шар делался из промасленной кожи и заключался в шелковую сетку, которая, в свою очередь, крепилась к корзине. Вот в этой корзине и помещался человек. Корзину привязывали к земле, потом шар наполняли легким газом, и он натягивал веревки. Ему не терпелось в небо. Шары были большие, а корзина была способна нести четверых, хотя обычный экипаж состоял из двоих. В корзине также находился балласт — мешки с песком, которые можно было сбрасывать, если нужно уменьшить вес груза.

Опускаться было сравнительно просто. Нужно было потянуть за веревку и выпустить из шара немного газа. Нетрудно, но дело это требовало осторожности: если открыть клапаны полностью, шар камнем полетит на землю... Не очень приятная перспектива: ведь земля в сотнях футов внизу.

Но это не уменьшало нашего удовольствия. Не припомню ничего такого же возбуждающего, как первый полет. Конечно, я и раньше взлетал над землей, подхваченный щупальцем треножника, и это было ужасно. Здесь же, наоборот, все было спокойно. Бинпол отпустил последнюю веревку, и мы начали подниматься, быстро, но ровно и устойчиво. Стоял тихий день, и мы поднимались прямо в небо, затянутое мелкими кучевыми облаками. Деревья, кусты, люди — все уменьшалось и отходило. С каждым мгновением наш кругозор все расширялся. Мы чувствовали себя божествами. Мне показалось, что никогда не захочу опускаться на землю. Как прекрасно было бы вечно плыть по воздуху, питаясь солнечным светом и дождем из облаков!

Постепенно мы научились управлять большими шарами, которые поднимали нас и несли по воздуху. Это гораздо более сложное искусство, чем можно подумать. Даже в сравнительно спокойные дни случались вихри, а иногда ветер был очень сильный. Сам Бинпол поговаривал о сооружении гораздо больших шаров с прочной оболочкой, которые могли бы нести двигатель, но это следовало отложить на будущее. Наши же шары полностью зависели от ветра и погоды. Нам пришлось учиться править ими, как каноэ, проводить по невидимым рекам. Мы учились предвидеть погоду по незначительным приметам и угадывать воздушные течения.

Очарованный новым занятием, я смог даже на время забыть о том, что приближалась решающая битва. Самый тяжелый момент, когда присоединившиеся к нам из замка люди сообщили, что наши пилоты отправились за океан. Они плыли на разных кораблях для безопасности, и каждый корабль вез части, из которых на том берегу будут собраны летающие машины. Мы с Генри поговорили об этом. Я обнаружил, что он переживает гораздо больше меня: ведь он был в третьем городе и не сумел его разрушить.

Но нам приходилось сосредоточиться на собственных бесполезных полетах, подниматься высоко над холмами и с разной высоты смотреть на коричневые вершины гор. На земле мы жили в лагере... но эта жизнь включала ловлю рыбы в реках, которые текли сквозь заросли папоротника и вереска. Мы жарили рыбу на горячих угольях. Мы ловили не только кроликов и зайцев, но и оленей и диких кабанов и часто пировали в сумерках возле костра. А потом спали на жесткой земле и просыпались освеженные.

Так шли дни, недели, месяцы. Лето кончалось, и дни укорачивались. Приближалась осень. Вскоре нужно будет возвращаться на зимние квартиры в замок. Но за несколько дней до намеченного возвращения прибыл вестник. Известие было простым: Джулиус срочно вызывал нас к себе. Мы разобрали шары, погрузили их на телеги и на следующее утро выехали рано под мелким дождем.

Я никогда раньше не видел Джулиуса таким усталым и старым. Глаза у него покраснели; видно было, что он мало спал ночью. Я почувствовал себя виноватым из-за беззаботных дней и ночей на холмах.

Джулиус сказал:

— Лучше вам все сказать прямо. Новости плохие. Хуже быть не может...

— Нападение на третий город... — начал было Бинпол.

— Полностью провалилось.

— Как?

— Подготовка шла хорошо. Мы благополучно доставили все летающие машины и основали три базы: две на севере и одну на юге. Мы замаскировали их как будто удачно, раскрасив машины так, что с высоты они сливались с окружающей местностью. Этот трюк использовали в своих войнах древние. Треножники им не досаждали. Они никак не показывали, что знают о них. И вот в назначенный час с грузом взрывчатки они вылетели к городу...

Джулиус помолчал.

— Никто не долетел. В один и тот же момент двигатели остановились.

— Известно, почему? — резко спросил Бинпол.

— В работе двигателей участвовало электричество. Ты знаешь это лучше меня. На базах, на много миль позади, в тот же момент остановилось все, что действует на основе электричества. Позже машины снова заработали. Ученые считают, что были применены особые невидимые лучи, убивающие электричество на расстоянии.

— А летающие машины? — спросил я. — Что произошло с ними, сэр?

— Большинство разбилось. Некоторым удалось сравнительно благополучно приземлиться. Но пришли из города треножники и уничтожили беспомощные машины.

— Все, сэр?

— Все. Целой осталась лишь одна машина, которая из-за какой-то неисправности не вылетела с базы.

Только тут до нас дошло все ужасное значение его слов. Я был так уверен в удаче нападения, в том, что удивительные машины древних уничтожат последнюю крепость врага. Но не только нападение не удалось, но и оружие, на которое мы так рассчитывали, оказалось бесполезным.

— Итак, сэр? — сказал Бинпол.

Джулиус кивнул.

— Да. Осталась одна возможность. Будем надеяться, что твои шары нам помогут.

* * *

Я спросил Бинпола:

— Ты все время знал, что это возможно и что можно будет использовать шары, если машины постигнет неудача?

Он с удивлением взглянул на меня.

— Конечно. Ведь не думаешь же ты, что у Джулиуса не было запасного варианта?

— Ты мог сказать мне.

Он пожал плечами.

— Это дело Джулиуса. А шары хороши сами по себе. У древних были такие. Но они отказались от них ради тяжелых машин. Я не уверен, что они были правы.

— Скоро ли мы пересечем океан?

— Не знаю. Нужно еще подготовиться.

— Да, конечно.

Он резко сказал:

— Уилл, перестань улыбаться, как дурак. Нам совсем не до веселья. Было бы гораздо лучше, если бы атака крылатых машин удалась. Как сказал Джулиус, это наша последняя возможность.

Я раскаивающимся тоном сказал:

— Да, я понимаю.

Но раскаяние не было в тот момент моим главным чувством.

Глава 8

ПУЗЫРИ СВОБОДЫ

Мы и наши шары тоже были распределены по разным кораблям для путешествия за океан. Генри и я оказались на одном корабле водоизмещением четыреста — пятьсот тонн. Перед тем как выйти из гавани, французские моряки предложили нам свое варево, которое предупреждало морскую болезнь. Они сказали, что небо предвещает дурную погоду. Генри принял предложение, я же отказался. Напиток выглядел сомнительно, и от него отвратительно пахло, а я сказал себе, что уже переплывал моря.

Но то было совсем другое море — узкий канал между моей родиной и Францией — и совсем другие условия. Мы плыли по неспокойным волнам с белыми вершинами, восточный ветер срывал с них брызги. Ветер был попутный, и все паруса нашего корабля — «Королевы» — ловили его. «Королева» качалась под темнеющим небом. А ведь была середина дня. Королева, возможно, но подвыпившая, она шаталась из стороны в сторону и погружала нос во впадины между волнами.

Вначале я испытывал некое неудобство. Мне казалось, что это пройдет, когда я привыкну. Я стоял у борта рядом с Генри, смеялся и шутил. Но неудобство не проходило, напротив, оно усиливалось. Моряк, который предлагал мне средство от морской болезни, проходя мимо, спросил, как я себя чувствую. Я засмеялся и ответил, что чувствую себя прекрасно — похоже на карусель, на которой я катался мальчишкой. В этот момент корабль устремился с вершины очередной волны в бездну, я закрыл рот и торопливо глотнул. К счастью, моряк уже прошел.

Отныне битва корабля с волнами сопровождалась битвой моего разума с желудком. Я намерен был не показывать своего состояния даже Генри. Поэтому я обрадовался, когда он пошел вниз, сказав, что хочет выпить чего-нибудь горячего. Он спросил, не пойду ли я с ним, но я покачал головой и улыбнулся из последних сил. Он ушел, а я вцепился в перила и глядел на море, уговаривая его или свой желудок успокоиться. Но ничего не вышло. Время тянулось медленно, ничего не происходило, только небо еще больше потемнело, волны увеличивались, а взлеты и падения «Королевы» стали гораздо круче. У меня заболела голова, но я решил не сдаваться.

Кто-то коснулся меня сзади. Генри сказал:

— Ты все еще здесь, Уилл? Ты жаден до свежего морского воздуха.

Я пробормотал что-то. Генри продолжал:

— Я разговаривал с капитаном. Он говорит, что впереди нас может ждать плохая погода.

Я повернулся, не в силах поверить. Плохая погода? Раскрыл рот, собрался что-то сказать и тут же закрыл его. Генри заботливо отметил:

— Ты здоров, Уилл? У тебя странный цвет лица. Оливково-зеленый...

Я повис на перилах, и меня вырвало. И не один раз, а снова и снова. Желудок мой продолжало выворачивать, когда в нем уже ничего не оставалось. У меня сохранились очень туманные воспоминания о конце дня, ночи и следующем дне; да я и не хочу их вспоминать. Приходил французский моряк со своей микстурой, и Генри силой влил мне ее в рот. Вероятно, мне стало лучше, но все же я никогда так плохо себя не чувствовал.

Постепенно состояние мое улучшилось. На четвертое утро, хотя я все еще испытывал тошноту, мне захотелось есть. Я помылся соленой водой, привел себя в порядок и, покачиваясь, направился к камбузу. Кок, толстый смешливый человек, гордившийся своим английским, сказал:

— А ты лучше, нет? У тебя хорошо аппетит, быстро завтрак?

Я улыбнулся.

— Думаю съесть что-нибудь.

— Хорошо, хорош. У нас есть особ завтрак. Готовый.

Он протянул мне тарелку, и я взял ее. На тарелке лежали ломти бекона. Толстые, с жирным мясом, с тонкой розовой полосочкой, они буквально купались в жире. Кок смотрел на меня. Тут корабль качнулся в одну сторону, мой желудок — в другую, я торопливо поставил тарелку и, шатаясь, двинулся на палубу, к свежему воздуху. За собой я слышал веселый хохот кока.

Однако на следующий день мне стало совсем хорошо. После вынужденной голодовки у меня развился чудовищный аппетит. Пища на корабле была хорошая (жирный бекон, как я узнал, был старой корабельной шуткой коков, а наш кок был особенно охоч до шуток). Улучшилась и погода. На море были еще волны, но уже не такие большие, и поверхность воды отражала чистое голубое небо с пригоршней кучевых облаков. Ветер оставался свежим, хотя переменился на северо-западный. Это было не лучшее для нас направление, и приходилось все время маневрировать, чтобы продвигаться вперед. Мы с Генри предложили свои услуги, но нам отказали — вежливо, но решительно. Мы поняли, что наши неопытные руки и дрожащие пальцы служили бы морякам не поддержкой, а помехой.

И вот мы были осуждены на созерцание неба и моря и на общество друг друга. После возвращения из Америки я заметил в Генри перемену. Она еще яснее проявилась в лето наших занятий шарами. Это была не просто физическая перемена, хотя он стал много выше и стройнее. Изменился и его характер. Он стал сдержаннее, и я чувствовал, что это объясняется уверенностью в себе и в своих жизненных целях. Причем эти цели отличались от нашей общей цели — победить и уничтожить хозяев. Мы вели общую жизнь в холмах, и у нас там было мало возможностей к доверительным беседам. Только здесь, в долгие солнечные зимние дни, когда море пусто тянулось во всех направлениях, я получил некоторое представление о его целях.

В тех редких случаях, когда я заглядывал за нашу ближайшую цель и думал о мире, освобожденном от угнетателей, мне представлялись лишь смутные и туманные картины. Боюсь, что главное место в них занимали удовольствия. Мысленно я наслаждался охотой, ездой верхом, рыбалкой — всем тем, что мне так нравилось. И все это было в сто раз радостнее от сознания, что никогда больше не появится на горизонте треножник, что мы хозяева своего мира и что города строятся только для людей.

Мысли Генри были совсем иными. На него произвела сильное впечатление первая поездка за океан. Он со своими товарищами высадился к северу от города на перешейке в том месте, где люди говорили по-английски, хотя и со странным акцентом. Его поразил тот факт, что здесь, через тысячу миль, он мог говорить и все понимать, в то время как, преодолев около двухсот миль, мы попали во Францию и не могли общаться с теми, кто жил там.

Он начал размышлять о разделении людей, которое существовало до прихода хозяев и которое хозяева, всегда представлявшие единую расу с одним языком, никогда не могли понять, хотя и не преминули им воспользоваться. Казалось чудовищным положение, когда люди могли убивать других людей, совсем незнакомых, только за то, что те жили в чужой стране. Во всяком случае, это прекратилось с приходом хозяев.

— Они принесли мир, — согласился я, — но что это за мир! Мир послушного скота.

— Да, — сказал Генри. — Это верно. Но неужели свобода означает взаимное убийство?

— Люди больше не воюют друг с другом. Мы все боремся с общим врагом: француз Бинпол, немец Фриц, твой друг американец Уолт...

— Сейчас да. Но потом, когда мы уничтожим хозяев, что будет потом?

— Конечно, мы останемся едиными. Мы получили урок.

— Ты уверен?

— Конечно! Немыслимо, чтобы люди снова начали воевать друг с другом.

Он молчал. Мы смотрели на море. Где-то далеко что-то вспыхнуло, но я решил, что это обман зрения. Там ничего не может быть. Генри сказал:

— Вовсе не немыслимо, Уилл. Я думал об этом. Этого не должно произойти, но придется немало поработать.

Я начал расспрашивать, и он отвечал на вопросы. По-видимому, он поставил перед собой главную цель — установить мир между людьми в свободном мире. Я почувствовал невольное уважение, хотя он не вполне меня убедил. Я знал, что в прошлом существовали войны, но ведь тогда людей ничего не объединяло. Теперь нас объединяет борьба с хозяевами. Невозможно представить себе, что, объединившись, мы откажемся от этого единства. Как только кончится наша война... Генри что-то говорил, но я прервал его, схватив за руку:

— Там что-то есть. Я заметил раньше, но не был уверен. Какая-то вспышка. Может это иметь отношение к треножникам? Неужели они могут путешествовать по морю?

— Я удивился бы, обнаружив их посреди океана, — ответил Генри.

Он смотрел, куда я показывал. Вспышка повторилась.

— Слишком низко для треножника! Над самой поверхностью воды. Я думаю, это летучие рыбы.

— Летучие рыбы?

— Они на самом деле не летают. Выпрыгивают из воды, когда их преследует дельфин, и скользят по поверхности, используя плавник как парус. Иногда попадают и на борт судов.

— Ты их видел раньше?

Генри покачал головой:

— Нет, но моряки рассказывали мне о них и о многом другом. О китах, огромных, как дом, что выпускают фонтаны воды из головы, об огромных спрутах, о существах в теплых морях, которые похожи на женщин и кормят детенышей грудью. Море полно чудес.

Я мог представить себе, как он слушает моряков. Генри стал хорошим слушателем, и внимательным, и вежливым, и заинтересованным. Это была еще одна перемена в дерзком неразумном мальчишке, которого я знал. Я понял, что, если после нашей победы понадобится сохранить единство человечества, Генри как раз из тех людей, кто сможет это сделать. За минувшие годы Бинпол стал одним из самых известных наших ученых, Фриц был признан лучшим командиром, и даже у меня были (главным образом благодаря везению) моменты славы. Генри повезло меньше, главное его предприятие потерпело неудачу, хотя и не по его вине. Но, возможно, в мире будущего он ценнее нас всех. Даже Бинпола, потому что какой смысл восстанавливать города-гиганты, если они снова будут разрушены?

Хотя совершенно невероятно, чтобы подобное повторилось.

И во всяком случае, хозяева еще не побеждены. До этого еще далеко.

Последняя часть нашего пути пролегала по темным морям. Мы направлялись южнее, чем в первом путешествии Генри. Нам предстояло высадиться вблизи нашей второй базы в горах, в нескольких сотнях миль к востоку от города. (Любопытно, что, хоть два континента Америки лежат к северу и югу друг от друга, узкий перешеек между ними тянется с востока на запад.) Главная база, откуда выступили летающие машины, после неудачи была покинута. Нам было известно, что в этой местности почти весь год будет устойчивый северо-восточный ветер.

Море было полно островов всех форм и размеров, некоторые маленькие, другие такие огромные, что, если бы моряки не предупредили меня, я принял бы их за континент. Мы проплыли близко от них и видели соблазнительную зелень холмов, золото песка, кроны деревьев раскачивались на ветру... Только самые большие острова были населены, на остальные хозяева наложили табу. Прекрасно было бы высадиться и осмотреть эти острова. Возможно, когда все окончится... Генри пусть занимается своими проповедями.

А от меня тут толку не будет.

Наконец мы пристали и вышли на берег, ощущая подошвами непривычно твердую землю. И тут же поняли, что мы на земле врага. Мы разгружались, чтобы на следующий день тронуться вглубь. Работа была тяжелая, и ее не облегчил проливной дождь. Ничего подобного я раньше не видел: как будто сплошная стена обрушилась с неба. За несколько секунд мы промокли до нитки.

Впрочем, утром солнце снова жгло сквозь листву незнакомых деревьев. Я пошел на ближайшую поляну, чтобы вымыться и высушить одежду. Оттуда мне была видна береговая линия и ближайшие острова. И кое-что еще. На расстоянии многих миль, но отчетливо видное на горизонте, залитом солнцем.

Треножник.

Нам потребовалось несколько дней, чтобы добраться до базы, и еще неделя на завершение подготовки. После этого оставалось только ждать.

Мне приходилось ждать и раньше, и я думал, что научился терпению. Позади были долгие месяцы подготовки к играм, казавшиеся бесконечными недели вынужденной бездеятельности в пещерах, дни на реке, когда мы готовились к вторжению в город. Я думал, что все это научило меня ждать, но ничего подобного. Это ожидание было совершенно иным. Теперь мы зависели не только от человеческих решений, даже не от хозяев, а от капризов гораздо большей силы — от природы.

Штаб наш, куда входил и Бинпол, совещался с участниками предыдущей экспедиции, уроженцами этих мест, которые хорошо знали их. Нам нужен был ветер, который мог бы отнести наши шары к городу, ветер с северо-востока. Именно этот преобладающий ветер сопровождал нас в последней части пути по морю. К несчастью, именно на нашем участке местности ветер затих. Приходилось ждать.

Мы расставили поближе к городу наблюдательные посты. Оттуда нам при помощи голубей сообщали изменения в погоде. А пока нам только оставалось ворчать на задержку.

А ждать пришлось немало. Мы прибыли предпоследними, на следующий день появилась последняя группа, но многие ждали уже давно. Я с трудом сохранял спокойствие. Характер у меня ухудшился, и я вспыхивал при малейшем поводе. Наконец, когда один из наших пошутил — он заметил: я так полон горячим воздухом, что мне и не нужен шар, — я ударил его, мы сцепились и яростно дрались, пока нас не растащили.

Вечером со мной разговаривал Фриц.

Мы находились в палатке, которая, как и все остальные, протекала в нескольких местах. Здешние дожди нелегко удержать навесом. Я сказал, что сожалею о случившемся, но на Фрица это не произвело впечатления.

— Ты и раньше сожалел, — сказал он мне, — но продолжал действовать, не раздумывая, поддаваясь минутному порыву. Мы не можем позволить здесь раздоры. Нам нужно жить и сражаться вместе.

— Я знаю, — ответил я. — Постараюсь справиться с собой. — Он смотрел на меня. И я знал, что он меня любит, я тоже любил его. Мы вместе делили трудности и опасности и давно знали друг друга. Тем не менее у него было угрюмое выражение лица.

— Как ты знаешь, я руковожу операцией, — сказал он. — Мы с Джулиусом обсудили много вопросов перед отправлением. Он сказал, что если я не буду уверен в ком-нибудь, то его нужно немедленно отстранить от операции. В частности, он говорил о тебе, Уилл.

Он любил меня, но долг был превыше всего. Так у Фрица было всегда. И я попросил у него последней возможности. Он согласился со мной, покачав головой, но сказал, что это и на самом деле будет для меня последняя возможность. Если возникнут какие-нибудь неприятности с моим участием, он не станет искать виновных. А я буду отстранен.

На следующее утро во время обычного осмотра шаров тот, с кем я накануне подрался, подставил мне ногу — случайно, а может быть, и нет, — и я растянулся. Я не только ударился локтем о камень, но приземлился в грязной луже. Я закрыл глаза и лежал, пока не прошло по крайней мере пять секунд. Лежал, улыбаясь и сжимая зубы.

Два дня спустя во время ливня мы увидели тощего голубя на шесте перед голубятней. К его лапке был прикреплен маленький листок бумаги.

В нашем распоряжении было двенадцать шаров, с одним человеком на каждом, чтобы нести как можно больше взрывчатки. Она находилась в металлических контейнерах, похожих на ребристые металлические яйца, которые мы когда-то нашли в руинах города-гиганта, но гораздо больших по размеру. Нелегко было переваливать их через край корзины. Они были снабжены запалом, который срабатывал через четыре секунды после спуска.

Это значит, объяснял нам Бинпол, что бросать бомбу нужно с высоты сто пятьдесят футов. Этот расчет был основан на законе, открытом великим ученым древности по имени Ньютон. Бинпол постарался объяснить его мне, но я не понял. Падающий предмет проходит фут за одну шестнадцатую секунды, и скорость его падения увеличивается. За первую секунду он пролетит шестнадцать футов, за две секунды — шестьдесят четыре фута, за три — сто сорок четыре. На четвертой секунде бомба должна оказаться в наилучшем положении для взрыва.

Мы снова и снова тренировались с фальшивыми бомбами, учась определять расстояние от земли, оценивать время и т. д. Приходилось учитывать также поступательное движение шара, от чего место попадания бомбы менялось. Мы хорошо овладели этим искусством. Теперь оставалось применить его.

Шары с двухсекундными интервалами поднялись в промокшее серое небо, и ветер с океана подхватил их. Наш порядок был определен Фрицем, который летел первым. Я шел шестым, Генри — десятым. Поднимаясь в небо, я бросил взгляд вниз, на тех, кто оставался в лагере. Бинпол смотрел вверх, его очки совершенно залил дождь, но он все равно смотрел на нас. Не везет Бинполу, подумал я, но эта мысль тотчас же исчезла. Я был свободен, кончились все задержки и раздражения. Дождь насквозь промочил меня, но это уже не имело значения.

Мы длинной линией, все еще сохранявшей некоторую правильность, поднялись выше. Местность, над которой мы пролетали, выглядела странно: низкие круглые холмы, покрытые густым лесом, тянулись до самого океана. Дождь продолжался

Постепенно холмы становились ниже, а леса уступили место полям. Изредка виднелись маленькие деревушки с белыми домиками. Появилась и река, и наш курс некоторое время проходил над нею.

Наша линия потеряла стройность, действовали местные порывы ветра. Некоторые шары летели быстрее других. Я с недовольством заметил, что мой шар отстает. Теперь мы летели двумя группами: девять шаров впереди и три, включая мой, позади. Генри тоже был среди этих трех. Я помахал ему рукой, он ответил тем же. Но мы были слишком далеко, чтобы я смог разглядеть выражение его лица.

Мы потеряли из вида реку, но вскоре нашли ее или другую. Если это была та же самая река, то она стала шире. Дальше она впадала в озеро — длинную полосу воды, растянувшуюся почти на десять миль справа от нас. Местность внизу была голая и безжизненная. Это была часть территории вокруг города, которую хозяева опустошили в качестве защитной меры. Я пристально всматривался вперед, но не видел ничего, кроме воды справа и обгоревшей пустой земли слева. Передние шары увеличили скорость относительно нас, отстающих. Это разъярило меня, но я ничего не мог сделать.

На самом деле все мы продвигались вперед медленнее, потому что ветер уменьшился. Дождь совсем прекратился. Наш курс был тщательно рассчитан, но мне казалось, что либо расчет неверен, либо ветер изменил направление, и мы бесцельно улетаем и от океана, и от города. Спереди озеро отклонялось вправо. И тут...

Оно шло точно на запад, прямое, абсолютно правильное углубление, которое выкопали древние, чтобы их корабли могли через перешеек попадать из океана в океан. На нем теперь не было кораблей, но зато вдали виднелось нечто другое — огромный зелено-золотой жук. Расчет оказался верен. Прямо перед нами лежал третий город хозяев.

Но рассматривать его у меня не было времени. Мое внимание было привлечено к тому, что появилось из-за холмов слева от города. На свою базу возвращался треножник. Но, заметив пляшущую в воздухе цепочку пузырей, он изменил курс. Он догнал их, когда первый шар был в ста ярдах от городской стены. Щупальце взвилось в воздух, но промахнулось, так как летчик, заметив угрозу, выбросил балласт и поднялся выше. Второй шар приближался к треножнику. Щупальце снова взвилось и на этот раз достигло цели. Шар лопнул, а корзина ударилась о землю.

Треножник напоминал человека, бьющего насекомых. Еще два шара полетели вниз. Но остальные пролетели мимо. Первый из них уже достиг города. Что-то выпало из него. Я считал: один, два, три... ничего не случилось. Бомба не взорвалась.

Еще два шара пролетели мимо цели, слева от нее. Но оставшиеся три приближались к огромному зеленому куполу. Упала другая бомба. Снова я начал считать. Послышался взрыв. Но насколько я мог видеть, купол уцелел. Больше я не мог следить за тем, что происходило впереди. Прямо подо мной находился треножник.

Все предыдущие выбрасывали балласт для того, чтобы подняться и избежать удара врага. Я предположил, что он уже приспособился к такому маневру. Подождав, пока щупальце двинется вверх, я потянул за веревку, и мои шар резко пошел вниз. Щупальце пролетело над ним. Я не знал, насколько оно промахнулось: все мое внимание заняла быстро приближающаяся земля. Я торопливо выбросил мешки с песком, и шар полетел вверх. Треножник остался позади, город — впереди. Я видел, как один из оставшихся шаров разбился о землю, второй пролетел. Я надеялся, что в оставшемся Генри, но не мог рассмотреть летчика.

Я слышал еще два взрыва, но город по-прежнему стоял на месте. Мой шар находился над куполом, и я сквозь прозрачную зелень видел вершины пирамид. Нажав спуск, я потащил бомбу через край корзины и выпустил ее.

Шар поднялся, освободившись от тяжести. Я считал секунды. Не успел я досчитать до трех, как бомба ударилась о купол и отскочила от него. В воздухе она взорвалась, и взрывная волна подбросила мой шар. Я взглянул вниз и с отчаянием увидел, что купол невредим. Оставалась одна надежда, один хрупкий шар, чтобы разбить могучую крепость врага.

В последнем шаре летел Генри. Я узнал его по цвету его куртки. Он находился точно над центром города. Но не сохранил высоту, которую указали ученые и Бинпол. Я видел, как он опускается, опускается... И его корзина задела за купол.

И тут я понял, что он хочет сделать. Он видел неудачу предыдущих и догадался о ее причине. Наши ученые экспериментировали на кусках разбитого купола и считали бомбу достаточно мощной. Но здесь бомбы рикошетировали и взрывались, не прилегая к куполу. И, сбрасывая бомбу, большего добиться было невозможно.

Иное дело — положить бомбу на купол. Я пролетал над краем купола. Но Генри был точно над центром. Так огромен был купол, что изгиб его в центре был совсем не заметен, и человек мог ходить по нему.

Я был полон надежды и ужаса. Корзина снова скользнула, подпрыгнула, опустилась. Я видел маленькую фигурку, которая что-то поднимала. Мне хотелось крикнуть Генри, чтобы он оставил бомбу и улетал — бомба взорвется, скользя по куполу, — но он все равно не услышал бы. Я видел, как он перелез через край корзины. Шар, освободившись, резко взвился в серое угрюмое небо. Генри остался на куполе — крошечная фигурка на огромном сверкающем поле.

Он что-то держал обеими руками.

Я отвернулся. Лишь через несколько секунд после взрыва у меня хватило мужества посмотреть. Воздух хозяев с ревом вырывался зеленым столбом сквозь рваную дыру. Пока я смотрел, дыра все более увеличивалась.

Я слепо потянул за веревку и повел свой шар к ожидавшей земле.

Глава 9

КОНФЕРЕНЦИЯ ЧЕЛОВЕЧЕСТВА

Снова мы втроем поднимались по тоннелю внутри горы к вершине, покрытой вечными снегами и льдом. Тогда мы шли пешком не торопясь, останавливались, когда уставали, и освещали дорогу толстыми свечами, которыми пользовались в пещерах. Не совсем те же трое. Фриц занял место Генри.

Теперь двигались мы по-иному. Не пешком, а в одном из четырех вагонов маленького поезда, приводившегося в движение электричеством. И путь нам освещали не свечи, а яркое и ровное свечение, при котором можно было даже читать. Мы не несли с собой еду: она ждала нас в конце пути; там большой штат ждал на высоте в одиннадцать тысяч футов над уровнем моря делегатов и тех счастливцев, которые были приглашены на конференцию человечества.

По желанию Джулиуса конференция проводилась здесь, высоко среди вершин Белых гор, которые укрывали первые гнезда сопротивления завоевателям. Мы вместе с другими выжившими участниками битвы тоже были приглашены по желанию Джулиуса. Мы не были делегатами, хотя, вероятно, могли бы ими стать, если бы захотели. Я не хвастаю, говоря это. Те, кто участвовал в борьбе с хозяевами и победил их, могли претендовать на все что угодно... но выносить такое преклонение... мы предпочитали поиски спокойствия и уединения.

Мы трое искали его по-разному. Бинпол работал в больших лабораториях, построенных во Франции, недалеко от замка у моря. Фриц стал фермером у себя на родине и все время отдавал уходу за животными и посевами. А я, более беспокойный и менее целеустремленный, нежели они, нашел мир в исследовании тех далеких областей, которые хозяева полностью лишили прежнего человеческого населения. На корабле с полудюжиной опытных моряков я плавал по морям и приставал в чужих забытых гаванях на незнакомых берегах. Мы плавали под парусами. У нас уже были корабли с двигателями, но мы предпочитали прежний способ.

Это была наша первая встреча за два года. Мы много смеялись и разговаривали в городе между двумя озерами, но во время долгого пути в горах разговоры прекратились. Мы погрузились в собственные мысли. Я был меланхолично настроен. Вспоминал прошлое и наши совместные дела. Приятно было бы сохранить прежнюю тесную дружбу. Приятно, но, увы, невозможно. То, что свело нас вместе, исчезло, а теперь наши дороги разошлись в соответствии с нашими характерами и потребностями. И мы изредка встречались, но всегда почти как незнакомые — может, состарившись, мы сможем сидеть вместе и обмениваться воспоминаниями.

Потому что победа все изменила. Были и месяцы беспокойного ожидания большого корабля, но даже в это время Земля приходила в себя, восстанавливала забытые умения, сжимая в месяцы то, что наши предки сделали за десятилетия и даже за столетия. И лишь когда однажды осенней ночью в небе вспыхнула новая звезда, люди остановились, затаив дыхание, и беспокойно смотрели в небо.

Эта звезда двигалась — огненная точка среди неподвижных знакомых звезд. В мощные телескопы виден был металлический цилиндр корабля. Ученые произвели расчеты его размеров, и результаты получились поразительные. Более мили в длину и четверть мили шириной в самой толстой части. Он перешел на круговую орбиту, а мы напряженно ожидали, что он предпримет, не получив ответа от колонистов.

В первый раз они победили хитростью, но вторично она не подействует. Воздух нашей планеты для них ядовит, а базы у них нет. Люди по-прежнему носят шапки, но эти шапки не контролируют их. Они могут попытаться основать новую базу, но мы создавали все более и более мощное оружие. Победив их, когда они были могущественны, а мы ничтожно слабы, мы знали, что в будущем не должны давать им ни одного шанса.

Они могли обрушить смерть и разрушение со своего безопасного неба. К такой возможности склонялось большинство, и сам я вначале думал так же. Они могли рассчитывать, что после долгой бомбардировки мы будем настолько ослаблены и падем духом, что они смогут высадиться и снова править нашей обожженной почерневшей планетой. В таком случае предстояла долгая и жестокая борьба, но мы бы выиграли ее в конце концов.

Ничего этого они не сделали. Лишь сбросили три бомбы, по одной на каждую цель, и полностью их уничтожили. Целью были мертвые золотые города их колонистов. Мы потеряли людей, работавших там в это время, в том числе многих ученых. Но потери составляли сотни людей, а могли погибнуть миллионы. А когда взорвалась третья бомба, последний хозяин, оставшийся на Земле, забеспокоился в своей комнате — новой, хорошо оборудованной, с высоким потолком, садом-бассейном и стеклянной передней стенкой, чтобы на него могли смотреть люди, как на зверя в зоопарке, — Руки взвыл, упал и умер.

Поезд прошел последние промежуточные станции, и снова сомкнулись стены тоннеля над нами. Я спросил:

— Почему они так легко сдались? Я этого так и не понял.

Фриц удивился, но, должно быть, Бинпол думал так же. Он сказал:

— Вряд ли кто-нибудь знает. Я читал недавно новую книгу. Автор ее последние месяцы наблюдал за Руки. Мы многое узнали о том, как функционируют их тела, по вскрытиям, но их мозг все еще остается загадкой. У них было иное, чем у людей, отношение к судьбе. Хозяева в треножниках умерли, когда погиб их город. Руки каким-то непонятным способом узнал, что корабль покинул его и повернул в глубины космоса. Не думаю, чтобы мы когда-нибудь узнали, как это происходит.

— Возможно, мы снова встретимся с ними, — сказал я. — Как продвигается постройка лунной ракеты?

— Хорошо, — ответил Бинпол. — А также и разработка атомного двигателя, правда, более слабого, чем у древних. Лет через сто, а может, через пятьдесят мы полетим к звездам.

— Не я, — весело ответил я. — Я останусь в своих тропических морях.

Фриц сказал:

— Если мы снова встретимся с ними... И настанет их очередь бояться нас.

В зале конференции с одной стороны были большие окна, и через них виднелись горные вершины, белые от снега. Солнце сверкало на безоблачном небе. Все было резким и ослепляющим; таким ярким, что нужны были очки, чтобы смотреть дольше нескольких мгновений.

В зале за столом сидел совет во главе с Джулиусом, их стол находился на помосте, лишь слегка приподнятом над полом. Большая часть зала была занята сиденьями делегатов. В дальнем конце зала за шелковым шнуром были наши места. Здесь находились получившие особые приглашения, подобно нам, некоторые чиновники и представители газет и радио. Нам пообещали, что через год-два будет введено телевидение, и люди смогут в своих домах видеть, что происходит на другом конце мира. Именно это изобретение использовали хозяева для предварительного гипноза, и наши ученые хотели добиться, чтобы этого больше не случилось.

Помещение, огромное, с высоким потолком, было переполнено. Мы сидели впереди и смотрели прямо на сиденья делегатов, расставленные концентрическими кругами. Каждая секция имела знак страны, откуда эти делегаты. Я видел название своей родины, Англии, названия Франции, Германии, Италии, России, Соединенных Штатов Америки, Китая, Египта, Турции... Невозможно было разглядеть все.

Из двери в противоположном конце зала начали выходить члены совета и занимали места за своим столом. Мы все встали. Джулиус шел последним, тяжело опираясь на палку, и его появление встретила буря аплодисментов. Когда они стихли, секретарь совета по имени Умберто заговорил. Он был краток. Объявил конференцию человечества открытой и предоставил слово президенту совета.

Снова аплодисменты, которые Джулиус остановил, подняв руку. Прошло два года с тех пор, как я видел его. Он как будто не очень изменился. Немного больше согнулся, но выглядел бодро, а голос звучал сильно.

Он не тратил времени на разговоры о прошлом. Нас больше интересует настоящее и будущее. Ученые и техники быстро восстанавливают знания и искусства древних и даже перегоняют их. Последствия этого трудно переоценить. Но прекрасное будущее во многом зависит от того, как человечество будет управлять собой, потому что человек — мера всех вещей.

Прекрасное будущее... Джулиус имеет право говорить так от имени всего человечества, подумал я. Человечество проявило неутолимый аппетит к игрушкам и чудесам древних. Повсюду в так называемых цивилизованных странах с восторгом слушали радио и нетерпеливо ждали телевидения. По пути сюда я навестил своих родителей и слышал, как отец говорит о проводке электричества на мельницу. В Винчестере вокруг собора поднялись новые каменные здания.

Этого хотели большинство людей, но не я. Я думал о мире, в котором родился и вырос, — мире деревушек и маленьких городков, о мирной упорядоченной жизни, неторопливой, спокойной, зависящей лишь от времени года. Я думал о своей жизни в замке де ла Тур Роже, о ручьях с форелью, о сквайрах, смеющихся и разговаривающих, о рыцарях, фехтующих на турнирах... И об Элоизе. Лицо ее, маленькое и спокойное под голубым тюрбаном, так ясно стояло передо мной, как будто я видел его вчера. Нет, прекрасный новый мир, который хотели все построить, не привлекал меня. К счастью, я мог повернуться к нему спиной и отправиться по пустынным морям в далекие гавани.

Джулиус продолжал говорить о правительстве. Это главный вопрос, и все остальное зависит от него. Совет был образован в дни, когда горстка людей скрывалась в пещерах и планировала восстановление свободы мира. Свобода достигнута, возникли местные правительства по всей Земле, каждое управляет своей территорией. Международные отношения, управление наукой и другие вопросы отошли к юрисдикции совета.

Ясно, что существование такой системы в интересах каждого. Но так же важно, чтобы система действовала под демократическим контролем населения всей Земли. По этой причине совет готов самораспуститься и передать свои функции аналогичному, хотя и большему органу, который будет достаточно представительным. Это потребует изучения и организации и соответствующего переходного периода. Конференция должна также утвердить состав нового совета.

— Это все, что мне необходимо было сказать, — закончил Джулиус. — Остается только поблагодарить всех за сотрудничество в прошлом и пожелать удачи новому совету и новому президенту.

Он сел среди новой волны аплодисментов. Они звучали громко, но, к моему удивлению, быстро оборвались. Некоторые вообще не хлопали. Когда шум стих, кто-то встал, но секретарь, действовавший как председатель конференции, сказал:

— Слово предоставляется делегату Италии.

Выступавший, низкорослый смуглый человек с облаком волос вокруг серебряной решетки шапки, сказал:

— Я предлагаю прежде всего переизбрать Джулиуса президентом совета.

Послышались одобрительные возгласы, но не от всех делегатов.

Делегат Германии сказал:

— Поддерживаю это предложение.

Послышались крики:

— Голосуйте!

Встал еще один делегат. Я узнал его. Это был Пьер, который выступал против Джулиуса шесть лет назад в пещерах. Он был делегатом от Франции.

Начал он спокойно, но под его спокойствием таилась ярость. Вначале он напал на предложенную процедуру, по которой первым выбирался президент. Выборы президента должны следовать за формированием правительства, а не предшествовать ему. Он выступил также против переходного периода. В нем нет необходимости. Конференция обладает правом создать эффективный постоянный совет и должна сделать это. Мы зря тратим время.

Он помолчал и потом, глядя прямо на Джулиуса, продолжал:

— Дело не только в трате времени. Джентльмены, эта конференция проходит здесь не случайно. Было заранее известно, что некоторые делегаты предложат переизбрать президентом Джулиуса. Мы должны были просто утвердить это избрание. Должны были утвердить власть деспота.

Последовал взрыв криков и рева. Пьер подождал, пока все не затихли, и продолжал:

— Во времена кризиса необходимо было вручать всю власть одному человеку — диктатору. Но кризис миновал. Мир, который мы создаем, должен быть демократическим. Мы не можем давать волю чувствам или другим слабостям. Мы посланы сюда представлять свои народы, служить их интересам.

Итальянский делегат крикнул:

— Джулиус спас нас всех.

— Нет, — возразил Пьер, — это неверно. И были другие, кто боролся за свободу, сотни, тысячи других. Мы признавали Джулиуса руководителем, но сейчас в этом нет необходимости. Возьмем эту конференцию. Совет должен был давным-давно созвать ее. Его власть существовала лишь до полного уничтожения хозяев. А это произошло почти три года назад, и только теперь, неохотно...

Последовала новая буря, были слышны слова немецкого делегата:

— Раньше это было невозможно. Нужна была подготовка...

Пьер прервал его:

— А почему здесь? Есть десятки, сотни мест в мире, которые больше подходят для проведения этой конференции. Мы здесь по прихоти стареющего тирана. Да, я настаиваю на этом! Джулиус захотел, чтобы конференция состоялась здесь, среди вершин Белых гор. Это еще одно напоминание о нашем предполагаемом долге перед ним. Многие делегаты родом из низин и чувствуют себя здесь плохо. Некоторые заболели горной болезнью и вынуждены были переселиться ниже. Но это не беспокоит Джулиуса. Он призвал нас сюда, в Белые горы, думая, что здесь мы не осмелимся голосовать против него. Но если люди беспокоятся о своей свободе, Джулиус увидит, что он ошибся.

Крики и споры пронеслись по всему залу. Один из американских делегатов произнес короткую сильную речь в поддержку Джулиуса. Китайский делегат тоже. Но другие поддержали Пьера. Делегат Индии заявил, что личности не имеют значения. Важно создать сильное и эффективное правительство, а для этого нужен сильный руководитель. А не ослабленный преклонным возрастом. Джулиус сделал великое дело, и его долго будут помнить. Но его место теперь должно быть занято более молодым человеком.

Фриц рядом со мной сказал:

— Проголосуют против него.

— Это немыслимо, — возразил я. — Кричат лишь некоторые, но когда дойдет до голосования...

Обсуждение продолжалось. Наконец начали голосовать предложение о переизбрании Джулиуса президентом. Зал был оборудован электрическим устройством: делегаты нажимали кнопку «за» или «против», и результаты появлялись на табло. Там загорелись большие цифры.

«За» — сто пятьдесят два.

Я затаил дыхание.

«Против» — сто шестьдесят четыре.

Последующая буря приветствий и негодующих возгласов была более яростной, чем все предыдущие. Она не кончилась, пока не встал Джулиус. Он сказал:

— Конференция приняла решение. — Внешне он не изменился, но голос его звучал устало. — Мы все должны согласиться с ним. Я хочу лишь, чтобы мы оставались едиными при любом президенте и совете. Люди не в счет. Важно лишь единство.

Аплодисменты на этот раз звучали недолго. Старший представитель Соединенных Штатов сказал:

— Мы прибыли с доброй верой, готовые сотрудничать с людьми всех наций. А услышали только болтовню и оскорбление великого человека. Исторические книги говорили нам о том, каковы европейцы, что они никогда не меняются, но мы не верили этому. Что же, теперь мы верим. Наша делегация покидает конференцию. У вас есть свой собственный континент, а у нас свой, и мы сами позаботимся о себе.

Американцы собрали свои вещи и направились к выходу.

Прежде чем они вышли, китайский делегат своим мягким голосом сказал:

— Мы согласны с американской делегацией. Мы считаем, что наши интересы не может защитить совет, разрываемый страстями, как мы это видели сегодня. К сожалению, мы должны покинуть конференцию.

Один из немецких делегатов сказал:

— Это работа Франции. Французы заняты лишь своими интересами и амбициями. Они хотят править Европой, как правили ею раньше. Но я должен сказать им: берегитесь! У нас, немцев, есть армия, которая сумеет защитить наши границы, и есть авиация...

Его слова затерялись в настоящем аду. Я видел, как встал английский делегат и направился к выходу. Я взглянул на Джулиуса. Тот сидел, опустив голову, закрыв глаза руками.

Из зала конференции по твердому снегу можно было подняться по склону Юнгфрау. И Юнгфрау сверкала слева от нас, Менх и Эльгер — справа. Виднелся круглый купол обсерватории, которая снова использовалась для наблюдений за бесстрастными небесами. Снежные поля над нами расступились, и стали видны зеленые поля внизу. Солнце садилось, появились тени.

Мы молчали, выйдя из зала. Наконец Бинпол сказал:

— Если бы Генри не умер...

— Что может сделать один человек?

— Многое. Джулиус сделал. Но Генри был бы не один. Я помогал бы ему, если бы он захотел.

Я подумал об этом и сказал:

— Наверно, я тоже. Но Генри мертв.

Фриц сказал:

— Я откажусь от своей фермы. Есть дела поважнее.

— Я с тобой, — сказал Бинпол.

Фриц покачал головой:

— Между нами разница. Твоя работа важнее моей.

— Не такая важная, как эта. А ты, Уилл? Ты готов к новой борьбе, длительной, менее волнующей, без великого триумфа в конце? Оставишь ли ты свои моря и острова, чтобы помочь нам объединить людей, сохранить мир и свободу? Англичанин, немец и француз — это будет неплохое начало.

Воздух был холодный, но возбуждающий. И порыв ветра принес снежную пыль с вершины Юнгфрау.

— Да, — сказал я. — Я оставлю свои моря и острова.

Рваный край

1

Популярная газета назвала это трясущейся весной.

Первая катастрофа — в Новой Зеландии — унесла тридцать тысяч жизней, сильно разрушив Крайстчерч и совершенно уничтожив Данидин. Две недели спустя на Малайю и Северное Борнео обрушились приливные волны, а в Южно-Китайском море с паром и дымом поднялась новая вулканическая цепь. В Боливийских Андах произошло сильнейшее землетрясение, а более слабое — на Ямайке. Россия сообщила о землетрясении в Туркмении, а в Китае, по сообщениям сейсмологов, вскоре разрушительное землетрясение случилось в Тибете.

Впрочем, беспокоившие Мэтью Коттера капризы природы были более обычными и близкими. Серия холодных фронтов прокатилась с Атлантического океана, вызвав на острове шквальные ветры и необычно холодный дождь. Это было самое главное время года, когда ранние помидоры вырастали в пригодные для употребления плоды, и расход горючего на поддержание в теплицах нужной температуры приводил в отчаяние. Настроение Мэтью не улучшилось, когда в последующие недели шквальные ветры разбили стекло в теплицах. В конце второй недели, проведя целый день за починкой парников, он со смешанным чувством вспомнил, что его пригласили на ужин Карвардины. Готовить себе ужин не хотелось, но перспектива костюма и хороших манер тоже не прельщала.

Карвардины жили в нескольких милях от него, в Форесте. Джон Карвардин, которому шел шестой десяток, пять лет назад оставил свою работу геолога в одной из средневосточных нефтяных компаний. У них с Мэтью были приятельские отношения: раз или два в неделю они играли в бильярд в клубе. Конечно, Карвардины — гостеприимные хозяева, но одно это не объясняет их настойчивого внимания к одинокому мужчине. Как он и ожидал, синий автомобиль Мэг Этвелл стоял перед домом, когда он подъехал.

Мэг Этвелл и Сильвия Карвардин были давними подругами; главным образом из-за этого Карвардины и переехали на Гернси. Одного возраста — Сильвия на добрых двадцать лет моложе мужа, — с сангвиническим темпераментом и хорошим характером. Но физически они были противоположностью друг друга: Сильвия маленькая, светловолосая и полная, а Мэг высокая, темная, с пружинистой походкой. Она была замужем за адвокатом, который умер три года назад, оставив ее с двумя детьми. Привлекательная и неглупая, она, несомненно, стала бы хорошей женой для разведенного фермера, чья дочь выросла и уехала на большую землю. Сильвия была тактична, не указывая на очевидное, но постоянно сводила их, чтобы они сами осознали разумность такого исхода. Мэтью казалось, что в таких случаях он замечал смешливые огоньки во взгляде Мэг. Он полагал, что, если бы отнесся к этому делу серьезно, она последовала бы его примеру, но пока это ее не занимало. Похоже, она вполне довольна своей жизнью, домом и детьми.

В камине гостиной пылал огонь. Климат после штормов — это единственный недостаток, который Карвардины обнаружили на острове. Джон налил приятелю крепкого виски, а Сильвия спросила его о Джейн. Она сказала, как говорила не раз и раньше, что он должен чувствовать себя одиноко без дочери.

Мэтью согласился.

— Но она часто пишет письма и звонит каждую неделю. И для нее хорошо, что она уехала.

Мэг сказала:

— Да, это очень важно, я думаю. Прекрасное место для детей, но для старших мало возможностей. Я уверена, что после школы мои тоже уедут на большую землю, даже если не захотят учиться в университете.

Ее сыну было 16 лет, а дочери 12, красивые и послушные дети.

Сильвия сказала:

— Я думаю, тебе придется хуже, чем Мэтью. У него есть еще теплицы. Для женщины пустой дом еще более пуст.

Мэг резко ответила:

— Меня это не волнует. Если поискать, можно найти множество занятий. Не думаю, чтобы у меня было время для скуки.

Она говорила честно, не пытаясь произвести впечатление, и это нравилось Мэтью. Он снова увидел, что она прекрасная женщина и план Сильвии вполне разумен. Но он сомневался, что когда-нибудь серьезно будет в нем участвовать. Он вполне доволен своей жизнью.

Сильвия хорошо готовила. Вначале она подала наваристый суп с омаром, затем тушеное мясо с сельдереем, весенней огородной зеленью и картофельным пюре. Они пили кларет, который Джон закупал бочонками. Далее пирог со сливами, сбереженными с предыдущего лета, и кофе у огня. Все очень приятно, комфортабельно и точно соответствует месту и времени, подумал Мэтью. Обсуждали мировые катастрофы. До запада начали доходить слухи, главным образом через Гонконг, что последнее землетрясение было даже гораздо разрушительнее, чем в Новой Зеландии.

Сильвия сказала:

— Не понимаю, почему китайцы молчат об этом. Землетрясения нельзя стыдиться. Это ведь не результат неправильного социального планирования.

— Вероятно, привычка, — предположил Мэтью. — И нежелание признавать любую слабость.

Мэг кивнула.

— Должно быть, ужасно обнаружить, что земля под ногами не прочна. И ведь землетрясений произошло так много. Могут они быть здесь?

Она смотрела на Джона. Тот сказал:

— Это маловероятно.

— Почему? Потому что в прошлом здесь не было землетрясений?

— Вообще-то да. Землетрясения происходят в двух особых районах: в большом круге Тихого океана и вдоль оси Альпы — Гималаи. Это районы нестабильности. Они далеко отсюда.

— Лет десять назад здесь было небольшое землетрясение, — сказала Мэг. — Я помню, как проснулась от него. Элен спала в детской кроватке, и вначале я решила, что она трясет прутья, и только потом поняла, что дрожит весь дом.

— Три-четыре балла по шкале Меркалли, — сказал Джон. — Изредка и здесь бывают небольшие толчки. В Шотландии есть место, в котором они происходят часто. Но ничего серьезного.

— А что такое шкала Меркалли? — спросил Мэтью. — Что-нибудь вроде Бофорта?

— Да. Во всяком случае, в ней тоже 12 баллов. Землетрясение в один балл ощутимо лишь точными инструментами. 10 баллов — разрушительное, 11 — катастрофическое, 12 — опустошающее, когда все сровнивается с землей. В Новой Зеландии было 11 баллов.

— 35 тысяч погибших, — сказала Мэг. — Я думала, это опустошающее землетрясение.

— А что вызывает землетрясение? — спросила Сильвия. — Я этого никогда не понимала.

— И сейчас не поймешь, — ответил ее муж. — Большинство возникает из-за скольжения вдоль разрывов, а сами разрывы — следствия напряжений, накапливающихся в течение тысячелетий. Два района, о которых я говорил, нестабильны, потому что они — остатки последнего периода горообразования, а он происходил очень давно. Земля все еще оседает.

— Но ведь их так много в последнее время, — сказала Сильвия.

— Не думаю, чтобы это что-нибудь значило. Совпадение, вероятно.

Мэг сказала:

— А что, если снова начнется горообразование? Жизнь тогда станет неудобной, вероятно?

— Очень. Впрочем, я не вижу для этого никакой причины. Опасаться нечего. Последние землетрясения, конечно, ужасны для тех бедняг, но с глобальной точки зрения они мало что значат. Одна-две морщины на кожуре апельсина — апельсин огромный, а морщинки крошечные.

— Хотите еще кофе? — спросила Сильвия. — Ну, пока наш кусочек апельсина не сморщивается. Будет ужасно, если он начнет это делать. Особенно для Мэтью.

— Для меня? — Он улыбнулся. — А, вы имеете в виду стекло. Должен сказать, что дела и без землетрясений идут плохо.

— Думаю, что какой-нибудь шок в том, что касается Мэтью, был бы полезен, — сказала Сильвия. — Он слишком самодоволен.

— Больше равнодушен, — заметила Мэг.

Женщины с улыбкой смотрели на него.

Джон сказал:

— Они над вами смеются, Мэтью. Добавьте в кофе бренди.

Возвращаясь домой, Мэтью решил, что вечер был приятный и что приятно также возвращаться к себе. Конечно, было бы лучше, если бы с ним была Джейн, но ее уход он воспринимал как неизбежное. Он заранее готовил себя к этому. Мэтью любил ее и поэтому разрешил уехать, даже слегка побуждал к этому. По обычным стандартам, он в своей жизни знал лишь немного людей, а любил только ее одну. И ради нее готов был ее потерять. Она скоро выйдет замуж, а он не собирался снова вступать с кем-нибудь в контакт. Не самодовольный, подумал он, а просто смирившийся. У него есть независимость и воспоминания о лучших временах. Немногие имеют столько.

Свернув к обочине, чтобы объехать бегущего иноходью ежа, он обдумывал обвинение в равнодушии. Он знал, что более обособлен от людей, чем другие. Конечно, объяснялось это личными причинами. Счастливое детство, которое кончилось в пять лет со смертью матери. Первое событие, которое он хорошо помнил, это похороны матери. Сама она оставалась туманным образом с теплым смеющимся лицом и успокаивающими руками. Он помнил кудахтанье тетушек и священника с его непонятной молитвой. А потом холодная зима и миссис Лорринс, приглядывающая за домом, в котором отец проводил все меньше и меньше времени. Весной произошла перемена: отец весело насвистывал перед завтраком, смеялся по вечерам и даже приходил к нему перед сном. Летом появилась мисс Арунден, которая стала тетей Элен и которая — он понял это раньше, чем ему сказали, — скоро станет его мамой. Высокая женщина с холодными тонкими пальцами и теплым ароматным дыханием.

После свадьбы переезд в Северный Уэльс, на родину Элен. Мэтью решил, что эта местность прекрасна, но резка и недружественна в отличие от его родного Кента. В последующие годы он привык к этому месту и даже полюбил его. Появились дети: Анжела, Родни и Мэри, родившаяся, когда Мэтью было 12. На следующий год Мэтью уехал в школу, а из школы — в армию. Осенью началась война. Его контакты с семьей стали короткими и редкими, а после смерти отца — Мэтью в это время, в 1944 г., находился во Франции — совсем прекратились.

Демобилизовавшись, он поселился в Лондоне и сменил несколько не слишком хорошо оплачиваемых журналистских мест. И женился на Фелисити, коллеге по первому месту. Оглядываясь назад, трудно было понять, что двигало ими обоими. После нескольких месяцев он решил, что брак их долго не продержится, но он продержался 12 лет. Только тогда она оставила его ради другого, более преуспевающего журналиста, и взяла с собой Патрика. Патрик с самого начала во всех отношениях был сыном Фелисити. Мэтью испытал облегчение и радость от того, что сохранил Джейн.

Во время бракоразводного процесса он получил наследство от дяди. Оно оказалось значительнее, чем он ожидал: тысячи вместо сотен. На каникулы он вместе с Джейн отправился на острова в проливе и понял, что ему не к чему возвращаться. На Гернси он нашел то, что ему было нужно: 15 сотен футов стеклянных парников и дом у холма. Два дня спустя после покупки дома он расстался со своей журналистской работой.

И за плохими годами последовали хорошие. На сегодня их уже девять. Джейн окончила школу на острове, а потом уехала в Лондонский университет. Со своей стороны, он в начале своего фермерского пути делал грубые ошибки и испытал неприятности от капризов погоды, но в целом скромно процветал. Подлинных друзей у него не было, но работа ему нравилась, а чтение, игра в бильярд в клубе и стаканчик виски давали необходимое расслабление.

Конечно, он доволен жизнью. Равнодушен? Что ж, он знал ограниченность человеческого счастья и те наказания, которые следуют за страстью. Ставя автомобиль в гараж, он признался себе, что ему чертовски недостает дочери. Но он благодарен за то, что было и что осталось. И не будет неосторожно рисковать своим положением.

В следующую неделю погода улучшилась. По-прежнему шли дожди, но температура поднялась на 10 градусов и между дождями солнце светило так ярко, что Мэтью смог выключить бойлеры. Цены на Ковент-Гарден сохранялись высокие, а новое удобрение, которое уговаривала его купить компания, оправдало свою стоимость. Плоды приобрели хороший цвет. Датские фермеры, видимо, сосредоточили свои усилия на немецком рынке. Пожалуй, год будет хороший.

В пятницу позвонила Джейн. Оператор спросил:

— Вы оплатите вызов мисс Джейн Картер? — и Мэтью ответил:

— Конечно, соедините нас.

Голос ее звучал весело, она слегка задыхалась. Мэтью спросил, не бежала ли она.

— Нет, папа. Просто быстро шла. Я на Чаринг-Кросс по пути к тете Мэри.

Мэри, младшая из его сводных сестер, была единственным членом семьи, с которым он поддерживал связь. В последние годы его брака она пробовала карьеру актрисы в Лондоне и несколько раз бывала у них в мрачной квартире с высоким потолком на Кромвел-роуд. Хотя она этого не говорила, Мэтью знал, что она не любит Фелисити и симпатизирует ему. Она любила Джейн, которая после поступления в университет несколько раз гостила у нее. Шесть лет назад Мэри вышла замуж за фермера из Восточного Сассекса. Детей у нее не было.

— Это хорошо, — сказал Мэтью. — Гораздо лучше, чем уикэнд в Лондоне.

— Боже, конечно. Один из наших парней пишет роман — ну, знаешь, о здешней жизни. Он не мог придумать название, и Майк предложил «Воскресение педераста». Ужасно, правда...

Мэтью рассмеялся.

— Как Майк?

Этот студент-химик довольно часто, хотя и невинно, начал фигурировать в рассказах дочери об университетской жизни.

— О, прекрасно!

— А работа?

— Отвратительно, дорогой. Как твои помидоры?

— Не могу жаловаться.

— Значит, очень хорошо. Может, все же удастся зимой съездить в горы?

— Поезжай, если хочешь. Я не поеду.

— Поедешь. Хотя бы просто чтобы посидеть и выпить в компании. Ты становишься слишком скучен на твоем острове.

Он был доволен ее настойчивостью и сказал насмешливо:

— Так говорит космополит. К среднему возрасту поневоле становишься немного скучен.

— Не станешь, пока есть я. Дядя Гарри встретит меня у Сен-Леонарда. В новом «ягуаре». Как ты думаешь, он позволит мне править?

— Нет. И ты не должна просить его.

— А что тут такого?

— Я позвоню Гарри и предупрежу его.

— Не надо. Дьявольщина! Гудки.

— Я могу заказать еще три минуты.

— Дорогой, не могу. Поезд уходит в два. Я позвоню утром

— Хорошо. До свидания, девочка.

— До свидания.

Мэтью приготовил себе ужин — запеканку со свининой, с час посмотрел телевизор и, в последний раз обойдя теплицы лег рано в постель. Он немного почитал и легко заснул. Его разбудил собачий лай, он сел и зажег свет.

Он держал несколько десятков кур, чтобы иметь свежие яйца и собака повадилась беспокоить их по ночам. Очевидно, это маленькая собака, она пробиралась через изгородь и сгоняла кур с насеста. Однажды ночью Мэтью встал и слышал, как собака убежала с его приближением. Это было с неделю назад, и с тех пор он держал в спальне дробовик. Он лишь пугнет собаку. Мэтью надел брюки и куртку поверх пижамы, натянул носки и ботинки. Потом зарядил ружье и, прихватив фонарик быстро пошел в направлении курятника.

Ночь была ясная и прохладная, небо безоблачное, луна в первой четверти, большая арка Млечного Пути лила с неба мягкий свет. Мэтью снова услышал собаку на тропинке и сразу остановился. Она не лаяла, а выла, и Мэтью понял, что куры тут ни при чем. Похоже, это колли с фермы Маржи. Но и куры беспокоились. Они нервно кудахтали, а в это время ночи такие звуки очень необычны. Мэтью крепче сжал ружье и пошел дальше.

Он слышал теперь и другие звуки в неподвижном воздухе. Вторая собака поддержала первую, а где-то вдали послышался вой третьей. Мычали коровы. А вот крик, отвратительный и раздирающий уши даже на расстоянии в четверть мили, одного из ослов мисс Люси. В этих обычных звуках чудился какой-то ужас — в необычно спокойную ночь, без ветерка, в мирные предутренние часы. Потом послышался еще один звук, знакомый, но теперь самый странный из всех. Щебетание птиц, просыпающихся после сна. Сначала одна, потом другая, все больше и больше, и наконец Мэтью почувствовал, что все птицы на острове проснулись и беспокойно кричат. Он снова остановился рядом с зарослями бамбука в конце своего огорода.

Затем после мгновенной, едва ощутимой дрожи земля под ним поднялась, подбросила его, как крысу, снова поднялась и швырнула его в воздух.

2

Мэтью чувствовал, как стебли бамбука бьют его по лицу и по телу, и инстинктивно ухватился за них. Земля опустилась, и он начал сползать вниз, но тут земля поднялась вновь, и звезды на небе начали сумасшедшее вращение. На этот раз его глубоко забросило в бамбук, левая нога и плечо оказались крепко зажатыми между стеблями.

После первого толчка наступила режущая уши тишина. После второго послышался шум, раздирающий барабанные перепонки; перед ним меркло воспоминание о бомбардировках. Мэтью смятенно подумал, что мир сорвался со своей орбиты, катится куда-то в космос. Шум замер и снова начался, когда земля поднялась в третий раз. Стебли бамбука держали цепко. Далее последовал целый ряд толчков — удар и рев, удар и рев — в каком-то отвратительном ритме. Однажды ему показалось, что он слышит собачий вой, но такой слабый звук должен был потеряться в грубом крещендо раздираемой на куски и протестующей земли.

Новый звук был иным, но в том же гигантском масштабе. Он прозвучал во время отлива одной из ударных волн, и Мэтью понял, что уже давно, не осознавая, слышит его. Это был вой ветра и гром лавины, смешанные с грохотом морского шторма. Этот звук взлетал высоко, до пределов слышимости, и снова спускался. Но, спускаясь, он менял свою высоту, как свисток поезда, проносящегося мимо станции. Когда этот звук замер, земля снова поднялась и взревела, поднялась и взревела — страшная тема с вариациями, оркестрованная демонами, и сильный порыв ветра чуть не сорвал Мэтью с бамбукового насеста.

Он понятия не имел, сколько прошло времени до первого настоящего затишья. У него было впечатление, что удары продолжались часами, но на это нельзя было полагаться: все его чувства сильно пострадали от физических и звуковых ударов. Один раз он слышал треск стекла, разлетающегося на тысячи кусков, но не мог понять, происходило ли это в конце, или в самом начале. Но наконец он понял, что земля снова неподвижна и слышатся лишь отдаленные ее стоны и трески. Наступившая тишина была тишиной не ожидания, а истощения, тишиной после боли, конечным спокойствием. Когда он попытался высвободиться, треск бамбука громко прозвучал в ушах. Освобождаться оказалось нелегко, его зажало прочно, и к тому времени, когда это ему удалось, он вспотел в холодной ночи.

И даже когда он оказался на прочной земле, что-то было не так. Его чувство равновесия? Он подумал, что стоит наклонно. Когда он двинулся по тропе к дому, то споткнулся и чуть не упал. Он остановился, глядя вверх. Небо не изменилось, попрежнему яркие звезды и луна в первой четверти. И тут Мэтью понял, что не так. Раньше земля была ровной. Теперь она поднималась к западу, в сторону теплиц.

Это открытие ошеломило его. Он знал, что произошло землетрясение, серия землетрясений чрезвычайной силы. Он знал, что теплицы его разбиты, и ожидал, что дом тоже будет сильно поврежден. Но тут сама земля изменила форму!

Во время первого толчка он выронил фонарик (выключив его предварительно, так как не хотел спугнуть собаку, вспомнил он с сухим удивлением). Мэтью оглянулся в поисках фонаря, но его не было видно, и он отказался от поисков. Вместо этого он пошел в сторону дома. Света было достаточно, чтобы разглядеть тропу. Можно ли отсюда увидеть дом? Он сделал несколько шагов, потом остановился. Потом снова пошел, но гораздо медленнее. Лунный и звездный свет освещал груду развалин. Развалины покрывали значительную площадь, но почти не поднимались в высоту. Выше всех стояла дверь, почему-то не упавшая, и из разбитых кирпичей торчала телеантенна. Мэтью смотрел на все это, когда новый толчок бросил его на землю.

Он был не такой сильный, как предыдущие, а следующий — когда он поднялся на ноги — еще слабее, так что он лишь пошатнулся, но не упал. В то же время Мэтью ощутил гораздо больший страх, может быть, потому что прошел первоначальный шок и он мог размышлять более ясно. Бамбук защитил его и сделает это снова. Другого убежища нет.

Он вернулся и скорчился среди стеблей бамбука. Наломав их и уложив на землю, он изготовил нечто вроде подстилки или гнезда — не очень удобно, но лучше, чем ничего. При следующем ударе его убежище затрещало, но не развалилось. Он уселся поудобнее и стал ждать наступления утра. Часы, лежавшие на столике у кровати, теперь погребены в развалинах. Могло быть любое время между полуночью и четырьмя часами утра.

Были еще удары, но не очень сильные, и интервалы между ними становились больше. Он подумал о Джейн и обрадовался, что она далеко от острова. Около двухсот миль — более чем достаточно для безопасности. Потом стал думать о своем будущем. Все его деньги вложены в теплицы и дом. Он попытался вспомнить, что говорится в страховом полисе о землетрясениях. Ему все же повезло. Он жив. С холодной уверенностью он почувствовал, что большинство его соседей погибли. Не слышалось ни звука. Даже собачий вой прекратился.

На востоке небо из черного стало пурпурным, а когда поблекли звезды — голубоватым. Земля время от времени вздрагивала, но не сильно, почти мягко. Мэтью, замерзший, с затекшим телом, спустился со своего насеста и потянулся.

Тропа, шедшая вдоль теплиц, вела к ферме Маржи. Стекло лежало как замерзшее озеро, отороченное, как кружевами, обломками строений. Под ним, как затонувшие водоросли, лежали раздавленные зеленые растения, местами с красными пятнами. Рядом виднелась груда обломков на месте упаковочного сарая, где лишь накануне были подготовлены к упаковке пятьдесят подносов со спелыми помидорами. Больше четверти тонны. Мэтью отвернулся и пошел дальше.

Вид фермы Маржи оказался более шокирующим, чем вид собственного дома. Та же идиотская груда кирпичей и гранитных плит, лишь на несколько футов поднимающаяся над землей. Мэтью медленно пошел вперед. Он думал, что может комунибудь помочь, освободить попавшего в завал. Зрелище фермы лишило его такой надежды. Он обошел вокруг груды, не найдя даже места прежнего входа. Самые разные вещи перемешались здесь: занавески и посуда, разбитая мебель, поднятый палец торшера, раскрытая книга, придавленная куском шифера. А в центре торчала человеческая рука в протесте или мольбе. Она выглядела очень молодой и белой. Дочь, вероятно, Тесси. В конце лета она должна была выйти замуж за молодого парня из гаража. Мэтью отвернулся и ушел.

Дойдя до развалин своего дома, он понял, что замерз и проголодался. Он смотрел на груду камня и обломков дерева, пытаясь определить, где была кухня. Осторожно поднялся на развалины и увидел светлую дверцу холодильника. Он сбросил сверху несколько бревен и начал расчищать подход к дверце. Сначала шло легко, но потом все труднее и труднее. Наконец он добрался до непреодолимого препятствия — дубовая потолочная балка прижала дверцу. Он выпрямился, вспотев. Голод грыз еще сильнее из-за разочарования. Осмотревшись, он увидел пеструю этикетку консервов. Подобрал консервную банку. Франкфуртские сосиски. Джейн любила их, а он нет. Он знал, что сможет их съесть сырыми. Мэтью сухо глядел на банку в руках. Теперь нужен консервный нож.

Он вспомнил, что нож лежал в ящике кухонного шкафа. Под ногами скрипнул обломок зеленого стекла — отделка кухонного шкафа. Мэтью начал, как терьер, ворошить обломки. Он нашел чашку, на удивление целую, но консервного ножа не было. Поиски продолжались долго, и он отказался от них, лишь когда нашел еще несколько консервных банок. Жареные бобы, спаржа и сардины. Отбросив первые две в сторону, он взялся за сардины: у них нож крепился к банке.

В саду у Мэтью стояло несколько каменных грибов — древних насестов для гернсийских ведьм. Один из них упал, но остальные устояли. Мэтью сел на гриб и осторожно вскрыл банку сардин. Он пальцами брал рыб и ел их одну за другой. Потом поднял банку и выпил масло. Машинально осмотрелся в поисках урны для банки: в своем хозяйстве он методично следил за тем, чтобы не привлекать мух. Потом вспомнил о руке, торчащей из руин фермы Маржи, и гневным движением отбросил банку.

Теперь совсем рассвело. Взошло солнце, и стало видно всю местность. Странность заключалась не только в грудах развалин на месте дома и теплиц, но и в самом наклоне земли. Впервые Мэтью осознал происшедшее. Боже, подумал он, весь остров, должно быть, изогнуло. Он увидел обрывок провода и узнал его — телефонный провод. Джейн сказала, что снова позвонит утром. Можно ли будет связаться с ней днем? Или провода оборваны на всем острове? Последнее казалось более вероятным.

Во всяком случае, оставаться здесь не было необходимости. Для жителей фермы Маржи он ничего не мог сделать, но, может быть, удастся помочь кому-нибудь другому. Например, Карвардинам. После еды он чувствовал себя лучше. Голод, вероятно, был больше психологическим, чем реальным, — необходимость в уверенности. Мэтью снова осмотрел руины. Есть ли здесь что-нибудь полезное, такое, которое можно взять с собой без особых усилий? Увидев что-то еще, он улыбнулся. Серебряный кубок, полученный за победу в боксе, когда он был младшим офицером. Грабители подберут его, если только остался кто-нибудь в живых. Ему, во всяком случае, он не нужен.

Но потом он увидел предмет, который мог оказаться полезным, — ружье, воткнувшееся ложем в мягкую землю. Оно заряжено. Он проверил предохранитель и надел ремень на плечо. Мэтью не знал, почему, но ему казалось, что разумно взять ружье с собой.

Мэтью спускался по новому склону к светлеющему востоку. Сохранилось несколько сотен ярдов тропы, ведущей к главной дороге. В конце тропы группа деревьев, вырванных с корнем, преграждала путь. Ему пришлось взбираться на откос, чтобы обойти их. Их вытянутые корни тянулись к небу на краю щели в несколько футов глубиной. Теперь Мэтью видна была пустая дорога и остатки нескольких коттеджей. То же абсолютное разрушение, та же тишина. Рассвело уже давно, но птиц не слышно. Что с ними случилось? Сброшены с ветвей и разбились о землю? Или улетели в поисках убежища на далекой безопасной земле? Или настолько ошеломлены, что молчат? Он шел, прислушиваясь к звуку собственных шагов.

Дорога была пуста: мало кто мог оказаться на ней в момент землетрясения. Она изгибалась; Мэтью пересекал дугу круга, в центре которого стоял его дом. С чувством облегчения услышал он знакомый звук — крик осла. Один из четырех ослов, которых много лет держала мисс Люси. Джейн на пути в школу кормила их кусками хлеба, торта и яблоками. Значит, есть еще жизнь. Мэтью заторопился на звук.

Дом превратился в груду камня, пыли и разбитых предметов. Мэтью мимо руин прошел к тому месту, где находились стойла, и к загону. У обрушившейся изгороди лежало тело одного осла, немного дальше виднелся второй. Мэтью по прежнему слышал ржание и прошел в поле. Оно было Г-образной формы и огорожено изгородью из терна, бузины и ив. Поле ограничивал также ручей.

Увидев его, осел закричал еще громче и жалобней. Он лежал и одна нога его была подвернута под таким углом, что ясно было, что она сломана. Мэтью подошел к животному и похлопал его по голове. большие влажные глаза смотрели на него, ослик хрипло застонал. Мэтью прижал ствол к голове животного, спустил предохранитель и нажал на спуск. В тишине прозвучал выстрел, волосатая голова откинулась.

Мэтью возвращался к дороге, когда снова услышал ржание. Он повернулся и с недоверием посмотрел назад. Звук доносился не с поля, а из изгороди; взглянув туда, он увидел четвертого осла. Тот застрял в густых ветвях терновника. Вид был такой комичный, что Мэтью чуть не рассмеялся. Он перешел ручей и начал пробиваться сквозь заросли.

Осел был зажат прочно, но казался невредимым. Вероятно, его забросило сюда одним из первых толчков. Осел бился и изза этого еще сильнее запутался в коконе из колючих ветвей; но кокон и сохранил его, как бамбук спас Мэтью. Теперь необходимо освободить животное. Мэтью попытался растащить ветви голыми руками, но лишь поцарапался. Нужно оружие — топор или что-нибудь такое. Он подумал, что сможет найти что-нибудь в развалинах конюшни. Мэтью, пятясь, выбрался из зарослей, и осел ржал ему вслед. Теперь Мэтью узнал его — это была светлая ослица по кличке Паутинка: четыре осла были названы именами фей Титании.

— Не волнуйся, старушка, — сказал он, — я вернусь.

Вначале поиски принесли разочарование. Типичная гернсийская конюшня построена из тяжелых балок и гранитных блоков, и Мэтью вскоре вспотел и начал задыхаться, но не продвинулся далеко. Солнце начало жечь; вскоре было еще несколько толчков, слабых, но достаточных, чтобы заставить его на время искать убежища в открытой местности.

Но потом он нашел лопату. Она оказалась в хорошем состоянии, с острыми краями. Он взял ее в заросли и начал рубить ветви, с силой ударяя лезвием. Осел вначале бился, но потом успокоился. Работа оказалась нелегкой: колючие ветви пружинили, и лезвие часто скользило по ним. Через полчаса напряженной работы он, казалось, почти не продвинулся. Мэтью остановился и вытер с лица пот.

Ему пришло в голову, что он неправильно тратит силы. Другим людям, возможно, необходима его помощь. Смешно тратить все силы на то, чтобы высвободить осла из зарослей. Ослик снова закричал. Мэтью пожал плечами, подобрал лопату и продолжил работу.

Он представления не имел, через сколько времени ему удалось освободить животное. Он высвободил последнюю ногу из держащих ее ветвей, и ослик отошел в сторону. Мэтью потрепал его по пушистой голове, по мягкому гладкому носу. Паутинка пошла к ручью и наклонила голову к воде. Мэтью понял, что тоже хочет пить. Он колебался: даже в нормальных условиях вода ручья вряд ли пригодна для питья, а теперь кто знает, чем загрязнены его воды. Впрочем, выбора не было. Мэтью наклонился рядом с ослом, набрал воду в пригоршни и начал пить.

Пока Мэтью отдыхал и думал, что делать дальше, Паутинка спокойно щипала траву в нескольких метрах от своих мертвых товарищей. Мэтью снова подумал, как бессмысленно было тратить столько времени и сил на освобождение животного, когда люди — может быть, Карвардины или Мэг Этвелл с ее детьми, — могут нуждаться в помощи. Нужно как можно быстрее добраться до них. Конечно, осла придется оставить. Он вспомнил о мотке веревки, который отбросил в сторону, отыскивая конюшню, принес ее в поле и привязал Паутинку к одной из ив. Это помешает ей уйти и в то же время даст достаточно простора для того, чтобы пастись.

Дальше по дороге он снова встретил руины домов. Он стоял и звал, прислушиваясь к звукам, которые могли бы означать, что кто-то еще жив. Но никого не было. Мог ли кто-нибудь выжить в развалинах? Он вспомнил, как удар следовал за ударом в бесконечную прошлую ночь. Самое вероятное, что те, кто выжил после первого толчка, были убиты последующими. Мэтью посмотрел в пустое небо, в котором солнце стояло уже высоко. Он искал чего-то, вначале не понимая, чего именно. Потом понял: самолеты. Остров уничтожен полностью, но ведь должна прийти помощь с большой земли? Он вспомнил, как смотрел по телевизору снятые с вертолета картины других катастроф. Сейчас они должны уже быть здесь. И если их нет, что же это значит? Только то, что разрушения затронули гораздо большее пространство, чем он думал; то, что произошло на маленьком острове, кажется не важным на фоне общей картины уничтожения.

Джейн, подумал он. Достигли ли разрушения Восточного Сассекса? Он покачал головой. Если и достигли, то не могли быть такими страшными, как здесь. Тут, должно быть, хуже всего. Здесь, на повороте, обломки домов загромоздили дорогу. Он видел торчащую из руин ногу с опухолью на большом пальце. Снова крикнул, уже не ожидая ответа.

Теперь Мэтью знал, почему он освобождал осла. Потому что не верил, что кто-нибудь, кроме него, выжил на острове. Он, конечно, продолжит поиски, но не найдет никого. Уничтожение полное.

На краю поля зрения что-то двинулось, и он быстро повернул голову. Не только он и осел. Могло выжить много мелких животных. Большая крыса остановилась, потом продолжала пробираться через груду обломков. Мэтью подобрал камень и бросил. Камень не долетел, крыса снова остановилась и села. Он почувствовал в этом вызов, подобрал еще несколько камней и направился к крысе. Та исчезла под грудой дерева и штукатурки.

С нового пункта ему стало видно еще кое-что. Она сидела, как крыса, и смотрела на него, но вызывала не гнев, а ужас и тошноту — голова старика. Глаза и рот раскрыты, застыли в крике агонии. Под головой балка, вся в засохшей крови. Мэтью наклонился, его вырвало. Звук рвоты разорвал тишину. Потом Мэтью ушел, стараясь не смотреть в ту сторону.

Дальше он мог лишь догадываться о продолжении дороги. Она терялась в руинах. Стекло, ткань, металл — игрушечный автомобиль, подставка для шляп, викторианский семейный портрет, расколотое пианино. Разбитые бутылки и сильный знакомый запах. Здесь, на углу, был трактирчик. Мэтью чуть не наткнулся на угол картонного ящика, испускавшего запах виски. Ящик был расколот, а бутылки разбиты. Все разбиты. Жаль. Кратковременное опьянение, он чувствовал, было бы предпочтительнее трезвости мира, в котором он оказался.

Время от времени он останавливался и звал, и голос его глухо возвращался назад. Стена Воксбеле была разрушена, старый монастырь серой грудой виднелся вдалеке. Мэтью перебрался через щель, потом миновал сброшенную ограду и направился по вспаханному летному полю к аэропорту.

Поле наклонилось, а посадочная полоса вдобавок еще изогнулась и была разорвана глубокими трещинами. Возле одного ангара стоял самолет с переломанными крыльями, с разбитыми фюзеляжами. Мэтью смотрел на него. Для него, как и для большинства островитян в последние годы, гаванью острова, связывающей с Англией, был аэропорт. Больше самолеты не будут приземляться здесь. Можно восстановить ангары, залить трещины, но какой в этом смысл, если земля наклонена?

Стоя в середине наклонной пустоты, он закричал:

— Есть здесь кто-нибудь? Я здесь. Я здесь! Есть кто живой, кроме меня?

Пустота поглотила его голос. Он прошел через поле к дороге на Форест. Тут были дома, разрушенные, как и все остальные, и он держался в стороне от них. Он шел к долине Гоффре, где живут Карвардины. Жили — он не надеялся застать их живыми.

Но все же, придя к тому, что осталось от их дома, он принялся за работу, отбрасывая кирпичи, штукатурку, бревна и разбивая мебель. Наконец он нашел их. Они лежали в остатках своей кровати, обнимая друг друга; должно быть, они это сделали, когда толчок разбудил и почти тут же убил их. Мэтью с несчастным видом смотрел на их тела. В воскресенье они должны были прийти к нему на выпивку — завтра утром. Он что-нибудь должен для них сделать. Может быть, выкопать могилу и похоронить. Но он устал, выбился из сил, а лопата осталась у мисс Люси. Все же он не может оставить их так. Он засыпал их разбитой штукатуркой, пока они снова не скрылись.

Он пошел без всякой определенной цели; просто был недалеко от дома, и мысль об обширности и неизменности моря привлекла его. В саду одной из развалин, мимо которой он проходил, пчелы вились на солнце, глубоко забираясь в цветы за нектаром. Цветущий куст, казалось, рос прямо из камня. Мэтью постоял немного, вслушиваясь в усыпляющее жужжание. Он подумал о морских чайках. Так близко от моря обычно уже слышны их крики. Неужели они тоже улетели, как другие птицы? Мэтью считал, что они способны пережить любую катастрофу.

Поднявшись на последний холм, он с недоверием смотрел туда, где должно было быть море. Он видел спутанную зелень водорослей, скалы и песок. Тут и там блестела вода, задержавшаяся в углублениях. Но голубой размах волн исчез. Затонувшая земля сохла на раннем летнем солнце.

3

Мэтью шел по береговой тропинке. Виднелось несколько мелких полосок воды — озер или прудов, — но, сколько хватал глаз, морское дно обнажилось. Далеко на юго-востоке возвышался горб Джерси; вряд ли там было лучше, чем на Гернси Мэтью вспомнил оглушительный гул, шум, вой, визг, сменивший свою высоту. Море, осушая пролив, ринулось на запад к новому уровню. Остров... Больше уже не остров. Мэтью, напрягая зрение, смотрел на север в поисках исчезнувшего блеска моря.

Наконец он отвернулся и пошел назад, в глубь острова. В голове у него было пусто и легко. Вероятно, следовало бы съесть что-нибудь: уже позднее утро, а несколько съеденных сардин он извергнул в развалинах. Но голод, который мучил его раньше, теперь совершенно исчез. То, что он испытывал, напоминало опьянение. Со смешанным чувством жалости и величия думал он о своем положении. Последний оставшийся в живых человек? Робинзон Крузо планеты Земля? Возможно. Тишина продолжалась. Небо оставалось голубым и пустым.

Он шел по полям, избегая развалин; споткнувшись обо что-то, чуть не упал. При ходьбе опирался на ружье, но ствол углубился в землю. Мэтью отыскал щепку и прочистил ствол. При этом он с пронзительным горем думал о Джейн. Останься она на острове, конечно, она тоже умерла бы, но он хоть мог бы похоронить ее.

Он смотрел на ружье в своих руках. Один заряд он истратил, чтобы прекратить мучения раненого осла. Оставался еще один. Это очень просто. Просто и, разумеется, разумно. Какой смысл жить в склепе? На том холме, поднимающемся над высохшим безжизненным морем? Мир, подумал он и повернул ствол к себе.

Негромкий звук удержал его. Он доносился издалека. Возможно, просто оседали развалины. Но Мэтью сразу подумал о крике осла. Он вспомнил, что привязал его. Если бы животное было свободно, оно могло бы пастись и по крайней мере пережило бы лето. Сунув ружье под мышку, он снова пошел по полю.

Аэродром он пересек западнее первоначального пути. Здесь земля была разрезана и измята, как глина скульптором; в одной трещине мог целиком поместиться самолет, не задевая крыльями за края. На стенах расщелин виднелась сырая земля и камни, на дне пробивался ключ. Через сто лет, когда трава покроет обнаженность земли и пустят корни деревья, это будет прекрасное место.

Пробираясь от летного поля на дорогу, Мэтью услышал крик. Звучал крик очень слабо, и Мэтью не смог определить, откуда он доносится. Долго стоял он, прислушиваясь и ожидая. Наконец крик снова повторился, слабый, почти неразличимый; на этот раз Мэтью был уверен, что крик доносится с запада. Он пошел туда, все время выкрикивая:

— Кто тут? Крикните, если вам нужна помощь. Я должен вас слышать. Кричите, чтобы я услышал и смог вас отыскать!

Ответа не было, и он подумал, что вообразил себе этот голос. Галлюцинации неудивительны в таком одиночестве. Он подошел к развалинам дома и смотрел на них. Как и все остальные, дом был разбит на куски. Можно ли выжить в такой катастрофе?

Но крик послышался снова, на этот раз громче. Мэтью заторопился дальше по дороге, за поворот. Тут стояли рядом три или четыре дома; теперь они превратились в единую груду развалин.

На краю этой груды Мэтью позвал:

— Крикните! Покажите, где вы!

Голос звучал приглушенно и по-девичьи. Он доносился откуда-то с дальнего конца. Мэтью начал быстро, но осторожно пробиваться туда. Если очень потревожить эту массу, она может осесть.

— Держитесь! — кричал он. — Я скоро доберусь!

Ответа не было. Он подумал: «Какая ирония, если это был предсмертный крик».

Напрягаясь, Мэтью приподнял балку и увидел под ней человеческое тело. Девушка в ночной рубашке, расшитой цветами. Вот она, подумал Мэтью. Конечно, мертва. Рубашка была порвана, одна грудь выставилась наружу. Мэтью коснулся ее: холодная, совершенно холодная. Он распрямился. Значит, она не могла кричать несколько минут назад. Он снова позвал и продолжал раскопки.

Наткнувшись на маленькую ногу, он подумал, что это еще один труп, но нога оказалась теплой, и ему показалось, что он ощутил дрожь. Часть крыши обрушилась на кровать и прикрыла ее. Поймав ребенка в ловушку, она в то же время защитила его. Мэтью начал расчищать завал.

— Все в порядке, — говорил он. — Бояться больше нечего. Мы это уберем мигом.

Мальчик, лет десяти, почти без сознания. Голова и лицо покрыты штукатуркой; удивительно, что он смог дышать, а не то что кричать. Руками и рукавом куртки Мэтью стер штукатурку. Он попытался поднять ребенка, но тот закричал от боли:

— Рука!..

Левая рука. Мэтью осторожно ощупал ее. Трещина, заживет быстро. Он сказал:

— Все в порядке, старик. — Боль привела мальчика в сознание; он смотрел на Мэтью, продолжая стонать. — Рука слегка повреждена, но с этим мы легко справимся.

Со времени службы в армии ему не приходилось оказывать первую помощь. Немного подумав, он принялся за работу. Прижать локоть под правильным углом, ладонью внутрь. Он прижал руку; мальчик застонал, но не крикнул.

— Хорошо, — сказал Мэтью. — Можешь так подержать, пока я найду подходящую щепку?

Кусков дерева было достаточно. Он подобрал несколько подходящей длины и затупил их концы о камень. Потом оторвал от простыни полосу и обмотал палки. Прижав палки к поврежденному месту, он обмотал поверх другим куском простыни. Мальчик все время лежал тихо.

— Теперь подвесим руку, и ты готов к действиям. Как тебя зовут?

— Билли. Билли Таллис. Что случилось? Взрыв?

— Гораздо больше. Землетрясение.

У него расширились глаза.

— Неужели?

Мэтью сделал повязку через плечо. Следовало бы приколоть конец бинта, но булавки все равно нет. Пока выдержит. Он спросил:

— Ну как? Удобно?

— Да. А где мама и папа? И Сильвия?

Должно быть, Сильвия — его сестра. Это ее тело он нашел сначала. Мэтью сказал:

— Подожди минутку. Я сейчас. — Пошел к телу и прикрыл его. Вернувшись к мальчику, он сказал: — Нужно быть крепким, малыш.

— Они умерли?

— Да.

— Я так и думал. — У него были смуглые, не поддающиеся описанию черты лица и карие, слегка раскосые глаза. — Я их звал. Долго звал, и когда никто не пришел, я подумал, что они умерли. Сильное было землетрясение?

Мэтью поднял мальчика и перенес его через развалины на открытое место. Он сказал:

— Очень сильное. Сильнее не бывает. — Он посадил мальчика. — Как ты думаешь, ты сможешь идти?

Мальчик кивнул. Он смотрел на развалины своего дома. Потом взглянул на Мэтью.

— Куда мы пойдем?

— Еще не знаю. Не было времени подумать. Ты единственный, кого я нашел в живых. Нас только двое. Нет, трое. Третий — это осел.

— Один из ослов мисс Люси? Который?

— Светло-серый. Паутинка.

— Знаю.

— Я его привязал. Нужно вернуться и посмотреть. — Мальчик стоял в одной пижаме, босиком. — Надо найти какую-нибудь одежду для тебя.

— Мне не холодно.

— Будет холодно позже. Оставайся здесь, а я поищу.

Под остатками кровати Мэтью нашел тапочки мальчика, а чуть дальше — ботинок. В поисках второго ботинка он приподнял край разбитой двери и увидел тело мужчины. Лицо его было сильно разбито, вокруг все в крови. Рядом виднелось другое тело.

Сзади Билл позвал:

— Мне нужно прийти помочь?

Мэтью опустил дверь.

— Нет. Я возвращаюсь.

Он взял с постели мальчика одеяла, левый тапочек и правый ботинок. Надел их мальчику на ноги.

— Вот так. Лучше, чем ничего. Одно одеяло обернем вокруг тебя, как плащ, а остальные я понесу. Ночью они тебе понадобятся.

— Где мы будем спать?

— Не знаю. Нужно держаться открытых мест. Могут быть еще толчки. — Он погладил мальчика по голове. — В ближайшие дни придется несладко.

Билли серьезно ответил:

— Ничего. В августе я должен был уйти в лагерь скаутов.

— Ну хорошо. Тогда пошли.

Они возвращались к ферме мисс Люси. Время от времени Мэтью кричал, и Билли присоединялся к нему, но ответа не было. Мэтью беспокоило, как мальчик отнесется к виду мертвых, но когда это произошло — тело мужчины, частично прикрытое обломками, — мальчик воспринял спокойно. Мэтью постарался держаться подальше от ужасной головы.

Паутинка приветственно заржала при их приближении. Билли подбежал к ней и обнял здоровой рукой за шею. Он сказал:

— Она думает, я принес ей что-нибудь. Я так часто делал.

И Джейн тоже, подумал Мэтью. Он с трудом улыбнулся.

— Дай ей что-нибудь. Я хочу, чтобы ты побыл здесь и присмотрел за ней. Я пойду поищу что-нибудь полезного для нас и для нее.

— Можно мне пойти с вами?

— Не в этот раз. Оставайся здесь. С нею тебе будет веселее.

Уходя, Мэтью слышал, как мальчик разговаривал с ослом. Он понял, что нужно подумать о будущем. Нельзя оставаться на поле рядом с тремя мертвыми ослами, а тратить энергию на то, чтобы закопать их, он не собирался. Смерть была повсюду; скоро воздух пропитается запахом разложения. Одинокий мужчина с раненым мальчиком не в состоянии с этим справиться; остается только отступить. Нужно разбить лагерь на открытом месте, но в то же время недалеко от пищи. Пища — первая необходимость. Маленький универсальный магазин в конце тропы. Мэтью подошел к месту, где земля вспучилась горкой в 5—6 футов, из пригорка фантастически торчал платан. Мэтью вскарабкался. Вот эта груда кирпичей и обломков — коттеджи. Магазин в дальнем углу.

Работа оказалась тяжелой и на первых порах неблагодарной; потом ему повезло. Наткнувшись на секцию скобяных товаров, он нашел две неповрежденные кастрюли и спички. Несколько больших пакетов со спичками были раздавлены, но нашлось и немало коробочек в хорошем состоянии. Потом кухонный нож и алюминиевый половник. И сразу за этим самая ценная находка. Картонная коробка порвана и помята, но содержимое цело. Консервный нож. Одно из тех сложных устройств, которые призваны украшать современную кухню; Мэтью даже удивился, что миссис Триквемин держала в магазине такую роскошь. Но самое главное — нож мог вскрывать банки. Теперь нужно лишь найти, что открывать.

Вначале он нашел миссис Триквемин. На лице ее было обычное выражение слабого удивления, как будто она сейчас откроет рот и скажет: «Да ведь это мистер Коттер. Чем я могу быть вам полезна сегодня?» Нижняя часть ее тела была погребена под гранитными блоками. Мэтью прикрыл ее и продолжал поиски.

Неожиданно он наткнулся на сокровище — груду консервных банок всех форм и размеров под полками, с которых они свалились. Почти все были измяты, а некоторые раскрылись, разбрызгав смесь мяса, фруктового сока, консервированного гороха, концентрированного супа и другого содержимого. Но большую часть можно было использовать. Мэтью пригоршнями относил банки к месту, где он оставил кастрюли. Для них с мальчиком хватит по крайней мере на неделю. Он продолжал раскопки. Хорошо бы найти что-нибудь для мальчика.

Большой прямоугольный предмет оказался морозильником. Передняя часть разбилась, но крышка на месте. Внутри Мэтью увидел мороженое. Мальчик будет рад. Неизвестно, когда в следующий раз придется ему попробовать мороженого. Впервые Мэтью подумал о длительном промежутке времени. Самолеты не появились. Похоже, мир будущего жесток, а насколько жесток — трудно сказать.

Мэтью нашел несколько полиэтиленовых пакетов с мясом и овощами. Их нужно съесть немедленно, а консервы приберечь. В следующие несколько дней нужно выкопать как можно больше консервов, а потом держаться подальше от развалин, пока тела не сгниют и земля не очистится. Сколько времени это займет? Несколько недель? Месяцев? Кто знает?

Но как же насчет следующего года? И последующих лет? На полях есть зерно. Можно вырастить картошку. Трудно будет с протеином. Мэтью вдруг понял, насколько трудно: скота нет, а с уходом моря нет и рыбы. Могли выжить кролики; крысы, вспомнил он с отвращением, несомненно, выжили. Мэтью отказался от размышлений. Сосредоточимся на настоящем, а будущее само позаботится о себе.

Разбитое стекло и раздавленные сладости показали, что он добрался до нужного места. Порывшись, он нашел плитки шоколада и взял несколько для Билли. Он нашел также старый мешок, который можно использовать для переноски. Конечно, облегчение, но в то же время напоминание об огромном количестве вещей, в которых они нуждаются. Положив находки в мешок, он взвалил его на спину.

В поле он сложил из кирпичей грубую полевую кухню, потом они с Билли набрали дров и разожгли костер. В одной из кастрюль Мэтью сварил мясо с горохом и кукурузой. Когда оно было готово, он набрал немного в другую кастрюлю, поставил ее ненадолго в ручей, чтобы охладить, и дал мальчику половник в качестве ложки.

Мэтью спросил:

— Ну как? Есть можно?

— Вкусно.

— А как рука?

— Немного болит, но не сильно. — Он смотрел мимо Мэтью. — Смотрите!

Белая кошка пробиралась к ним по траве, очевидно, привлеченная запахом пищи. Она подошла к Мэтью, изогнула спину и потерлась о его ноги. Это была домашняя кошка, изнеженная и привыкшая к ласкам. Билли дал ей кусок мяса, она принюхалась и начала есть.

— Значит, выжили и другие, — сказал Билли.

— Не думаю, что много.

— Может, и люди?

— Маловероятно. Собаки и кошки во время землетрясения могли находиться под открытым небом и выжили.

Билли кончал еду.

Мэтью сказал:

— Боюсь, пудинга не будет. Это пойдет? — Он дал мальчику шоколад и увидел, как у того прояснилось лицо.

— Спасибо. Можно, я дам Паутинке?

— Немного. Вероятно, нескоро будет другой.

Мэтью положил себе немного варева и поел. Неплохо, хотя кукуруза не вполне разварилась. В кастрюле оставалось мясо, и он отдал его кошке. Та ела, мурлыча от удовольствия. Если выжила одна, значит, есть и другие. Они одичают, но будут размножаться. Ему не особенно нравились кошки как источник протеина, но это все же лучше, чем крысы. И есть еще, несомненно, ежи. Он вспомнил, что цыгане запекают ежей в глине.

Мэтью пошел к ручью мыть посуду, когда земля под ним двинулась. Он услышал крик Билли и увидел, что мальчик лежит. Когда Мэтью подбежал к нему, земля снова задрожала и он лег рядом с мальчиком.

— Рука... — Лицо мальчика было искажено от боли. — Наверное, все в порядке, но...

— Дай-ка взглянуть. — Мэтью осторожно ощупал руку: щепки на месте. — Возьми еще шоколада.

Земля успокоилась. Он помог мальчику встать.

Билли спросил:

— Теперь все время будут землетрясения?

— После большого некоторое время бывают маленькие: земля оседает. Последний ночной толчок был сильным. Тебе нужно научиться падать на здоровую руку.

Разговор с мальчиком помог и ему. Каждый новый толчок вызывал в нем инстинктивный страх, такой же сильный, как и ночью. Если бы не мальчик, страх парализовал бы его. Хотелось свернуться в клубок, закрыть глаза и уши, забыть обо всем.

Мальчик всхлипывал, его маленькое тело дрожало.

Мэтью обнял его за плечи.

— Боль скоро пройдет. Ты не съел еще шоколад...

— Не это...

— А что?

— Кошка.

Мэтью вскочил и увидел лишь куски мяса на траве. Он спросил:

— А что с кошкой? — Всхлипывания продолжались, и он не понял, что ответил мальчик. — Спокойнее.

— Она ушла... Я думал, она останется с нами, а она ушла. Я хотел, чтоб она осталась.

Он плакал не о кошке, а о своих родителях и сестре, обо всем, что случилось после того, как он мирно отправился спать накануне вечером.

Мэтью сказал:

— Она вернется. Испугалась, вот и все. Не беспокойся. Через некоторое время она успокоится и вернется.

Билли продолжал плакать, и Мэтью прижал его к себе. Он чувствовал себя жалким и одиноким; в чем-то он даже завидовал мальчику.

К вечеру Мэтью начал готовить лагерь. Необходимость быть на открытом месте столкнулась со страхом перед открытым пространством. Хотелось забиться куда-нибудь. В конце концов Мэтью направился к возвышению в углу поля. Большая часть живой породы исчезла, но несколько сохранившихся в углу кустов создавали иллюзию безопасности. Вдоль изгороди из соседнего поля тек ручей. Мэтью прошел вдоль ручья с полмили. Ручей нигде не смешивался с другими ручьями и начинался подземным ключом. Безопаснее воды на острове не могло быть.

Из своего гаража Мэтью вытащил брезент. Жесткий и потрескавшийся, он все же давал защиту от дождя. Не в том дело, что собирался дождь; наоборот, день был тих и спокоен — мирный золотой летний день. Мэтью привязал концы брезента к колышкам, вбитым в землю, сделав наклонную крышу и подвязав по бокам одеяла. В конце концов он получил квадратное сооружение, похожее на палатку, в котором они вдвоем помещались очень удобно. Из руин дома Люси он вытащил несколько матрацев и с помощью Паутинки привез их на поле. Добывая матрацы, он нашел тело мисс Люси и, прикрыв его, поставил сверху кусок дерева, чтобы обозначить место. Он решил и в будущем поступать так, чтобы не натыкаться на тела в дальнейших раскопках.

Свет поблек, солнце садилось на безоблачном небе. Мэтью сварил еще одну похлебку из размороженных продуктов, а потом открыл банку с персиками. Днем он нашел ложки; он продолжал пополнять запасы необходимых продуктов. Хорошо бы сварить кофе, но пока его не было. И сигареты. Мэтью не был заядлым курильщиком, но сейчас сигарета не помешала бы.

Их палатка выходила входным отверстием на юг. Когда они ложились, совсем стемнело и они видели звездное небо. Горизонт слабо светился. Во Франции? Горящий город или новый вулкан? Последнее казалось более вероятным. Здесь ни следа огня; вероятно, последовательные толчки погасили начинавшиеся пожары.

— Как ты, Билли?

— Хорошо, мистер Коттер. — Пауза. — Она не вернулась?

— Кошка? Дай ей время. Мы ее найдем. Спи, Билли.

Мэтью долго лежал без сна. Подъем, который он испытывал после находки мальчика, прошел. Угнетенный и несчастный, смотрел Мэтью на зарево на горизонте. Интенсивность его менялась, оно разгоралось и гасло. Так может выглядеть огонь вулкана, но и пылающий город. Мэтью пытался почувствовать что-то по отношению к миллионам погибших или еще страдающих. Но ничего не чувствовал. Ни к кому не было жалости. За одним исключением.

Ему снилось, что все происходит снова. Дрожит земля, рушатся дома, воет отступающее море. И сквозь весь этот шум он слышит голос Джейн, зовущий его. Проснувшись в холодном поту, он обнаружил, что земля действительно дрожит, но это была слабая дрожь, к которой они уже привыкли. Билли спал. Мэтью лежал без сна, вспоминая крик дочери.

4

Рано утром сильный толчок разбудил их обоих. Он продолжался с полминуты, и в поле испуганно заржала Паутинка. Мэтью взял мальчика за руку.

— Спокойно. Спокойно, старик. Уже кончилось.

Было темно, но он разглядел, что лицо у Билли побледнело. Мальчик сказал:

— Я думал, все началось снова.

— Ничего подобного. Уже все. Видишь? Как рука?

— Затекла. Но не болит.

— Хорошо. — Мэтью выполз из-под одеяла. — Теперь, после этого будильника, нужно поработать. Я приготовлю что-нибудь на завтрак, а потом пойду за добычей. За следующие несколько дней хочу запасти как можно больше.

Билли тоже слез.

— Я пойду с вами.

— Не нужно.

— Но я хочу. — Он колебался. — Я не могу оставаться один.

— Ну ладно. Сможешь умыться одной рукой?

С вечера Мэтью занес растопку; клочки бумаги и обломки дерева — в палатку; теперь он вынес их и начал разводить костер. Звезды исчезли, луна побледнела. С востока дул свежий ветерок. Успокоившийся осел щипал росистую траву. Мэтью открыл банку со свиными сосисками и разогрел ее. Сосиски они выложили на обломки дерева и поели. Мэтью вспомнил о недавнем вечере, коктейлях, маленьких сосисках на серебряной тарелке, вспомнил атмосферу легкой болтовни и безвкусной роскоши. Лишь десять дней назад? Не может быть!

Они привязали Паутинку на новом месте — на лугу трава почти созрела для косьбы — и вышли. В качестве первого объекта Мэтью наметил порт Сен-Пьер. Он, очевидно, сильно разрушен, но если добраться до магазинов, они снабдят всем необходимым. Он подумал, как лучше добраться до города, и решил, что самый хороший путь лежит по югу, через Вал-де-Террес. Туда они могли дойти по открытой местности, не пробираясь через развалины, а потом, спустившись с холма, войти в город со стороны Эспланады. Мэтью наметил несколько первоочередных целей: аптека, скобяные товары, пища, обувь. Взять как можно больше и спрятать в тайники. Позже перенести с помощью Паутинки.

Проходя мимо развалин, они, как и раньше, кричали, но не ожидали ответа. Им встретились три собаки и несколько кошек, но той, что приходила к ним накануне, не было. Попадались странные картины. В одном месте устояла стена в восемь футов высотой, в другом телевизор, по-видимому, неповрежденный, смотрел на них пустым экраном с небольшой пирамиды обломков. Были и неприятные. Мужчина, наполовину высунувшийся из окна, когда дом рухнул и придавил его. Окровавленная рука, лежащая на траве, как отрубленная ветка дерева. Ребенок, мертвый, но нетронутый; впрочем, подойдя ближе, Мэтью увидел, что ночью тут уже поработали крысы. Он отвернулся, подавляя рвоту, и постарался сделать так, чтобы мальчик не видел этого.

Мэтью сделал небольшой крюк, чтобы побывать у дома Мэг Этвелл. Дом стоял в углублении, окруженный большим садом. Лужайку пересекала глубокая трещина, проходя и через дом. Разрушения были так велики, что не оставалось никакой надежды на то, что кто-нибудь мог выжить. Мэтью некоторое время смотрел на развалины, но не стал звать.

Билли наконец спросил:

— Здесь жили ваши знакомые, мистер Коттер?

— Да. — Мэтью отвернулся, не желая нарушать солнечную тишину. — Идем.

Они поднялись на холм к груде кирпичей — прежнему ограждению Форт-роуд. Отсюда открывался красивейший вид на острове: мыс Форт-Джордж, зеленый и лесистый, справа, впереди море с другими островами: Гермом, Джегу и более отдаленным Сарком. В хорошие дни можно было разглядеть Олдерни, его утесы ярко блестели на солнце. И город внизу, опускающийся террасами к воде и гавани.

Вначале он увидел острова. Они стояли на месте, но больше не были островами. Между ними и вокруг них простирались скалы, песок и высыхающие водоросли морского дна. Посреди пролива на поднявшейся мели торчал переломанный грузовой корабль. Ближе — обрушившийся замок Корне. Остатки стен на скалистой возвышенности казались обломками зубов. А еще ближе...

Он ожидал полного разрушения, пустыни из проломанных кирпичей и камней. Но действительность превосходила все ожидания и ошеломила его. Город полностью исчез. Там, где стояли дома и магазины, виднелась лишь голая земля и скалы, обнажившиеся впервые за историческое время. Остались лишь еле заметные очертания набережной и гавани. В этом месте пнем торчал один из больших кранов. Присмотревшись, Мэтью увидел, что дно Рассела на всем протяжении загромождено обломками. Если раньше на острове он видел развалины, то тут было полное уничтожение.

Билли стоял за ним. Он негромко спросил:

— Что это сделало?

— Море.

— Это все?

— Как стена, — сказал Мэтью, отчасти самому себе. — Молот, чугунная баба, бульдозер. Боже! А я думал, что тут может что-нибудь гореть.

Они молча смотрели вниз. Виден был путь, по которому гигантским молотом между холмами прошла вода, обрушившаяся на город.

Билли сказал:

— Мы пойдем вниз, мистер Коттер?

Он покачал головой.

— Не сейчас.

И продолжал смотреть, пытаясь привести в согласие то, что видел и что помнил.

Билли отвернулся. Вдруг он сказал:

— Мистер Коттер!

— Да, Билли?

— Человек.

Мэтью быстро повернулся. Не более чем в 50 ярдах к ним приближался мужчина. Лет шестидесяти, но его вид не позволял точно определить возраст. Ноги у него голые, черные от грязи, одет он лишь в изорванную пижаму из красного ситца. Длинное худое лицо все в синяках, волосы покрыты грязью. Руки ободраны и окровавлены. Самое странное, что он приближался без слов, как будто не видя их.

Мэтью подумал, что он ослеп, но потом заметил, что тот движется по неровной поверхности уверенно.

Тогда Мэтью крикнул:

— Вы тоже выжили! Откуда вы?

Человек не ответил. Он направлялся не к ним, а к месту в нескольких ярдах от них. Остановившись, он посмотрел на стертые скалы, на которых стоял прежде город.

— Бог посмотрел на них. — У него был нормальный голос образованного человека. — Святые и пророки предупреждали их, но они не вняли. И вот ночью Господь взглянул на них и заплакал из-за их пороков. Слезы его — как молнии, а вздох — как буря.

Мэтью сказал:

— Вам несладко пришлось. Ели что-нибудь после этого? Пойдемте с нами, мы вас накормим.

Он подошел к человеку и взял его за руку. Тот не отрывал взгляда от сцены внизу.

— Вот там, — сказал он. — Там они жили. Там они ели и пили, лгали и сплетничали, танцевали, играли и прелюбодействовали. И в секунду, в мгновение божьего ока, были стерты с лица земли.

— Вам нужно поесть, — сказал Мэтью. — Идемте с нами.

Он крепче взял человека за руку, тот вырвался и впервые посмотрел на Мэтью.

— Но почему я пощажен? Я тоже лгал и суесловил, я жаждал, чревоугодничал и богохульствовал. Почему ужасная месть миновала меня?

«Не безумие его отвратительно, — подумал Мэтью, — а самопоглощенность. Впрочем, было ли безумие? Почему такая мелодрама, нота фальши в голосе. Я ничего не могу сделать для него, а мальчику не стоит это слушать». Он негромко сказал:

— Нам нужно идти, Билли. Оставаться незачем.

Билли, который и так попятился, охотно кивнул. Они пошли.

— Подождите! — крикнул им вслед человек.

Мэтью повернулся.

Человек сделал шаг в их направлении.

— Я должен исповедаться в своих грехах, — сказал он. — Прежде чем Господь взглянет снова, я должен исповедаться.

— Исповедуйтесь Господу, — ответил Мэтью. — Я не священник.

Он тронул Билли за плечо, и они пошли дальше. Сзади послышался скрежет камня, и Мэтью понял, что человек идет за ними.

— Слушайте, — говорил он, — слушайте. Я богохульствовал. Я произносил имя Господа нашего всуе. Я суесловил. Занимаясь делами в Англии, я клал в свой карман деньги, принадлежавшие компании, акционерам. Я пил и не соблюдал субботу. Я вожделел к женщинам...

Он шел в десяти шагах сзади. Когда Мэтью остановился, он тоже остановился.

Мэтью сказал:

— Замолчите. Мы не желаем слушать. Уходите и найдите себе мир в другом месте.

Голос продолжал:

— Вы будете слушать. — В голосе звучали капризность и мелодрама. — Вы должны слушать, чтобы я спас свою душу. Потому что я великий грешник, такой же, как те, что убиты божьим гневом. Была женщина. Теперь она умерла вместе со всеми. Рот у нее был как мед, груди — как сладкие фрукты. Она посмотрела на меня, и я вожделел...

Мэтью остановился и подобрал камень.

— Уходите, — сказал он. — Замолчите и уходите.

Человек смотрел на Мэтью и смеялся.

— Вы должны меня слушать. Я только один спасся. А теперь вы и мальчик. Вы будете слушать мою исповедь, а мальчик передаст ее грядущим поколениям. Я вожделел к этой женщине, и однажды ночью...

Мэтью бросил камень, но промахнулся. Человек снова начал смеяться, а Мэтью подбирал камни и бросал их, чувствуя нарастающую ярость, желание калечить и убивать. Камни падали в руки и тело человека, а он продолжал смеяться. Но вот камень попал в щеку, и смех прекратился. Человек поднял руку к щеке, и пальцы его окрасились кровью. Он стоял, глядя на них.

Мэтью сказал:

— Держитесь от нас подальше.

Они снова пошли. На этот раз звука шагов сзади не было. Поднявшись на вершину холма, Мэтью оглянулся. Человек стоял неподвижно.

Билли спросил:

— Он сошел с ума?

Отвращение к самому себе заполнило Мэтью. Но как справиться с безумцем в разрушенном мире? Ведь ему нужно присматривать за мальчиком. И все же — это еще один выживший, а он бросал в него камнями. Хуже всего воспоминание той дикой радости, которая поднялась в нем при виде крови.

— Да, он сошел с ума, — ответил Мэтью. — Ты знаешь, это не его вина. Думаю, он попал под обломки и сумел выбраться. Мы не можем ему помочь.

Билли сказал с удовлетворением:

— Вы хорошо сделали, что прогнали его, мистер Коттер. Здорово залепили камнем!

Он хотел что-то объяснить мальчику, но не находил слов. А если бы нашел, была бы какая-нибудь разница между ним и этим безумцем? Оба исповедовались бы перед не желающей слушать, не понимающей аудиторией.

Он сказал:

— Пойдем в Сент-Мартин, Билли. Там была аптека. Посмотрим, что мы сумеем найти. К тому же там магазин скобяных товаров и склады продовольствия. Там должно сохраниться больше, чем в порту. Да и нести оттуда вещи в лагерь ближе.

— Значит, это наш лагерь, мистер Коттер? — Мальчик помолчал. — Может, мне набрать камней и положить у палатки? Вдруг он придет.

— Нет, — ответил Мэтью. — Не нужно.

Группу людей они увидели на некотором расстоянии от себя. Их было не меньше полудюжины, некоторые копались в развалинах, другие стояли рядом. Одновременно один из них увидел Мэтью и мальчика и приветственно махнул рукой.

Билли схватил Мэтью за руку.

— Что, Билли?

— Они не сумасшедшие?

— Не думаю.

Мэтью думал о собственной реакции. С этого момента, как он нашел Билли, в глубине души он знал, что найдутся и другие. Это была какая-то надежда, защита от безнадежного одиночества в будущем.

Человек, которого они встретили на вершине Вал-де-Террес, убедил его в этом. Выжили и другие, и он найдет их. Будут люди, с которыми можно жить и работать. Они снимут с его плеч часть ответственности за Билли. Теперь эта надежда стала реальностью, и он удивлялся, почему не радуется. Он пошел к ним, Билли шел рядом. Мэтью чувствовал беспокойство, которое не мог объяснить самому себе.

Когда они подошли, копавшиеся в развалинах прекратили свое занятие. Всего их было семеро. Три женщины: смуглая тощая безобразная старуха лет шестидесяти, полная миловидная девушка с глуповатым лицом лет двадцати и девочка на один-два года моложе Билли. Все они были в хорошем состоянии, если не считать синяков и царапин. Из четверых мужчин один был стар, другой примерно ровесник Мэтью и двое около двадцати пяти лет. Один из молодых, тощий, с кудрявыми светлыми волосами, сидел; его правая нога была перевязана и торчала прямо. У старика голова была перевязана грязной тряпкой; похоже, у него высокая температура. Мужчина возраста Мэтью невредим, но выглядел испуганным и нерешительным. Признаки энергии были видны только у второго молодого мужчины. Кроме него, все были одеты в разнообразные, часто неподходящие и случайные вещи. На нем же был синий комбинезон. Хотя и грязный, он придавал ему деловитый вид. На ногах высокие кожаные сапоги. Задумчиво посмотрев на Мэтью и мальчика, он протянул руку.

Когда Мэтью пожал ее, мужчина сказал:

— Меня зовут Миллер, Джо Миллер.

— Мэтью Коттер. А мальчика — Билли Таллис.

Миллер провел рукой по голове Билли.

— Здравствуй, Билли. Немного повредил руку, а?

— Сломал во время землетрясения. Мистер Коттер перевязал ее.

— Хорошо сделал мистер Коттер. — И он обратил свое внимание на Мэтью: — Нам нужны полезные люди. В этих подонках мало толку. — У него были густые длинные волосы, а подбородок зарос щетиной; мощное телосложение: смотрел он на Мэтью спокойными серыми глазами. — Я рад, что появился кто-то, кто сможет справляться с делом.

Конечно, время требовало решительных людей, и Миллер, во всяком случае — относительно своей группы, был таким. Он сознавал это и готов был сохранить за собой свое положение; в голосе его звучали уверенность и вызов по отношению к вновь прибывшему.

Мэтью спросил:

— Есть ли другие?

— Живые? Не видели. А вы?

— Один человек, но он... ну, немного не в себе.

— Спятил? — Миллер с презрением осмотрел своих товарищей. — Большинство из них тоже. Мозги у них все еще мешаются от тряски. Видели город?

Мэтью кивнул.

— Только что.

— Первое место, куда я направился, как только выбрался. Что за кровавая каша! В Сент-Семпсоне то же самое. Здесь лишь единственный город с магазинами, где можно что-то найти.

— Поэтому мы и пришли сюда, — сказал Мэтью. — Я прежде всего думал об аптеке.

— Умная голова, а? — Миллер пожевал толстую нижнюю губу. — Аптека, да, я не подумал об этом. Мы ищем еду и одежду. Но вы, конечно, правы. Нужно будет поискать бинты и лекарства. Забрать до дождей. — Он пристально взглянул на Мэтью. — Где вы переночевали?

— Поставили палатку в поле, недалеко от моего дома. У Сент-Эндрю.

— Мы остановились у залива Святых. — Он скорчил гримасу. — Теперь, конечно, какой, к черту, залив! Но там удобно и далеко от вопиющих развалин. Вам лучше перенести вещи туда.

Несомненно, парень умный. Мэтью слегка кивнул.

Билли сказал:

— У нас есть осел.

— Неужели? — Миллер взглянул на Мэтью. — Здоров?

— Да. Впрочем, немолод. Один из тех, что держала мисс Люси.

— Пока все четыре ноги целы. Я видел несколько живых коров, но искалеченных. Мамаша Латрон, — он кивнул в сторону старухи, — говорит, что видела одну пасущуюся. Но она видела и ангелов, и Иисуса Христа во славе. Вот что я вам скажу. Мы сейчас пойдем и приведем ваше животное, пока его кто-нибудь не убил.

— Кто?

— Никогда нельзя знать. Может заблудиться. — Он сказал, обращаясь к мужчине средних лет: — Гарри, держи их здесь, пока мы не вернемся. Погляжу, много ли вы выкопаете.

— Если хочешь, можешь остаться, Билли — сказал Мэтью.

— Я лучше пойду с вами, мистер Коттер.

Миллер по-дружески приподнял его голову за подбородок.

— Оставайся и присмотри за малышкой Мэнди. Ей нужно поиграть с кем-нибудь.

— Мальчику не хотелось оставаться.

— Иди, парень. Делай как сказано.

Билли вопросительно посмотрел на Мэтью. Тот кивнул. Мальчик пошел к девочке. Когда Мэтью с Миллером уходили, дети неуверенно смотрели друг на друга.

— Младшее поколение, — сказал Миллер. — Люблю детей, но только послушных. И они нам понадобятся.

— Вы думаете о долговременных планах?

— Долговременные, кратковременные — точно знаю только, что прежнего не вернуть. Нужно знать, что делать, и поступать правильно. Кстати, нужно договориться об одной вещи. — Он внимательно смотрел на Мэтью из-под густых черных бровей.

— О чем именно?

— Ширли. — Мэтью не сдержал удивления. — Блондинка. Она моя. — Он помолчал, но Мэтью ничего не сказал. — Я вижу, вы много умнее этих слюнтяев, которые мне встретились. Мы сможем работать вместе. У нас нет причин ссориться, но я не хочу никаких неприятностей из-за девушки.

— Что касается меня, то их не будет, — сказал Мэтью.

— Прекрасно! — Миллер говорил уверенно, но видно было, что он испытывает облегчение. — Я хотел только, чтобы мы понимали друг друга. Идемте приведем осла.

Они пообедали недалеко от раскопок. Две женщины сварили похлебку в большом тазу для варенья и разложили половником в различные сосуды: маленькие кастрюли, пустые консервные банки, жестяную коробку от кекса. Единственную целую ложку отдали Миллеру. Потом ели размороженную клубнику с консервированным кремом. Позже сидели на солнце, куря сигареты. Сигарета Мэтью была немного измята, но вкус у нее был хороший.

Утром к ним присоединился еще один человек. Звали его Де Порто, и у него было типичное гернсийское телосложение. Коротконогий и приземистый, с круглыми щеками, большим носом и слегка выступающими глазами, он был сыном фермера из Вале. Лет ему тридцать с небольшим.

Миллер, сидевший рядом с Мэтью немного в стороне от остальных, кивнул в сторону новичка:

— С мужчинами у нас хорошо. Они полезны, если могут работать — только нужно заставить этих ублюдков работать. Но позже будет не так легко. Нужно больше женщин.

Мэтью понял, что он возвышен до положения помощника вождя. Он воспринял это с равнодушием, смешанным с ноткой забавы.

— Не поискать ли других выживших? — предложил он. — Вначале я думал, что уцелел только один, но теперь появляется все больше и больше. Вероятно, трудно даже при такой катастрофе полностью уничтожить сорокапятититысячное население.

— Где вы начали искать? — спросил Миллер. — Мы откопали девочку, мамашу Латрон и Энди. — Энди был парень со сломанной ногой. — Но как знать, где копать, если не слышишь криков? А те немногие, что еще живы, должно быть, забили себе рты грязью.

— Мы можем захватить площадь побольше, — сказал Мэтью. — Растянемся, как загонщики, будем кричать и слушать, не крикнут ли в ответ. — Он взглянул на солнце, горячее и невинное на безоблачном небе. — Если кто-то еще есть в завалах, они долго не продержатся. Еда и вещи сохраняются лучше.

Миллер зажег новую сигарету от окурка и предложил еще одну Мэтью. Тот отрицательно покачал головой. Сигарет было мало, и раздавались они по норме, но у Миллера был собственный запас. Он сказал:

— Думаю, вы правы. Эти выродки могут идти и слушать, даже когда не могут работать. Отложим раскопки. У нас есть припасы на несколько дней, а остальное подождет.

— Кстати говоря, о припасах, — заметил Мэтью. — Не думаю, чтобы завтра можно было использовать продукты из холодильников. Рискованно.

— Они завернуты в этот поли... как его там называют?

— Все равно, я думаю, не стоит рисковать.

Миллер выдохнул дым.

— Вероятно, вы правы. — Он с улыбкой взглянул на Мэтью. — Вы мне нравитесь, Мэтти. Голова у вас работает. Хорошо, хоть у кого-то сохранились мозги нетронутыми! Вы уверены, что не хотите еще закурить?

— Нет, спасибо.

Миллер спланировал операцию. Его план заключался в том, чтобы дойти до Тортевала через Форест и вернуться через Кингз-Миллз. Мэтью сомневался в возможности сразу охватить такое пространство, но держал свои сомнения при себе. Мамашу Латрон, Энди и детей они оставили на месте. Билли возражал, но Миллер оборвал его. Мэтью подумал, что он прав. Если придется откапывать выживших, то они, несомненно, наткнутся на тех, кто не выжил. Хотя дети за последние дни привыкли к ужасам, но не нужно добавлять.

Они прошли не больше полпути до Тортевала. Первый ответ на свои крики они получили из развалин большого дома за аэропортом — женский голос, стон. Не менее часа прошло, прежде чем они добрались до нее. Все это время она непрерывно стонала, но ничего вразумительного не отвечала, когда они пытались подбодрить ее. Наконец они нашли ее под тяжелой балкой, придавившей ей бедра. Это была женщина лет тридцати, миловидная, с длинными темными спутанными волосами. Когда они начали поднимать балку, она резко закричала. После того как они подняли балку, она продолжала кричать, но не так резко.

Миллер сказал:

— Что нам с ней делать?

— Не думаю, чтобы мы могли многое сделать, — ответил Мэтью. — Несомненно, разбитый таз, вероятно, и позвоночник поврежден, и бог знает какие внутренние повреждения. Единственное, что ей может помочь, это морфий, но у нас его нет.

— Она умирает?

— Да.

— Так я и знал. Если бы мы захватили ваше ружье... — Он с вызовом поглядел на Мэтью. — Разве что пожалеем единственный заряд.

Мэтью сказал:

— Посмотрю, нельзя ли дать ей кодеина. Ничего особенного, но лучше, чем ничего.

Кодеин был одним из немногих лекарств, которые они нашли в развалинах аптеки. Мэтью раздавил с полдюжины таблеток и смешал их с водой в пустой консервной банке. Женщине подняли голову, и она снова закричала. К удивлению Мэтью, она, однако, попыталась пить. Инстинктивно, вероятно, а не сознательно: через 36 часов она должна была сильно страдать от жажды. Потом ей дали немного обычной воды, и она жадно выпила. Она перестала кричать, но непрерывно стонала.

Миллер стоял в стороне. Посмотрев на женщину, он сказал:

— Ничего хорошего. И мы зря тратим время. Эштон! — Так звали старика. Седовласый, высокий, склонный к полноте, он жаловался на то, что ему трудно ходить. — Оставайтесь с ней. И время от времени давайте ей глотнуть.

Он достал бутылку с джином — единственную их находку из области напитков. Миллер взял ее в свою собственность.

Он протянул бутылку Эштону.

— Это лучше успокоит ее. Но не давайте слишком много и ради Христа, не пролейте. Мне самому нужно будет глотнуть.

Другого выжившего они нашли в доме вблизи церкви Святого Петра. Этого человека звали Малливант. Если не считать шока и сильного ушиба руки, он казался невредимым. Но из-за его семьи у них возникли затруднения. Жена и две его дочери были под обломками, и он не хотел уходить без них.

Миллер сказал:

— Они мертвы. Вы не один такой. Все мы потеряли семьи. Не глупите. Мы для них ничего не сможем сделать.

— Они могут быть живы.

— Мы сорвали голосовые связки за последние часы.

— Может, без сознания.

— Они мертвы, говорю вам.

Он с отчаянием сказал:

— Я вам не верю. Помогите мне выкопать их.

Миллер несколько мгновений смотрел на него. Потом сказал:

— Идемте.

Тела детей они нашли, откапывая мужчину, и покрыли их одеялами с кроватей. Миллер подвел его к одному телу и откинул одеяло. Это была девочка с сильно изуродованным лицом. Мэтью не знал, забыл ли об этом Миллер, или сознательно поступил так жестоко, чтобы преодолеть шок.

Малливант смотрел, а Миллер спросил:

— Хотите видеть другую?

Малливант покачал головой и, наклонившись, закрыл изуродованное лицо.

Миллер резко сказал:

— Ладно, тогда пошли.

— Моя жена...

— Она тоже мертва.

— Но вы ведь не нашли ее тело?

Миллер смотрел на него раздраженно. Потом с нетерпеливым жестом сказал:

— Если хочется сунуть в это нос, ладно. Мы найдем ее.

Очень скоро они отыскали и ее, молодую рыжеволосую женщину со спокойным неповрежденным лицом, на котором известковая пыль лежала, как белая маска. Малливант, глядя на нее, заплакал; рыдания сотрясали его тело.

Миллер позволил ему поплакать, потом сказал:

— Закройте ее и пойдем. — Когда Малливант не ответил, он потряс его за плечо. — Вам будет лучше, если вы уйдете отсюда.

— Я не пойду, — сказал Малливант.

— Какого дьявола вы останетесь? Они умерли. Вы живы. Нужно прямо смотреть на вещи.

— Идите, — ответил Малливант. Слезы прочертили линии на его грязном лице. — Спасибо за то, что вытащили меня. Теперь все в порядке.

— Вам нужно поесть, — сказал Миллер. — Вы почувствуете себя лучше после еды. И выпивка! Дадим вам немного на обратном пути. Это вас поставит на ноги.

Малливант взглянул на Мэтью, тот пожал плечами. Миллер сказал:

— Ладно. Это ваше дело. Мы наверху, у залива Святых. Знаете как попасть туда? — Малливант кивнул. — Приходите. — Повернувшись к остальным, Миллер продолжал: — Нам пора возвращаться. Пойдем назад севернее, другим путем.

Больше живых они не нашли, но в одном месте тело мужчины лежало в стороне от груды развалин, очевидно, бывших его домом. Мэтью подумал, что мужчину отбросило сюда толчком и убило, но Миллер поправил его.

— Посмотрите на часы, — сказал он.

Это была золотая «Омега»; как заметил теперь Мэтью, пижама на мужчине шелковая. На циферблате часов двигалась секундная стрелка. Миллер снял расстегивающийся браслет с мертвой руки и поднес часы к уху Мэтью.

— Автоматические. Все еще идут, значит, их передвигали в последние 24 часа. И взгляните на его руки, пальцы. Он выбрался из завала и только потом упал. Силен!

— Да, — сказал Мэтью. Человеку было около 50 лет. Должно быть, сердечный приступ. — Прикроем его?

— Какая разница? — Миллер надел часы на руку и с восхищением посмотрел на них. — Время дорого.

Они пришли к месту, где оставили Эштона с женщиной. Эштон сидел на обломке гранита; когда они подошли, он, не вставая, сказал:

— Она умерла.

— Слава Богу, — сказал Миллер. — Давайте сюда бутылку.

Он протянул руку, и Эштон после короткого колебания вернул ему бутылку. Миллер сдвинул крышку и вытер горлышко рукавом. Потом взвесил бутылку в руке, потряс ее, прислушиваясь к звуку жидкости внутри.

— Дьявольщина! Она почти пуста! — Он посмотрел на Эштона и негромко сказал: — Бутылка была почти полная. Что случилось?

— У нее были боли, она все время стонала, — беспомощно говорил Эштон. — Только этим я мог ненадолго успокоить ее. Я просто не мог стоять рядом.

— Когда она умерла? — спросил Миллер.

— Недавно, — ответил Эштон. — Четверть часа, может быть, 20 минут назад.

— Встаньте, — сказал Миллер. — Можете стоять? Давайте я вам помогу. — Он переложил бутылку в левую руку, а правой помог Эштону встать. Они были примерно одного роста. Стоя рядом со стариком, Миллер сказал: — И как давно она умерла, вы говорите?

— С полчаса.

— Лжете, ублюдок! — Голос Миллера по-прежнему звучал спокойно. — Она умерла сразу после нашего ухода. Вы сами выпили джин. Сидели и сосали мой джин.

— Я только однажды глотнул. Когда понял, что она умерла. Я не мог...

— Заткнитесь! От вас несет джином. Вы даже не можете стоять прямо. — Без предупреждения он сильно ударил Эштона в челюсть, и тот, пролетев несколько футов, растянулся на щебне рядом с мертвой женщиной. Миллер подошел к нему. — Вставайте! — Эштон застонал, но не сделал попытки встать. Тогда Миллер яростно пнул его в бок. Пнул еще дважды, потом отвернулся. И сказал Мэтью: — Ничего себе работа! Мужчина, который не может оставить свои трупы, мертвая женщина, и полбутылки джина как не бывало. Пошли домой.

Все послушно пошли за ним. Отойдя на сто ярдов, Мэтью оглянулся. Эштон встал и тащился следом.

К вечеру появились облака, но они были высоко и не угрожали дождем. Ужинали в лагере; пока готовили ужин, Мэтью отошел и постоял на вершине утеса. Глядя вниз, на песок, можно было подумать, что сейчас просто сильный отлив, и глаз продолжал искать знакомый мир волн. И находил только скалы и опустошение — лунный ландшафт. Пролив ушел навсегда.

Мэтью был не в настроении для общества и после ужина сидел в стороне от всех. Он слышал голоса, улавливал отдельные фразы. Большинство снова возвращалось к землетрясению. Они снова и снова пересказывали свои ощущения, как они упали, как умудрились высвободиться. Они не могли оставить эту тему, все время вертели ее, как язык ощупывает дырочку, оставленную дантистом. Конечно, со временем они устанут от этого. Мэтью подавил чувство презрения. Нужно смотреть в глаза реальности, сказал он себе. На некоторое время, а может, и на всю жизнь, ему придется жить с этими людьми. С болью подумал он о Джейн, о ее свежести и честности. И этой реальности тоже нужно смотреть в глаза. Он заставил себя не думать о дочери. Ничего в этом нет хорошего. Даже мысль о ней вызывает боль.

Его задумчивость нарушила новая сцена насилия. Миллер ушел куда-то в скалы, а тем временем новичок, Де Порто, подсел к Ширли. Скоро он, очевидно, уговорил ее прогуляться с ним. Они направлялись в сторону от жалких палаток, образующих лагерь, когда встретились с возвращавшимся Миллером. Тот не стал тратить время на разговоры и бросился на низкорослого Де Порто. Де Порто избежал удара и ударил сам. Они сцепились и покатились по земле, а девушка стояла со смешанным выражением удовольствия и страха на глуповатом толстом лице.

Миллер был значительно сильнее и гораздо искуснее; борьба кончилась тем, что Де Порто лежал, не собираясь вставать. Миллер подошел к девушке и сильно ударил ее по лицу. Та с плачем побежала к палатке, которую разделяла с Миллером, и исчезла в ней. Миллер посмотрел ей вслед и подошел к Мэтью.

— Глупая маленькая свинья, — сказал он. — Рано или поздно это пришлось бы сделать. Это мог быть и Энди, несмотря на его сломанную ногу. Я видел, как он поглядывает на нее. Но и ей тоже должно было попасть, чтобы знала свой дом.

— И долго вы собираетесь там держать ее?

— Как держать, Мэтти?

— Не думаю, чтобы она хотела бесконечно сидеть в затворничестве.

Миллер несколько мгновений молчал. Потом сказал:

— Может быть, и не бесконечно, но достаточно долго.

— Достаточно для чего?

Он с улыбкой посмотрел в сторону.

— Чтобы убедиться, что у нее появится потомство, и чтобы быть уверенным, что потомство от меня.

— А после этого?

— А после этого поглядим. Я реалист, Мэтти. В конце концов, у нас шестеро мужчин на одну годную для дела женщину — ну, пусть четверо, если не считать вас и Эштона. Но сначала пусть будет ребенок.

— Вероятно, вам нужен сын?

— Клянусь Господом, да!

— Сын короля Миллера Первого.

Еще одна пауза. Взгляд Миллера блуждал по пустому горизонту, по темнеющему небу. Закат был облачный, и на западе стояли столбы красного цвета. Миллер сказал:

— Вы думаете, так везде?

— Не знаю. Вероятно.

— Я тоже так считаю. Иначе были бы самолеты. Можем считать Европу уничтоженной и Америку тоже.

Мэтью вспомнил вечер у Карвардинов, спокойный дружеский разговор цивилизованных людей у огня. Он сказал:

— Недавно... мы говорили о землетрясениях. О том, что Британские острова вне их зоны и тут не может случиться сильный толчок.

— Смех!

— Мой приятель говорил о том, что регионы, где происходят землетрясения, это места недавнего горообразования, такие как Альпы, Гималаи и кольцо вокруг Тихого океана. Может, здесь началось горообразование? Насколько нас подняло? Узнать невозможно. Может быть, в Норвегии или Новой Англии поднялся новый Эверест. Похоже, что мы даже отделались сравнительно легко.

— Вы думаете, возможны еще землетрясения? — Они уже привыкли к дрожи земли, но сильных толчков не было. — Я имею в виду сильные, как то.

— Кто знает? Следующие несколько месяцев я не стал бы спать в здании.

— Немного надежды его отыскать, а? — Миллер достал сигареты и предложил одну Мэтью. — Берите, пока есть. Больше не будет. В нашей жизни, во всяком случае.

— Да.

Мэтью прикурил от сигареты Миллера. Мужчина примерно его возраста, которого звали Гарри, с жадностью смотрел на сигарету. Мэтью предпочел бы отдать ему сигарету, чем быть объектом этого голодного взгляда, но пытаться сделать это бессмысленно: Миллер все равно не разрешит.

Выпуская дым в неподвижный воздух, Миллер сказал:

— Хорошо, что случилось сейчас, а не зимой.

— Да.

— Мы кое-что можем. Можем организоваться. Это дьявольски необходимо. Много пота, но дело того стоит. Лет через 20 или около того за дело возьмутся дети. — Миллер смотрел на палатку, откуда доносились звуки плача. — Клянусь господом, лучше пусть у нее будут мальчики! И первый должен быть мой. — Он крикнул в сторону палатки: — Заткнись! Заткнись, ты, глупая шлюха! — Встав, он сказал: — Думаю, надо пойти привести ее в порядок. Пока, Мэтти.

Мэтью продолжал курить. Из палатки послышался голос Миллера, звук удара, громкий вой, который постепенно стих.

Когда он кончал сигарету, подошел Билли. Он сказал:

— Мистер Коттер?

— Здравствуй, Билли. Как рука?

— Ничего. Мистер Коттер?

— Да?

— Я хотел бы, чтобы мы оставались в своем лагере.

— Это невозможно. И тут ты можешь играть с Мэнди.

Мальчик пожал плечами, но ничего не сказал. Конечно, он еще пребывал в мире дополового созревания, где нет места женщине. Это изменится. Они будут расти вдвоем и в должное время... Нет, не так просто. Время детских рассказов прошло. Девочка достигнет зрелости, когда мальчик будет еще совсем молод, чтобы претендовать на нее сексуально. Ее возьмет один из других мужчин, если не сам Миллер. От 12 до 13 лет она станет женщиной, а в последующие годы матерью. Если мечта Миллера о мальчиках тупоумной Ширли исполнится, Билли придется ждать, пока вырастут дочери Мэнди. Это так же возможно, как и все другое. Мэтью не испытывал к такому будущему ничего, кроме равнодушия и отвращения.

Билли сказал:

— Значит, мы не можем вернуться?

— Нет. Даже если бы мы могли, нам не отдадут Паутинку.

Ребенок старался понять эти взрослые премудрости. Займет ли он со временем место Мэтью как помощника Миллера, охранника его детей, или в племени возникнет конфликт, воцарится древняя тирания жадности и ненависти? «Нет, — подумал Мэтью, — как бы ни повернулись дела, я не желаю на это смотреть».

— Пора спать, Билли, — сказал он. — Завтра придется поработать.

5

Следующий день оказался хорошим.

Начался он с суматохи на рассвете. Проснувшись, Мэтью услышал голоса, смешивавшиеся с другим звуком, который он вначале принял за сирену в тумане. Толком не проснувшись, он выбрался из палатки, понимая, что что-то произошло. И увидел сцену, которая могла происходить в буколической комедии. Две палатки были сбиты, в них барахтались люди, стараясь высвободиться из одеял. Мамаша Латрон, в фуфайке поверх ночной рубашки, в мужских серых носках, вопила, прося о помощи. А причина переполоха стояла, глядя на нее, и громко выражала свое недовольство. Корова.

Когда люди окончательно проснулись, положение начало проясняться. Мамаша Латрон перестала кричать, и все стали поднимать палатки. Миллер в подштанниках и рубашке взял на себя руководство, предварительно затолкав голую Ширли назад в палатку. С жадной радостью смотрел он на корову.

— Вот это здорово! — сказал он. — Какая она красивая, Мэтти! Я не верил этой старой карге, когда она говорила, что видела живую и невредимую корову, но, клянусь господом, она права. И корова сама пришла к ней. Может быть, она ведьма. Эй! Ты ведьма, мамаша? Следи за собой, а то мы тебя слегка поджарим.

Шутка, хотя никто не стал смеяться вслед за Миллером. Останется ли это шуткой в будущем, подумал Мэтью. На острове боялись ведьм и имели традицию борьбы с ними.

Он сказал:

— Ясно, чего она ищет. Посмотрите на ее вымя.

— Бедняга, — сказал Миллер. — Должно быть, все равно что хочешь выпить и не можешь открыть бутылку. Ну, кто у нас призовой дояр? Как вы на этот счет, Мэтти?

Мэтью покачал головой.

— Никогда этим не занимался.

В конце концов Де Порто признался, что в юности занимался доением и по приказу Миллера принялся за работу. Ему пришлось встать на колени; молоко он доил в одно из пластмассовых ведер, в которых держали воду. Вначале не шло, но постепенно он вошел в ритм. Остальные смотрели и подшучивали над ним.

— Отныне это ваша работа, Хилари, — распорядился Миллер. — Дейзи на вашей ответственности. Да поможет вам Бог, если с нею что-нибудь случиться. Кто знает, может, мы найдем и быка.

После завтрака мужчины снова отправились на поиски выживших, на этот раз сосредоточив свое внимание на части острова между Святым Мартином и утесами. Они никого не нашли, но там, где маленький огород был окружен рухнувшими зданиями, увидели четырех кур, скребущихся в нагретой солнцем пыли. В углу огорода лежали три свежеснесенных яйца, в другом углу — еще два. Миллер приказал Эштону собрать яйца и пригрозил ему смертельным наказанием, если он потеряет или разобьет их. Кур поймали и связали им лапы.

Миллер сказал Де Порто:

— Отнесите их в лагерь, Хилари. Позже мы сделаем для них загон. — Он задумчиво смотрел, как Де Порто берет кур за лапы. — Нет, отставить. Вы возьмете их, Гарри. С вами назад пойдет Эштон, отдаст яйца женщинам. Встретимся с вами у Форт-Джорджа.

Ясно, что Миллер не доверял Де Порто даже после того, как побил его и Ширли. Мэтью подумал, что цена воздержанности будет дорогой. Что касается Ширли, то ее единственная защитная реакция — ложиться на спину, а Де Порто — один из тех природных развратников, которые встречаются среди низкорослых полных мужчин.

Приближаясь к мысу Форт, они увидели сумасшедшего; вероятно, он держался того небольшого пространства, где его впервые встретили Мэтью и Билли. Он не подходил, удовлетворившись выкрикиванием туманных апокалиптических фраз. Миллер, в свою очередь, отругал его, красочно и энергично, но оставил в покое.

Миллер сказал:

— Можно двинуться через Вардес. Похоже, там страшная мешанина, но проверить не вредно.

У каждого был мешок, в который они складывали все полезное, что удавалось найти. Мэтью сосредоточился главным образом на одежде и особенно на обуви для Билли и себя. Пройдет немало времени, прежде чем в обществе появится сапожник. Мэтью обрадовался, найдя две пары крепких ботинок, одну размера Билли, а другую — до которой он вскоре дорастет. Нашел он ботинки и для себя. Нашел и единственный сапог, на несколько размеров больше, чем нужно. Подумав немного, он прихватил его. Неуклюжий и пока бесполезный, но есть надежда найти пару. Не важно, что сапог велик: всегда можно надеть лишнюю пару носков.

Но наиболее важную находку он сделал в развалинах большого дома в Вардесе. Он стоял в 20—30 ярдах от остальных, роясь в груде книг в кожаных переплетах, разбитом хрустале, раздавленном дереве и кирпиче, когда заметил угол коробки и вытащил ее из мусора. Еще не прочитав этикетку, он уже знал, что это такое: толстый темный промасленный картон выдавал содержимое. Калибр восемь. Две дюжины патронов.

Мэтью оглянулся. Остальные не смотрели в его сторону; Миллер, очевидно, заметив приближающихся Де Порто и Эштона, кричал, чтобы они поторопились. Решение нужно принимать быстро. Миллер не претендовал на ружье; должно быть, не считал нужным из-за одного патрона настраивать против себя человека, на поддержку которого рассчитывал. Но если зарядов будет больше... Мэтью не сомневался в его реакции.

С другой стороны, разве это важно? Он был уверен, что не станет бросать вызов Миллеру, претендуя на лидерство или на что-нибудь другое. Во всяком случае, ему не повредит, если он отдаст Миллеру патроны и ружье. Он слышал крик Миллера: «Быстрее, вы, пара ленивых педерастов! Я не разрешал вам гулять целый день!» Небо облачное, но светит солнце. Тепло, в воздухе тяжелый запах разложения и смерти.

Мэтью достал из мешка прорезиненный макинтош, найденный сегодня утром. Он тщательно завернул коробку, стараясь, чтобы был двойной защитный слой. Затем, убедившись, что на него по-прежнему не смотрят, выкопал яму в обломках, сунул туда коробку и присыпал мусором. Запомнив место, он вдобавок поставил рядом разбитый графин как памятный знак.

Они вернулись в лагерь на обед, а потом Миллер сказал, что они продолжат поиски в верхней части острова у порта Святого Петра, который избежал приливной волны. Эштон возражал; он сказал, что не может ходить, что еще не нашел обуви, которая не калечила бы ему ноги.

— Собираетесь найти, отсиживая задницу? — спросил его Миллер. — Ладно, можете оставаться. Но вы должны приносить пользу. Делайте загородку для кур. Мы нашли проволочную сетку у торговца скобяным товаром. Смотрите, чтоб вышло хорошо. Я проверю, когда вернусь.

Перед выходом Эштон отвел Мэтью в сторону. Его лицо, обычно расслабленное и обвислое, выглядело еще хуже из-за двухдневной щетины; впрочем, Мэтью подумал, что сам вряд ли выглядит лучше. Эштон сказал:

— Вы не поищите для меня пару, Мэтью? Десять с половиной. И широкая колодка.

Его капризность, то, как он добавил последние слова, так и подбивали Мэтью спросить: «Обычные или замшевые?» Он сказал:

— Посмотрю. Размер трудный.

— У меня всегда были затруднения с обувью, даже когда я был мальчишкой.

Огромная волна пронеслась через Шаротер и ушла назад. Они пересекли высохшее речное дно, усеянное знакомыми уже промоинами, телами людей и домашних животных, раздутыми и разлагающимися на солнце. Облегчением было взобраться на противоположную сторону и быть окруженными более нормальными формами разрушения. Идти было трудно. Обломки домов образовали щебень, который скользил под ногами. Они шли медленно, потея и ругаясь, когда время от времени кто-нибудь падал. Наконец они выбрались на открытое место. Идти стало легче. Солнце жгло, и запах смерти казался еще сильнее.

Сильный толчок, длившийся около десяти секунд, к их ужасу, обрушил груду обломков прямо перед ними. Пыль поднялась столбом. После того как дрожание прекратилось, они оставались на месте, боясь расстаться с относительно безопасным участком, на котором стояли. Мэтью не мог понять, сам ли он испугался или ему передался страх остальных, но он чувствовал сильнейшее нежелание двигаться, почти паралич. Мускулы его болели от напряжения.

Наконец Миллер сказал:

— Кажется, кончилось. Можно двигаться дальше.

Гарри и Де Порто возражали. Де Порто сказал:

— Единственный путь, который мне нравится, — назад. Мы достаточно искали. Живых не осталось. Это место как будто пропустили через мясорубку. Мы зря теряем время.

— Пошли! — сказал Миллер. — Двигайтесь, когда я велю!

Они продолжали стоять.

Обращаясь к Мэтью, Миллер сказал:

— Мы можем повернуть наверху Гранта! Там был склад, на который нужно взглянуть. Должно быть много консервов. А вернемся через Фоултон.

Мэтью кивнул.

— Разумно. Вряд ли будут еще толчки. — И он пошел вперед, а остальные за ним.

— Вы думаете, это опасно? — спросил Миллер.

— Вы о последнем толчке? Он сильнее предыдущих.

— Я думал о телах. — Он принюхался. — Гниют. Может быть болезнь.

— Да, риск есть. Но еще опаснее пить воду. Ее нужно кипятить.

Миллер сказал:

— Я велю это женщинам. И все же я не вижу смысла в продолжении. Мало надежды найти живых.

Местность, по которой они проходили, казалась еще более опустошенной, чем другие; в непосредственной близости Мэтью не видел ни одного кирпича на другом. Издалека за ними молча следила собака, потом она убежала. Похоже на помесь восточноевропейской овчарки.

Мэтью сказал:

— О собаках придется подумать. Если мы ничего не предпримем, они одичают и могут стать опасными.

— Ненавижу проклятых псов, — ответил Миллер. — Всегда их не терпел. Было бы ружье, перестрелял бы их.

— Можете взять мое.

— С одним зарядом? Прибережем его. На случай мятежа.

Склад, о котором говорил Миллер, они не нашли. Не осталось никаких примет, никаких особенностей, только развалины. Время от времени они кричали, но все менее и менее охотно.

Они уже собрались поворачивать назад, когда Де Порто сказал:

— Что это?

— Что? — спросил Миллер.

— Кажется, я что-то слышал. Послушайте.

Они прислушались и услышали. Слабый и приглушенный, но, несомненно, человеческий голос. Миллер взревел: «Кто тут?» — и получил немедленный ответ. Женский голос. По сигналу Миллера они разошлись и стали обыскивать местность в том направлении, откуда он доносился. Мэтью оказался на правом фланге линии. Он шел осторожно, ощупывая дорогу. Мало хорошего принесет он засыпанному человеку, если пройдет по нему.

Миллер нашел место, откуда нужно было копать, и они приступили к работе. Она была нелегкой: обломки слежались. Мэтью не понимал, как могла выжить девушка или женщина. Ответ заключался в прочном погребе с особенно крепким деревянным полом, защитившим его. В одном месте пол прогнулся, но выдержал. Лестницы, ведущие в подвал, были забиты мусором, и потребовались дальнейшие раскопки. Солнце стояло низко, когда они закончили. Миллер проделал дыру. И только тогда, среди смешанных возгласов радости и благодарности, Мэтью понял, что смущало его в голосе, доносившемся изнутри. Это был не один голос. Внизу находились две девушки.

С помощью Миллера они выбрались наружу, пошатываясь и закрывая глаза от солнца. Грязные, взъерошенные и истощенные, они тем не менее не были ранены. Миллер дал одной из них воды в пластиковой бутылке, которую нес Гарри, а потом отобрал, чтобы она не выпила все. Тяжело дыша, она смотрела, как вторая девушка допивала воду.

Первую девушку звали Ирен, вторую — Хильда. Они спали в погребе, когда произошло землетрясение. Такое желание было странным и не очень нормальным, но оно спасло им жизнь. Их припорошило известкой, обвалилась одна стена. Хильда сжимала разбитые очки и непрерывно плакала. Обеим девушкам было лет по 25.

Мэтью заметил, что когда Ирен вымоется и приведет себя в порядок, то будет весьма привлекательна.

Он подумал о Джейн, такой же оборванной, может быть, также спасенной, и его захлестнула волна горя и жалости. На мгновение он возненавидел их за то, что они живы.

В лагере они застали хаос. В результате сильного толчка мамаша Латрон снова впала в помешательство: она смотрела в небо и кричала, что видит ангелов, идущих с огненными копьями и щитами ярче бриллиантов. Энди жаловался, что его отбросило и еще больше повредило ногу. Билли разжег костер, но ужин готов не был.

Миллер спросил у Эштона:

— Какого дьявола ничего не готово?

— Я делал загон для кур. Вы мне сами сказали.

Миллер гневно поглядел на шаткое сооружение из сетки и кусков дерева. Пнул ближайший столбик, тот упал.

— Ну и работа! Где Ширли?

— В палатке.

Миллер позвал ее, она вышла. Ширли плакала и была еще менее привлекательна, чем всегда.

— Где ужин? — спросил Миллер.

Ширли показала на мамашу Латрон:

— Она не помогала. А я испугалась землетрясения.

Миллер ударил ее, и она снова заплакала. Удар был не силен, но, как заметил Мэтью, нанесен с сознательным высокомерием. Он должен был произвести впечатление на новеньких, следивших молча за этой сценой.

— За работу, — сказал Миллер. Обернувшись к Эштону, он добавил: — А вы, старый бесполезный педераст, помогите ей. Мы сами займемся загородкой, которую вы должны были сделать.

Пока мужчины занимались загородкой, а Ширли и Эштон готовили ужин, Ирен и Хильда вместе с Мэнди спустились к ручью. Вернулись они умытыми. Ирен оказалась привлекательной девушкой с густыми черными волосами, очень красивыми, когда смылись грязь и известь, большими карими глазами и правильными чертами лица. В нормальном мире почти каждый мужчина бросал на такую девушку второй взгляд, а здесь ее воздействие даже на Гарри и старого Эштона было несомненным. Хильда, хотя и не столь привлекательная — у нее были слегка выступающие вперед зубы и подслеповатый взгляд близоруких, лишенных очков глаз, — тоже была приятной девушкой. Ширли по сравнению с ними выглядела обыкновенной шлюхой, и судя по ее угнетенному виду и всхлипываниям, она это понимала.

Де Порто был особенно внимателен к обеим девушкам во время ужина. Миллер, с другой стороны, проявлял к ним вначале мало интереса и выглядел задумчиво. Он как будто решал трудную задачу. Мэтью догадывался, какова эта задача, и гадал, как он разрешит ее — точнее, как доведет свое решение до остальных.

В конце ужина Миллер неожиданно встал. Обращаясь к Ирен, он сказал:

— Мне нужно с вами поговорить. — Она кивнула. — Пройдемся.

Ирен, не отвечая, продолжала смотреть на него и не двигалась.

С жестом нетерпения и гнева он обернулся к Мэтью.

— Вы тоже пойдете, Мэтти.

Мэтью позабавила его роль компаньонки, но девушка, по-видимому, была довольна. Они пошли по вершине утеса в сторону Джербурга. Вечер был теплый, и в воздухе гудела мошкара: катастрофа, очевидно, не причинила ей вреда. Миллер ничего не говорил, но молчание подействовало на девушку — она начала говорить быстро и нервно о землетрясении и о том, как они оказались в ловушке; такие нервные разговоры о катастрофе были, по-видимому, свойственны всем выжившим.

Она замолчала, когда Миллер сказал:

— Теперь все новое. Вы понимаете? Законы и все остальное — все исчезло. Кто-то должен решать, что делать.

С ноткой вызова она ответила:

— А разве нельзя, чтобы решали все вместе?

— Послушайте, — сказал Миллер, — вы умная девушка. Если бы мы с Мэтти не организовали остальных, вы все еще сидели бы в своем подвале. Думаете, они побеспокоились бы о вас?

Он нервничал, таким Мэтью его еще не видел. Девушка, наоборот, хорошо владела собой. Что бы ни произошло сейчас, подумал Мэтью, она станет важной фигурой в группе.

Ирен с холодком сказала:

— Мы очень благодарны за освобождение. Мне бы не хотелось, чтобы вы думали иначе.

Миллер продолжал:

— Мы должны действовать энергично. А у нас... ну... не все решено. Кто-то должен был возглавить всех. Таким человеком оказался я. Остальные слушаются меня, потому что так лучше для всех.

— Я уверена, что из-за нас с Хильдой у вас не будет никаких затруднений.

— Из-за Хильды нет, а из-за вас будут. — Она вопросительно взглянула на него. — Вы девушка. — Он в затруднении отвел взгляд. — И очень хорошенькая девушка. У вас будут неприятности с Де Порто, может быть, с Гарри... и с Энди, когда у него заживет нога.

— С этими трудностями я справлюсь сама.

— Нет, не справитесь. Вы еще не поняли, насколько все изменилось. А я не могу рисковать раздорами в лагере. Поэтому, когда мы вернемся, я скажу всем, что вы моя девушка.

Она холодно взглянула на него. Ирен явно принадлежала к людям, которые не совершают опрометчивых поступков. Она сказала:

— Мы с Хильдой будем жить в одной палатке.

Миллер быстро ответил, довольный достигнутым компромиссом:

— Мы приготовим для вас палатку. Я знаю, что вы за девушка. И не тороплю вас. Но вы будете под моей защитой — остальные должны это понять.

— А Хильда?

— Она может поступать, как хочет. Как хотите вы.

После паузы она сказала:

— А Ширли? Я поняла, что она тоже под вашей защитой.

— Ширли шлюха. Забудьте о ней.

Ирен сказала:

— Я очень устала. Идемте назад.

По молчаливому согласию последнее слово осталось за ней. Сильная натура. Не возвращаются ли они к матриархату, подумал Мэтью. Возможно, все решал этот момент.

На обратном пути Миллер много разговаривал и смеялся. Он явно обрадовался достигнутому соглашению. Мэтью понял, что его роль быть не только компаньонкой, но и утверждающей инстанцией. Он надеялся, что Миллер не будет очень рассчитывать на него.

На полпути к лагерю он сказал:

— Слушайте.

Они стояли неподвижно, Миллер на полуслове замолчал. Звук доносился из темнеющей голубизны. Значит, по крайней мере одна выжила. Птица, пропев несколько нот, замолкла.

6

Через пять дней после первых толчков хорошая погода кончилась. Утром небо затянули облака, и днем и вечером лил проливной дождь. Ночь провели в сырости: палатки протекали и через короткое время стали почти бесполезны для защиты от непогоды. На следующее утро поднялся ветер, и рассвет осветил влажную и жалкую сцену.

К десяти часам пришлось отказаться от попыток сделать что-нибудь с палатками; все отступили в менее открытое место. Его нашли в четверти мили от лагеря, у возвышения, покрытого вывороченными с корнями деревьями. Возвышение давало некоторую защиту от ветра, но не спасало от дождя. Мэтью предложил использовать пещеры у подножия утесов, но его предложение не было принято. Туда трудно спускаться, особенно со сломанной ногой Энди, и еще труднее подниматься; невозможно разбивать постоянный лагерь в таком недоступном месте; там темно и запах разлагающихся водорослей. Истинная причина, подумал Мэтью, не высказывается: все боялись оказаться под чем-либо более прочным, чем палатка. Он и сам чувствовал при этой мысли парализующий страх.

Весь остаток дня и всю следующую ночь они жались друг к другу. Попытки развести костер окончились неудачей, и необходимость есть холодную пищу из консервных банок еще больше усилила общую депрессию. Помешательство мамаши Латрон не проходило; она бродила, выкрикивая в рваное темное небо то молитвы, то проклятия; впрочем, далеко она не уходила и возвращалась обратно. Вначале Ширли, потом Хильда начали плакать, плач их то сменялся всхлипываниями, то снова начинался с прежней силой. Маленькая Мэнди тоже плакала, но более тихо. Билли не плакал, но Мэтью видел, как дрожат его губы. Он пытался развеселить детей, разговаривая с ними или играя в разные игры, но, если не считать Джейн, ему никогда не удавалось общение с детьми. Это женское дело, но три женщины были хуже детей, а Ирен погрузилась в мрачную необщительность. В долгие часы тьмы спали урывками и проснулись утром такого же холодного и ветреного дня, как и предыдущий. Дождя не было, но ясно было, что он может начаться в любую минуту.

В этот день к ним присоединился Малливант. После спасения его видели, когда проходили мимо развалин его дома; он стоял у трех свежих могил. Миллер крикнул, чтобы он не был дураком и шел с ними, но Малливант молча покачал головой и отвернулся. Теперь он пришел к ним, истощенный и промокший, и хотя не сказал и двух слов, но принял пищу и, когда вечер перешел в третью шквальную ночь, дрожа, лег вместе со всеми.

К утру все окончательно замерзли и чувствовали себя несчастными; у Гарри и Мэнди появились признаки температуры, но ветер стих, и облака поредели. Наконец удалось развести костер и подогреть консервированное мясо с бобами. Больных напоили кодеином, и все принялись за работу. На этот раз работали более целеустремленно и охотно, чем сразу после землетрясения. Как будто дождь и лишения сняли последствия шока. Мэтью заметил, что и приказы Миллера теперь исполнялись охотнее. Они обратились друг к другу за помощью, но вначале ими руководило отчаяние. Теперь появилось нечто иное, может быть, надежда.

Снова принявшись за раскопки, они отыскали склад, о котором говорил Миллер. Они сплели для осла корзины и с его помощью перевозили в лагерь консервы. Много было повреждено при падении здания, но то, что осталось, вполне могло прокормить общину всю зиму и часть последующего года. Там же они нашли несколько кусков брезента в хорошем состоянии размерами восемь футов на двенадцать. С их помощью они соорудили две большие общественные палатки, одну для еды, другую для иных целей. Их возводили с большим старанием, чем первые палатки, и на новом месте, которое до какой-то степени защищало от северо-восточных ветров. Соблазнительно представить себе, думал Мэтью, что в последующие годы на этом месте появится зал советов, дворец, может быть, храм странных божеств. Впрочем, это маловероятно. Даже хотя Гернси больше не остров, вряд ли здесь пройдут пути мировой торговли. Да и в местном масштабе, если придется строить город, для него выберут более защищенное и удобное расположение.

Рядом с большими поставили маленькие палатки, и установились взаимоотношения. Признание Миллера вождем проявилось в том, что Ирен не касались притязания других мужчин. Она не позволяла Миллеру никаких вольностей и спала в палатке с Хильдой, но воспринимала общее почтение как нечто должное. За Хильдой ухаживали Де Порто и Гарри, а также Энди, причем Мэтью решил, что у последнего больше всего шансов на успех. Нога у Энди еще не зажила, и Хильда проводила много времени, помогая ему. К тому же Де Порто и Гарри использовали Ширли с сексуальными целями. Де Порто не делал из этого тайны. Гарри был более скрытен, но все знали об этом. Они не ходили в палатку, которую Ширли делила теперь с мамашей Латрон и Мэнди, но уводили ее в утесы. Ширли казалась по-своему довольной.

Община развивалась и в других отношениях. Отыскались еще курятники, и вскоре набралось 15 кур и даже два петуха. Один из них оказался худым и апатичным, но другой занялся делом с большим пылом. Двух кур оставили наседками, и они сидели на яйцах. Все были этим довольны. Консервированная пища, которой они главным образом питались, рано или поздно кончится; цыплята, растущие в теплых яйцах, были залогом будущего.

Устроили праздник и с разрешения Миллера выпили пива из жестянок; отыскали несколько ящиков с пивом; часть жестянок не была повреждена, и в приступе великодушия Миллер разрешил его пить (несколько целых бутылок виски он забрал в свое распоряжение).

Среди всеобщего шума и веселья во время пира Хильда случайно взглянула в сторону и увидела незнакомца. Она удивленно вскрикнула, и все обернулись.

Вначале Мэтью решил, что это безумец, которого не видели после бури. Но незнакомец — моложе; волосы у него рыжие. Очевидно, он испытал большие лишения, ему пришлось труднее, чем им. Он был болезненно худ и грязен, а одежда его висела клочьями. Ему уступили место у огня, накормили. Жадно глотая, он рассказывал.

Он оказался вовсе не с Гернси, а с Сарка. Звали его Ле Перре. После катастрофы он бродил по острову, безуспешно отыскивая других выживших. Некоторое время жил в оцепенении, вел почти растительное существование, ел, пил и спал, смутно надеясь на помощь извне. Но вчера он неожиданно понял, что этого не произойдет. Он один выжил из нескольких сотен жителей Сарка; разумно предположить, что на главном острове с гораздо большим населением выживет больше. Море ушло; ничего не мешало ему пройти 9 миль до Гернси.

Вначале он направился к маленьким островам Джету и Герм. С них в ясном полуденном свете он увидел опустошенный восточный берег Гернси; пустое место там, где раньше стояли порт Святого Петра со Святой Сэмисон. Этот масштаб разрушений, гораздо больший, чем на других островах, расстроил и удручил его. Ночь он провел на Герме и лишь поздно утром на следующий день решился преодолеть оставшиеся три мили. Добравшись до Гернси, он по склонам, покрытым разлагающимися трупами, поднялся туда, где была столица округа; откуда, потеряв всякую надежду, пошел на южное плато. И вот, думая, что он, возможно, последний оставшийся в живых человек, он услышал голоса в отдалении и, не веря своим ушам, пошел туда.

Постепенно он оттаял и превратился из жалкой карикатуры в человека. Мэтью понял, что это разговорчивый человек и ему должно было быть особенно трудно не иметь слушателей. Как и у других, чувство перспективы у него не соответствовало действительности. Он занимался извозом и постоянно возвращался к тому, что недавно купил новую пролетку, а сезон, похоже, будет совсем не туристический.

— А как же зима? — спрашивал он. Зима — сезон отдыха, в это время жители Сарка проживают нажитое за лето. — Что мы будем делать зимой?

Когда все немного свыклись с происшествием, Мэтью отвел новичка в сторону, начал задавать вопросы, которые возникли у него, как только он узнал о происхождении Ле Перре.

— Трудно ли идти по морскому дну?

— По-разному. По песку хорошо, да и по рифам ничего, если они не острые. Есть участки грязи, но она высыхает. А водоросли! Боже, как они воняют! Хуже, чем трупы.

— Сколько времени вам потребовалось?

— Времени?

— Ну, с какой скоростью вы шли? Миля в час? Меньше?

— Больше. До Джету я добрался часа за четыре. Время определял по солнцу. У меня были часы, но я их уже выбросил. Нет смысла знать, который час.

— Вода осталась, не так ли? Можно с берега ее увидеть.

Саркисец пожал плечами:

— Лужи. Большие можно назвать озерами.

— Очень большие?

— Одно с четверть мили длиной. В нем сардины. Но они все высыхают. Видно по кольцам, когда они съеживаются.

— Значит, это не так уж трудно?

— Когда начнешь. Труднее всего начать. Даже когда видишь, что дно сухое, все равно думаешь, что здесь что-то не так. Я боялся. Думал, что море вернется. Все время оглядывался через плечо и обрадовался, когда взобрался на Джету. Хотя там ничего не было. Немного травы на верхушке. Большая волна все очистила. То же самое и на Герме...

Он продолжал говорить, а Мэтью время от времени кивал. Он думал о Джейн; он знал, что вернувшаяся надежда неразумна, но она казалась ему самым дорогим из того, что произошло после катастрофы. Оглушенный смертью и разрушением, среди которых он очутился, Мэтью понимал, что не будет никакой помощи из внешнего мира, с большой земли. Возможность того, что там тоже окажутся выжившие, казалась невероятной. И хотя море ушло, чувство изолированности сохранилось. Ведь остров можно покинуть лишь на почтовом пароходе или на утреннем самолете. Шок, полученный от появления новичка, был двояким: на большой земле могут существовать, несомненно, существуют другие группы выживших... и можно добраться до большой земли. Сарк всего лишь в девяти милях, Саутгемптон — в ста, но возможность все равно существует.

И от этой возможности мозг его переключился на другие. Если бы она оставалась в Лондоне, в этом огромном человеческом муравейнике, надежды бы не было. Но у Мэри в Сассексе... Старый прочный деревянный дом на холме, а Джейн, как всегда, спит в остроконечной комнате под крышей. Она могла выжить. Конечно, шансы «против» велики, но он почти видел, как Джейн вытаскивают за руки, как они вытаскивали двух девушек. Она ожила для него, и печаль, заполнявшая все его мысли и действия, отступила. И сменилась беспокойством и нетерпением. И сразу единственной целью для Мэтью стало добраться до Джейн. Он напряженно размышлял. Нужно подготовиться. Путь предстоит долгий и по земле, совершенно изменившейся. Готовиться нужно тщательно.

Всю ночь, лежа без сна и глядя в отверстие палатки на звезды, Мэтью думал об этом. Утром он заговорил с Миллером. Вначале тот слушал невнимательно: Де Порто после доения сказал, что, возможно, корове предстоит отел, и Миллер уже видел будущие стада. Мэтью говорил уже некоторое время, прежде чем Миллер выпалил:

— Что? Идти на большую землю? Не сходите с ума, Мэтти! Вы не сумеете это сделать, да и что хорошего вам это принесет?

— Моя дочь, — начал снова объяснять Мэтью. — Возможно, она жива. Я знаю, что шансы на это малы, но должен убедиться.

Миллер смотрел на него:

— Вы сошли с ума.

Мэтью пожал плечами:

— Возможно.

Миллер положил руку ему на плечо:

— Мне не хотелось бы быть жестоким. Мы все немного не в себе после случившегося. Не кричим, как мамаша Латрон или этот глупый старый педик там, на Валде-Террес, но немного все же свихнулись. Я знаю это. И все же нужно сохранять разум. Такие безумные поступки не принесут ничего хорошего. Ла Перре... это совсем другое дело, он ведь пришел с Сарка. Он там сходил с ума, у него не было пищи... ведь всего девять миль. Вы меня понимаете?

— Да, понимаю. Но это не имеет значения.

— Говорю вам: это самоубийство.

— Смотря как взглянуть. И во всяком случае, это никого не касается.

— Касается, клянусь Господом! Такой маленькой группе, как наша, нужна каждая пара рук. Мы не можем никого терять. И вас больше всего. Вы моя правая рука, Мэтти. Вы помогаете мне организовать все. Вы знаете, как я от вас завишу.

— Теперь вам никто на нужен. Вначале было иначе, но сейчас все идет гладко.

— Потому что вы здесь.

— Нет.

Мэтью не высказал свою мысль: хотя Миллеру действительно нужно было опираться на сильного человека, замена в лице Ирен была готова. Миллер не видел этого, потому что, хотя и признавал силу женщин, не понимал ни размеров этой силы, ни своей собственной зависимости от нее.

Миллер, вспыхнув, сказал:

— Не важно, Мэтти. Говорю вам, вы мне нужны.

— Научитесь обходиться без меня. — Мэтью улыбнулся. — Это не покажется вам трудным.

— Нет!

У него был такой же нервный и отчаянный вид, какой, как помнил Мэтью, во время разговора с Ирен. Если бы девушка возражала ему, ситуация могла резко обостриться. Сейчас тоже, подумал Мэтью. Он небрежно спросил:

— Вы хотите сказать, что не разрешаете мне уйти?

Миллер тяжело ответил:

— Вы не уйдете, Мэтти. Для вашего блага и ради всех остальных. Мы все еще немного не в себе. Через пару недель вам будет лучше. Но запомните: вы не уйдете. Если понадобится, мы вас свяжем.

Мэтью подумал, последуют ли за ним другие в таком случае. Может, да, а может, и нет. Но вызывать конфликт нельзя: либо Миллер разъярится, либо, если он потерпит поражение, группа может распасться. Мэтью видел, что остальные, привлеченные громким голосом Миллера, прислушиваются: Де Порто, Хильда, маленький Билли. Он сговорчиво сказал:

— Вы хозяин. Но я надеюсь, вы измените свое мнение. Поговорим об этом позже.

Миллер с нервным смехом схватил его за руку.

— Разговоры не повредят, Мэтти! Пока вы понимаете, что мы не можем обойтись без вас. Пошли. Посмотрим на эту корову. Как узнать, беременна ли она? Вы не знаете?

В течение следующих нескольких дней на случай, если Миллер следит за ним, Мэтью ничего не делал, а потом начал готовиться тщательно и втайне. Среди собранных вещей он нашел рюкзак. Перенес его в тайник — старый немецкий бункер дальше на берегу. Землетрясение сдвинуло его; вертикальный ход, ведущий на дно, покосился, но стальная лестница осталась на месте. Вряд ли кто-нибудь из лагеря окажется здесь, но Мэтью из предосторожности забросал вход ветками. После этого он при возможности приносил сюда вещи, которые считал необходимыми для путешествия.

Прежде всего это была пища в наиболее консервированной форме: главным образом мясо с бобами. Самая трудная проблема, конечно, запас свежей воды. Сто миль до берега, скажем, по 15 миль в день — это означает неделю пути. В разбитом автомобиле Мэтью нашел пластиковую канистру, способную вместить галлон. Пинта воды в день — вполне возможно в этом климате, к тому же среди скал может оказаться дождевая вода. И, конечно, Олдерни. Там есть источники, где он может обновить свой запас. Это сокращает дистанцию на четверть. 75 миль — он пройдет их за 5 дней.

Он возьмет с собой запасную пару крепких ботинок. Две фуфайки, пару носков, чтобы надевать ночью; так можно будет обойтись без одеяла. Макинтош, который он спрятал в Вал-де-Террес, перекочевал в тайник вместе с коробкой патронов. Ружье Мэтью держал в палатке, чтобы не вызвать подозрений. Его он возьмет в последнюю минуту.

Подготовка, поскольку к ней нельзя было привлекать внимание, заняла почти две недели. К концу этого периода было еще одно ухудшение погоды, но все собрались в больших палатках, которые выстояли даже несколько довольно сильных толчков во время бури. Столбы палаток покосились, один сломался, но это произошло днем, и мужчины без труда все поправили. Всех охватило чувство общего торжества, явно контрастировавшего с жалкими первыми днями.

Произошло еще одно важное событие — либо из-за этого, либо по другой причине, Мэтью не знал. Но когда небо прояснилось и были снова поставлены маленькие палатки, Ирен не вернулась в свою, но заняла место в палатке Миллера. Тот казался слегка ошеломленным, но встретил перемену с шумным весельем. Мэтью подумал, что теперь остальные будут еще больше уважать Ирен. Она будет управлять хорошо — холодно, эффективно и без воображения. Мэтью гадал, станут ли ее сыновья и дочери ее наследниками. Вот так складываются общественные отношения. Впрочем, такие размышления занимали его лишь слегка. Важнее было то, что Миллер, в своем новом счастье, расслабился и потерял бдительность. Мэтью смог проводить больше времени вне лагеря, готовясь к бегству.

Ночью его разбудило дрожание земли. Они уже настолько к этому привыкли, что поворачивались на другой бок и снова засыпали. На этот раз Мэтью не уснул. Он не знал, который час, но в небе виднелись первые признаки рассвета. Он ждал долго, не менее десяти минут, потом как можно тише оделся. Для уверенности прошептал: «Билли!» Ответа не было. Ему видны были очертания укрытой одеялом фигуры мальчика. Мэтью достал из-под матраца ружье и вышел. Никто не пошевельнулся.

Вначале трудно было находить путь по неровной местности к бункеру, но постепенно глаза его привыкли к полутьме. Он захватил с собой маленький карманный фонарик, слишком слабый для открытой местности, но способный помочь в черноте бункера. Рюкзак был уже упакован, а канистра наполнена водой. Он вынес их наружу, аккуратно прикрепил канистру к рюкзаку, поперек всего этого приладил ружье и взвалил все на спину. Тяжеловато, но вес хорошо распределен, да и он чувствовал себя крепче, чем в прежние дни. Мэтью был убежден, что легко справится.

Наиболее прямой путь, поскольку он направлялся на север, пролегал через основание Джербурга к заливу Фермейн. Но это означало необходимость пересечь тошнотворно знакомые развалины Св. Мартина, и Мэтью направился к Диветту. На полпути он миновал Монумент, наклоненный под странным углом. Диветт был опустошен приливной волной. От того, что напыщенно называли Сосновым Бором, не осталось даже пня. Мыс обвалился, и поэтому спуск оказался не крутым. Мэтью достиг дна, быстро оглянулся и пошел по долине, некогда бывшей дном пролива.

Хуже всего, как и говорил Ле Перре, было чувство беспокойства. Мэтью постоянно ощущал чуждость того мира, который обнажился неожиданно вокруг. В серой предрассветной полумгле стояли скалы и рифы самых невероятных форм и очертаний. Долгие столетия здесь катились морские волны; море сохранилось в запахе гниющих водорослей, в лужах, задержавшихся среди скал, в дохлых крабах и омарах. Казалось невероятным, что море не возвращается. Мэтью поймал себя на том, что все время прислушивается, ожидая услышать отдаленный гул, который превратится в гром возвращающихся мстительных волн.

Светлело, и очертания менялись, мрачная загадочность скал уступала место рваному богатству форм и красок с выступами розового и желтого гранита, с ослепляющими вспышками белого мрамора на сером фоне. Но тревожное чувство осталось: Мэтью окружал чужой мир, и он шел по нему, как браконьер. Ему начали попадаться знакомые предметы, унесенные из разрушенного города в объятиях отступавших волн: разбитый фарфор, часть стула, прогнутая велосипедная рама, холст, который мог быть произведением искусства, но теперь представлял собой гниющую смесь полотна и краски. Эти предметы не успокоили его; наоборот, ему стало еще хуже. Их несоответствие указывало на его собственную неуместность. Там, где справа на горизонте показалась разрушенная башня Брегона, он нашел газовую плиту, целую, но вырванную из своих переплетений и труб. При виде этой плиты, торчащей из песка, он почувствовал холодок страха.

Он находился в самом узком месте пролива между Гермом и Бордо, когда услышал крик. Далекий и слабый, это, несомненно, был крик человека. Солнце взошло, лучи его согрели Мэтью. Он взобрался на скалу и посмотрел назад. Скалы, песок, полосы грязи и воды. Но тут он вновь услышал крик. Голос детский и, несомненно, знакомый...

Мэтью сложил руки вокруг рта и громко закричал:

— Я здесь!

Голос его эхом отдавался вокруг:

— Здесь... здесь... здесь...

Подбежав к нему, Билли задыхался и плакал. Лицо его было покрыто грязью, в которой слезы проделали полоски. Он смотрел на Мэтью с тревогой и надеждой.

Мэтью спросил:

— Что ты здесь делаешь, Билли? Ты пошел за мной. Почему?

— Я хочу идти с вами.

Мэтью покачал головой:

— Слишком далеко и трудно. Тебе лучше вернуться.

Билли сказал:

— Я знал, что вы уйдете. А сегодня утром вы вышли из палатки, и я видел, как вы взяли ружье. Я понял, что вы уйдете сегодня. Я держался подальше и потерял вас и не знал, что делать. Но потом пошел на утесы и увидел вас. Вы были далеко. Я побежал и пытался вас догнать. Но не смог и заблудился. Тогда я начал кричать. — Он снова посмотрел виновато. — Я не хотел кричать, чтобы не услышали Миллер и все остальные, но я заблудился.

Мэтью снял со спины рюкзак и посадил Билли рядом с собой.

— Я пойду один, Билли, а ты должен вернуться в лагерь. Там за тобой могут присмотреть, а я не могу. Пойми, это разумно.

— Я не пойду, мистер Коттер.

— А кто будет смотреть за Паутинкой?

— Она теперь их. Они ее заставляют все время работать.

Мэтью показал на рюкзак.

— Здесь продукты. На одного, а не на двоих.

— Я не буду есть много. — Мальчик порылся в карманах и вытащил несколько плиток шоколада, грязных, но целых. — Я их сберег.

Мэтью молча смотрел на него. Существует множество возражений, но ни одно из них не убедит мальчика. Единственный выход — быть строгим: сделать гневное лицо и приказать ему возвращаться. К тому времени, как он достигнет лагеря, Миллеру и другим будет уже поздно предпринимать что-нибудь.

Может быть, мальчика побьют за то, что он не поднял тревогу, когда уходил Мэтью. И на пути назад он не заблудится: остров хорошо виден.

Все это разумно. Невозможно предсказать опасности и трудности, ждущие впереди. Ему едва хватит пищи и воды, а рисковать жизнью мальчика нельзя. У мальчика только одежда, которая на нем, единственная пара обуви, которая изорвется на полпути.

Но Мэтью знал, что не отошлет мальчика назад по этой враждебной, чужой местности.

Он сказал:

— Хорошо, Билли. Посмотрим. Возможно, мы оба повернем назад, если придется трудно.

7

К середине дня стало облачно, но потом снова выглянуло солнце, и стало еще жарче. Родной остров превратился в туманные холмы позади. Впереди возвышались утесы Олдерни. Мэтью был рад обществу мальчика, рад его щебету, на который можно было отвечать или нет — как захочется. Он все еще не принял решение, следует ли им идти. Пока идти было легко; было много ровных полос, по которым они продвигались быстро. Пришлось сделать только один значительный обход, огибая длинный бассейн, окруженный острыми, покрытыми водорослями скалами. Вода в бассейне была чистой и прозрачной, и они видели в глубине рыбу; Мэтью решил, что глубина бассейна не менее 20—30 футов.

Поскольку особой срочности не было, время от времени они отдыхали. Уже к вечеру они остановились у скалы ярдов в двадцать высотой. На разных уровнях риф был усеян небольшими бассейнами, полными водой. Билли, как и всякий ребенок на морском берегу, начал карабкаться на скалы. Он устанет, подумал Мэтью и позвал мальчика.

— Сейчас! — ответил Билли. — Я поймал...

— Что?

Билли с триумфом продемонстрировал омара примерно в девять дюймов в длину, яростно размахивавшего хвостом.

— Прекрасный экземпляр, — сказал Мэтью, — но лучше положить его на место, прежде чем я проголодаюсь.

Билли спрыгнул, продолжая крепко сжимать омара за место позади головы.

— Так я об этом и думал, мистер Коттер! Он пойдет нам на ужин.

— Не думаю, чтобы я мог съесть омара сырым. А как приготовить его, не знаю.

— Тут есть сухое дерево.

И правда, они все еще находились в районе, покрытом обломками, которые волны унесли с восточного берега острова. Видны были кирпичи, большой гранитный блок, кожух пылесоса, обломок кухонной раковины и много кусков дерева: спинка стула, разбитая оконная рама, изогнутая рама кровати. А немного позади, к счастью, скрытые скалой, два переплетенных обнаженных тела, которые могли быть связаны с кроватью; Мэтью не рассматривал их внимательно.

Он сказал:

— Я не захватил спичек. И нам не в чем готовить.

— У меня есть лупа.

Неуклюже действуя свободной рукой — сломанная рука срослась, и повязку убрали, но свобода движений еще не восстановилась, — Билли достал из кармана увеличительное стекло, которое Мэтью нашел в развалинах аптеки и принес ему как игрушку.

— Я могу добыть огонь, мистер Коттер. А омара мы поджарим на углях. Так делают на южных морях.

Мэтью с уважением посмотрел на него.

— Билли, ни у одного великого вождя не было таких гениальных идей.

Билли был доволен этим комплиментом.

— Как лучше убить его? — спросил он. — Сломать шею?

Они собрали дрова, и Мэтью разломал их на удобные куски.

Потом из кирпичей и обломков скал сделали грубую полевую печь и положили в нее дрова. Билли сел рядом и направил лупу на солнце. На поверхности дерева появилась ослепительно белая точка, пошел дым. Это было возбуждающее мгновение. Дым завился клубом, и вот затанцевал маленький язычок пламени и жадно набросился на дерево.

Мертвого омара они положили в догоравший костер; он свистел и трескался от огня. Когда огонь погас, омар весь покрылся пеплом и выглядел неаппетитно; но запах от него шел превосходный. Угли бледно светились в последних лучах солнца. С нетерпением Мэтью и Билли ждали, пока угли остынут.

Мэтью думал, что они возьмут омара с собой и съедят его на ужин, когда остановятся на ночь, но не было сил противиться искушению. Он разломал горячую скорлупу и разрезал середину ножом. Они сидели рядом и ели. Мэтью должен был удерживать себя, чтобы не пожирать сладкое белое мясо. Потом они разбили о скалы клешни и высосали их. Мэтью вспомнил летний вечер, окно, выходящее на гавань, полную качающихся лодок... Омар с майонезом, кусочками черного хлеба с маслом и бутылочкой шабли... Все это казалось невероятным и нереальным.

До остановки на ночь они сделали еще несколько миль. Беспокойное чувство, отступившее при свете дня, вернулось с вечерними тенями, которые, смягчая резкие очертания скал, только подчеркивали чуждость территории, через которую они проходили. Мэтью остановился, когда еще были видны отдаленные холмы: Герм, Джету и Гернси. Ему хотелось оказаться на них. Когда они легли на узкую полоску песка, еще хранившего тепло солнечных лучей, Мэтью показалось, что он, как в раковине, слышит шум далекого моря. Ему снова стало страшно. Нужно было вернуться с мальчиком. Утром...

Спали они беспокойно, прижимаясь друг к другу. Ночью было несколько слабых толчков, а перед рассветом поднялся ветер. Когда они встали, невыспавшиеся и неотдохнувшие, начинался серый облачный день. Мэтью думал, что утром они смогут приготовить горячий завтрак, но достаточно было одного взгляда на небо, чтобы отказаться от этой мысли. Быстро неслись низкие тучи, Мэтью почувствовал капли дождя.

Открывая банку с мясом, он сказал Билли:

— Ну как? Поворачиваем назад?

— Почему, мистер Коттер?

— Потому что это разумно. Что, если пойдет дождь? У нас лишь один макинтош на двоих.

— Я не боюсь дождя. — И добавил с почти взрослой задумчивостью: — Ведь в конце концов сейчас лето.

— Мы не знаем, куда идти. И зачем. Наверно, лучше все же вернуться.

— Теперь мы ближе к Олдерни, чем к Гернси. — Билли указал на утесы на северной части горизонта. — Можно пойти туда.

Мэтью взглянул на мальчика и рассмеялся:

— Конечно, можем. Ты бывал на Олдерни?

— Нет.

— Я тоже. Пойдем посмотрим. Может, найдем там людей. Если один сумел выжить на Сарке... На Олдерни было гораздо больше населения.

Они не видели расселину, пока не подошли на милю к острову. Трещина пролегала с юго-востока на северо-запад и была трудно различима с их места. Мэтью увидел, что утесы разорваны рваной щелью, уходящей вперед по морскому дну. Когда они подошли ближе, он увидел, что эта трещина проходит через остров, который разделен на две неравные части. Он надеялся найти кого-нибудь живым, потому что Олдерни, как и Сарк, был возвышенным плато: на него не могли обрушиться волны, уничтожившие порт Святого Петра. Но теперь при виде острова, расколотого на части, эта надежда исчезла. Невозможно представить себе, чтобы кто-то пережил такую катастрофу.

Тем не менее, пройдя так далеко, он должен был удостовериться. Они поднялись по склону гавани, построенной в расцвете викторианского могущества для великого флота, и пошли по холму. Обломки лежали еще более плоско, чем на Гернси; впрочем, впечатление усиливалось зияющей пропастью на севере. Как будто гигантский топор расколол остров надвое. Если бы море осталось, было бы легче: оно прикрыло бы первобытную обнаженность нижней части утесов.

Они обошли большую часть разделенного острова, подошли к краю трещины и посмотрели на север, но не видели и не слышали людей. Попалась им одна собака, грязная дворняжка, которая залаяла и убежала, и несколько кроликов. Помимо этого, всюду была смерть: блеск костей сквозь прогнившую плоть, отвратительный запах. Но однажды им и повезло: они обнаружили запас консервов, которые не понадобилось и выкапывать — банки лежали на поверхности. Роскошный подбор: паштет из трюфелей, артишоки, ломтики копченой семги, индейка и фазаны в экзотическом винном соусе.

Пока светило солнце, Билли разжег костер. Они собрали много дерева, и пламя поднялось высоко. Мэтью сказал, что, если на острове есть кто живой, костер привлечет их. Впрочем, он был уверен, что живых нет. Но было очень приятно сидеть у костра и смотреть на поднимавшийся к небу дым. Мэтью пробил отверстия в крышке банки с индейкой и поставил ее на угли. Сок закипел, выплескивался из отверстий, стекал по бокам. Запах пищи смешивался с запахом дыма. Наслаждаясь временным комфортом, Мэтью открыл баночку без этикетки. Она оказалась под стать остальным — копченые перепелки в каком-то масле. Обнажились две маленькие бледные тушки. Испытывая внезапный приступ тошноты, Мэтью смотрел на них. Билли занимался чем-то по другую сторону костра. Мэтью как можно дальше отбросил банку.

На безопасных высотах спали они гораздо лучше, зная, что ушли с морского дна. Утром дул резкий ветер, но светило солнце. Мэтью нашел ручей, и они умылись: Билли слегка, а сам Мэтью более тщательно. Пока он мылся, Билли куда-то ушел. Мэтью не беспокоился. Опасности не было, а заблудиться вряд ли можно. Он вытер маленьким полотенцем лицо и руки, предоставив ветру и солнцу все остальное. После этого оделся и пошел по холму, туда, где они провели ночь.

Билли подбежал к нему, размахивая черной кожаной сумкой. Это была велосипедная сумка.

— Посмотрите, что я нашел, мистер Коттер! Теперь я тоже смогу нести что-нибудь.

— На спине? Нужны лямки.

— Я и их тоже нашел. — Он держал пару подтяжек. Похоже, дорогие: широкая шелковая эластичная лента, голубая с красной искрой, тяжелые пряжки с тусклым золотым блеском. — Я думал сделать лямки из этого.

— Не стоит, если мы будем возвращаться. Я унесу больше, чем нужно, пищи.

— Разве мы возвращаемся? — В голосе мальчика звучало разочарование.

— Ты бы хотел идти дальше?

— О да!

Ради мальчика он должен вернуться. На юге, менее чем в двух днях пути, лежала относительная безопасность маленькой группы Миллера. На севере неизвестность — 60 миль по морскому дну кратчайшего пути, и кто знает, какие препятствия встретятся им. Могут быть трещины, как та, что расколола Олдерни, и даже большие. А у них нет даже компаса. Определять направление придется по солнцу. А что, если пойдет дождь?

Мэтью понимал безумие замысла, особенно теперь, когда с ним мальчик. Замысел возник из-за вспыхнувшей надежды. Он готов вернуться назад и прожить остаток жизни среди немногих выживших на Гернси. Но надежда не умерла, и все остальное теряло смысл. Он взглянул на мальчика.

— Что ж, тогда подготовимся получше.

8

Они вышли поздно. Мэтью сменил воду в канистре, набрав свежей из ручья. Он приготовил лямки для сумки Билли и наполнил ее консервами, пополнив и свои запасы. Они шли по роскошной высокой траве: она уже перезрела для первого летнего сенокоса.

Некоторое время они вынуждены были идти вдоль расщелины по ее юго-восточному краю. Она была 40—50 футов глубиной, с крутыми сторонами. Они шли параллельно французскому берегу, находившемуся в восьми милях. Примерно через час они, однако, подошли к месту, где щель проходила через песок и грязь. Края ее обрушились, и им удалось перебраться на противоположную сторону и продолжить путь на север.

По-прежнему дул сильный ветер, но теперь он помогал идти. Небо было безоблачно, и без ветра стало бы слишком жарко.

Чуждость ландшафта быстро стала привычной на этот раз, и Мэтью все острее осознавал его монотонность. Скалы, песок, высыхающие полоски грязи чередовались с полосками воды. В целом местность опускалась к северу, но тут и там приходилось карабкаться вверх. Отдельные рифы и скалы поднимались очень высоко; одна оказалась такой высокой, что Мэтью решил, что она выступала из воды. Они шли, оставляя солнце слева, и делали не менее двух миль в час. Может, и больше, подумал Мэтью.

Первый встреченный ими затонувший корабль произвел сильное впечатление. Его увидел Билли справа, и они соответственно изменили курс, чтобы посмотреть на него. Это был корпус грузового корабля, точнее, большая часть его. Он лежал на боку, с устремленной на запад палубой, заросший водорослями и ракушками. Не очень большой корабль — Мэтью решил, что около тысячи тонн, — и пролежал под водой по крайней мере десять лет, а может, и гораздо больше. Вокруг кормы шла надпись, но удалось разобрать лишь две буквы — «Р» и «О». Мэтью снова ощутил тревожное чувство страха и угрозы. Они находились в глубинах страны, которая вселяла ужас во все морские народы, — страны потонувших моряков. Билли это не трогало. Он бегал вокруг корабля, рассматривал его с разных сторон и хотел подняться на палубу. Мэтью запретил ему, и мальчик неохотно подошел.

— Там нет ничего, кроме ржавчины и гнилого дерева, Билли, — сказал ему Мэтью. — И нам нельзя тратить время. Нужно идти.

Топлива для костра не было, поэтому они шли до появления звезд и лишь тогда остановились на ночлег. Мэтью заставлял мальчика время от времени отдыхать, но тот все равно смертельно устал. Они открыли американские консервы и съели их. Мэтью испытал приступ голода. Живот его был полным, но аппетит остался неутоленным. Билли отломил несколько квадратиков шоколада и предложил их Мэтью.

Тот поколебался и сказал:

— Я возьму один, Билли, а ты съешь остальное.

Он держал шоколад во рту, пока тот не растаял. Билли все еще ел, и поэтому Мэтью отвернулся, не в силах перенести это зрелище.

На следующее утро они увидели другой корабль. Он был гораздо более разрушен, чем первый. Палуба с высоким полуютом, ряды отверстий вдоль фальшборта. Правильная форма свидетельствовала, что это орудийные бойницы. И действительно, из одного высовывался проржавевший, заросший водорослями ствол, как будто он только что произвел последний выстрел, после чего корабль погрузился в воду и затонул. Как давно это было? 400 лет назад? Может, это один из кораблей великой армады, рассеянной Дрейком и бурей по холодным серым водам пролива? Или английский корабль, более двухсот лет назад затонувший, возвращаясь домой после Трафальгара? Определить невозможно, да и не нужно.

Билли сказал:

— Он очень старый, мистер Коттер?

— Да. Очень.

— Как вы думаете, на нем могут быть сокровища?

— Наверно, могут. Но нам от них толку мало.

— Можно мне посмотреть?

Конечно, у сокровищ два аспекта. Мировой рынок прекратил существовать, и за дублоны не купишь ничего: ни яйца, ни кусок хлеба. Но это все же дублоны. В глазах ребенка они сохраняют волшебство и загадочность. Мэтью уселся на плоскую скалу, снял тяжелый рюкзак.

— Посмотреть невредно, — сказал он. — Но нужно быть осторожным. Бревна могут не выдержать наш вес.

Корабль лежал на левом борту, и они нашли у кормы отверстие, достаточно большое для того, чтобы Мэтью смог пройти. Внутри после яркого солнечного света было очень темно, и Мэтью заставил Билли постоять, пока их глаза не привыкнут к темноте. Он боялся, что бревна обвалятся даже под весом мальчика, но когда они начали двигаться, он понял, что эти страхи беспочвенны. Хотя внешние очертания корабля сохранились, внутренности его исчезли. Переборки и настилы упали, смешались с песком и грязью и образовали неровный, но прочный пол. Не было ничего, кроме пустой оболочки и запаха гниения.

Думая о разочаровании мальчика, Мэтью вдруг ощутил толчок и услышал скрип деревянных стен. Движения его были почти инстинктивны: он схватил Билли и потащил его к отверстию. Они выбрались на горячий свет солнца, и Мэтью почувствовал облегчение и слабость. Он отпустил Билли и перевел дыхание.

Билли сказал:

— Не очень сильный. — Он тоже был испуган, но старался не показать этого.

Мэтью ответил:

— Да, несильный. — Он помолчал, приходя в себя. — Так как корабль выдержал сильные толчки, вряд ли он сейчас обвалится. Дерево лучше, чем кирпичи и камень, менее жесткое.

И правда, корпус корабля не был такой смертельной ловушкой, как дом. И все же Мэтью не хотел возвращаться, покидать безопасную открытость.

Он сказал:

— Там нечего смотреть. Ничего интересного.

Билли покачал головой:

— И правда.

— Тогда мы пойдем. Или ты хочешь отдохнуть?

— Нет, лучше идемте, мистер Коттер.

В течение следующего часа были еще слабые толчки, но Мэтью не беспокоился. Он все время думал о корабле и о своих словах. Корабль прошел через катастрофу — поднявшееся морское дно, стремительный натиск волн — и все же остался более или менее целым. Конечно, дело случая. Но если выдержали эти прогнившие балки... Он снова подумал о Джейн, о старом доме наверху холма. Деревянная крыша могла защитить ее, и она ведь была на самом верху дома.

Он оглянулся на корпус корабля. Предзнаменование? Во всяком случае, возрождение надежды. Он начал насвистывать, и Билли с удивлением и улыбкой посмотрел на него.

Они пришли к месту, которое Билли прозвал Гигантскими Ступенями. Это была целая серия террас на расстоянии 10—15 ярдов друг от друга, между которыми тянулись плоские песчаные участки. Создавалось впечатление искусственности и незавершенности. Как будто плодородные террасы на склоне горы. Гигант-садовник вернется, чтобы засеять их. Ступени тянулись долго, более мили, и кончились там, где песок уступил место скалам.

В этом месте было много бассейнов, в них плавала рыба. В совсем маленьком углублении отчаянно билась сардина в фут длиной. Бассейн лишь в три раза превосходил ее по длине и был в фут глубиной. Рыба не могла выжить здесь после катастрофы, и Мэтью понял, что произошло. Маленький бассейн отделялся от гораздо большего скальным гребнем, поднимавшимся на несколько дюймов над уровнем воды. Сардина была в большем бассейне и выпрыгнула оттуда, слепо ища утраченное глубокое море. Вместо моря она оказалась в луже, теперь лишенной кислорода и пищи. Скоро она задохнется здесь.

Билли наклонился и сунул руку в воду. Рыба яростно отбивалась. Билли спросил:

— Поймать ее, мистер Коттер?

— У нас нет дров.

— Можем взять ее с собой. А позже найдем дерево.

Мэтью покачал головой:

— Не стоит. — Он испытывал сочувствие к рыбе, так отчаянно стремившейся к жизни и теперь совершенно беспомощной. — Если ты сможешь ее поймать, мы перенесем ее в тот бассейн.

У рыбы сохранилось гораздо больше сил, чем казалось вначале. Она ускользала от мальчика, и Мэтью в конце концов помог ему. Вместе они подняли рыбу в воздух и опустили по ту сторону преграды. Она ушла в глубину, туда, куда не доходили солнечные лучи.

Билли спросил:

— Теперь ей хорошо?

— Да.

Она проживет еще немного, несколько дней, недель, может быть, месяцев. Но бассейны высыхают, лишенные связи с морем. Все кончится одинаково.

Дальше они пошли медленнее. Путь преграждали скалы с острыми краями. На одной из остановок Мэтью посмотрел на ботинки Билли. Подошвы износились, кожа потрескалась и поцарапалась. Они должны выдержать до берега, там можно будет поискать новые. Он предупредил мальчика, чтобы тот избегал неровностей; не следовало ожидать, что мальчик обратит внимание на такой совет.

После скал пошли участки грязи. Поверхность ее подсохла, но ниже грязь оказалась мягкой. Ноги их погружались, вначале всего на дюйм, потом все глубже. Когда Мэтью почувствовал, что вытаскивать ноги трудно, он решил, что придется сделать обход. Скалистая почва находилась на северо-востоке, и Мэтью повернул туда. Солнце грело им спины, опускаясь за горизонт, который впервые за весь день затянулся тучами. Все вокруг стало каким-то тусклым: справа, хребет за хребтом, серые скалы, слева — обнаженная чернота грязи. Билли перестал щебетать. Они шли молча. Мэтью спросил Билли, хочет ли тот отдохнуть, но мальчик покачал головой. Угнетала сама мысль об остановке в таком опустошении. Наконец, когда над неизменявшейся сценой спустилась тьма, они вынуждены были остановиться. Мэтью считал, что за предыдущий день они покрыли от 12 до 15 миль, несколько больше, чем за сегодня. Но последние 5 миль уводили их скорее на восток, чем на север. Подбадривало лишь то, что держалась хорошая погода. Глядя на тусклое красное свечение на небе, Мэтью думал, долго ли она продержится. Снова подул сильный ветер, воя между скал.

Они открыли консервы и поужинали. Даже и без необходимости подогревать пищу костер был бы большим утешением; но солнце зашло, а топлива никакого не было. Мэтью надел на мальчика всю возможную одежду, потом они легли, прижавшись друг к другу. Прежнее хорошее настроение исчезло. Мэтью сознавал только свое несчастье и уязвимость.

Они проснулись перед рассветом от дождя. Короткий ливень промочил их насквозь. Мэтью закутал Билли в макинтош. Дождь скоро кончился, но они еще долго дрожали от холода. Прижавшись друг к другу, они ждали, пока рассветет.

Светало медленно и неохотно. Когда рассвело, прошел еще один ливень. Они и так уже были до того мокрые, что второй дождь не ухудшил их положение. Мэтью открыл банку концентрированного супа, и они съели его. Невкусно, но питательно. Потом снова двинулись. Дождь размягчил грязь, заставив их перебираться по скалам. Ходьба была трудной и утомительной, особенно для Билли. Мэтью часто останавливался, чтобы мальчик мог передохнуть.

Так они шли, казалось, бесконечные часы. Солнца не было видно за тучами, день оставался темным и серым. Дождь ненадолго прекращался, потом шел снова. Они устали, промокли и замерзли. На одной из остановок съели консервированное мясо с бобами.

Наконец грязь уступила место песку и гальке, перемешавшимся с булыжниками и массивными скальными формациями. Мэтью не представлял, насколько они углубились на восток, но решил повернуть под прямым углом к предыдущему курсу. Без солнца он мог лишь приблизительно определить направление. Если такая погода будет продолжаться, они легко могут начать ходить кругами. Дождя не было уже с час, но небо по-прежнему было затянуто тучами. Впервые увидев корабль, Мэтью не поверил себе. Мираж, подумал он. Но ведь для миража нужны горячий воздух и яркий свет. Или галлюцинация... Были видны лишь только нос и двадцать или тридцать футов за ним, остальное скрывалось за скалой. Фантастический элемент заключался в том, что корабль казался совершенно невредимым. Он лежал на песке, каким-то чудом сохраняя равновесие.

Билли, ухватив его за руку, сказал:

— Смотрите! Что это, мистер Коттер?

— Не знаю. Лучше подойдем поближе.

Когда они вышли из-за скалы, чудо равновесия объяснилось. Корабль застрял в рифе. Это был танкер, один из современных гигантов. Мэтью решил, что в длину он не меньше восьмисот фунтов и водоизмещением в сто тысяч тонн. Линии его четко уходили вдаль, к единственной приземистой надстройке на корме. Возможно, в месте столкновения с рифом дно было пробито, но они не видели этого.

Билли сказал:

— Какой огромный! Можно нам взойти на борт?

Корабль прямо стоял на сухом морском дне, грациозный, мощный, прекрасный — величественное произведение исчезнувшего мира. Он гнался за уходящими волнами и упал, как птица.

— Попробуем, Билли! — ответил Мэтью.

9

Когда они обходили танкер, пошел дождь, не сильный, но настойчивый и постоянный. Он ударял в фальшборт, возвышавшийся над их головами, и они решили укрыться под широкой дугой днища. Мэтью подумал, что легче предложить подняться на борт, чем это выполнить. При их приближении на борту не было и признака жизни. Хотя снаружи корабль казался невредимым, Мэтью решил, что команда была смыта волной или погибла при ударе. Он не видел, как им с мальчиком без помощи подняться по этим гладким бортам.

Они могут хотя бы осмотреть корабль снаружи, хотя до сих пор все, что они видели, это красное брюхо чудовища. А корабль действительно был чудовищем. Стальная арка бесконечно тянулась у них над головами. Глядя вдоль нее и вверх, Мэтью снова почувствовал страх помещения, страх оказаться под крышей. Страх этот был иррациональным: если сильные толчки не обрушили корабль, что ему могут сделать маленькие. И все же Мэтью вышел под дождь, и Билли без вопросов последовал за ним.

Теперь они видели больше, но ненамного. Они приближались к надстройке на корме корабля. Мэтью сложил руки и крикнул. Голос его прозвучал в пустоте, ответа не было. Слышался лишь свист ветра, шелест дождя.

Позже, когда они огибали корму, Мэтью показалось, что он слышит крик. Мгновение спустя он увидел его причину: ободранная морская чайка расхаживала по песку. Если не считать червей и рыб, это было первое живое существо, встреченное ими после собаки и кроликов на Олдерни. Билли закричал при виде птицы, и она поднялась в воздух, пролетела с десяток ярдов и снова опустилась. Что привело ее к кораблю? Смутные воспоминания о прошлых мирах? Или ее кто-то здесь подкармливал? Мэтью вторично крикнул, голос эхом отдался в тишине.

И тут же он увидел лестницу.

Она была сделана из стали и нейлона и свисала с фальшборта у кормы по правому борту. Она достигала земли, и оставшаяся часть ее грудой лежала на песке. Мэтью подошел к ней и потянул, сначала легко, потом изо всех сил. Она была прочно укреплена наверху.

Он посмотрел на Билли и сказал:

— Ну как? Поднимемся? Сможешь подняться по веревочной лестнице? Тут высоко.

— Конечно, смогу! Честно.

— Иди первым. — Мальчик легко начал подниматься. Мэтью дал ему подняться несколько ярдов и начал сам. Лестница раскачивалась под их весом, и Мэтью охватила волна тошноты от высоты. Он остановился, крепко вцепившись в стальную перекладину, и страх землетрясений, наложившись на боязнь высоты, заставил его оцепенеть. Если произойдет сильный толчок и эти стальные стены наклонятся и заскользят к нему... Он старался уверить себя, что это абсурдно, но не мог преодолеть ужас. Он слышал, как Билли крикнул что-то. Вначале он ответил бессмысленным хрипом. Откашлявшись, он заставил себя спросить:

— Что?

— Я говорю, что почти поднялся! Но стало труднее. Лестница ударяется о борт.

— Отдохни немного.

— Нет, не нужно.

Постепенно страх уменьшился, и хотя все еще леденил Мэтью, тот сумел справиться с ним. Он переставил одну ногу, поднял руку и ухватился за следующую перекладину. Мэтью начал медленно подниматься, заставляя себя не думать ни о чем, кроме механического перемещения рук и ног. Он слышал радостный крик — Билли добрался до верха, — но не ответил. Приходилось быть осторожным: резкое движение могло ударить его вместе с лестницей о борт. Он знал, что верх уже близко, но не поднимал голову. Вдруг перед его глазами очутились перила, а за ними ноги Билли.

Интересно, что страх покинул его, как только он перебрался на палубу, и не только страх землетрясения, но и боязнь высоты. Он был на приподнятой палубе, окружавшей надстройку; ниже и впереди длинной линией танки уходили к фантастически далекому носу. Мэтью снова поразили размеры корабля. Больше не казалось странным, что он прошел через катастрофу невредимым.

Или относительно невредимым: часть ограждений по левому борту была сломана, а в отдалении виднелась какая-то выпуклость, которая могла быть проломом. Отсюда трудно было разглядеть.

И тут Мэтью осознал еще что-то. Он сознавал это все время, но не отдавал себе отчета. Теперь это уже невозможно было игнорировать или отрицать... слабое дрожание металла под ногами, приглушенный гул откуда-то из глубины корабля. Он, не веря своим глазам, смотрел на приземистую надстройку. По-прежнему ни признака жизни, но где-то внутри работала машина.

Мэтью снова закричал:

— Эй! Есть кто-нибудь?

Билли подхватил его крик. Дождь пошел сильнее. На палубе располагался плавательный бассейн, и капли дождя с шумом падали на поверхность воды. Несколько легких кресел из трубчатой стали и яркого пластика стояли возле доски для прыжков в воду. Как будто люди загорали и купались здесь, а когда начался дождь, ушли в помещение.

— Никого нет, — сказал Билли. — Может, изнутри нас не слышат.

— Может быть. Пойдем посмотрим.

Они направились к двери надстройки. Открыв ее, Мэтью испытал еще один шок. Он ожидал увидеть темное помещение — перед ним был залитый электрическим светом коридор. Билли ахнул рядом.

— На борту должны быть люди! — воскликнул Мэтью. — Они сумели запустить генераторы.

— Может, снова крикнуть?

— Нет, не думаю. Пойдем искать.

Они погрузились в паутину коридоров и переходов. Мэтью открывал двери и обнаруживал каюты, ванные, служебные помещения. Что-то странное было во всем. Он никак не мог этого сформулировать, пока не наткнулся на каюту с двумя койками. Койки были аккуратно заправлены простынями и одеялами, и все в каюте было в полном порядке. Мэтью понял, что та же аккуратность царит повсюду. Какой бы хаос ни царил здесь после катастрофы, кто-то ликвидировал его с фанатическим терпением.

Кто мог сделать это? Команда корабля, обнаружившая себя на сухом морском дне и нашедшая прибежище — возможно, какой-то массовый психоз, — в чистке и мытье? Или это делалось по команде сумасшедшего капитана? И то, и другое было одинаково невероятно, и уж во всяком случае, команда, пунктуально исполняющая свои обязанности, оставила бы следы своего присутствия. Но здесь никого и ничего не было. Шаги их глухо отдавались в коридорах, и они открывали двери в пустые комнаты.

Одна из них оказалась камбузом. Крышки столов были выскоблены и вымыты, кухонные принадлежности разложены рядами. Гудел большой холодильник. Мэтью открыл его и увидел несколько жареных цыплят, ветчину, масло, с десяток жестянок с пивом. Внутренности его свело от голода. Но они были непрошеными гостями, а где-то должны быть офицеры и команда. Он неохотно закрыл дверцу холодильника.

Билли, который самостоятельно осматривал камбуз, позвал:

— Мистер Коттер! Посмотрите!

Он открыл шкаф. Внутри были полки, нечто вроде кладовки. На второй полке аккуратным симметричным рядом стояли они, не очень правильной формы, может быть, но все же прекрасные: три буханки белого хлеба.

Ниже на полке лежали консервы и сыр под прозрачным покрывалом. Голова голландского, кусок горгонзолы, кусок чеддера.

Мэтью видел выражение Билли и не мог перенести этого. Он взял одну из буханок и сказал:

— Дай мне нож.

— А можно?

Но он уже пошел за ножом. Мэтью подавил желание впиться в корку зубами и ждал возвращения мальчика. Положив хлеб на стол, он сказал:

— Проверим их гостеприимство. Но если они скажут нет, я перережу им горло. Вот и ты намажь масло и бери, что хочешь.

Он отрезал по толстому куску для обоих. Билли намазал свой клубничным джемом. Мэтью задержался перед кусками сыра. Голландского больше всех. Он отрезал примерно половину, заметил, что оставил масло на сыре, и отрезал еще кусочек, чтобы убрать масло. Потом набил рот хлебом с сыром. Зубы его работали автоматически, и он обнаружил, что, не желая этого, глотает неразжеванные куски.

Он резко обернулся, услышав, что открылась дверь. Кусок хлеба с сыром, как виноватый мальчишка, он невольно сунул за спину.

Человек, вошедший в камбуз, улыбнулся:

— Ну, вы справились сами. Проголодались?

Он говорил на американском варианте английского со средневосточным акцентом. Не итальянец, решил Мэтью. Грек? Похож на грека. Это был низкорослый толстый смуглый человек. На нем безупречно сидел белый тиковый костюм и морская фуражка, отделанная золотом. Он сегодня брился: хотя и темно-голубой, подбородок его был гладким. И от него исходил слабый запах косметики.

Мэтью ответил:

— Мы очень проголодались. Очень. И с самой катастрофы мы не видели хлеба.

Человек великодушно взмахнул рукой:

— Не беспокойтесь. У меня много еды и питья. Хотите пива? — Он достал из холодильника жестянку. — А мальчик? Кока? — Он улыбнулся, показывая белые зубы с блеском золота. — Хочешь выпить коки?

Они поблагодарили его, но он покачал головой:

— У меня много. Меня зовут Скиопос, капитан Скиопос. Можете называть меня Ник.

Мэтью представил себя и Билли.

Скиопос сказал:

— Значит, мальчик не ваш сын? — Он сверкнул еще одной улыбкой. — Вы просто путешествуете с ним вместе?

Мэтью кратко пересказал ему случившееся. Скиопос слушал без особого интереса. Наконец он сказал:

— На суше очень плохо?

— Что касается островов в проливе, то да. — Мэтью кончил хлеб с сыром. Он посмотрел на буханку, и Скиопос сказал:

— Продолжайте. Отрежьте себе еще. Последний раз я испек слишком много хлеба. Его нужно есть.

Отрезая хлеб, Мэтью спросил:

— Вы все время были здесь? Один?

— Все ушли, — ответил Скиопос. — Я говорил, что они сошли с ума, но они ушли. Я говорил: то, что осушило пролив, на суше сделало черт знает что. Вы не найдете земли с молоком и медом, говорил я им. Но они тронулись. Что за ночь! Такой корабль бросало, как спичку. Кто-то вытащил пробку из ванны. Но мы сели благополучно. И я им сказал: нам повезло. Но они не слушали. Взяли немного пищи и ушли на север.

— Давно?

Скиопос пожал плечами.

— Кто знает? На следующий день после того, как мы застряли. Но я больше не веду журнала. Кому это нужно?

Хлеб с сыром оказались еще вкуснее, если только это возможно. А острый вкус пива в горле довершил эстетическое впечатление. Мэтью сказал:

— Благополучно — правильное слово. Похоже, корабль совсем не поврежден.

— Поврежден достаточно, чтобы не поплыть, если снова придет вода. Но, я считаю, этого не случится. Хотите принять ванну?

— Горячая вода?

— Конечно! Я не стал бы приглашать вас в ванну с холодной. Много мыла, полотенце и все такое. Есть ароматная соль для ванной, если хотите.

Он провел их в другую часть корабля. Открыв дверь, показал Мэтью роскошную ванную.

— А для мальчика — за следующей дверью. Пойду тоже освежусь: ведь у меня гости. Позвоните, Мэтью, когда кончите, и я приду за вами. Если не показать дорогу, вы можете заблудиться.

Мэтью пустил горячую воду, какую только мог вытерпеть. У него захватило дыхание от жара. Он лег, расслабившись. За перегородкой плескался Билли. Мэтью сосредоточился только на ощущении удовольствия.

Скиопос вернулся до того, как они кончили мыться. Он спросил:

— Хорошо вымылись, Мэтью? Я принес одежду. Должно подойти.

Он выглядел еще аккуратнее, чем прежде. В руках у него была аккуратная стопка. Он положил ее на крышку рундука.

— Должно быть вашего размера, — сказал он. — Вот брюки, жилет, носки, рубашка. Нет туфель, но на борту они вам не нужны. И для мальчика тоже есть. Великовато, но у меня с собой ножницы — можно подрезать.

Мэтью вышел из ванны и завернулся в полотенце. Он начал благодарить Скиопоса, но тот прервал:

— Я пойду отнесу это мальчику. После ванны нужно надеть чистое. Когда оденетесь, я покажу вам корабль.

Какое облегчение не надевать старую одежду! Она грязной рудой лежала на полу. Чистый холст замечательно пах, его присосновение к коже было невероятно нежным. Одевшись, Мэью прошел к Билли.

Скиопос одевал мальчика, вернее, стоял и разглядывал его благожелательным интересом. Он сказал:

— Хороший мальчик, но маленький. — Билли неуверенно улыбулся. — Вы не портной, Мэтью? Давайте попробуем вместе.

Когда Скиопос кончил, Билли выглядел комично, но чис. Рубашка и брюки были ему велики, причем брюки поддеривались парой кричащих сине-золотых подтяжек. Скиопос отрепал его по плечу и провел пухлыми короткими пальцами о влажным волосам мальчика.

— Ну, по крайней мере теперь ты выглядишь лучше. Поймте, я вам кое-что покажу.

Он привел их в помещение с рядами удобных кресел. Скиос подошел к передней стенке и нажал на кнопку. Развернул экран, и Мэтью понял, что это корабельный кинозал. В сте за сидениями было отверстие; очевидно, оттуда проецирова фильм.

— Садитесь, — сказал Скиопос. — Я сейчас.

Все, что происходило с момента их появления, казалось нерельным. Как во сне. Но это превосходило все остальное. Мэтью и илли сели, а Скиопос вышел. Несколько мгновений — и из отрстия в стене послышался голос:

— Готовы? Хорошо! Начинаю.

Свет погас. Чернота и на мгновение приступ клаустрофобии; экран осветился, и страх отступил. Это был мультфильм — Приключения Тома и Джерри». Поглядев вбок, Мэтью увидел ицо Билли. На нем было обычное детское удовольствие.

Скиопос показал еще два мультфильма, потом выключил ппарат и зажег свет в зале. Потом сказал в отверстие:

— Перерыв. Сидите. Я сейчас.

Вернувшись, он принес поднос.

— В перерыве у нас мороженое и конфеты. Как насчет это, Билли? А вам сигарету, Мэтью? Или сигару?

Он дал Билли мороженое и плитку шоколада, зажег сигарету для Мэтью, а сам закурил маленькую сигару. Потом сел и начал говорить. Мэтью слушал его, гадая, здоров ли он, или безумен. Он не проявлял никаких признаков безумия, а был очень дружелюбен и деловит. Но ситуация была безумной, а он слишком обычно воспринял их появление. Либо он должен был больше обрадоваться людям, либо негодовать из-за растраты драгоценных припасов: ведь они ограниченны, а что он будет делать, когда они кончатся?

По мере того как он говорил, яснее становилась картина происходившего. Он не убеждал команду остаться и не слушал их уговоров идти. Оставшись один, он копался в машине, пока не пустил ее в ход. Они шли на юг из Лондона, везя в танках воду в качестве балласта, и он умудрился переключить эту воду в охлаждающую систему. Безумный или нет, он был, очевидно, толковым механиком. Потом он начал чистить корабль, что делал с подмеченной Мэтью дотошностью. Он готовил для себя на большой электропечи, работавшей от генератора, слушал пластинки, снова и снова смотрел фильмы.

Он сказал:

— Вы, может быть, думаете, что мне одиноко? Но когда слушаешь голоса, видишь лица... у меня есть лента с Синатрой и Авой Гарднер. Они как друзья. Понимаете?

Мэтью медленно, с наслаждением курил сигарету. Он спросил:

— А радио?

— Радио? Вышло из строя.

— Вы можете починить его?

Скиопос пожал плечами:

— Я мало что понимаю в радио.

— Если попробовать... может, сумеем поймать какую-нибудь станцию.

Скиопос смотрел на него без всякого интереса.

— Мы знаем, что Западная Европа уничтожена. Вероятно, что-то подобное произошло и в Америке. Но ведь не может быть так плохо всюду... Россия, Китай, Новая Зеландия?

— Я мало что понимаю в радио, — повторил Скиопос.

Мэтью понял, что тому не нужен контакт с внешним миром. Он удовлетворен тем, что стал центром своего маленького мирка. Но почему тогда он их принял так по-дружески? Может быть, потому, что они дали ему возможность показать свою власть и чудеса.

Мэтью спросил:

— А горючее?

— Горючее? У меня его много.

— Сколько?

У Скиопоса появилось беспокойное выражение, он отвел взгляд. Настойчиво сказал:

— Много горючего, говорю вам.

— Но когда оно кончится и генератор заглохнет, что вы тогда будете делать?

— Не о чем беспокоиться. Вообще не о чем. Простите, Мэтью. Мне нужно заняться делами. Погуляйте. Увидимся позже.

В следующий раз они увидели Скиопоса в камбузе. Он готовил еду. Встретил их он так же приветливо, как и раньше.

— Когда у меня нет гостей, я днем перехватываю что-нибудь, но теперь я подумал, что вам захочется горячего.

— Не беспокойтесь, — сказал Мэтью. — Мы прекрасно обошлись бы хлебом с сыром.

Но запах был неотразим: толстые куски ветчины жарились в масле.

— Ничего особенного, — сказал Скиопос, — ветчина, жареный картофель, помидоры. Подождите еще десять минут. Хорошо?

За едой он рассказывал о своем распорядке дня. Будильник поднимает его в 6.30. Он моется, бреется и готовит на камбузе себе завтрак: кофе, тосты и консервы. Потом осматривает корабль, прибирает необходимое и отправляется на ежедневную прогулку на берег. Он делает это в любую погоду. Когда Мэтью нашел лестницу, он как раз гулял.

В первые дни он работал и во второй половине дня, ликвидируя последствия катастрофы. Теперь в этом нет необходимости, и он проводит время в бассейне, а в плохую погоду слушает пластинки и смотрит фильмы. На корабле есть библиотека, но Мэтью понял, что Скиопос не любитель чтения.

Он провел Мэтью и Билли по кораблю. Скиопос был вежлив и точен в объяснениях. Как будто они были официальные посетители, а танкер стоит в Лондонском порту, отдыхая после пути. Скиопос указывал на повреждения, но говорил о них бегло; создавалось впечатление, что ремонтники вот-вот примутся за работу. Они поднялись на мостик, шедший по обе стороны от надстройки. Теперь они находились более чем в ста футах над морским дном, высоко над ними вздымались сигнальная мачта и радар. Танкер уходил вдаль. Дождь прекратился, и видимость улучшилась. Миля за милей видны были полоски грязи, галька, скалы. Такой вид вполне может свести с ума, подумал Мэтью.

Скиопос смотрел вперед, как будто по-прежнему видел серые воды пролива. Спокойным голосом он сказал:

— Он прекрасен, не правда ли?

Мэтью ответил:

— Впечатляет.

— Мой первый корабль.

— Правда?

— Мне тридцать восемь лет, — сказал Скиопос. — На этой линии нельзя стать капитаном моложе тридцати пяти. Я знал одного парня на пять лет моложе меня, он был капитаном танкера. Потом построили эту красавицу. Спустили на воду 18 месяцев назад. Парень, который плавал на ней, заболел: что-то с почками, не знаю, что именно, но он пролежал в госпитале несколько месяцев. Мне как раз нужно было идти в отпуск. У нас хороший отпуск, на 4—5 месяцев. Меня спросили, хочу ли я пойти капитаном, или уйду в отпуск. Ну, можно ли об этом спрашивать? Я сказал по телефону «да», а потом поехал в контору, чтобы убедиться, что они меня поняли. Через два дня я принял корабль. Когда ударил первый толчок, я еще нес свою первую вахту.

— Не повезло.

Скиопос рассеянно и несколько удивленно посмотрел на него. Потом перевел взгляд на огромный корабль.

— Он прекрасен. Лучший танкер на линии. Пойдемте, покажу вам рубку.

Билли устал. Длинные переходы измотали его, к тому же прошлую ночь было очень холодно. Мэтью сказал об этом Скиопосу, и сразу после ужина из компота, горячего шоколада печенья они уложили мальчика в постель. Сонный и счастливый, Билли лег на чистую простыню, постеленную на мягкий матрац. Ему необходим отдых, подумал Мэтью. Будущее нельзя связывать с этим кораблем, но почему бы не провести здесь несколько дней и не перезарядить батареи?

Скиопос настоял на роскошном ужине для Мэтью и себя. Он приготовил закуску: салями, сардины, фаршированные яйца, оливки и картофельный салат. Главным блюдом служили цыплята в ароматном соусе с гарниром из риса. Все это сопровождалось охлажденным красным вином. Потом они пили кофе с бренди и курили в офицерской гостиной. Мэтью поздравил хозяина с великолепным ужином. Скиопос с обычным своим отсутствующим видом, который Мэтью заметил раньше, принял его комплименты. Мэтью продолжал говорить о прошлом, о возможностях будущего, но Скиопос вряд ли слушал его. Вдруг он сказал, прервав Мэтью на полуслове:

— Хотите посмотреть кино?

— Поздновато уже, — ответил Мэтью. — Должно быть, вы устали. Я сам очень устал.

— Я всегда смотрю по вечерам кино, иногда два. — Скиопос встал с легкого кресла. — Посмотрим картину с этой английской актрисой Кэти Кирби. Вам она нравится, Мэтью? Идемте. Если хотите, захватите с собой выпивку.

Это был скорее приказ, чем приглашение. Мэтью налил себе еще бренди и после недолгого колебания прихватил с собой всю бутылку. Скиопос сразу прошел в проекционную и, ни слова не говоря, выключил свет и пустил фильм. Потом вернулся в зал и сел, оставив аппарат работать.

Это была английская музыкальная комедия, и она оказалась лучше, чем ожидал Мэтью: он никогда не был заядлым кинолюбителем, а в последние годы почти совсем перестал ходить в кино. Но больше, чем картина, его заинтересовала реакция Скиопоса. Тот отпускал замечания, скорее адресованные самому себе, чем сидевшему рядом. Впрочем, это и не замечания. Мэтью скоро понял, что он разговаривает с героями фильма. Он шутил, смеялся, и у Мэтью появилось ощущение, что все это повторялось уже много раз и превратилось в какой-то ритуал.

Скиопос ходил в проекционную, менял части и снова возвращался. Мэтью устал, комбинация бренди и кино привела его в сонное состояние, но он выдержал фильм до конца. Чувствуя, что нужно что-то сказать, он заметил:

— Очень хорошо. Думаю идти поспать.

Скиопос отправился в проекционную и не ответил. Мэтью ждал, что он выключит аппарат и вернется. В проекционной вспыхнул свет, но в зале оставалось темно. Потом аппарат снова зажужжал, и на экране пошли надписи. Скиопос вернулся. Еще не успев сесть, он начал смеяться.

Мэтью подождал еще пять минут. Потом снова сказал, что идет спать, но не получил ответа. Ему пришлось пройти мимо Скиопоса. Тот нетерпеливо заерзал, но мгновение спустя уже смеялся какой-то шутке с экрана. Он даже не повернул головы, когда Мэтью вышел.

Мэтью взглянул на мирно спавшего мальчика и прошел в соседнюю каюту. Без особого интереса он подумал, долго ли еще Скиопос будет смотреть кино. Он сильно устал и мог думать только о чистой и мягкой постели.

На следующее утро Билли разбудил его. Увидев мальчика в дверях каюты, увидев полированное дерево и металл, яркий искусственный свет, Мэтью на мгновение забыл обо всем случившемся. Ему показалось, что он находится в мире до катастрофы. Он даже подумал, где это он находится. Но спустя несколько мгновений он все понял, вспомнил о Джейн, и боль снова была такой же резкой, как раньше.

Скрывая ее, он улыбнулся Билли:

— Здравствуй. Который час?

— Не знаю. Я недавно проснулся.

Мэтью глянул в иллюминатор:

— Солнце взошло. Надо приготовить что-нибудь на завтрак. Хочешь есть?

Билли кивнул.

— Я видел капитана.

— Ну и что?

— Я поздоровался, но он не ответил.

— Вероятно, думал о чем-нибудь другом. Брось мне рубашку.

Он умылся, оделся, и они вместе пошли на камбуз.

Изнутри слышались звуки; открыв дверь, Мэтью увидел Скиопоса. Опустившись на колени, тот мыл пол. Мэтью сказал: «Доброе утро, капитан», — но Скиопос даже не поднял голову. Его белые брюки выглядели неряшливо; поверх рубашки он надел плотно обтягивавший жилет. Мэтью заметил лысину у него на голове.

Как он и предполагал, капитан был ненормален; возможно, он был предрасположен к психозу, а землетрясение и волна лишь дали толчок. Поэтому он остался, когда команда ушла, поэтому проводил столько времени за чисткой. Он их принял по-дружески, находясь, по-видимому, в максимальной фазе, а теперь перешел в депрессивную. А может, он способен был воспринимать впечатления извне, но закрыл свой мозг, когда они начали угрожать фантастическому миру, в котором он жил. То же обстоятельство, которое заставляло его щедро тратить свои запасы, препятствовало даже упоминанию о том, что они кончатся.

Безумен, но, очевидно, безвреден. Если он не заметил их, когда они заговорили с ним, значит, они могут заниматься своим делом.

Билли смотрел удивленно и немного испуганно.

Мэтью похлопал его по плечу и сказал:

— Позавтракаем. Хочешь жареной ветчины, Билли?

Они нашли ветчину в холодильнике и поджарили ее с хлебом. Скиопос не подавал и знака, что замечает их присутствие. Пока они ели, он кончил мыть пол, взял ведро и щетку, вымыл ее, поставил в шкаф и вышел.

Когда дверь за ним закрылась, Билли спросил:

— Что с капитаном, мистер Коттер?

— Его разум болен.

— Как у мамаши Латрон?

— Да.

— Но он даже не видел нас. Как будто нас здесь нет.

— Да.

Болезнь капитана не особенно сказывалась на их положении: они не собирались оставаться здесь надолго. Но Мэтью думал, что они проведут здесь несколько дней, отдохнут и подкормятся. К тому же Мэтью опять чувствовал страх перед закрытым помещением.

Скиопос, по-видимому, отправился на свою утреннюю прогулку. Мэтью подумал, что произойдет, когда действительность ворвется в эту уютную крошечную вселенную. Когда остановятся генераторы, погаснет свет. Будет ли Скиопос смотреть на пустой экран и населять его привидениями? Пока не кончится пища и он умрет с голоду. Мэтью сомневается, чтобы он даже тогда покинул корабль. Сохранить иллюзию для него означало больше, чем сохранить жизнь.

Он и Билли прибрались в камбузе. Даже если они больше не существуют для Скиопоса, нужно отплатить за гостеприимство.

Билли спросил:

— Мы уходим? — Ему явно хотелось уйти.

Мэтью ответил:

— Как только будем готовы. Я думаю, мы кое-что прихватим с собой. Немного хлеба и масла.

— А капитан ничего не скажет?

— Наверно, нет. Ведь он разрешил нам есть, а если мы уйдем, то обойдемся ему дешевле.

— А можно мне взять немного мороженого? До ухода.

Мэтью улыбнулся.

— Конечно. Ведь с собой его не возьмешь.

Скиопос как раз готовился к выпечке хлеба. Он замесил тесто и добавил в него дрожжей; вероятно, по возвращении с прогулки он начнет печь хлеб. В шкафу оставались полторы буханки, и, немного подумав, Мэтью взял целую. Он отрезал кусок ветчины, взял сыра, полдюжины пакетиков шоколадного печенья и баночку клубничного джема. Этого хватит на несколько дней в добавку к их однообразной диете.

Они убрали и каюты, в которых провели ночь, хотя, несомненно, Скиопос еще раз тщательно уберет их. Мэтью взял свой мешок и сумку Билли и пошел в камбуз. Сложил свежие продукты, и еще осталось место. Мэтью снова открыл холодильник. Оставались еще два цыпленка.

Очевидно, у Скиопоса их немало в глубоком охлаждении. В конце концов Мэтью разрубил цыпленка кухонным ножом, положил одну половинку в мешок, а другую — обратно в холодильник.

— Ну, вот мы и готовы, — сказал он Билли.

По крайней мере не было дождя. Когда они вышли на палубу, Мэтью увидел, что небо серое, с тусклым пятном на месте солнца. Воздух влажный, ветер почти совсем прекратился. Вода в бассейне застыла, темно-синяя и неподвижная. Похоже на один из тех дней, которые Скиопос проводит у бассейна, время от времени охлаждаясь в воде. Вероятно, с жестянкой пива у кресла. Жизнь едока лотоса, пока она длится. А долго ли она будет длиться? Еще месяц-два?

Мэтью хотелось побыстрее уйти с корабля и двинуться в путь, раз уж все решено. Он думал, что Билли испытывает то же самое: мальчик был тише, чем обычно, и заметно нервничал. Их ботинки застучали по палубе, и чайка, вероятно, та самая, которую они видели накануне, с криком поднялась в воздух с палубы. Мэтью подошел к перилам и посмотрел вниз. Вид морского дна с такой высоты вызвал у него головокружение. Лучше не смотреть. Мэтью готов был уже перелезть через перила, когда увидел внизу какое-то движение. Скиопос. Он шел к лестнице, не глядя ни вправо, ни влево.

Ему оставалось еще 20—30 ярдов. Значит, Мэтью мог оказаться на лестнице раньше него. Тем не менее Мэтью решил подождать: если они все еще не существуют во вселенной Скиопоса, на пути вниз может возникнуть нелепая ситуация. Он кивнул Билли и они стали у перил, наблюдая. Скиопос подошел и начал подниматься. Вскоре он достиг уровня палубы и перебрался на нее. Он тяжело дышал и немного вспотел. Он не взглянул на Мэтью и мальчика, хотя те стояли в нескольких футах от него.

Мэтью сказал:

— Мы уходим, капитан. Спасибо за гостеприимство. Мы прибрались, как могли.

Скиопос пошел по палубе к надстройке. Он не подал виду, что слышал что-то.

Мэтью вслед ему несколько громче сказал:

— Мы взяли кое-что; надеюсь, вы не возражаете.

Скиопос резко остановился и обернулся; движения его были резкими, как у заводной куклы. Он напряженно смотрел на Мэтью, как бы стараясь увидеть что-то далекое.

Мэтью сказал:

— Ничего особенного. Буханка хлеба, кусок сыра и так далее. И полцыпленка.

Скиопос шагнул вперед и остановился. Он сказал:

— Положите назад. Все. Поняли? Все.

Мэтью сказал:

— Будьте разумны. Если бы мы остались, мы съели бы гораздо больше.

Скиопос задрожал от эмоций — гнева, или страдания, или того и другого. Напряженным голосом он сказал:

— Корабельные припасы... понимаете? Их нельзя уносить. Верните. Вы вор. Отдайте.

Ружье прикреплено к рюкзаку. Стоит лишь протянуть руку и снять его. Даже если на корабле есть оружие, у Скиопоса сейчас его нет. Он не может заставить их. Мэтью коснулся рукой ружья, но не взял его. Если Скиопос испугается и попятится, что дальше? Им предстоит 50 футов спуска по раскачивающейся лестнице, а сумасшедший останется на палубе. Слишком рискованно. Даже если он заставит Скиопоса спуститься первым, риск все равно останется. Он мог подобрать на дне камень; нельзя все время целиться из ружья и в то же время спускаться по веревочной лестнице.

А ведь, возможно, Скиопос настолько безумен, что не испугается. Если он нападет, вынудит Мэтью спустить курок... Мэтью подумал, как выглядит рана из дробовика на таком расстоянии. Если бы они с мальчиком умирали с голоду, другое дело; но животы у них полны, а в мешках есть еда. Бессмысленно.

Мэтью снял рюкзак. Скиопос по-прежнему дрожал, но молчал и не подходил ближе. Мэтью открыл мешок и достал несколько маленьких пакетов. Когда он выложил их на палубу, Скиопос подошел. Он присел на корточки развернул пакеты и стал их рассматривать. Удовлетворившись, он подобрал все и пошел к надстройке. На полпути он уронил один пакет и, нагнувшись, подобрал его. Он не оглядывался и через несколько секунд исчез в двери, ведущей внутрь корабля.

Мэтью завязал рюкзак и надел его. Потом сказал:

— Билли, я пойду первым. Ты за мной. Ладно?

На пути вниз он испытал несколько неприятных моментов. Помимо обычных страхов, ему пришло в голову, что Скиопосу ничего не мешает вернуться и стрелять в них или бросать что-нибудь. Корабельные припасы не должны покидать корабль, а ведь они кое-что уносили в животах. И еще одежда. Мэтью почувствовал большое облегчение, ступив на землю и увидев, что мальчик тоже спустился.

Они быстро пошли вперед и, оглядываясь, видели, как уменьшается огромный корпус. Но они шли по наклону, и еще несколько часов спустя очертания танкера видны были на горизонте.

— Пора передохнуть, — сказал Мэтью.

Билли вначале был молчалив. Но потом развеселился и стал, как всегда, щебетать. Но они ничего не говорили ни о Скиопосе, ни о корабле.

Мэтью спросил:

— Хочешь поесть?

Мальчик покачал головой.

— Я не голоден.

Мэтью порылся в рюкзаке. Он достал шоколадное печенье — оно лежало в стороне от других продуктов — и увидел на лице Билли удивление и радость. Это стоит страха на раскачивающейся лестнице, подумал он.

10

Вышло солнце, и стало жарко. Они шли по песку и скалам, направляясь на север, и остановились на ночь на песчаной полоске, окруженной странно симметричным кольцом скал. Неудобства были еще неприятнее после коек танкера, и они спали урывками и проснулись уставшие и невыспавшиеся. Но ночь была нехолодная, а вышедшее солнце согрело их. Они открыли банку с мясом, Мэтью постарался прогнать воспоминания о хлебе.

Снова стало очень жарко, и в середине дня начали попадаться участки грязи, вначале прерывавшиеся рядами гальки, но позже непрерывные. Серо-коричневая равнина, почти лишенная выдающихся черт, уходила вдаль. В отличие от предыдущих участков пути здесь грязь сильно высохла, иногда встречались мягкие места, но они достигали в глубину нескольких дюймов. Идти было легко, гораздо легче, чем на всем пути по морскому дну. Но угнетало впечатление бесконечности. Песок, галька, скалы остались позади, вокруг была бесконечная темная пустыня, уходившая во все стороны. Ноги их поднимали облака коричневой пыли, которая повисала в воздухе. Мэтью вспотел, Билли устал и жаловался на жару. Мэтью дал Билли воды из пластикового контейнера и немного попил сам. Воду он набрал на танкере. У нее был чистый сладковатый вкус, иной, чем у воды на Олдерни. Если бы Скиопос знал, что они взяли воду, он, вероятно, велел бы ее вернуть.

Они шли. Мэтью казалось, что они останавливаются чаще, но на более короткие периоды. Хотя ходьба утомляла, остановки — они сидели или лежали на засохшей грязи — не освежали. Через короткое время ими овладевало беспокойство, стремление идти дальше, жажда изменений. Любое изменение, любое нарушение плоского однообразия казалось подозрительным; они долго не могли оторвать от него глаз. Таких случаев было немного. Какое-то бревно, обломки небольшого корабля, путаница упавших прутьев, о происхождении которых Мэтью так и не смог догадаться. Последнее, что они увидели в этот день, оказалось подводной лодкой. Кормой она погрузилась в грязь, а нос под странным углом торчал в небо. Лодка лежала к западу от них, и за ней садилось солнце; корабль был освещен красновато-золотистым светом. Лодка выглядела слишком маленькой и грубой для современной. Реликт Первой мировой войны, подумал Мэтью. Они прошли в ста ярдах от лодки и не побеспокоились осмотреть ее ближе. Оба устали, а Мэтью чувствовал, что важно пройти как можно больше, пока еще светло.

Несмотря на чувство беззащитности на открытом пространстве, эту ночь они спали лучше. Звезды ярко горели на чистом небе, а позже взошла луна в первой четверти. Мэтью проснулся ночью и с полчаса лежал, глядя в небо. В прошлом он считал небо бессмысленной путаницей точек света, непостижимых и далеких. Теперь звезды приобрели значение, они были чем-то знакомым. Весь мир изменился, только созвездия остались прежними. Мэтью снова заснул, благодаря звезды.

Часть следующего дня они шли еще по ровной грязи. С юга потянулись облака, закрыв солнце, но дождя не было. Однажды над головой пролетели птицы — стая диких уток. Неподходящее для них время года; они должны были закончить перелет задолго до землетрясения. Возможно, происшедшие изменения сбили их с толку. А может, изменились сами времена года. Впрочем, это глупость, сказал себе Мэтью. Сейчас лето, типичное лето, может, чуть лучше среднего для Британских островов. Которые перестали быть островами.

Наконец они пришли к концу равнины, и настроение у них улучшилось. Тут было много гальки, изредка скалы, выступы известняка. А также мертвый кит. Туловище его разлагалось, запах сообщал о его присутствии за полмили. На туловище кормились две или три чайки и ворона. Увидев ее, Мэтью начал надеяться, что земля близко.

И наконец они увидели ее. В середине четвертого дня после того, как они покинули танкер, Билли указал на горизонт:

— Мистер Коттер! Я думаю, это не облако. Это земля.

Утром светило солнце, но сейчас небо затянули облака. Им пришлось сделать несколько обходов, но Мэтью был уверен, что они идут правильным курсом. И все же перед ними были только галька и скалы; туманные очертания, на которые указывал Билли, находились слева — к западу, он сказал бы.

Он долго смотрел туда. Конечно, бинокль сразу решил бы проблему. Впрочем, подумал он сухо, с таким же успехом можно пожелать хорошую дорогу и «ягуар». Конечно, он не был уверен, но глаза Билли моложе; вероятно, он видит лучше.

Мэтью сказал:

— Ты думаешь, это земля?

— Да. Но я не уверен.

— Посмотрим.

Они повернули. В одном месте они увидели две стены пляжного киоска. На одной из них была надпись: «Чай, наборы для пикника, мороженое». Снесено волной, решил Мэтью. Он снова посмотрел, и на этот раз сомнений не было. Очертания стали резче, отчетливее. Они направились к большой земле.

По мере того как они подходили ближе, земля приобретала знакомые очертания. Он узнал их. Когда он в последний раз видел этот берег, тут плескались волны, ветер хлопал парусами над головой, а с крошечного камбуза тянуло запахом сосисок. Они с Фелисити проводили уик-энд на яхте приятеля. Все это ушло, но он знал, что они смотрят на вход в гавань Пул. Их первоначальный курс был правильным, и если бы они не свернули, то сейчас видели бы уже Борнемут. Или то место, где раньше был Борнемут.

Приближался вечер. Небо темнело. Скоро нужно будет остановиться на ночь. Если идти этим курсом, можно еще сегодня уйти с морского дна. Эта мысль была соблазнительной. Там легче найти убежище, а утром найти дрова и развести костер. Запах сосисок из прошлого снова припомнился ему.

Но двигаться на запад значило удаляться от Джейн. Мэтью сказал Билли, что они пошли неверным путем, и они снова повернули на север. Скоро они снова увидели берег, но к этому времени уже совсем стемнело и вскоре они должны были остановиться. Они снова спали в песке, и ночью пошел дождь. Не сильный, но достаточный, чтобы разбудить и промочить их. Время до утра тянулось бесконечно.

Мэтью рассчитал, что они вышли на берег примерно в том месте, где был Борнемут. От него не осталось ни следа: огромная волна, как и на островах, уничтожила все признаки жизни. Осталась голая земля. Неужели на этих обнаженных холмах стояли отели, рестораны и ряды магазинов? Ничего не двигалось. Они поднялись по каменистой осыпи, скользя и с трудом сохраняя равновесие. Обескураживающее приземление.

Дождь прекратился, но по-прежнему было облачно. На этот раз береговая линия указала им направление. Они двинулись на север, в сторону Нового Леса. Одежда у них отсырела, а утро не принесло тепла. Даже во время ходьбы они мерзли, и когда остановились отдохнуть, то дрожали. Удивительно, подумал Мэтью, что они не заболели, но можно чувствовать себя плохо и без болезни. Он с сочувствием посмотрел на Билли. У него самого была по крайней мере цель. Мальчик же шел по разрушенному и бессмысленному миру без всякой цели.

На склоне холма ясно была видна линия максимального подъема воды, выше началась трава, кусты, несколько деревьев. После дней, проведенных в голых скалах, это было удивительное зрелище. Они сели на траву, прикасались к ней. Мэтью срывал стебельки, растирал их в пальцах, вздыхал запах; наконец он снова в Англии. Запахи лета опьяняли. Чуть дальше росли маргаритки, над ними танцевали две красно-коричневые бабочки. В отдалении пел черный дрозд.

Мэтью дал Билли один из двух оставшихся пакетов шоколадного печенья, и они снова двинулись, поднимаясь по склону. С вершины холма они увидели местность, почти не изменившуюся: кое-где упавшие деревья, в одном месте, где соскользнул слой земли, рубец, но в целом обычная деревенская сцена. Кроме, конечно, сельскохозяйственных работ. Поля были на месте, но ухода за ними не было. Мэтью увидел вблизи пшеничное поле, а дальше кое-что, ради чего стоило свернуть, — картошку.

На картофельном поле они увидели первые следы человека. Целый угол поля бы убран, ботва лежала меж рядов. Мэтью вырвал несколько кустов. Клубни еще маленькие, самый большой — в несколько дюймов. Но картошки было много. Они, как могли, стерли грязь и съели клубни сырыми.

Потом набили свободные места в мешках клубнями. В рощице поблизости нашлось достаточно хвороста, но солнца не было, и Мэтью почувствовал раздражение от собственной непредусмотрительности. Он мог бы взять спички из запасов Миллера или на танкере. Внимание его было сосредоточено на том, чтобы пересечь морское дно. Он почти не думал, что будет дальше.

В нескольких сотнях ярдов от картофельного поля они увидели развалины человеческого жилища. Очевидно, фермерский дом. Пахло смертью, но запах этот уже не был сильным: проходило время, и тела истлевали в очищающей земле.

Что-то еще происходило здесь. Обломки были перевернуты человеческими руками, это несомненно. Спасательные работы? Или поиски добычи? Последнее вероятнее: работы производились недавно. Отряд кочевников, бродящих по стране, подбирая все, что может пригодиться: картошку, несколько банок консервов из разрушенной кладовки. Угнетающе и шокирующе думать в таких терминах. Мэтью не имел понятия, что произошло с выжившими на обширных просторах Англии, но считал само собой разумеющимся, что тут будет по крайней мере та же степень организованности, что и на Гернси. Теперь он понял, что мог и ошибиться. Там, где границы узки, дисциплина строже и шансы на установление порядка выше. Здесь хаос может быть более полным и длительным.

Последнее в этот день указание на присутствие человека было наиболее приятно. Они перешли от сельскохозяйственной к обычной местности — лесистые площади самого Нью-Фореста — и достигли главной дороги. Мэтью предполагал, что это либо А-31, либо А-35. Путешествуя без солнца и компаса, как далеко они отклонились от первоначального курса? Он решил, что имеет смысл идти по дороге, которая местами бугрилась, была заброcана павшими деревьями и начала зарастать травой, но все же была удобнее для ходьбы, чем земля вокруг нее; если бы только знать, какая именно это дорога. Поворот направо по А-31 приводит в Саутгемптон, а аналогичный маневр на А-35 возвращает их к тому месту, откуда они начали. День клонился к вечеру, но небо было затянуто тучами, так что Мэтью не мог даже догадаться, где запад. Он решил, что самое разумное — рано остановиться в надежде, что небо к утру прояснится. Он чувствовал усталость, а Билли выглядел полумертвым.

Но, к его удивлению, Билли предложил пройти еще немного.

— Зачем? Разве ты не устал? И я не уверен, куда нужно идти.

— Мне показалось, что я увидел...

— Что?

— Дым.

— Где?

Билли указал вверх на дороге — к западу, если это А-31.

— За теми деревьями.

Мэтью взглянул, но ничего не увидел. Но Билли первым увидел землю, и стоило проверить. Мэтью кивнул:

— Хорошо. Пойдем заглянем за поворот.

За поворотом оказались развалины домов, тоже свидетельствовавшие о том, что их недавно ворошили. Мэтью оглянулся в поисках людей, но никого не увидел. Но дым был. У дороги лежало несколько камней, и от них поднимался дым. Дымилось обгоревшее дерево. Несколько углей еще светилось.

Мэтью поднес руки ко рту, закричал и стал ждать ответа. го не было. Он попробовал еще дважды с тем же результатом. гонь могли оставить несколько часов назад. Даже не побеспоилились загасить его.

Самое главное, что он еще не погас. В нескольких ярдах жали разломанные ставни с дома. Они с Билли собрали их, ожили вокруг углей, и, наклонившись, Мэтью осторожно дул. Потребовалось время, но наконец свечение стало ярче, аленькие язычки пламени охватили дерево. Тем временем Бил принес еще дров. Скоро они сидели у костра и грели руки.

В этот вечер у них был хороший ужин. Вначале подогрели нку сардин в собственном соку, потом мясо дикого кабана с ибами и оливками — это была одна из банок, найденных на дерни. Но самое вкусное напоследок — картошка, испеченя в углях. Они наелись до отвала и легли спать, после того к Мэтью положил на угли толстые куски дерева и накрыл все о дерном.

Пока все хорошо, размышлял он. Они сыты и лежат на прочй древней земле Англии. Возможно, огонь сохранится до утра. аль, что они еще никого не встретили, но обязательно встрет, и совсем скоро.

Билли разбудил его, схватив за руку и сказав:

— Смотрите!

Мэтью шевельнул сведенными ногами. Было раннее утро, статочно света, чтобы видеть на 50 ярдов. И они стояли на мом краю поля видимости, сливаясь с тенями, похожие на израков. Но все же ясно видные. Вначале два, а потом, когда ин из них двинулся, он увидел третьего, пасущегося сзади. ни из Нью-Фореста. Карий, серовато-коричневый и гнедой. этью с радостью подумал: они пережили шоферов, убиваых их лето за летом на неогражденных дорогах в лесу; теперь шины исчезли, а они все еще щиплют траву, как делали это времена Вильяма Рыжебородого. Удивительное зрелище!

Такова была его первая мысль, вторая оказалась более стягельской. Они не вьючные животные, как ослы или мулы, но гут нести груз и мальчика. Он знаком велел Билли молчать, ал спокойно и направился к ним. Подходя, он разговаривал ими негромко. Один из пони поднял голову, но, очевидно,

не увидев опасности, снова начал щипать траву. Животные подождали, пока он не оказался в нескольких футах от них, потом
повернулись и ускакали.

Когда Мэтью вернулся, Билли сказал:

— Не повезло, мистер Коттер. Я думаю, они совсем дикие

Он ответил:

— Я забыл об этом. Они, конечно, необъезженные. Даж
если бы я поймал одного, это нам ничего бы не дало.

— Как приятно увидеть их.

— Да. Очень приятно.

Мэтью сумел снова развести костер из углей, и они позавт
ракали подогретым мясом и картошкой. Запасы подходили
концу и нуждались в пополнении. Сколько людей рылось в раз
валинах этих домов у дороги? Конечно, легче было выжить
деревенской местности, но здесь же быстрее кончаются запас
консервированной пищи. В этом смысле города могут дать боль
ше. Если бы они смогли добраться до Саутгемптона... Эстуари
должен был защитить его от удара приливной волны.

Мэтью взглянул на небо. По-прежнему тучи, но с разрыва
ми, а яркая полоска показывала, в каком направлении восто
Значит, они все же на А-31. Теперь они знают направление
могут идти по дороге.

Примерно через час они увидели людей. Их было двое н
некотором расстоянии от дороги. Одежда их представляла обы
ный ассортимент случайных вещей и казалась крайне неакку
ратной. Лишь по отсутствию бород Мэтью понял, что это жен
щины, одной шел третий десяток, другая гораздо старше. Он
его не видели, и он крикнул:

— Эй!

Реакция их была немедленной. Взглянув на него, они поб
жали. Старшая споткнулась, и младшая помогла ей. Мэтью кр
чал им вслед, стараясь успокоить, но они продолжали убегат
В нескольких сотнях ярдов была роща. Не оглядываясь, о
исчезли в кустах.

Билли спросил:

— Они испугались?

— Похоже на то.

— Почему, мистер Коттер?

Страх женщин вызвал в нем смутные предчувствия. Неуже-
и таков теперь порядок: маленькие изолированные группы,
обывающие пищу на полях и в развалинах и убегающие при
иде других людей? Должен же существовать кто-то, способ-
ый установить порядок, как это сделал Миллер.

Мэтью сказал:

— Не знаю, Билли. Люди в эти дни поступают странно. — И
ошел дальше.

Следующая встреча, после полудня, была совсем другой.

Они шли по открытому участку Нью-Фореста. Если не счи-
ать отдельных трещин и упавших деревьев, почти не видно
ыло изменений. Светило солнце, и днем они сумели развести
остер. Шли они быстро, и Мэтью ободряло большое количе-
тво птиц. Он видел дроздов, крапивника, малиновку, пару со-
ок, шумных и пестрых, как всегда. Они видели также в отдале-
ии еще одного пони. Мэтью с Билли как раз говорили о нем,
гибая груду мусора, свидетельствовавшую, что раньше здесь
ыла деревня. Мэтью уловил краем глаза движение, поднял го-
ову и увидел следившую за ними женщину.

Она стояла у большого дерева на краю развалин примерно в
ридцати ярдах от дороги. Одета она была в коричневое: спортив-
ые брюки и свитер, — и это помогало ей сливаться с фоном. И
на стояла неподвижно, глядя на их приближение. После того
ак Мэтью ее увидел, она не шевельнулась. Билли, посмотрев в
сторону, тоже увидел ее.

Он сказал:

— Она не убегает, мистер Коттер.

— Нет, пока не убегает.

Приближаясь, он рассматривал ее. Около тридцати лет, рас-
дил он, среднего роста, с хорошей фигурой. По теперешним
андартам она выглядела ухоженной. Каштановые волосы, ко-
тко подрезанные, убраны с лица — интеллигентного, храбро-
, но некрасивого. У глаз и у рта морщинки. Похоже, ей нема-
пришлось пережить.

В нескольких футах от нее Мэтью остановился. Он спокой-
сказал:

— Здравствуйте. Билли как раз говорит, что вы не убегаете.

Она улыбнулась, и лицо ее преобразилось. К другим качествам добавилось тепло, и такое, что Мэтью склонен был пересмотреть свое мнение о ее красоте.

Она сказала:

— Вы не похожи на опасных. Откуда вы?

— С Гернси. — Она не поняла. — С островов в проливе.

— Я имею в виду — после катастрофы.

— Я тоже.

— Как же вы добрались сюда?

— Пешком.

— Значит, море ушло?

Мэтью кивнул.

— Как там?

— Насколько я могу судить, так же, как здесь.

— Выжившие?

— Немного. Одиннадцать-двенадцать человек, не считая на

— Приличные люди?

— Средние.

— Тогда почему? — Вопрос прозвучал с яростной настойчивостью. — Почему вы пришли сюда? Что вы ожидали здесь найти

Мэтью спокойно ответил:

— Не знаю. Здесь моя дочь. В Сассексе. Я хотел поискать е

Она коротко невесело рассмеялась.

— Боже, вы жадны!

— Жаден?

— У меня было трое детей. И муж, которого я любила. Есл бы хоть один из них выжил, я была бы удовлетворена. Я н стала бы тащить ребенка в такое сомнительное мероприятие.

— Вообще-то я уже был на морском дне, когда он догна меня, — ответил Мэтью. — Я не мог отослать его назад.

— Не могли?!

С опозданием он понял.

— Билли не мой сын. Я откопал его. Как я сказал, он пош за мной следом, и когда я увидел его, было уже поздно. У мен была только Джейн.

Он понял, что использовал прошедшее время, и женщи тоже заметила это.

После короткой паузы она сказала:

— Понимаю. Простите. Меня зовут Эйприл. Была и фамилия, но... — Она пожала плечами.

— Мэтью, — сказал он. — Мэтью Коттер, но я согласен, что фамилия теперь не имеет значения. А это Билли.

Теплота, которую он заметил раньше, вернулась на ее лицо. Она сказала:

— Идемте. Увидитесь с остальными.

— Значит, вы не одна?

— Кто может позволить себе это?

— А зачем вы следили?

— Опасность. Что еще?

От дороги к краю развалин вела тропа. Всюду виднелись следы поисков и раскопок. Потом Мэтью услышал голоса. Вскоре они увидели небольшую группу людей, занятых раскопками. Их было пятеро. При виде Эйприл и остальных они прекратили работу.

Эйприл сказала:

— Их только двое, и я думаю, они приличные люди. — Мэтью вспомнил, что она уже использовала это выражение; очевидно, оно соответствовало необходимой классификации. — Сибил, займи мой пост.

Сибил, лет двадцати восьми, не очень привлекательная девушка, скрывавшая свою тонкую фигуру под голубым мужским комбинезоном, молча кивнула и пошла туда, откуда они пришли.

Эйприл спросила:

— Нашли что-нибудь стоящее?

Мужчин было трое. Один, с такими светлыми волосами и бородой, что в солнечном свете они казались белыми, был двадцати с небольшим лет. Второй, низкорослый, рыжеволосый, около сорока лет. Третий еще старше — больше пятидесяти, решил Мэтью. Большого роста, с мощным телосложением, он производил впечатление ранее излишне полного человека, похудевшего за дни лишений и тяжелой работы. На нем был синий пиджак и темно-серые брюки, и, подобно Эйприл, он старался следить за своей внешностью. Волосы у него были подрезаны, а борода, черная с проблесками седины, не такая неаккуратная, как у остальных мужчин.

Когда он заговорил, у него, как и у Эйприл, оказалась речь образованного человека.

— Не очень много. Кое-что из пищи. — Он указал на кучку консервных банок на траве. — И мы докопались до гардероба, которым можно заняться основательно. — Он взглянул на Мэтью и Билли. — Они проходили мимо?

— Да. — Эйприл улыбнулась. — Идут издалека. С Гернси.

Всеобщее удивление, и последний член группы, девочка чуть постарше Билли, возбужденно воскликнула:

— Мы ездили в каникулы на Гернси в прошлом году! Должны были снова поехать.

Эйприл сказала:

— Можно выпить чаю. Котел уже закипел.

Мэтью увидел, что за грудой банок и различных предметов одежды горел между кирпичами небольшой костер. Сверху был установлен помятый серебряный котелок. Он спросил:

— У вас есть чай?

— Есть, — ответил старший мужчина, спускаясь с развалин. — Есть и сахар благодаря находке мешка, защищенного от дождя. Есть немного консервированного молока, но нам хотелось бы найти еще. Кстати, меня зовут Лоуренс.

Он протянул руку, и Мэтью заметил, что тот умудрился сохранить короткие чистые ногти. Длинные чувствительные пальцы. Может быть, музыкант? Какая разница?

Эйприл и девочка занялись котелком. Лоуренс познакомил Мэтью с остальными. Младшего звали Джордж, рыжеволосого — Арчи.

— С Эйприл вы знакомы, — сказал Лоуренс. — С ней Кэти. А Чарли дежурит с той стороны.

— Против кого эти предосторожности? — спросил Мэтью.

— Мы первые, кого вы встретили? — вместо ответа спросил Лоуренс.

— Мы видели двух женщин, но они убежали, прежде чем я смог с ними заговорить.

— Я задал риторический вопрос, — сказал Лоуренс. — У вас есть мешки, и в них, по-видимому, кое-что имеется. И ружье. Кстати, есть и патроны?

— Несколько десятков.

— Значительное вооружение. Дело в том, дорогой Мэтью, что одни копают, другие нет. Некоторые предпочитают, чтобы за них копали другие. Отсюда и наши предосторожности. Неприятно работать в грязи и пыли, среди трупов, только для того, чтобы плоды этой работы у тебя отобрали. И не очень вежливо.

— Есть бóльшие группы, чем ваша?

— Много большие. И в одной около тридцати человек, две трети из них мужчины.

— Они убивают?

— Нет. Зачем? Сейчас по крайней мере. Как я говорил, они предпочитают, чтобы за них копали другие.

Мэтью посмотрел на развалины.

— Это место... Мне кажется, оно уже перекопано. Ведь здесь большая дорога.

— Да. Но не тщательно, конечно. Мы стараемся работать в разных местах. Плохо, если в поведении появляется повторение.

— Вероятно.

— Вы не очень убеждены. В молодости я бывал в Африке. Антилопы привыкали ходить на водопой, львы — за антилопами, а мы — за львами. Это наш водопой. Кроме того, здесь удобно наблюдать за обеими сторонами дороги. Ага, похоже, чай готов.

Пока они пили чай из тяжелых красных пластиковых чашек — должно быть, из какого-нибудь набора для пикника, — Мэтью подробнее ознакомился с положением. По-видимому, официальным главой группы был Лоуренс, а главное влияние оказывала Эйприл. В общем, это было повторением ситуации с Миллером и Ирен, но с большими отличиями. Лоуренс был более интеллигентен, более культурен и физически слаб, чем Миллер, а сила Эйприл была не холодной негативной силой Ирен, а чем-то более позитивным и эмоциональным.

Существует ли между ними сексуальная связь, Мэтью не мог сказать. Эйприл никак этого не проявляла; взгляды, которые бросал на нее Лоуренс, были откровеннее. Общая принадлежность к среднему классу должна была сблизить их. Остальные в группе, за возможным исключением отсутствующего Чарли, которому Кэти отнесла чашку чая, явно принадлежали к рабочим.

Кроме Эйприл, которая сидела молча, все забросали Мэтью вопросами, главным образом относительно морского дна. Мысль о переходе по дну казалась им странной и возбуждающей, но они очень заинтересовались. Он понял, что их привлекает то, что его обескураживало: изоляция, сознание своего одиночества на пустой земле. Ему было чуждо их восприятие мира, восприятие преследуемых и угнетаемых.

Лоуренс спросил:

— А вода?

— У нас была с собой. — Мэтью указал на пластиковый контейнер, привязанный к рюкзаку.

— Но на пути вы встречали свежую воду? Должны быть ключи.

— Есть несколько. У них солоноватая вода.

— Отложения солей. Но ведь там нельзя жить? Даже время вашего друга капитана ограничено. Мы могли бы захватить еды максимум на неделю, а больше ее взять негде.

— У вас есть запас пищи? — спросил Мэтью.

— Да. Мы стараемся создать его.

Мэтью полагал, что пока еще можно создавать запас. Но по мере того как развалины обшариваются снова и снова, положение изменится. Начнется отчаянная охота за последними остатками, а потом голод. А впереди зима.

Он спросил:

— Разве не было попыток организации?

— Организации? — переспросил Лоуренс.

— С мыслью о будущем.

— Мы нашли гусыню, — сказал Лоуренс. — Живую. Связали ей крылья. Кто знает, может, нам удалось бы найти гусака Или выменять на что-нибудь. — Он пожал плечами. — Бандиты отобрали ее. Зажарили и съели.

— Но разве они не понимают, что это глупо?

Эйприл нетерпеливо заговорила:

— Как вы себе представляли происходящее? Кто, по вашему мнению, выжил? Учителя, банковские служащие, местные чиновники, несколько честных полицейских и, может быть главный констебль, который будет исполнять роль президента Так должно было быть. Но так не стало. Чего вы ожидали Приличные люди, способные заглянуть в будущее дальше, чем на несколько дней, всегда были в меньшинстве.

— Но разве меньшинство ничего не может сделать?

— Может. Получше убегать. Держаться подальше от других.

— Но должны быть цивилизованные люди, — сказал Мэтью. — Другие группы, как ваша. Вы могли бы объединиться с ними.

Эйприл яростно посмотрела на него, но ничего не сказала.

Лоуренс сказал:

— А что хорошего это даст? Только труднее прятаться, да и большее искушение для бандитов.

— Вы могли бы превзойти их численностью.

— Они тоже могут объединяться. И объединяться ради добычи. Объединение, возможно, будет временным, но вполне сможет обобрать нас до нитки.

— Тупик, — сказал Мэтью.

После паузы Лоуренс сказал:

— Не будем говорить об этом. Вы знаете выход?

Джейн, подумал Мэтью, ведущая такую жизнь... мысль эта была невыносима.

Лоуренс спросил:

— Не хотите остаться с нами? Мы можем принять вас и мальчика.

Мэтью ответил:

— Если Билли хочет остаться и вы его возьмете...

— Не хочу, — быстро вставил Билли.

— Я уйду, — сказал Мэтью.

— Прямо сейчас? — Лоуренс посмотрел на мальчика. — Я прописал бы для мальчика несколько дней отдыха. Путешествие измотало его.

Мэтью знал, что это правда. Билли похудел и выглядел страшно уставшим. Хорошо, если бы мальчик остался, а он мог продолжать путь в одиночку. Но Мэтью понимал, что это невозможно. Он представлял для Билли остатки постоянства и устойчивости в испуганном, перевернутом мире. И он несет за мальчика ответственность — ограниченную, но все же ответственность.

Он сказал, стараясь не показывать своего недовольства:

— День отдыха — это неплохая мысль, если вы нас примете.

— Сколько хотите.

— У нас есть пища. Мы не потратим ваших запасов.

— Это не важно. Наше положение не пострадает от однодневного запаса продовольствия для мужчины и мальчика.

Уже начиная сожалеть о задержке, Мэтью сказал:

— Где ваш лагерь? Мы не можем возвращаться назад.

— Наша база недалеко. В нескольких милях к северу.

— Я надеялся завтра быть в Саутгемптоне. Там должно быть больше запасов.

— Конечно, — согласился Лоуренс. — Больше. И множество бандитов, ожидающих, когда вы их выкопаете. Большинство банд действует в окрестностях города.

Чай уже достаточно остыл, чтобы можно было пить. Вкус, сладкий и металлический, напомнил Мэтью дни в армии, когда он считал мир сошедшим с ума. Прихлебывая чай, он вспоминал, каким благополучным и невообразимо спокойным был тогда мир.

11

Мэтью помог им в раскопках. Они разломали шкаф и извлекли его содержимое; там оказались два мужских костюма, пальто, куртка для езды верхом, шерстяной джемпер и три пары ботинок в хорошем состоянии. Поблизости они обнаружили разбитый деревянный ящик с одеялами. Верхние покрылись плесенью, отсырели и пахли гнилью, но нижние слои не пострадали. Все это было извлечено и добавлено к груде вещей. Перед самым окончанием работы они нашли еще запас пищи, включавший две банки кофе и целый стеклянный кувшин, с фут высотой, полный сливового компота.

Лоуренс особенно обрадовался кофе.

— Впервые находим, — сказал он Мэтью. — В первые дни находили много чая. Лучше, чем ничего, но я всегда предпочитал кофе. У моей постели стояла автоматическая кофеварка. Чертовски хороший был кофе. Как только поступал ночной вызов, я включал автомат, и пока я одевался, кофе уже был готов. Вероятно, этого мне больше всего не хватает.

— Ночной вызов?

— Я был врачом. — Он смотрел на банки с кофе. — На сколько их хватит? Раз на десять — двенадцать, а может, и меньше, если остальные любят кофе. Впрочем, они будут пить, даже если раньше не пробовали. Сейчас никто не упустит чего-нибудь нового. Я сам на прошлой неделе ел сардины. И они мне понравились.

— Врач, — сказал Мэтью. — Я думал, что... гм... вы должны были бы сохранить какое-то значение.

— Значение? Для кого? Для бандитов? Вы все еще переоцениваете их.

— Более примитивные люди должны быть и более впечатлительны. И зависимы от загадочных представителей власти.

Лоуренс покачал головой:

— Вопрос масштаба. Незадолго до того, как это произошло, в «Ланцете» была статья. Рассматривались психологические эффекты землетрясения в Новой Зеландии в соответствии с сообщениями о прошлых катастрофах: землетрясении в Скопле, бомбардировках Дрездена и Хиросимы. Почти те же самые результаты. Примерно три четверти выживших проявляли слабые признаки разнообразных умственных расстройств, примерно десятая часть серьезно больна, но длительные психозы наблюдаются редко и главным образом у тех, кто раньше был предрасположен к ним. Последствия нашей катастрофы другие. Я мог бы написать об этом статью. В сущности, прошлой ночью я видел во сне эту статью в «Британском медицинском журнале». Забавно, я помню также предшествующую и последующую статьи. Одна о новой технике операции нефрита, другая — об усыпляющих таблетках. Я назвал свою «Синдром муравейника». Мне кажется, это хорошее название.

— При чем тут муравейник?

— Я когда-то читал о том, как реагируют муравьи на повреждения муравейника. До определенного уровня разрушений их поведение не отличается от описанного в «Ланцете»: начальное беспокойство и смущение, которые, однако, быстро проходили, когда выжившие — вернее, самые предприимчивые среди них, — оправляются от шока и начинают восстанавливать разрушенное. Но совсем иное дело, если разрушения превосходят определенный уровень. В этом случае поведение выживших становится все более и более бессмысленным, ошибочным и разрушительным.

— Я думаю, потому что погибла их королева.

— Мне кажется, это не операционное условие, хотя я не уверен. Но разве наша королева не умерла тоже? Я не о личности говорю. Погибла руководящая сила общества, источник цели и организованности. Интересное рассуждение. Дело в том, что у нас наблюдается поведение, аналогичное второй категории муравьев. Масса психозов с невозможностью вмешательства. Вероятно, бывает и некоторое количество нормальных муравьев. Не имеет значения. Они умирают вместе с остальными.

— Вы думаете, можно обобщать на основе событий в небольшом районе? На острове было по-иному. Один или двое свихнулись, но остальные собрались вместе и принялись за дело.

Лоуренс улыбнулся:

— Мой дорогой, вам тоже можно было бы написать статью! В маленьких изолированных общинах все может происходить по-другому. Этого даже следовало ожидать. Несколько выживших в крошечном месте, окруженном морем — ну, морским дном, — могут реорганизовать общество. Надеюсь, им это удастся. Возможно, спасение придет именно с островов и с высокогорий. Спасение человечества, конечно. Через несколько поколений.

Когда солнце садилось, они двинулись на север, нагруженные добычей дня. У них было множество мешков и сумок, а также приспособления в виде сеток, сплетенных из двойного шпагата, их можно было перебросить через плечо. Местность, по которой они проходили, была частично лесистой, частично открытой, с относительно небольшим количеством развалин. Билли, отдыхавший вторую половину дня, был весел и непрерывно говорил, идя рядом с Мэтью. Впереди парами шли Чарли и Кэти, Джордж и Сибил, причем последние двое проявляли все признаки интимной близости. Лоуренс и Эйприл замыкали шествие, а Арчи шел перед всеми. В одной руке он нес мешок с консервами, а в другой сетку, а на спине связку одеял и одежды. Большой вес был плохо распределен, но Арчи не жаловался.

Мэтью ожидал увидеть нечто вроде лагеря, который они покинули на Гернси. Он удивился, когда они остановились в большом, некогда тщательно обработанном, а сейчас заросшем саду. Нужно несколько садовников, чтобы ухаживать за таким садом. Перед ними возвышались развалины дома, которому, очевидно, принадлежал сад, но больше ничего не было. Все опустили груз, и Мэтью тоже.

Он спросил у Лоуренса:

— Это остановка для отдыха?!

— Нет, мы пришли. Как я сказал, мы приняли меры предосторожности. Увидите.

Мужчины начали снимать бревна с завала. Они работали быстро, как будто это работа была им хорошо знакома, но прошло не менее десяти минут, прежде чем они освободили большой дубовый стол, лежавший вверх ножками. Все вместе они подняли стол. Он, очевидно, был очень тяжел: мужчины напрягали все силы. Под столом оказались деревянные ступени, ведущие, очевидно, в подвал.

Их вид вызвал у Мэтью знакомый страх перед закрытым помещением. Он решил, что не пойдет туда, а будет спать под открытым небом. Но Эйприл спустилась, и остальные последовали за ней с вещами.

Лоуренс коснулся его руки.

— Идемте. Увидите пещеру Али-Бабы. Ведь пещера не принадлежала ему. Он только нашел ее. Знаете, я хотел прошлой зимой сводить своих внуков на пантомиму. Не был там с детства. Но зимой слишком много работы. Я думал, что уж на следующий год обязательно. Нагните голову.

Мэтью боялся показать свой страх и пошел за Лоуренсом. Внизу горели две свечи, и Эйприл зажигала третью. Подвал был большой, около двадцати квадратных метров, но один угол, где обвалилась крыша, полон обломков. Мощеный пол, неровный там, где выпали плиты. Свечи стояли на тростниковых столах в центре комнаты, на эти же столы грудой складывали пищу и одежду. Голые кирпичные стены были покрыты полками разного размера и грубой работы, явно недавнего происхождения. На полках и на полу под ними лежали разные вещи: в одном месте пища, в другом одежда и одеяла, в третьем различное оборудование. Он заметил связки веревок, пилы, молотки, клещи, фонарик на батарейках, листы гальванизированного железа, сверток войлока, ножницы, обычные и для металла, металлическую лестницу и различные другие предметы. Все было разложено очень аккуратно. Наиболее неожиданным предметом оказалась ведущая ось небольшого автомобиля с двумя колесами.

Лоуренс, заметив, что Мэтью посмотрел на нее, сказал:

— Я думал, мы сможем соорудить какую-нибудь тележку. Но ни у одного из нас нет склонности к механике. Да и прятать ее было бы трудно. Вероятно, это слишком большое предприятие для нас.

Эйприл и остальные сортировали принесенные вещи. Эйприл отдавала короткие распоряжения, и остальные уносили указанные предметы. Мэтью понял, что порядок в подвале — ее заслуга.

Он заметил дверь в левой стене. Указывая на нее, спросил:

— Вы там спите?

— Спите? Боже, нет! Не под землей. Это лишь тайник. Раньше тут помещался винный погреб. Пришлось вынести очень много стекла, лишь несколько бутылок уцелело. Божоле, мате роз, мьюзинги и шато леовиль-лойфер-34. Белого нет. К сожалению. Потому что я предпочитаю белое вино. Впрочем, сейчас нельзя выбирать. Мы держим это вино на случаи, которые можно назвать праздниками — пока не было ни одного такого. Да, уцелела еще бутылка бренди. Его я держу для медицинских целей. И другие медицинские принадлежности тоже здесь.

Мэтью сказал:

— Внушительное собрание. Может, не следовало показывать его мне?

— Вы считаете, что это не соответствует прочим нашим предосторожностям? Конечно, вы правы. Частично я отношу это к доверию к тем, кто говорит на том же самом языке. Но в остальном это беззаботность. Наша собственная небольшая дань синдрому муравейника. Впрочем, я не думаю, чтобы вы выдали нашу тайну саутгемптонским бандитам и привели их сюда для грабежа. — Он дружелюбно взглянул на Мэтью. — Вас ожидает трудная дорога. Вы уверены, что нам не удастся убедить вас остаться?

Пока остальные занимались разбором добычи, Мэтью коротко рассказал Лоуренсу о Джейн.

Лоуренс сказал:

— Вы, конечно, представляете себе, каковы шансы. Во-первых, на то, что она выжила, во-вторых, на то, что вы найдете ее. Но, конечно, понимаете. Вы умный человек.

— Дело не в этом, — сказал Мэтью. — Я все понимаю.

— Конечно, не в этом. Впрочем, никто из нас больше не нормален полностью, как вы сами говорили. — Он улыбнулся. — Мы все идем туда. Ваш случай лишь немного более чудесен, и вы хотите поискать его.

Мэтью заметил рядом с колесами сверток ткани. Когда разбор закончился, Джордж и рыжеволосый Арчи взяли ткань и понесли ее наружу. Остальные понесли свертки из отдела одежды, перевязанные веревкой и отчасти завернутые в брезент.

Эйприл сказала:

— Возьмите для себя и Билли одеяла. Справа хорошие, а слева те, что нуждаются в стирке и просушке. Боюсь, что брезента у нас не найдется.

— Мы привыкли спать в любых условиях, — ответил Мэтью. — Но одеяла — это хорошо. Значит, вы спите под открытым небом?

— Более или менее.

Вместе со свертками одеял вынесли указанные Эйприл продукты и большую железную кастрюлю. Потом стол положили на место, а поверх него — бревна. Все засыпали кирпичом и обломками, чтобы не было заметно следов разборки.

Мэтью спросил:

— Вы так делаете каждый день?

— Дважды в день. И каждый день рискуем, вернувшись, обнаружить, что какая-нибудь группа, роющаяся в развалинах, все же нашла погреб. Это придает жизни особую остроту, не правда ли?

Они пошли от дома через сад. В дальнем углу росли кустарники вокруг искусственного грота. По сторонам грота виднелись две статуи, слишком разбитые, чтобы можно было догадаться, кого они изображают. Джордж и Арчи развернули принесенную ими ткань, и Мэтью увидел внутри столбики. Эти столбики поставили и прикрепили концы ткани к ним и к металлическим палкам — части арматуры грота. Получился навес, закрывающий около двадцати футов.

— Вот и наш дом, — сказал Лоуренс. — Не совсем свободно от сквозняков, но по крайней мере не промокнешь.

— А зимой? — спросил Мэтью.

— Подумаем и об этом, Мэтью. Потом. Завтра, или на следующей неделе, или в следующем месяце.

Мэтью пожал плечами:

— Конечно, это не мое дело. Но я считаю, вы должны подыскивать помещение на зиму. — Эйприл должна подыскивать. Потому что она явно была организующим центром этой группы. С внезапным любопытством он добавил: — Как вы нашли это место? Случайно?

— Случайно? В известном смысле да. Эйприл жила здесь до катастрофы. Ее муж и дети похоронены по ту сторону дома. Она сама выкопала их и похоронила.

Эйприл присматривала за Сибил и Кэти, которые разжигали огонь между кирпичами. В ней чувствовалась сила и женская привлекательность.

Мэтью сказал:

— Удивительно, что она захотела тут остаться.

— Можем позволить и ей маленькую нерациональность, не так ли?

— Да. Но могу спорить с этим.

На ужин был суп, сваренный в кастрюле. Кроме консервированного мяса, в него положили картошку и другие свежие овощи. Было вкусно и сытно. Ели по очереди, так как не хватало тарелок. Билли ел в первой группе, но Мэтью ждал и ужинал с Эйприл и Лоуренсом. Потом они курили и разговаривали. Ночной воздух был свежим, но не холодным.

Как узнал Мэтью, Лоуренс практиковал в этом районе. Его дом и больница находились в десяти милях. Он был знаком с Эйприл и раньше, но не близко: встречались изредка на приемах. Кэти тоже была местной — единственный ребенок полицейского и его жены. Джордж и Сибил оба из Рингвуда, он был там учеником наборщика, а она — продавщицей в большом магазине. Они уже были вместе, когда присоединились к группе, но до катастрофы друг друга не знали. Чарли жил в Кадneме и работал в доках Саутгемптона. Последним присоединился к группе Арчи; появившись, он постоянно говорил о других местах и о разной работе.

Лоуренс сказал:

— Впрочем, я думал, что это результат катастрофы. Мы все вместе немного свихнулись вначале, и я решил, что в его случае ненормальность стала постоянной. Но теперь я склонен считать, что он всегда был слегка не в себе! Но он послушный и сговорчивый человек.

— Больше не было выживших? — спросил Мэтью.

— Мы нашли старуху, которая умерла на следующий день, — ответил Лоуренс, — и мужчину, умершего на прошлой неделе. В обоих случаях я ничем не мог помочь. Было еще двое парней, одного мы откопали, другой пришел сам. Однажды они исчезли с большей частью наших запасов. К счастью, это было до того, как Эйприл придумала использовать подвал.

Мэтью взглянул в сторону навеса, где сидели остальные члены группы. Билли разговаривал с Кэти. Она была живая девочка, и он охотнее общался с ней, чем с Мэнди на Гернси.

Следуя за его взглядом, Эйприл сказала:

— Было бы большой трагедией, если бы все случилось снова. Но я думаю, этого не произойдет.

— Конечно, — сказал Мэтью. — Они не очень приспособлены к такой жизни. Кто позаботится о них? — Он смотрел на нее, а не на Лоуренса.

Она сказала неожиданно усталым голосом:

— Они справятся.

Лоуренс сказал:

— Мы все не очень соответствуем стандартам индейцев в смысле храбрости и предприимчивости. Не можем даже поймать вола.

— Вола?

— Он пасется на поле в миле отсюда. Мы решили, что свежее мясо было бы приятным разнообразием в диете, к тому же не возникает вопроса о продолжении породы. И мы охотились на вола. Даже несколько раз. Но он одичал, стал очень осторожен, и мы не смогли поймать его. Попытались выкопать яму и загнать туда животное. Но он, вместо того чтобы бежать, бросился на нас, и мы рассыпались, как мякина. Наше свежее мясо все еще разгуливает в поле и, вероятно, там и останется.

Вначале Мэтью не очень задумывался над словами Лоуренса, пока тот не стал рассказывать о том, как они бежали от вола. И тут взгляд Мэтью упал на рюкзак, лежавший в нескольких ярдах, и на ружье, прикрепленное к рюкзаку. У него мелькнула мысль. И по мере того как он ее обдумывал, она становилась все привлекательнее и осуществимее. Свежее мясо... они с Билли смогли бы взять немного с собой. Кроме того, это хорошая возможность отплатить за гостеприимство. Может, перед ними нет будущего, но они хорошие люди.

Мэтью сказал:

— А что, если еще раз поохотиться завтра? — Они смотрели на него, думая, серьезно ли он говорит. — Как вы думаете, мы сумеем подойти достаточно близко для выстрела?

— Можем, — ответил Лоуренс. — Боже, конечно, можем! Только подумайте, Эйприл. Бифштекс и жареное мясо!

— Вы меткий стрелок? — спросила Эйприл.

— Не очень. Скорее средний. Охотился на уток и бекасов, но никогда на крупных зверей.

— Мы могли бы засолить мясо, — сказала она. — У нас много соли.

— Мы будем есть мясо, — говорил Лоуренс. — И раскалывать кости. Приходилось вам когда-нибудь есть костный мозг на жареном хлебе, Мэтью? Удивительно вкусно. Впрочем, нет хлеба.

— Сначала нужно убить вола, — сказал Мэтью. Была уже ночь, но в кустах что-то зеленовато светилось. — Что это?

— Свет? — спросила Эйприл. — Светлячки. — Она помолчала. — Их всегда много в это время года в такие ночи.

Они смотрели на свечение, занятые своими мыслями, потом Лоуренс, зевая, встал.

— Лучше лечь, — сказал он, — если мы хотим выйти пораньше.

Впрочем, они вышли не очень рано. Солнце уже было высоко, когда Мэтью проснулся. Посмотрев на линию закутанных фигур, он увидел, что одно место пустует. Это было в дальнем углу, где рядом с Лоуренсом спала Эйприл. Мэтью встал и вышел из-под навеса. Ткань навеса была влажной на ощупь, а трава покрыта тяжелой росой. Он прошел через сад, слушая утренние голоса птиц. Вечером ему показали ручей, где они берут воду и моются. Веселое журчание воды смешивалось с птичьим пением. Это было возвращением невероятного прошлого, воскрешением счастья.

Выйдя из-за линии рододендронов, Мэтью увидел Эйприл и автоматически сделал шаг назад. Она была в двадцати пяти ярдах от него. В этом месте ручей расширялся, и она стояла на дальнем берегу. Она была обращена к нему лицом, но не видела и не слышала его приближения. По пояс она была обнажена, верхняя половина тела и шея намылены. Груди круглые и полные, с тяжелыми темными сосками. Она изогнулась, отмывая шею, груди ее напряглись от этого движения, стали еще полнее и желаннее.

Он почувствовал желание, особенно острое от неожиданности, но больше всего его поразило сознание красоты. Женщина, наклонившаяся у ручья в саду, где птицы поют на деревьях... он и не думал, что такое еще возможно. С болью, которая не была физической, смотрел он на нее. Не желание воспользоваться ее наготой, не страх за ее и свое замешательство удерживали его в неподвижности. Он не хотел, чтобы это кончалось. Пока он смотрел, прошлое оживало, новый мир превращался в дурной сон, в кошмар. Она наклонилась, набрала воды в руки и начала плескаться. Потом подняла голову, все еще наклонившись. Он знал, что она видит его. Все кончилось. Настоящее стало реальностью. То, что он видел, было сном.

— Мэтью, — сказала она. Голос ее, негромкий, легко преодолел расстояние между ними. — Я не знала...

Она замолчала. Он увидел, что вначале она улыбнулась, а только потом осознала свою наготу. Она удивилась, может, чуть смутилась, но не устыдилась. Она признавала свою уязвимость, но в то же время и безопасность также. Эйприл неторопливо подняла лежавшее рядом полотенце и набросила на себя. Она сказала: «Минутку». Он кивнул и отвернулся.

Услышав ее шаги, он снова повернулся. Теперь на ней был тот же коричневый свитер, что и вчера.

Снова улыбнувшись, она сказала:

— Здравствуйте.

Он сказал:

— Простите за вторжение.

Эйприл покачала головой:

— Ничего. У меня обычно бывает добрых полчаса до того, как поднимутся остальные. Они любят поспать, даже Лоуренс.

Ее простота и легкость встретились с его ясностью и безмятежностью; они разделяли чувства друг друга и укреплялись этой взаимностью. Идиллия трансформировалась от фантазии в нечто более реальное, человеческое. Этот эпизод оба будут вспоминать, черпая в нем удовлетворение, по разным причинам. Они с улыбкой смотрели друг на друга, оба одновременно заговорили, оба остановились и рассмеялись.

Эйприл сказала:

— Надо приниматься за приготовление завтрака.

— А я умоюсь.

— У вас есть мыло и полотенце?

— Да. — Он показал свое полотенце. — Немного грязное.

Она взяла его полотенце.

— И сырое. Возьмите мое. Оно посуше и почище. Я выстираю ваше, пока вы будете охотиться на вола.

— Спасибо.

Глаза их встретились, спокойно, без напряжения. Он снова ясно осознал безмятежность и бодрость. Он не жалел, когда она ушла. Мэтью пошел к ручью, перекинув полотенце через плечо. Полотенце мягко касалось его щеки.

После завтрака снова убрали вещи в подвал. Вскоре охотничий отряд был готов. Кроме Мэтью и Билли, в него вошли Лоуренс, Джордж и Чарли. Арчи оставался с женщинами.

Лоуренс сказал:

— Он легко расстраивается от громких звуков и запаха крови. Нас вполне достаточно.

Вначале Мэтью хотел, чтобы Билли тоже остался, но мальчик просил разрешения пойти с ним, и Мэтью уступил. В конце концов, ему уже почти одиннадцать, а это мир, в котором снова половая зрелость означает и общую зрелость. Сверхопека молодежи возможна лишь в сложном обществе.

Утро было яркое, солнце грело их, когда они проходили по открытым местам. Все чувствовали легкость и веселье. Что-то похожее на возбуждающую игру. Они пришли в лесистую местность, где луга были окружены полосками леса.

Лоуренс сказал:

— Вот его территория. Он бродит по этим полям, но далеко не уходит.

И тут же послышались звуки: кто-то с шумом пробирался по подлеску слева от них. У Мэтью оба ствола были заряжены. Он спустил предохранитель.

Когда тело вырвалось на открытое место, Мэтью поднял ружье. И опустил. Это была собака, очень большая, косматая и черная. Помесь лабрадора, подумал Мэтью, но кто второй ее родитель, трудно сказать: она выше любого лабрадора, виденного Мэтью. Собака резко остановилась и посмотрела на них. Было такое впечатление, что она припоминает, узнает. Лоуренс свистнул:

— Эй, сюда!

Собака продолжала стоять, хвост ее слабо шевельнулся. Потом повернулась и побежала по полю к лесу на противоположном краю.

Лоуренс сказал:

— Она принадлежала местному фермеру. Я часто видел ее на аллеях. — Он покачал головой, выглядя старым и несчастным, веселость его исчезла. — Похоже, она неплохо справляется.

Они двинулись дальше. Вол пасся на четвертом поле, в углу, где сохранилась металлическая изгородь. На лучшую позицию нельзя и надеяться, подумал Мэтью.

На дальнем краю поля он сказал остальным:

— Я пойду в центре. Джордж и Чарли слева от меня, вы, Лоуренс, и Билли — справа. Пойдем медленно, и я буду идти впереди ярдов на пять. Куда бы он ни побежал, я смогу выстрелить ему в бок, когда он пробежит мимо. Если я промахнусь или только раню его, уходите с его дороги, пусть убегает. Ты понял, Билли?

Они разошлись и двинулись по полю, по высокой траве — животному не грозил недостаток корма, — раскрашенной желтыми цветами лютика и розовато-лиловыми — клевера. Не вреден ли клевер для скота? Вол, казалось, находится в прекрасной форме. Один раз он поднял голову, посмотрел на приближающихся людей и снова опустил. Может, дело окажется легче, чем они думали. В центре поля росла петрушка. Мэтью вспомнил, что видел ее ребенком. Они называли ее «смерть матери»: принесешь в дом, и твоя мать умрет. Тогда тоже полноправно правило иррациональное, но потом наступал вечер, и можно было идти домой, где ждали ужин и теплая постель.

Мэтью был в десяти ярдах от вола, когда тот вторично поднял голову. Маленькие глазки смотрели с узкой мощной коричнево-белой морды. Голова дважды слегка кивнула, как бы подчеркивая какое-то утверждение в споре. Затем переднее правое копыто ударило о землю, и животное бросилось в атаку. Оно направилось не направо, не налево, а прямо на Мэтью.

Мэтью быстро поднял ружье и выстрелил. Он не успел как следует установить ложе, и отдача отбросила его в сторону. Он был ошеломлен этим, а также выстрелом и топотом несущегося вола. Животное пронеслось в футе или двух от него, гневно рыча от боли. Поднимаясь, Мэтью увидел, что все разбежались в стороны, а вол несется по полю. Он поднял ружье, собираясь выстрелить вторично, но вначале Джордж оказался на линии огня, а потом животное было уже слишком далеко.

Лоуренс, подбегая, сказал:

— Вы его ранили, Мэтью.

— Но не уложил.

— Он теряет кровь. Нужно идти за ним.

— Да. — Мэтью строго сказал Билли: — Но ты держись сзади. Понял? — Билли кивнул. — Он и так одичал, а сейчас опаснее в десять раз.

Вол убежал на соседнее поле, и к тому времени, как они добрались до прохода, его уже не было видно. Но отыскать след оказалось нетрудно: в траве виднелись большие пятна крови. Рана, очевидно, была серьезной, и, теряя большое количество крови, животное должно было скоро устать. В хорошем настроении они двинулись по следу.

Их уверенность уменьшалась по мере того, как проходило время, а вола не было видно. След вел через рощу — его обозначила не только кровь, но и измятые кусты и поломанные ветви, — на открытое место, оттуда на аллею, через поле, заросшее спутанным горохом, и еще дальше. Дважды они теряли след и вынуждены были возвращаться, чтобы отыскать его. Второй раз, в лесу, они искали след не менее десяти минут. И вот наконец Чарли закричал с торжеством; Мэтью посмотрел, куда он указывал, и очень удивился, увидев животное.

Маленькое поле, может быть, загон, поблизости от развалин большого дома. Вол стоял в центре поля на коленях. Когда

Чарли закричал, вол поднялся на ноги и неуклюже повернулся к ним мордой. Кровь текла из зияющей раны под правым глазом. Вол глухо мычал и рыл копытами землю. Мэтью поднял ружье, готовый к новому нападению. Но тут животное вздрогнуло, опустилось на колени, а когда они медленно начали приближаться, упало набок.

Они молча и осторожно подошли. Но сомнений не было. Вол умер, его глаз безжизненно смотрел на солнце.

— Поздравляю, — сказал Лоуренс. — Отличный выстрел. Удивительно, как долго он продержался.

Все столпились, разглядывая животное, даже Билли. Мэтью отошел в сторону. Хотя он привык к виду смерти, ему стало нехорошо. Эту смерть вызвал он, а не Бог. Мэтью отвернулся и проверил ружье. Прежде чем двинуться в преследование, он перезарядил оба ствола. Все в порядке.

— Какой большой! — сказал Джордж. — Как мы его унесем? Нам не справиться.

Лоуренс весело ответил:

— Не беспокойтесь. Я об этом подумал.

Он захватил с собой инструменты своей прежней профессии: скальпель и пилу для костей. При помощи Джорджа, Чарли и Билли, переворачивавших тушу, он взрезал шкуру и снял ее. Мясо парило, разлился неописуемый запах крови, зловоние внутренностей. Мэтью чувствовал себя лучше и спокойнее, но не намерен был участвовать в этой части операции; впрочем, от него этого и не ожидали. Удачливый охотник, по-видимому, не должен быть и мясником. Мэтью сел на траву немного в стороне от остальных и слушал их голоса и звук пилы, вгрызающейся в кости.

Лоуренс говорил:

— Теперь я понимаю, почему ветеринары учились дольше нас. Я, вероятно, не распилю его правильно. Не важно, лишь бы можно было нести.

От темноты к спокойствию, от спокойствия — к чему-то вроде удовлетворения. Это необходимо было сделать, и он сделал. Он чувствовал гордость за совершенное и благодарность к остальным за то, что дали ему такую возможность. Как говорила Эйприл, они приличные люди. Несколько успехов взамен неудач и трудностей внесут значительное изменение в их жизнь, а это, несомненно, успех. У них будет пир со свежим мясом.

Солнце начинало жечь. Хороший день. Мэтью мысленно вернулся к его началу, к наклонившейся фигуре у ручья. Он снова подумал о Лоуренсе и Эйприл. Муравей полз по его ноге. Некоторое время он следил за ним, ощущая легкую щекотку. Потом сорвал стебелек травы. В первый раз муравей увернулся, но потом забрался на траву. Мэтью поднял его и перенес на цветок чертополоха. Он испытывал уверенность и удовлетворение. Вдруг вспомнил о Джейн. Как всегда, с любовью и болью, но на этот раз ее образ казался далеким, нематериальным.

Возглас Джорджа:

— Вот что его свалило!

Глубоко заинтересованный голос Билли:

— Как интересно соединяются суставы! У человека тоже так, Лоуренс?

Лоуренс, подумал Мэтью, а ведь меня он по-прежнему зовет мистер Коттер. Билли счастлив с этими людьми. Лоуренс объяснял ему что-то. Солнце грело все сильнее. Мэтью лег на спину и позволил солнцу бить в закрытые глаза.

Лоуренс умудрился разрезать тушу на пригодные для переноски куски. Их было гораздо больше, чем они могли унести — Лоуренс подсчитал, что они в трех-четырех милях от лагеря, — поэтому они выбрали лучшие куски, а остальное, по предложению Мэтью, подвесили к ветвям дерева. Они вернутся за ним, как только смогут, но собака, которую они видели, и другие собаки доберутся раньше.

Мэтью нес в одной руке ружье, а второй удерживал на плече ногу вола. Мясо, влажное, липло к руке, капала кровь, попадая на полу куртки. Они шли по полям и залитым солнцем полянам — счастливая окровавленная процессия. Экскурсия мясников, подумал Мэтью. Нет, что-то более простое и примитивное. Охотники, возвращающиеся в свой крааль. Только одежда не соответствовала. Случайная, плохо сидящая, она напоминала об универмагах и бифштексах, завернутых в целлофан. На них должны быть повязки летом, а зимой — шкуры из меха.

Путь был долог, и ноша становилась все тяжелее, но возбуждение и веселье поддерживали их. Они много разговаривали и смеялись. Они смеялись над какой-то шуткой Лоуренса, когда Чарли спросил:

— Что это?

Мэтью тоже услышал. Он подумал, что это животное, может быть, кролик где-то поблизости, увидевший горностая. Но услышав второй раз, он понял, что кричит человек. Все остановились и замолчали.

Мэтью сказал:

— Мы уже близко. Может...

— Да, — негромко ответил Лоуренс, — может. — Он предостерегающе поднял руку. — Нет смысла нарываться. Мы должны увидеть, что происходит.

Совет был хорош. Мэтью кивнул.

— Вы знаете, как лучше подойти.

Они сложили окровавленные части туши в колючую изгородь, и Лоуренс как можно тише повел их к саду и гроту. Они услышали еще крик, и Мэтью уже не сомневался, что это мужчина. Женщин не было слышно. Подойдя ближе, они расслышали другие мужские голоса, один смеялся, другой, а может, два что-то неразборчиво кричали. Мэтью снова проверил ружье. Предохранитель спущен.

Они миновали кусты и оказались у последнего укрытия — зарослей гортензии древовидной. Лоуренс взглянул первый и тут же отвернулся. Мэтью продвинулся вперед и посмотрел в промежуток между двумя растениями. Перед ним примерно в двадцати ярдах находился грот.

Вначале ему показалось, что их много, но, пересчитав, он убедился, что их пятеро. И еще Арчи. Они связали ему руки и ноги, и он лежал на спине. Куртка по-прежнему была на нем, но брюк не было. Тело его казалось маленьким, слабым и очень белым на фоне загорелых рук наклонившихся над ним мужчин. Один держал что-то вроде щипцов, а другой — зажженную свечу. Тошнота подкатила к горлу Мэтью. От садистов-школьников до дикарей — объекты те же. Глаза и половые органы, особенно последние.

Он поискал женщин и Кэти. Они прижались к скале, двое мужчин стояли перед ними. Пятый находился примерно между группами. Это был рослый мужчина, мускулистый, с длинными светлыми волосами и соломенной бородой. На нем были сандалии, фланелевые брюки, подрезанные и превращенные в шорты, выше талии он был обнажен. Кожа его, несмотря на светлые волосы, казалась бронзовой. Громким голосом кокни он сказал:

— Пора кончать болтовню. У вас здесь есть запасы. Вы знаете, где они. Если даже вас всего четверо, все равно запасы должны быть. А если, как вы говорите, ваши парни за углом, запасов должно быть еще больше. Не думайте, что я дурак. Вы живете здесь недели. Настоящую дорогу протоптали, и следы десятков костров. Значит, запасы есть. Нам нужно только одно: где они?

Он замолчал, ожидая ответа. Мэтью слышал, как плачет Кэти. Негромко застонал Арчи.

Мужчина сказал:

— Ладно! Подогрей его немного, Стенни. Посмотрим, долго ли выдержит рыжий.

Рука со свечой двинулась. Арчи снова закричал. Мэтью услышал крик Эйприл. Что она кричит, он не разобрал. Его охватила слепая ярость. Он ничего не воспринимал, кроме кричащего Арчи и людей вокруг него. Лоуренс что-то сказал и тронул его за плечо, но Мэтью отбросил руку. С криком выбежал он на открытое пространство. Мужчины больше в удивлении, чем в тревоге оторвались от жертвы. Когда человек со свечой начал вставать, Мэтью выстрелил. Один из них пошатнулся, другой упал. Тогда Мэтью резко повернулся к светловолосому предводителю.

Движение лишило его равновесия. Он почувствовал боль в лодыжке и понял, что падает. Светловолосый двигался к нему, побежал. Падая, Мэтью спустил курок, не целясь. Но тот почти набегал на ствол ружья. Сила удара подняла его и отбросила назад. Мэтью краем глаза видел, как он упал и ударился о землю. Он лежал, извиваясь, тяжело дыша, и смотрел, как фонтаном бьет кровь из тела в нескольких футах от его глаз.

12

Оставшиеся двое бросились бежать и исчезли за зарослями рододендрона. Из тех, что упали от первого выстрела, один сидел, зажав руку, другой лежал лицом вниз, обнажив рваную рану на плече и спине. Мэтью начал вставать. Все шло хорошо, пока он не ступил на правую ногу. Тут он почувствовал резкую боль. Переместив вес на другую ногу, он заковылял к Арчи.

Арчи говорил:

— Я им ничего не сказал. Я не сказал им, где...

Лицо у него было бледное, в слезах и в поту.

— Я знаю, — ответил Мэтью. — Успокойтесь.

Он достал свой нож и начал разрезать путы. Подошли остальные во главе с Лоуренсом. На теле Арчи виднелись ожоги и синяки.

Мэтью сказал Лоуренсу:

— Я думаю, ничего страшного.

Лоуренс ответил:

— Да. — Он извлек из сумки тюбик антисептической мази, слегка нагнулся и вложил ее в руки Арчи. — Это поможет. Помажьте. Вы знаете, где больно.

Арчи отвернул крышку и занялся мазью. Потом натянул брюки. Подошла Эйприл с жавшеюся к ней Кэти. Мэтью видел, как Сибил подбежала к Джорджу и они стояли, обнявшись.

Эйприл спросил:

— Они сильно его поранили?

— Болезненно, — ответил Лоуренс, — но не сильно.

Она была бледна, кожа ее приобрела желтоватый цвет, но оба вполне владели собой. Мэтью заметил, что свитер ее у шеи разорван, в разрыве виднелась ключица.

Она вздернула голову.

— А эти?

Тот, который был ранен в руку, встал. Он зажимал локоть рукой, сквозь пальцы сочилась кровь и капала на землю. Чарли стоял рядом с ним. Он подобрал ружье и целился. Раненый был испуган. Ни один из них, вероятно, не сознавал, что ружье не заряжено. Патроны лежали у Мэтью в кармане.

Лоуренс сказал:

— Пойду взгляну на них.

Кэти все еще жалась к Эйприл, но у Мэтью снова появилось ощущение, что они одни.

Эйприл прямо и серьезно посмотрела на него.

— Вы очень хорошо сделали, Мэтью, — сказала она.

Он ответил:

— Я действовал как дурак. Чистая случайность, что я попал в него вторым выстрелом. Если бы я промахнулся, он отобрал бы ружье. Их было бы трое против Лоуренса, Джорджа и Чарли. И Билли. Мне следовало действовать разумнее.

— Нет, вы хорошо сделали. — Она улыбнулась. — Я горжусь вами.

Свитер разорван, но брюки аккуратно застегнуты, и все пуговицы на месте.

Он сказал:

— Во всяком случае, вы с Сибил не пострадали.

— Да. — Голос ее звучал сухо. — Что было на охоте? Нашли вола?

— Нашли и убили и даже принесли с собой мясо. Услышав крик Арчи, мы его бросили.

— Бедный Арчи.

К ним вернулся Лоуренс.

— Тот, в кого вы стреляли с близкого расстояния, мертв, Мэтью. Остальные двое составляют проблему.

— Проблему?

— Только для меня. Я когда-то давно давал клятву. Впрочем, сейчас это не имеет значения. Тот, у которого ранена рука, будет жить, если, конечно, не подхватит инфекцию. Другой, по-моему, умрет, так как у нас нет ни медикаментов, ни возможности лечить его.

Эйприл горько сказала:

— А я думала, что наша единственная проблема — можем ли мы потратить еще два патрона. — Она посмотрела на Мэтью. — Или, вернее, может ли их потратить Мэтью.

Мэтью был поражен ее жестокостью, но, конечно, это разумно. Они не могут держать этих людей здесь, даже если бы могли их лечить.

Он сказал:

— Те, что убежали. Как вы думаете, могут они вернуться?

Лоуренс покачал головой.

— Не думаю. Как, Эйприл?

— Если это часть большой банды, то они могут вернуться. Но я так не думаю. По их разговорам, их только пятеро. Их возглавлял блондин. — Она посмотрела на его тело. Кровь все еще шла из раны на груди, но уже медленно. Над телом начали собираться мухи. — Я думаю, они остановятся, только добежав до берега.

Лоуренс смотрел на двоих мужчин, которых сторожил с пустым ружьем Чарли. Второй из них с трудом принял полусидячее положение, опираясь на локоть. Он начал стонать от боли.

— Так что же делать? — спросил Лоуренс. Он беспомощно взглянул на Эйприл. — Как вы думаете?

Она не ответила, а пошла к Чарли. Протянула руку, и Чарли отдал ей ружье. Мужчина, зажимавший руку, начал что-то говорить, но она оборвала его.

— Я не собираюсь в тебя стрелять, — сказала она. — У нас достаточно патронов, но все равно жаль их тратить. Уходи. Если повезет, догонишь своих приятелей.

Он снова открыл рот, но Эйприл, сделав шаг вперед, ударила стволом по раненой руке. Он закричал от боли, отскочил и начал уходить. Пройдя несколько шагов, он оглянулся через плечо. Эйприл вскинула ружье, и он неуклюже побежал.

Эйприл подошла ко второму мужчине. Тот стонал громче и быстро терял кровь. Она сказала:

— Ты тоже. Уходи.

Он посмотрел на нее. Лицо его было искажено от боли.

— Не могу, — сказал он. — Я тяжело ранен. Я не могу двигаться.

Она с угрюмым удовлетворением сказала:

— Ты умрешь, но не здесь. У нас и без тебя хватит падали.

Мужчина застонал, но не шевельнулся. Она сильно пнула его ногой в сандалии чуть пониже раны, и он закричал.

— Можешь двигаться, — сказала она. — Или ты хочешь, чтобы мы тебя утащили?

Он с трудом встал. Лицо его покрылось потом, губы дрожали от боли. Эйприл стояла рядом. Мэтью заметил, что на ее сандалии была кровь.

— Счастливого пути, — сказала она. — Убирайся подальше, прежде чем упадешь.

Лоуренс осмотрел лодыжку Мэтью. Пальцы его осторожно ощупали ногу.

— Всего лишь растяжение, — сказал он. — Вам придется несколько дней полежать.

— Холодный компресс? — спросила Эйприл.

— Хорошо бы.

Она кивнула.

— Я позабочусь об этом. — И пошла к ручью.

Лоуренс сказал:

— Итак, вы еще побудете нашим гостем. — Он улыбнулся и потом добавил: — Мы перед вами в долгу, Мэтью.

— Ружье полезно, пока есть патроны, — сказал Мэтью.

— Не только ружье. — Лоуренс осмотрелся, как бы собираясь что-то добавить. — Эйприл перевяжет вам ногу. А я позабочусь об очистке места. Нужно оттащить его, а похороним позже. Сначала нужно принести мясо.

Джордж и Чарли за руки оттащили труп в кусты, Лоуренс сопровождал их. Мэтью снова лег на траву. Нога у него болела, но пока он не двигался, боль была не очень сильной. Кэти плакала, и Сибил успокаивала ее, говорила что-то негромким голосом. Арчи смотрел, как тащили тело.

Билли подошел к Мэтью. Он сказал:

— У вас сломана нога, мистер Коттер?

— Нет. Только растяжение. Но на несколько дней придется задержаться.

— Мы останемся здесь?

— Пока не заживет моя нога. — Билли кивнул. — Ты захочешь остаться после этого?

— Нет. — И быстро добавил: — Если вы пойдете, я с вами.

Разговор прекратился с возвращением Эйприл. Она принесла в кастрюле воды и намочила в ней повязку. У нее были крепкие руки, и она искусно пользовалась ими. Когда она наклонилась к его ноге, Мэтью посмотрел на ее каштановые волосы. Они слегка вились, были мягкими и блестящими, но с сединой. Он подумал о том, какой была ее жизнь раньше, до катастрофы. Дом, семья, круг знакомых. Она плотно затянула повязку, и он невольно поморщился.

Она посмотрела на него.

— Простите. Но чем плотнее, тем лучше.

— Я знаю. Все в порядке.

— Вам лучше?

— Гораздо лучше. Вы учились на медсестру?

— Не на медсестру. Просто первая помощь. — Она присела на корточки. — Подать носок?

— Нет, спасибо. Мне хорошо.

Эйприл кивнула.

— Одно время я была в комитете национальной обороны. Я соглашалась с ним — относительно бомбы, — и просто сидеть без дела казалось мне неправильным. Поэтому я стала обучаться оказанию первой помощи. Конечно, все было направлено на то, чтобы сохранить жизнь в небольшом закрытом помещении, а весь наружный мир отравлен радиацией.

Мэтью сказал:

— Жизнь иногда бывает полна иронии.

— Правда? — Она с любопытством взглянула на него. — Чем вы занимались, Мэтью, до катастрофы?

— Выращивал помидоры.

— Конечно. Гернсийские помидоры. Вы всегда занимались этим?

— Нет.

Она ждала, и через несколько мгновений он продолжил. Он кратко рассказал ей о своем неудачном браке и о том, как он оставил Лондон.

Выслушав, она сказала:

— Вы были счастливы?

— Счастлив?

— Вы почти отошли от мира. Вычеркнули мир, кроме Джейн. И вы не соглашаетесь с тем, что Джейн мертва. Так что для вас, в сущности, ничего не изменилось. — Она увидела его улыбку и продолжила: — Конечно, окружающий мир изменился. Это очевидно. Но вам не нужно приспосабливаться.

Мэтью подумал об этом.

— В каком-то смысле, возможно, вы правы. Вы думаете, это делает меня счастливым?

Она колебалась, потом горько сказала:

— Изменения бывают разные. Наружное уродство само по себе плохо, но гораздо хуже внутреннее уродство. Оно вызывает отвращение.

Он подумал, что она говорит о своей жестокости по отношению к раненым.

Он сказал:

— В моменты стресса иногда делаешь странные поступки. Мы все так поступаем. Но это не значит, что мы сами изменились. Не нужно думать об этом.

Она покачала головой:

— Нет, вы не правы. Впрочем, я согласна, что нет смысла думать об этом.

Лоуренс вернулся, и она сказала:

— Куда вы его дели?

— Среди лавров. — Он взял Эйприл за руку. — Как вы?

— Хорошо.

— Сколько времени они здесь были?

— Не знаю. С полчаса. — Она продолжила быстрее: — Я думала об этом. Мы сделали ошибку, глубокую детскую ошибку.

— Какую?

— Держать все в подвале, кроме необходимого на сегодня. Именно поэтому они были уверены, что у нас запасы спрятаны.

— Что вы предлагаете? Держать часть наверху? Но это риск. Вернувшись, мы можем найти, что их у нас унесли.

— Лучше, чем потерять все. А мы бы потеряли все, если бы не Мэтью. Нужно найти место для второго тайника. Чтобы можно было его выдать под давлением.

— Есть предложения?

Эйприл пожала плечами:

— Нет. Нужно поискать.

Мэтью сказал:

— Вы думаете, это может случиться снова?

— Конечно. И помимо возможности, что убежавшие могут присоединиться к большой банде и приведут ее сюда.

— Вы можете уйти, — сказал Мэтью.

Она посмотрел на него с неожиданной холодностью.

— Какой в этом смысл? Нигде больше нет безопасности.

Он мог бы высказать много аргументов. Приближающаяся зима все равно заставит искать убежище. Лоуренс осмотрел повязку на ноге.

— Хорошо, — сказал он. — Отдыхайте, Мэтью, пока мы принесем мясо. Свежее мясо, Эйприл! Это подбодрит нас.

Она улыбнулась.

— Да. Нам это необходимо.

В этот день они не ходили на поиски. После того, как остальная часть мяса была принесена в лагерь, женщины засолили то, что не пойдет в пищу в ближайшие дни. Тем временем Лоуренс с мужчинами занялся телом, лежавшим в кустах лавра. Потом он вернулся туда, где Мэтью грелся на солнце рядом с Билли.

— Ну вот, — сказал он. — Не очень глубоко, но достаточно, чтобы не добрались собаки. Компромисс между усилиями и требованиями санитарии.

Мэтью сказал:

— Как медик вы не удивлены тем, что нет болезней, даже чумы?

— Миллионы непогребенных? Не знаю. Болезни времен войн вызывались не мертвыми, а условиями. Дизентерия в Галлиполи, например, распространялась живыми. И возможны вспышки, о которых мы не знаем. Жизнь по-прежнему общественная, но общины маленькие. Мы стремимся избегать другие группы численностью больше трех человек, а одиночки избегают нас.

— А много ли одиночек?

— Вероятно. Но точно знать невозможно. Иногда замечаешь их на удалении, но они быстро уходят. Их можно понять. Как ваша лодыжка?

— Хорошо.

— Повязку нужно время от времени менять. Если хотите, я это сделаю, пока Эйприл занята.

Мэтью покачал головой:

— Я подожду.

Лоуренс посмотрел туда, где работали Эйприл с Сибил и Кэти. Он сказал:

— Не знаю, как бы мы жили без нее. У нее столько мужества.

— Да.

— И не только в кризисах, но в обычной жизни. В том, что мы называем жизнью. У каждого бывают моменты слабости, отчаяния. Присутствие Эйприл очень помогает. Она заставляет стыдиться слабости. Я помню, как мы впервые встретились после катастрофы.

Он замолчал. Мэтью ждал продолжения.

Лоуренс сказал:

— Я долго не мог выбраться, только вечером первого дня. И я страшно устал. Лежал под открытым небом, потом уснул. На следующий день я начал сознавать размеры происшедшего. Я порылся в развалинах своего дома и поблизости, но никого живого не нашел. Тогда я отправился к своему кабинету и разыскал нембутал. Я знал, сколько мне понадобится. Это казалось мне единственным разумным поступком. Но тут я услышал, как кто-то кричит, и крикнул в ответ. Это была Эйприл.

Лоуренс помолчал.

— Я вел себя как дурак. Я сказал ей, что нет смысла продолжать жить. Она выслушала и сказала, что я могу поступать, как хочу, но вначале мне нужно поесть. Она сделала для меня сандвичи. Хлеб был несвежий, но я все съел. После катастрофы я ничего не ел. После этого я почувствовал себя лучше. С тех пор у меня были трудные моменты, но она всегда была рядом.

Мэтью сказал:

— Даже зная ее такое короткое время, я вижу, какая это замечательная личность.

Лоуренс пристально взглянул на него.

— Это не вопрос взаимоотношений, вы понимаете? Мы с ней принадлежим к разным поколениям. Я на двадцать лет старше ее. Ей нужен кто-то более подходящий по возрасту, нужен сильный человек, на которого она могла бы опереться.

— Я думал, она может опереться на прошлое, — сказал Мэтью. — Этот дом, память о семье.

— Этого недостаточно. В ее положении требуется другое. Пока она живет своими внутренними ресурсами, но они ограничены.

— Наверно, вы правы.

В двадцати ярдах от них Эйприл резала мясо. Сибил и Кэти помогали ей. Двое мужчин молча смотрели на нее.

Обедали жареными потрохами: сердце, легкие, почки — но на ужин были бифштексы. Их поджарили на костре и, как всегда, подавали партиями. Как и раньше, Эйприл ела в числе последних с Мэтью и Лоуренсом.

С бифштексами ели печеный картофель и свежие овощи. Мэтью заметил:

— Очень хорошая зелень. Откуда она?

— С огорода, — ответила Эйприл. — Там кое-что сохранилось. — Она улыбнулась. — Есть и помидоры, Мэтью. Они проросли сквозь обломки рамы парника.

— Где это?

— За кустами.

— Утром взгляну на них. Туда я смогу доковылять.

Она предупреждающе сказала:

— Чем больше вы не будете двигаться, тем скорее заживет ваша нога.

Лоуренс вылил остатки вина в эмалированную кружку и посмотрел на нее.

— Чуть больше глотка. Всего одна маленькая бутылка вина на такое количество людей. Но случай того стоит. Но я рад, что открыл только божоле. Приятно думать, что леовиль-пойферр не тронут.

— На какой случай вы его храните? — спросила Эйприл.

— Для личных надобностей. Самоутешение в минуты плохого настроения. — Он взглянул на нее и улыбнулся. — Или для действительно больших праздников, таких, как свадьба.

Мэтью сказал:

— Как быстро все забывается. Вкус настоящего хорошего свежего бифштекса.

— Ешьте, — сказала Эйприл. — Кто знает, когда будет еще? Может, никогда.

— На Гернси выжили два больших животных, — сказал Мэтью. — По крайней мере два. Осел и корова, по счастью, с теленком. Есть некоторые шансы на то, что ее потомство выживет. Если это произошло на маленьком острове, то обязательно должно случиться всюду.

— Вы забываете синдром муравейника, — сказал Лоуренс. — Мы с чистой совестью убили животное, потому что это был вол. Но даже если бы это был бык, наверно, мы бы не выдержали искушения. В конце концов, мы не знаем, нашел ли бы он самку, да и какая нам польза от этого? А ведь мы относительно цивилизованны. У нас есть угрызения совести. Так мы по крайней мере говорим. Большинство и не подумает о продолжении породы.

— Животные могут выжить повсюду, — сказала Эйприл. — Выжил же вол, пока не подвернулся Мэтью с его ружьем.

— Пока могут, — сказал Лоуренс. — Этим летом им угрожает лишь аппетит. Вы либо выкапываете консервы, либо кто-то делает это для вас. Это еще не крайний случай. Но когда станет все труднее находить консервы, что тогда? В середине зимы вола свалили бы голыми руками и съели сырым. Могут выжить другие животные. Могут даже встретиться особи противоположного пола. Но я не поставлю и монетки за то, что через год здесь сохранится хоть один бык или корова.

Эйприл сказала:

— Вы недооцениваете природу, Лоуренс.

Он улыбнулся:

— Я сказал бы, что вы недооцениваете.

— Здесь животные уязвимы. Но в горах, в горных долинах все может обстоять по-другому. Они там выживут.

— Возможно, вы и правы, — согласился Лоуренс.

— Я уверена в этом.

— И мы можем выжить. В горах.

Наступило молчание. Эйприл отвернулась. Но Лоуренс продолжал:

— Во всех отношениях им было бы лучше в горах: больше пищи, больше безопасности, возможность постепенно начать обрабатывать землю. Они могли бы жить там, если не хорошо, то с чувством постоянства и цели. Там выросли бы дети, забыв прошлое, приняв настоящее, с надеждой глядя в будущее. — Он говорил искренне и упрямо, но Эйприл молчала. Наконец его настойчивость сдалась перед ее молчанием.

Он обернулся к Мэтью:

— О чем вы думаете? Вы сидите молча.

Мэтью не хотел соглашаться со скептицизмом Эйприл. Аргументы Лоуренса были хороши, но в то же время не так нужно строить жизнь. Мэтью сказал:

— Прекрасная еда.

— Комплименты повару, — сказал Лоуренс. Тон его звучал успокаивающе; он улыбнулся Эйприл: — Я согласен.

Она прямо взглянула на Мэтью:

— А что еще?

— То, что раньше сказал Лоуренс об охоте на зверей с голыми руками. Осталось двадцать два патрона. После этого, если только мы случайно не найдем еще, ружье бесполезно. Я думал об этих легких стальных прутьях, которые лежат у вас в погребе. Для чего они, Лоуренс?

— Не знаю. Мы нашли в развалинах, и я подумал, что они могут пригодиться для чего-нибудь.

— Если заточить концы, — сказал Мэтью, — и разыскать материал для тетивы, из них можно сделать луки.

Лоуренс сказал:

— Я знаю, где лежит разбитый рояль. Струны могут подойти. Стрелы?

— Можно срезать. А может, мы сумеем сделать металлические наконечники.

— Да, — сказал Лоуренс. — Возможно. Что за чудо практичный ум! Вы согласны, Эйприл? Мы с вами обсуждаем теорию выживания, в то время как Мэтью обдумывает практические детали.

— Мы говорили о выживании видов, а не о нашем собственном, — возразила она. — В кого вы будете пускать ваши стрелы, если наши друзья дикари разорвут немногих животных и выпьют их кровь?

— В горах... — Лоуренс пожал плечами. — Во всяком случае, стрелы нужны не только для охоты. Еще для самозащиты.

— Конечно, — согласилась Эйприл. — Самозащиты. — В голосе ее звучало напряжение. — Луки и стрелы. До того, как уйти, Мэтью, вы должны нас познакомить с другими вашими идеями.

Мэтью хотел сказать: «Возможно, мне не следует уходить», — но выражение их лиц его удержало. Два различных выражения, две тени сожаления. Возможно, потом. Но не сейчас.

Он прикончил свой бифштекс, и Эйприл сказала:

— Давайте вашу тарелку. Готовы еще.

— Мне достаточно.

— Ерунда. — Она взяла у него тарелку. — Сегодня подходящий случай для чревоугодия.

Лоуренс сказал:

— И пьянства. — Он заглянул в эмалированную кружку. — Вполне достаточно для возлияния, если веришь в богов. Заканчивайте его, Мэтью.

13

Они использовали старый колодец для склада-приманки. Кирпичное окружение колодца частично было сломано, облицовка опала, но из стен торчали металлические прутья, к которым можно было привязать мешок с некоторым количеством запасов. Поверх колодца положили несколько досок и придали нетронутый вид. Теперь одиночке трудно будет заметить этот тайник, когда они уходят на поиски.

Но в течение двух дней после охоты на вола Мэтью находился в лагере. Билли и Кэти оставались с ним, и он смотрел, как они играют в саду и вокруг грота, как обычные беззаботные дети. В полдень на второй день было несколько толчков, и они прекратили игру и подошли к нему с встревоженными лицами. Толчки продолжались недолго и были несильными, но это были первые толчки с того момента, как они с Билли присоединились к группе. Некоторое время после этого дети сидели рядом с Мэтью, говоря мало и негромко.

Перед возвращением остальных Мэтью попробовал ходить и обнаружил, что вполне справляется с этим. Растяжение оказалось несильным. Мэтью испытывал некоторое неудобство, но мог ходить без труда. Он пошел к огороду, о котором говорила Эйприл, и осмотрел его. Длинная линия обломков обозначала стену, которая отделяла его от остального участка, валялись обломанные ветви яблонь и груш. На некоторых еще были зеленые листья, а на одной даже росло маленькое яблоко.

Огород выглядел запущенным, теперь в нем росло больше сорняков, чем овощей. Мэтью обыскал помидоры и убрал обломки стекла, чтобы дать им возможность расти. Но зрелище было обескураживающим. Потребуются недели, чтобы навести хоть какой-то порядок, а для чего? Он вернулся в грот и снова стал смотреть на играющих детей.

Но его охватило беспокойство, и спустя некоторое время он вновь встал. Он тщательнее, чем раньше, осмотрел участок и удивился его размерам. Границы определить трудно, но не меньше нескольких акров. Интересно, какая профессия была у мужа Эйприл? Должно быть, высокооплачиваемая. Он думал об этом, когда набрел на заросли роз в полном цвету. Розы начали дичать, но еще сохраняли прежнее великолепие. Он увидел по ту сторону разноцветного барьера крест. Нет, кресты. Четыре креста. На них не было надписей. Только для одного человека они имели значение, а этот человек не нуждался в напоминаниях.

Мэтью услышал голос Эйприл и отошел от крестов. Они встретились на некотором удалении от них.

Она слегка раскраснелась и улыбалась.

— Ваша лодыжка зажила?

Мэтью кивнул.

— Вероятно, завтра я смогу пойти с вами. Как дела сегодня?

— Скромно. Утром мы решили, что нам повезло. Чарли нашел сразу несколько банок, а потом остатки магазинного прилавка. Но кто-то уже побывал там до нас. Общий результат: две банки сардин, одна зеленого горошка, одна кислой капусты и пять — рисового пудинга.

— Могло бы быть и получше.

— Да, конечно. Позже мы подобрали еще несколько вещей, но ничего интересного. — Она взяла его под руку, он остро ощущал ее присутствие, физический контакт. — Нога не болит?

— Нет. Я сегодня погулял. Упражнения полезны.

— Здесь есть несколько мест, куда я любила приходить. Теперь чувствуешь себя виноватым, когда не занимаешься полезными делами вроде приготовления или поисков пищи.

— Забудьте о полезных делах ненадолго. Покажите мне эти ваши места.

Эйприл с сомнением сказала:

— Они там разбирают находки.

— Справятся и без вас. И не так уж страшно, если рисовый пудинг будет лежать рядом с маринованными овощами.

— Вы правы. Иногда я слишком серьезно воспринимаю мелочи.

Они шли рядом, наслаждаясь прекрасным вечером. Косые солнечные лучи превращали зелень в лимонное золото. Воздух был мягок и полон летнего аромата. Жужжали насекомые, слышались голоса птиц. Мэтью подумал, что птиц стало больше, чем сразу после катастрофы. Очевидно, это не естественный прирост. Может, они улетали в более безопасные места, а теперь возвращаются назад? Слабые сегодняшние толчки, должно быть, не встревожили их. Он заговорил об этом с Эйприл. Она сказала:

— В какие места? Вы думаете, у нас было хуже, чем везде? Разве другие страны не пришли бы тогда нам на помощь?

— Да, — согласился он. — Может, нам еще повезло.

— Зависит от того, что вы понимаете под этим «повезло». — Голос ее неожиданно стал хриплым, но после паузы она продолжала более мягко: — Вскоре после катастрофы Лоуренс отыскал приемник. На батареях и транзисторах, с тремя или четырьмя полосами частот. Он казался вполне исправным. Когда он включил приемник, послышался лишь треск. Никаких сигналов. Он долго проверял все волны. Ни одной станции.

— У вас еще есть этот приемник?

— Нет. Мы оставили его там. — Увидев его удивленное выражение, она добавила: — Он не относится к категории жизненно необходимых вещей.

— Даже если тогда эфир был мертв, станции могут заработать снова.

— Приемник может работать, пока есть батареи.

— Что-нибудь могло произойти за это время. В тех частях, которые затронуты слабее.

— Возможно. — Она остановилась, глядя на покрывающие изгородь цветы шиповника и вьюнка. — А что нам от этого?

— Возможно, где-то сохранилось организованное общество.

Она пошла без предупреждения, и он вынужден был догонять ее. Эйприл сказала:

— Никто не придет к нам на помощь. Нужно сознавать это. Нет самолетов, опускающихся с небес с грузом. Нет больших пароходов с мясом, зерном, бананами и авокадо. — Она повернулась к нему с жалкой улыбкой. — Вы ведь это знаете? И даже моря нет. Помощи ждать неоткуда.

Мэтью кивнул.

— Да, знаю.

Некоторое время они шли молча. Теперь они находились в поле и приближались к небольшой рощице. На опушке ее рос дуб. Высокое столетнее дерево с мощным стволом. Он еще жил, но был наклонен под острым углом; на противоположной стороне часть корней торчала в воздухе.

Мэтью сказал:

— Зимние бури прикончат его.

— Да.

Эйприл подошла к дереву и на мгновение прижалась к его коре. Жест был непонятный, но печальный. Мэтью смотрел на нее, снова, как и тогда утром у ручья, сознавая ее красоту и необычность. Она повернулась к нему, и он хотел заговорить, объяснить, что он чувствует. Но она заговорила первой:

— Дети любили его. На него легко было взбираться, даже когда они были маленькими, и на нем так много ветвей, и легко спрятаться в листве. Мы часто приходили сюда, они лезли на дерево, а я смотрела, как они поднимаются все выше и выше — тут и там мелькали их фигуры, — и слушала их голоса. И, конечно, сердце у меня замирало, я боялась, что они упадут, но знала, что не должна их звать.

— Они были все мальчики?

Эйприл кивнула.

— Пяти, семи и десяти лет. Старше всех был Энди. Дэн хотел, чтобы он уехал в школу, но я воспротивилась. Это был первый случай, когда мы поссорились. В конце концов согласились на компромисс. Он должен был оставаться дома до тринадцати лет.

Мэтью мог бы испытывать затруднение, слушая ее рассказ о детях, но ничего подобного не испытывал. Она доверчиво раскрывалась перед ним, и в голосе ее звучало прощение и любовь к умершим.

Он сказал:

— Я видел их могилы.

— Да. Проходишь через разные стадии. До сих пор бывают тяжелые минуты, но не так часто. И не может быть хуже, чем засыпать их землей.

Они пошли назад к гроту. Мэтью держал Эйприл за руку; пальцы их переплелись, сообщая друг другу теплоту и уверенность. Она говорила о дальнейших поисках — придется уходить подальше, чтобы найти что-нибудь нужное. Хотя она не сказала этого, но у него создалось впечатление, что она примирилась с необходимостью уйти отсюда, переселиться в другое место. Он сказал, говоря общими словами:

— Пока мы живем прошлым. Это значит, что больше добычи там, где раньше жило больше людей. И риск бандитов, конечно, тоже больше. Это ничто вроде промежуточной территории. Она достаточно изолированна, чтобы создать трудности при поисках продовольствия, но недостаточно изолированна для случайных посетителей.

Она покачала головой:

— Они не имеют значения.

— Сомневаюсь, чтобы Арчи согласился с этим.

— Мы глупо поступили, положив все свои яйца в ведро, а потом спрятав это ведро. Я согласна с этим. Но теперь мы поумнели. Если это случится снова, не будет надобности в геройке. Арчи отведет их к колодцу.

— Но дело ведь не только в этом?

— А в чем еще?

— Если бы мы пришли позже...

— Ну?

Ее непонятливость удивила его. Он сказал:

— Две женщины, одна из них по крайней мере очень привлекательна. Дело не только в запасах.

Она остановилась и посмотрела на него. В ее взгляде было недоверие и еще что-то, что он не смог определить.

— Вы думаете, что пришли вовремя, чтобы спасти нас от изнасилования?

— Это могло бы случиться.

Она коротко резко рассмеялась.

— Неужели? Почему вы думаете, что?.. Потому что мы об этом не говорили? Или, может быть, потому что они дали нам натянуть трусы? Конечно, это деликатно с их стороны, но они решили позабавиться с Арчи.

Он слышал горечь в ее голосе и понимал, что эта горечь частично вызвана им, его замешательством, шоком от осознания и даже, хотя он боролся с этим, каким-то отвращением. Он ужасался не только от происшедшего, но и от того, как она об этом говорила, небрежно и грубо.

Избегая ее взгляда, он сказал:

— Я не знал. Простите.

— Вы ничего не знали. Но чего же вы ожидали сегодня при встрече группы мужчин с беззащитными женщинами?

Он невольно спросил:

— Это случалось и раньше?

— Смотрите на меня! — Лицо ее было гневно искажено. — Хотите знать, как это случилось в первый раз? Через день после того, как я нашла Лоуренса, на второй день после того, как я выкопала эти могилы. Я первой увидела их. И позвала, потому что думала, важнее всего объединиться выжившим. Я думала, что если люди и могут измениться, то только в лучшую сторону. Я перестала в это верить, когда они схватили меня. Конечно, я сопротивлялась. Тогда я еще не поняла, как глупо сопротивляться. Это был единственный раз, когда было по-настоящему больно.

— А Лоуренс?

— Мы разошлись, чтобы осмотреть как можно большую площадь. Он был недалеко, но даже сопротивляясь, я не позвала его. Оба они были сильнее и моложе его. Его только могли поранить. Когда они оставили меня, я уползла и отыскала его. Связи укрепляются, знаете, когда мужчина утешает женщину после того, как двое других побили и изнасиловали ее.

Мэтью сказал:

— Простите. Не нужно говорить об этом.

— Вы уверены? Лоуренс не просто утешал. Он смог оказать практическую помощь. У него в больнице были эти иностранные противозачаточные пружинки. Мы их откопали, и он поставил мне такую. Стальная проволока в нейлоне с таким забавным хвостиком. Очень хитрое приспособление. А когда к нам присоединились Сибил и Кэти, он и им поставил такие же.

Он старался не выдать себя, но она внимательно следила за ним.

— Да. Кэти! И хорошо, потому что с ней это случилось через несколько дней. В тот раз их было восемь, и двое не могли дождаться, пока мы с Сибил освободимся. Те, кого вы видели, хотя бы не тронули Кэти. Трое насиловали меня, двое Сибил. Я вообще пользуюсь успехом. Однажды меня даже увели в Саутгемптон. Я допустила ошибку, начав разговаривать, и главарю понравилось мое произношение. Ночью я убежала и вернулась сюда.

Мэтью сказал:

— Если это поможет...

— Все это даже не самое плохое. Я вам ничего не говорила. Человек, которого я пнула, — тот, сильно раненный, помните?

Мэтью кивнул.

— Он плюнул мне в лицо, когда был на мне. Имеете ли вы хоть отдаленное представление, каково это?

— Нет. Я знаю, что нет.

— Всего это случилось пять раз. Не знаю, сколько мужчин. Иногда приходят одни и те же. Не нужно только сопротивляться, тогда это быстрее и менее... менее отвратительно. Как добавочная предосторожность, мы обтираемся губками. Это немногим хуже, чем пойти к дантисту, если правильно к этому относиться и иметь хорошие противозачаточные средства. Но, конечно, всегда сохраняется возможность. Думали вы, Мэтью, что это такое? Быть беременной в этих условиях от двуногого зверя, который использовал тебя, как пес суку? И другая возможность — венерические болезни? Здесь вероятность не так высока. Пока нам везло. Я так думаю по крайней мере. О последнем эпизоде говорить еще слишком рано.

Он чувствовал, что должен остановить ее, и взял ее за руку.

— Я не знал. А должен был понять. Как глупо.

Она отвернулась.

— Не только это. Ваш взгляд, когда вы поняли.

— Плохое так же приходит к концу, как и хорошее. Со временем вы об этом забудете.

Она смотрела на него, лицо ее исказилось от боли.

— Вы все еще ничего не поняли. Я знала одного мужчину, своего мужа. Я гордилась своим телом, потому что он его любил. Теперь... Лоуренс хотел меня, и я позволила ему. Это, конечно, не то же самое, что быть изнасилованной, но означает не меньше. Мне стало его жаль, и я его презирала.

Мэтью сказал:

— Это было великодушно.

— Великодушно! Боже! А Чарли? Мальчик, лишь на несколько лет старше моего сына. И я видела, что его возбуждает вид того, как меня насилуют. Вы называете презрение великодушием?

Он молчал. Ее рука по-прежнему была в его; неожиданно осознав это, она вырвала руку. И сказала негромким хриплым голосом:

— Пол и материнство — суть жизни женщин. Теперь они означают только отвращение и страх. Арчи... Нет, он не имел меня, но только потому, что не хотел. — Она взглянула на него и отвела взгляд. — Я научилась бояться меньшинство мужчин и презирать большинство. Но когда я умывалась у пруда, я видела, как вы смотрели на меня. И у меня появилась безумная надежда, что еще существует сила и доброта — в мужчине и женщине. Это была иллюзия. И не ваша вина.

— Я не думаю, что это иллюзия.

Она игнорировала его замечание.

— Я сожалею о своей несдержанности. Вы слушали очень терпеливо, Мэтью.

Гнев и горечь ушли, но он почти жалел об этом. Она была далеко от него.

— Послушайте, — сказал Мэтью. Он хотел взять ее за руку, но она убрала ее. — Вы ведь не боитесь меня?

— Нет. — Голос ее звучал устало. — Я не боюсь вас. Но я презираю вас. Презираю как мужчину. А как личность... я вам завидую. То, что я сказала, когда перевязывала вам ногу... я не сознавала тогда, насколько это справедливо. Ничего для вас не изменилось, кроме сценария. Для всех остальных Бог обрушил на головы весь мир, но для вас... Что? Эпический кинофильм. Джейн жива, и вы пробираетесь к ней сквозь развалины. Знаете что? Я думаю, вы ее найдете. Она будет одета в белый шелк с оранжевыми цветами, и это будет утро ее свадьбы. Она выходит замуж за чистого юношу с прекрасными манерами, и вы успеете как раз вовремя, чтобы благословить ее.

Он сказал:

— Я хочу остаться здесь.

Эйприл покачала головой:

— Нет. Я могу переносить остальных, но не вас.

— Со временем сможете.

— Нет. Вы напоминаете мне о том, что кончено. Если вы останетесь, я уйду. Вы ведь не доведете меня до этого?

Он хотел найти ответ, который пробил бы бессмысленную тиранию слов, воскресил бы то утреннее состояние. Но есть ли такой ответ?

Эйприл пошла по направлению к саду и гроту. Он пошел за ней, но не пытался догнать.

14

Мэтью решил, что не стоит рисковать встречей с саутгемптонскими бандами. Вначале он хотел идти на север, но потом ему пришло в голову, что лучше двигаться на юго-восток, по побережью. Следуя по линии приливной волны, он мог определять направление даже без солнца. А утро выдалось облачное.

Лоуренс хотел, чтобы Мэтью взял запас пищи из склада, но Мэтью отказался. Со своей стороны, он предложил им ружье — с тем же результатом. Атмосфера была напряжена. Их реакция, когда они узнали о том, что он уходит, представляла собой смесь сожаления и негодования. У всех, кроме Эйприл. Если она испытывала что-то, это не было заметно за ее обычной сдержанностью.

Когда Лоуренс вначале заспорил с Мэтью, она оборвала его:

— Он принял решение, Лоуренс.

— Но это безумный замысел.

— Оставьте!

После паузы Лоуренс спросил:

— А Билли?

— Я думаю, ему лучше остаться с вами, если вы его примете, — сказал Мэтью.

— Конечно, мы его примем, — сказала Эйприл.

— Нет. Я пойду с вами, мистер Коттер, — заявил Билли.

Мэтью сказал:

— Ты должен остаться, Билли.

Мальчик упрямо покачал головой:

— Не хочу.

Лоуренс сказал:

— Я думал научить тебя медицине, Билли. Тому немногому, что сам помню.

Билли выглядел смущенным. Он начал что-то говорить, но замолчал.

Эйприл сказала:

— С Мэтью он будет в такой же безопасности, как с нами. — В голосе ее звучала усталость. — Может, еще большей. Не нужно оставлять его насильно.

Это был конец спора. Они собрали свои вещи и пошли. Вначале Билли разговаривал с вымученным весельем, но Мэтью не отвечал, и постепенно мальчик тоже замолчал. Они подошли к месту, где впервые встретили Эйприл, и пересекли дорогу.

Мэтью заставлял себя не думать об Эйприл. Невозможно отделить ее от тяжелых впечатлений прошлого вечера. Ее горечь и презрение стали на удалении еще резче. Мэтью понимал, что и сам он испытывает аналогичные чувства. Он обнаружил, что не может смотреть на Чарли без отвращения. Но, конечно, его переживания были ничтожны по-сравнению с тем, что пришлось пережить ей.

Он стал думать о Джейн. Им вновь овладела навязчивая мысль, что Джейн выжила. Он представлял себе дом, его изолированность, прочность его балок. Она ждет его там, она знает, что он обязательно придет. Он вспомнил, что, когда ей было пять лет, они отправились однажды в Хэмпстед на ярмарку. Каким-то образом он потерял ее. Больше часа он искал ее в толпе и наконец нашел, испуганную, но с сухими глазами, на ступенях карусели. Она сказала ему, что знала: он обязательно придет за ней. Поэтому она не очень испугалась, оставшись в одиночестве.

Он подкреплял свою веру другими воспоминаниями. При доме имелся большой подвал, и Мэри всегда держала там большой запас продуктов, частично из-за своего военного детства, но главным образом из-за риска быть отрезанным снегопадами. Это случалось дважды за то время, что они прожили в доме, причем во второй раз продолжалось с неделю. Мэтью решил, что Джейн останется рядом с домом, а там ничто не могло привлечь бандитов.

Билли говорил что-то, но он не слушал.

— Что, Билли?

— Кто-то останавливался вон там.

Действительно, следы костра. Мэтью решил, что, если огонь сохранился, они смогут там пообедать. И они пошли туда. Огонь давно погас. Поблизости валялись куриные кости, перья. Дальше что-то блестело в траве. Мэтью наклонился. Это была кинокамера — «Пентакс». Совершенно неповрежденная. Только нажми на кнопку, подумал он. Интересно, кто мог в первую очередь схватить камеру?

Вскоре они подошли к линии волны. То же самое. Резкая, уходящая вдаль граница опустошения, дальше — высохшая грязь. Вдали виднелось плато Уайта. Поглядев туда, Мэтью увидел несколько движущихся фигур. Они были слишком далеко, чтобы разглядеть подробности, но он решил, что их не менее десяти. Вероятно, одна из банд в поисках добычи.

К вечеру они пересекли Саутгемптонский залив. Встретили корабль, торчавший из ила. Его явно обыскивали: вокруг валялись пустые жестянки и другие предметы, Мэтью думал остановиться здесь на ночь. Во все стороны хорошо было видно. Никого нет. Прошел небольшой дождь, но он мог предвещать и большой. Корабль давал защиту от дождя.

Но все же Мэтью решил не останавливаться. Беспокойство, которое он ощущал на пути из Гернси, вернулось. Избавление от него значило больше, чем убежище от дождя. Он сказал Билли:

— Еще одна-две мили нас не убьют, как ты считаешь?

— Нет.

Лодыжка выдерживала путешествие хорошо; он вообще забыл о ней. Они поднялись по длинному пологому склону. Там, где когда-то стояли краны и трубы Портсмута, теперь была серая пустыня. Время от времени попадались остатки разрушенного города: кирпичи, доски, странные предметы. И человеческие останки. Но время и, может быть, пожиратели падали превратили их в скелеты, лишь кое-где остатки плоти крепились к костям. Они лежали холодные, лишенные запаха и ничтожные в сумерках.

В конце концов они нашли убежище недалеко от линии волны — хижину, унесенную волной с чьего-то сада и почти целую. Дверь сорвана, несколько досок отсутствуют, но в остальном хижина в хорошем состоянии. Внутри нанесло песка, а также, как они обнаружили ночью, песчаных блох. Спали они плохо. Билли метался, ему снились кошмары. Всю ночь шел небольшой дождь, который к утру усилился. Они позавтракали холодными консервами и вышли под слезящееся серое небо.

Примерно через час дождь пошел тише, но совсем не прекратился. По-прежнему было сумеречно. Оба замерзли и устали, но Мэтью решил, что идти все же лучше, чем стоять. У них был с собой маленький пластиковый плащ для Билли из запасов группы, плащ не давал ему окончательно промокнуть. Мальчик, казалось, дрожал больше, чем обычно, но и на это можно было ответить только ходьбой. Иным путем согреться было невозможно.

Они в основном держались линии прибоя и вскоре пришли к развалинам Хаванта, как считал Мэтью. Глядя на юг, он видел холм с несколькими обломанными деревьями — это должен был быть остров Хэйлинг. Попадались участки мощеной мостовой, некоторые тянулись на двадцать — тридцать ярдов, прежде чем исчезали в песке, в одном месте почти вертикально торчал телеграфный столб. Вскоре после этого Мэтью услышал голос и посмотрел от линии волны. Там стоял человек и махал рукой, привлекая их внимание.

Мэтью увидел, что это мужчина высокого роста и мощного телосложения, необыкновенно проворный и крепкий для своего веса. Он спросил:

— Куда вы идете?

— На восток, — лаконично ответил Мэтью.

Мужчина кивнул. Вблизи он выглядел дружелюбно настроенным, и ничего угрожающего в его манерах не было. Он указал на ружье.

— Заряжено?

— Оба ствола.

— Поднявший меч от меча и погибнет. Евангелие от Матфея, глава 26, стих 52. Не хотите ли поесть перед тем, как идти на восток?

Мэтью опустил ружье, но палец его по-прежнему лежал на спусковом крючке. Он сказал:

— Вы очень добры.

— Я люблю компанию. Нельзя восхвалять Господа, не восхищаясь его созданиями, а человек — венец его творения. Бог создал человека по своему образу и подобию. Мальчик как будто замерз. Ему нужно посидеть у огня, согреться.

— Да, — согласился Мэтью. — Нам обоим это не помешает.

— Тогда пойдемте. Идите за мной.

Он пошел широким шагом, изредка останавливаясь и подбадривая их, когда они спотыкались на обломках кирпича и известки. Развалины выглядели плоскими, но когда они немного углубились в них, то увидели немало пригорков и продольных углублений, вероятно, на месте проездов. Идти им пришлось около десяти минут. Они подошли к площадке, где хаос разрушений был частично ликвидирован. Здесь на протяжении двадцати пяти ярдов площадка была вымощена кирпичами и плоскими обломками, в центре ее стоял дом.

Размером примерно двенадцать футов на восемь и семь или восемь футов высотой, он был грубо, но прочно сколочен из досок. Плоская крыша имела небольшой наклон в одну сторону, на конце ее виднелась небольшая пирамида, на которой стоял деревянный крест в несколько футов. Пирамида была выложена кусками битого стекла. В углу крыши из нее выступала труба, из которой поднимался дым. Рыжеволосый мужчина подошел к дому и распахнул дверь.

— Входите, друзья, — сказал он.

Внутри было не темно, как ожидал Мэтью; стены, которые он видел, не имели окон, но в противоположной стене дома было проделано окно, затянутое не стеклом, а полупрозрачной пластмассой. Окно было закрыто, но видно было, что его можно открыть. В помещении было темно и остро пахло древесным дымом. Этот запах исходил от отпиленного куска балки, лежавшего на самом верху. Впрочем, Мэтью заметил, что основным топливом служил уголь. Уголь был навален в углу, рядом лежала груда поленьев. Огонь горел в печи. Это была садовая мусоросжигательная печь, помятая, но в целом сохранившая свою форму. Она стояла на металлической плите, куда падали угольки. Наверху был устроен металлический кожух, переходивший в трубу. Сама труба изготовлена из консервных банок со срезанными крышками, их концы тщательно подогнаны друг к другу. Труба отводила большую часть дыма, но, конечно, не весь.

К стене, противоположной окну, приделаны полки, на одной из них лежали инструменты, очевидно, использовавшиеся при изготовлении печи и трубы: клещи, молотки, гвозди и так далее. Ими же была изготовлена мебель. Она состояла из низкой кровати, непрочного на вид стола, двух стульев и там, где снаружи на крыше возвышалась пирамида, — нескольких ступенек и алтаря. Кровать представляла собой проволочную сетку, стоявшую на четырех деревянных брусках, заправленную по-армейски одеялами. Алтарь был накрыт тканью, на которой алым и золотым цветом были вышиты какие-то сцены. Самодельная лампада висела на цепи, в ней горела свеча за обломком красного стекла.

— Садитесь, — сказал хозяин. — Сейчас поставлю кастрюлю, и мы немного посидим. — Он снял с большой кастрюли доску и поставил кастрюлю на огонь. Заглянув в нее критически, взял с полки несколько консервных банок: тушеное мясо, морковь, картошка — быстро открыл их и вылил в кастрюлю. Потом добавил воды из пластиковой канистры.

— Как у вас с продовольствием? — спросил Мэтью.

— Хорошо. Тут неподалеку есть место, где раньше был оптовый склад. Я далеко не хожу.

— А соперничество?

— Соперничество?

— Со стороны других.

Он покачал своими рыжими локонами; волосы у него были длинные, но чистые и хорошо расчесанные.

— Это одинокая местность. У меня бывает мало гостей. Я приветствую всех приходящих. Пищу приношу, когда нужно. И уголь. Я знаю место, где его много. Старый топливный двор. Там было полно угля, когда всемогущий назначил время.

— Вода?

— И она тоже есть. Господь заботится о своих слугах. В пяти минутах ходьбы, там, где был Вулворт, из земли пробивается родник.

— Воду можно пить?

— Вы думаете о телах? Я тоже думал об этом, но это было проявлением слабости в вере. То, что посеяно в разврате, взойдет в чистоте. Первое послание к коринфянам, стих 15. Если Господь сохранил человека в день бледного коня, должен ли этот человек бояться зла? Конечно, так было вначале. Теперь я кипячу воду перед питьем. Господь сделал свое дело, но он ожидает, что и мы свое сделаем.

— Значит, вы жили здесь раньше?

— Да, — спокойно ответил он. — Я жил здесь — немного жил, немного работал, немного грешил. Имел жену, пока она меня не оставила. Примерно с год назад. Вернулся с работы, потея от жары, а дом холодный и пустой. Она взяла с собой детей. Они уехали к ее матери в Мэйдстоун, и там, я думаю, их всех взял Господь. Благословенны умершие в Господе.

— Вы не знаете, как там дальше, на востоке? — спросил Мэтью.

— Нет, брат, и не хочу знать. Знаю только, что он придет оттуда.

— Кто?

— Воскресший Господь. Он придет с востока, как день после ночи. Поэтому я жду. Сначала я думал пойти ему навстречу, но потом увидел сон, и Господь сказал: «Благословенны те, что ждут». Он собирает свои стада, и овца должна ждать прихода пастыря. — Он заглянул в кастрюлю и помешал ложкой. — Уже скоро, друг. Но еду нужно кипятить каждый день заново. Иначе рискуешь отравиться. У вас есть вера, брат?

— Нет, — ответил Мэтью. — Не могу сказать, что есть.

— Время не ждет. Когда пастырь соберет своих овец, все закончится. — Он подошел к Билли, сидевшему на краю постели, сел рядом с ним и взял его за руку. Гораздо более мягким голосом он спросил: — Как твое имя, дитя?

— Билли.

Голос мальчика звучал смущенно, но не испуганно. Что-то в этом человеке внушало доверие.

— Ну, Билли, и ты веришь в Господа?

Билли взглянул на него и медленно, очень медленно кивнул.

Человек весело сказал:

— Отлично! Не для Господа, а для тебя. Придет время, когда мы будем гулять по небесным лугам, а вдали будет хрустальная гора, а на вершине горы золотой дворец, украшенный рубинами и бриллиантами, и царь небесный будет сидеть на серебряном троне. И все твои старые друзья будут с тобой, а ангелы запоют, как соловьи, и к тебе подойдет прекраснейшая леди. — Он слегка шлепнул мальчика по щеке. — Придет такое время, и скоро. Ищи Господа на своем пути, а когда увидишь, подбеги к нему и скажи: «Боже, это я!» И когда он вознесет тебя, скажи: «А это мой друг, у которого нет веры, но он заботился обо мне, когда проскакал бледный конь, а всадника на нем звали Смерть».

Он выпрямился и пошел к огню.

— Почти готово. Нужно добавить перцу. — Он взял с полки баночку перца и всыпал в кастрюлю.

Потом разложил варево на пластиковые тарелки, ярко-красную и ярко-желтую, и смотрел, улыбаясь, как они ели.

— Надо бы хлеба, — сказал он. — Толстый ломоть белого хлеба, чтобы подобрать подливку. А так придется ее выпить. Ешь, Билли. Тебе нужно подкрепиться. — Он неожиданно повернулся к Мэтью: — Значит, вы ищете не Господа, брат. А что же тогда?

— Дочь, — ответил Мэтью. — Она была в Сассексе, когда это произошло.

Хозяин покачал головой.

— Если бы вы взмолились и ждали, Господь привел бы ее к вам.

Он добавил им еще похлебки, а потом достал банку с конфетами. Мэтью много лет не ел сладостей, но сейчас поел немного, а рыжеволосый набил карманы Билли конфетами. Он также настоял на том, чтобы они взяли с собой еды, буквально опустошив свои полки. Мэтью отказывался, но он сказал:

— Все принадлежит Господу. И я могу еще добыть сколько угодно. Нужно лишь выкапывать и приносить, а мне нечего делать со своим временем, только работать, ждать и молиться. Если вы отдохнули, согрелись и наелись, я думаю, вы захотите идти. Я пойду с вами до того места, где мы встретились.

Когда они шли, он разумно толковал об обычных вещах. Только когда они подошли к линии волны, он вдруг замолчал и после паузы сказал:

— Я буду молиться за вас, друг.

Мэтью ответил:

— Спасибо. И спасибо за еду.

— Не хлебом единым жив человек. — Он вдруг улыбнулся. — Или консервированным мясом, выкопанным из земли. Желаю вам удачи.

— И вам тоже.

— Господь сохранит. — Он взглянул вниз, на пустоту морского дна. — Небо и земля смешались. И моря не стало.

15

На ночь они не нашли убежища, но дождь прекратился, и одежда на них высохла. Они лежали, завернувшись в одеяла, и Мэтью прижимал к себе Билли. Мальчик вначале дрожал, а позже, когда Мэтью проснулся, он увидел, что Билли снова дрожит. Ночь была сухой, но прохладной. Мэтью негромко заговорил, но, не получив ответа, заключил, что мальчик дрожит во сне. Когда они найдут Джейн, все будет проще. Он займется устройством постоянного жилища, как у рыжеволосого отшельника. Он не очень умелый мастеровой, но справится. А Джейн будет присматривать за Билли: она всегда умела обращаться с детьми. Конечно, будут свои трудности, но здесь, в темноте часа, который обычно был временем неуверенности и отчаяния, Мэтью чувствовал уверенность и оптимизм. Они найдут Джейн, и все будет в порядке. Он подумал об Эйприл, и на мгновение его оптимизм съежился и отпрянул, но Мэтью запретил себе думать о ней. Они найдут Джейн, и все будет хорошо. Он снова уснул, уверенный в этом.

Утром Билли сказал, что не хочет есть, когда Мэтью дал ему еду. Она была не очень аппетитна — холодное тушеное мясо, и Мэтью сказал:

— Позже постараемся развести костер. — Облака стояли высоко, и меж ними просвечивало ясное небо. Можно было ожидать солнца. — Но мы не сможем идти, если ты не поешь, Билли.

Мальчик кивнул:

— Тогда я попробую.

К середине дня вышло солнце, стало светло и тепло. Мэтью набрал плавника и развел огонь. Он согрел смесь концентрированного супа с мясом, а потом кофе. Билли не хотел есть, но по настоянию Мэтью немного поел. Он жался к костру, хотя светило солнце, и грел руки. Вероятно, слегка простудился, подумал Мэтью. Ему бы отдохнуть в тепле. Он подумал о возвращении в хижину отшельника, но отказался от этой мысли. Осталось не более сорока миль. Завтра вечером, в крайнем случае послезавтра, они будут на месте.

Но на следующее утро идти стало трудно. Вначале просто стало больше трещин и расселин, к которым они привыкли. Их становилось все больше и больше, они делались глубже и разнообразнее, пересекались с новыми холмами земли и скал. Все свидетельствовало об огромном давлении. В одном месте из земли торчал кузов спортивного автомобиля, его передняя часть была зажата скалами. На переднем сиденье виднелись останки двух человек: один в прогнившем фраке, другой — с черепом, на котором держались длинные желтые волосы, в поблекшем красном шелке вечернего платья. Автомобиль и его обитатели явно находились под водой. Очевидно, вначале они попали в землетрясение, а затем их захватила большая волна.

В земле были зажаты и другие предметы, настолько прочно зажаты, что волна не смогла их смыть. Деревянные балки, часть металлической решетки, половина гаражной двери, прогнутая телеантенна, табличка с надписью «Шекспир-роуд». Мэтью догадался, что это часть городской улицы. Литлхэмптон? А может, Вортинг. Нелегко было определять расстояние в пути. Билли брел рядом, почти не разговаривая. Он выглядел усталым, и Мэтью вынужден был часто останавливаться.

Вскоре они подошли к месту еще большего сдвига. Здесь тянулась гряда земли и камня, казавшаяся бесконечной. Обойти эту гряду было невозможно, пришлось перебираться через нее. Даже для Мэтью это оказалось нелегко, а Билли все время скользил и падал. Они поднялись более чем на сто футов и смогли оглянуться на пустыню, по которой пришли. Виднелось и дно пролива, а на расстоянии — холм, в котором Мэтью узнал один из островов Квинз.

Он указал на него Билли, и мальчик вяло кивнул. Мэтью спросил:

— У тебя остались еще конфеты? — Мальчик снова кивнул. — Съешь, это тебя подбодрит.

— Не хочу. Хотите, мистер Коттер?

— Нет, спасибо. Ты можешь идти?

— Да.

Билли наклонился за своим мешком, но Мэтью остановил его.

— Я понесу.

— Мне не трудно.

— Ничего. — Мэтью коснулся лба мальчика — горячий. — Я думаю, завтра мы сможем остановиться и отдохнуть как следует. — Он смотрел на сцену, голую и пустую. — Здесь мы не можем оставаться.

После хребта подъем продолжался, не очень крутой, но утомительный. Стало еще больше трещин и расселин, всюду лежали камни размером от булыжника до скалы больше человека. Выше линии волны все было опустошено. Однажды им встретилась полоска леса, на которой не осталось ни одного дерева.

Они прошли не так много, как надеялся Мэтью, но он вынужден был остановиться рано: мальчик слишком устал. Солнце низко стояло на западе. Мэтью старался разжечь костер, но не сумел. Он открыл банку сардин, но Билли ничего не ел. Мэтью закутал его в одеяло и сидел рядом, говоря обо всем, что пришло в голову, стараясь развеселить мальчика. Через некоторое время дыхание у мальчика стало ровным, он уснул.

Билли проснулся ночью с криком, Мэтью тоже проснулся. Мальчик снова дрожал, причем гораздо сильнее.

Мэтью спросил:

— Что с тобой, Билли?

— Я хочу домой. — Он всхлипывал. — Я не люблю деревья. — Мальчик бредил.

Мэтью сказал:

— Здесь нет никаких деревьев, Билли. Не бойся.

— Деревья все сломаны... Я замерз. У меня замерзли ноги.

— Завтра мы найдем тебе теплое место, теплое удобное место. — Мэтью прижал к себе маленькое тело. — Постарайся уснуть, Билли.

Наконец мальчик задремал. Мэтью некоторое время лежал без сна, думая об окружавших их разрушениях. Тут внутреннее напряжение земли было самым сильным. Но завтра они минуют этот район. Идти станет легче. К вечеру, может, даже раньше они доберутся до цели. После этого... Он не просто успокаивал мальчика. После этого все будет хорошо.

Утром ему показалось, что мальчику лучше: он стал разговорчивее и немного поел. Но Мэтью не разрешил ему надеть мешок и понес его сам за лямки. Оптимизм его оправдывался: идти было легче. Трещин и сдвигов стало меньше, и им попалась рощица, где устояли почти все деревья. Вскоре после выхода они обогнули развалины зданий. Мэтью решил, что это пригороды Брайтона. Теперь они проходили по долине с холмами по обеим сторонам. Местность смутно напомнила Мэтью Дацис. На дальнем склоне он увидел движущуюся белую точку и узнал в ней пасущуюся овцу. Это увеличило его надежду. Может, действительно за плохими землями начнутся хорошие.

Билли спотыкался, и Мэтью подбадривал его, рассказывая о том, что будет дальше. Дальше разрушений все меньше. Они найдут место в холмах, окруженное деревьями — не обломанными, а такими, на которые можно взбираться, — и построят дом, как у отшельника, только больший, и там с ними будет Джейн, и она позаботится о Билли, пока он не вырастет, а потом она будет заботиться о них обоих, а зимой они пойдут на охоту и будут рубить дрова, а в доме будет тепло. Билли что-то сказал, но Мэтью не расслышал.

— Что, Билли?

— Скоро?

— Уже скоро. Держись, старина. Когда придем, сможешь как следует отдохнуть. А хочешь немного передохнуть сейчас?

— Нет. — Мальчик покачал головой. — Лучше идемте, мистер Коттер.

Линия горизонта приближалась. Они направлялись к вершине длинного-длинного хребта. Спускаться будет легче, и они издалека смогут увидеть холмы — свою цель. А когда холмы будут на виду, станет еще легче.

Мэтью сказал Билли:

— На вершине отдохнем, и я покажу тебе это место.

Вышло солнце, и последние двести—триста мы ярдов они купались в его свете. Когда Мэтью увидел то, что лежит за хребтом, за крутым резким спуском, вначале его глаза уловили сияние, источника которого он не понял. Он стоял, смотрел, и постепенно пришло понимание.

Это было исчезнувшее море. Ярко-голубое, блестящее на солнце, оно тянулось до горизонта. Нигде ни следа островка.

Мэтью стоял, почти ничего не видя. Он вспоминал.

В такой же летний день, вскоре после переезда на остров, они поднялись на утесы, на Икарт, и перед ними открылась такая же широта, серебряная голубизна, и они были далеки от всего, только они вдвоем, маленькая золотоволосая фигурка рядом с ним в алом платье с яркой лентой в волосах, она затаила дыхание от удивления и восторга, и он понял, что нашел свой мир, что наступил конец раздражению и перебранкам, что здесь есть все условия для счастья.

Он услышал голос Эйприл:

— Я презираю вас как мужчину. А как человеку я вам почти завидую. Ничего для вас не изменилось, кроме сценария.

Теперь он смог с нею спорить.

— Она достойна была поисков. Ради нее можно было отказаться от всего.

— Вы уже потеряли ее, — продолжал голос Эйприл. — Вы потеряли ее, когда она ушла от вас, выросла и ушла, чтобы жить своей жизнью. Вы искали свою фантазию.

— Живого человека, а не фантазию. Она могла выжить. Была вероятность.

— Никаких шансов, и вы это знали. Вы искали фантазию, потому что не смогли смотреть в глаза жизни.

— У вас было по-другому. Вы похоронили своих мертвых.

— Да. — В ее голосе звучали теплота, и горечь, и сила. — Я похоронила моих мертвых.

Он отвернулся от нее, от ее обвинений, от ее боли к морю прошлого. Ночью прошел дождь — он вспомнил, что слышал, как он стучал в окна отеля, — а утро было чистым и свежим, бриллиантово-ярким. Джейн бежала перед ним, подбирая цветы. Он шел за нею. Он поселится здесь, думал Мэтью, и она будет с ним несколько лет, а потом воспоминания о ней...

Голос Эйприл:

— Вы опять охотитесь за фантазией. И тогда тоже.

— Реальность, а не фантазия. Я знал, что потеряю ее. Я был готов к этому.

— А потом?

— Потом? Ничего.

— Именно поэтому я вас презираю.

Море, подумал он, захватывающая сердце красота, удовлетворение. Стоять и смотреть на него бесконечно, а рядом маленькая молчаливая фигура. Хотя тело ее лежит далеко под спокойной водой, присутствие ее стало реальным...

Он снова посмотрел вперед, пришел в себя и понял. Не Джейн, а Билли в недоумении смотрит на море, по-прежнему дрожа на теплом солнце. Мэтью привел свою фантазию на рваный край земли и увидел, как она рухнула вниз. Но это уже не важно. Важно то, что мальчик болен.

16

Дорога вела вниз, и солнце грело их, но в этот день они сумели пройти назад совсем немного. Билли устал, он жаловался на боль в ногах. Они останавливались на отдых через все более короткие промежутки, и наконец, на заходе, Мэтью решил, что мальчику нужно поспать. Поблизости виднелась большая груда развалин. Усадив мальчика поудобнее, Мэтью отправился туда на поиски. Похоже, что тут еще никого не было.

Но по мере того, как проходило время, находки становились все менее и менее пригодными. Одеяла с ярлыком Харродса, но влажные и грязные, покрытые на сгибах плесенью. Если их выстирать и высушить, они еще могут пригодиться. Сейчас же они бесполезны. Груда банок, но большинство лопнуло и проржавело, этикетки от влаги сгнили, и прочесть их невозможно. Запах смерти уступил место влажному запаху гнили. Смерть по-прежнему была видна, но уже чистотой костей. Скелет в изорванной грязной сгнившей красной пижаме, вжатый в обломки кровати. Мэтью уже отвернулся, но тут разглядел блеск металла: пальцы, с которых исчезла плоть, сжимали зажигалку.

Вначале он не хотел брать ее: горючее испарилось, и найти новое вряд ли возможно. Но рука двинулась, слегка переместилась от его неосторожного движения, зажигалка выскользнула из пальцев и упала. Мэтью подобрал ее и увидел, что это не обычная бензиновая зажигалка, а сложное устройство на бутане. Он повернул колесико, и вспыхнуло пламя. Мэтью быстро погасил его: слишком большая ценность.

После этого он перестал рыться в развалинах, набрал обломков дерева и развел костер около того места, где лежал Билли. Мальчик спал, но потом проснулся и смотрел на языки пламени. Мэтью порылся в мешке и достал банку с фазаном в винном соусе, найденную на Олдерни. Он подумал, что это возбудит аппетит мальчика, и принялся подогревать еду. В то же время он разговаривал с Билли, говорил, что скоро они доберутся до дома отшельника, где он сможет хорошо отдохнуть. А когда он выздоровеет, они вернутся к гроту и будут жить с Лоуренсом и остальными. Ему ведь хочется этого?

Мальчик кивнул. Костер озарял его бледное лицо. Он спросил:

— Джейн умерла, мистер Коттер?

— Да.

— Жаль. — Это была правда: мальчик жалел его.

Мэтью почувствовал стыд и гнев. Он сказал:

— Ничего. Ужин готов. Посмотрим, сколько ты съешь в этот раз.

Билли съел немного, и только по настойчивым просьбам Мэтью. Позже он задремал и проснулся в кошмаре. Земля двигалась, дом обрушивался на него. Он был в ловушке и не мог двигаться. Он позвал маму, и Мэтью взял его на руки и стал успокаивать.

— Папа, — сказал Билли, — папа, все хорошо?

— Все хорошо. Спи. Не о чем беспокоиться.

Дров было много, но большинство обломков слишком велики. Впрочем, Мэтью сумел достаточно наломать руками, чтобы поддерживать костер всю ночь. Билли вначале спал плохо, но потом крепко уснул. Мэтью дремал рядом с ним. Проснувшись на рассвете, он снова занялся костром. Билли продолжал спать и проснулся, когда солнце было уже высоко.

Мальчик не может идти, Мэтью понимал это. С другой стороны, здесь нет ни убежища, ни возможности заботиться о нем. Погода пока стоит хорошая, но сколько она продержится? Если снова пойдут дожди... А до дома отшельника не больше дня пути. Билли можно будет оставить там, а Мэтью вернется к гроту. У Лоуренса не только медицинские знания и опыт, у него есть и медикаменты. Так будет разумнее всего.

Билли был апатичен и не хотел двигаться, но Мэтью убедил его. Когда они пошли, мальчику как будто стало получше, но он был очень слаб, и Мэтью как можно чаще давал ему возможность отдохнуть. В середине дня он устроил большой привал, разжег костер и подогрел суп. Пока суп грелся, Билли говорил, что он хорошо пахнет, но после одной-двух ложек отвернулся. Снова поднялась высокая температура, лоб мальчика обжигал при прикосновении.

За день они прошли мало, но к вечеру им повезло. Они шли вдоль линии волны, и Мэтью увидел в поле развалины и заинтересовавший его желтый прямоугольник. Он подошел ближе и подозвал к себе Билли. Развалины раньше были фермой, поблизости обрушился сарай, в котором находились прессованные тюки соломы. Некоторые из них еще были перевязаны, но большинство развалилось. Тут легко приготовить для Билли удобную постель, и соломой можно топить костер. Устроив все это, Мэтью отправился в ближайшее поле и обнаружил картошку. Ее уже выкапывали, но не сплошь, и он нашел в земле немало клубней.

Вернувшись, он сказал Билли:

— Мы ее испечем. Как ты думаешь, она тебе понравится?

Билли кивнул.

— Как ты себя чувствуешь?

Мальчик закашлялся. Он кашлял весь день глубоким лающим кашлем, но не жаловался.

— Хорошо.

Билли съел несколько печеных картофелин и немного мяса, и Мэтью решил, что мальчику действительно лучше. Он и для себя устроил постель из соломы и уснул. Его разбудил кашель

Билли. Подойдя к мальчику, Мэтью увидел, что он мечется в жару. Мэтью долго сидел с ним рядом, пока тот не успокоился и не уснул. Тогда он сам вернулся к своей соломенной постели и проснулся облачным, но ярким утром. Уже не меньше часа, как взошло солнце.

Рядом с картофельным полем Мэтью увидел ручей. Сейчас он пошел к нему умыться и наполнить свежей водой канистру. Он взял с собой и пустой мешок Билли и наложил в него картошки. Хотя болезнь Билли и задерживала их, Мэтью рассчитывал еще сегодня добраться до дома отшельника. Картошка будет небольшим вознаграждением за гостеприимство. Выбрав лучшие клубни и умывшись, он, посвистывая, вернулся к месту, где он оставил Билли. Обогнув развалины сарая, он перестал свистеть. Билли по-прежнему здесь, но он не один. С ним полдюжины мужчин и две оборванные женщины.

И один из мужчин держит его ружье.

Это был смуглый лохматый человек, на дюйм или два выше шести футов, одетый в черную кожаную куртку. У него был вид предводителя; помимо того, что он держал ружье, на груди у него висел полевой бинокль. Лицо его пересекал шрам, лишь частично прикрытый черной бородой. Шрам недавний, получен либо во время землетрясения, либо в последующих событиях.

Он сказал низким голосом северянина:

— Вернулся. Есть другие, кроме тебя и этого парня?

Не было смысла лгать. Мэтью сказал:

— Нет.

— Похоже на правду. — Он поднял ружье и прицелился куда-то вдаль. — Полезная штука. Где взял?

— Нашел.

— И коробку с патронами. Очень хорошо. Только одну коробку? Больше никуда не засунул?

— Нет. Видите, мы путешествуем.

— Пожалуй, так. — Он опустил ружье и посмотрел на Билли, который все еще лежал на соломе. — Малыш неплохой. — Он наклонился и ткнул грязным кулаком в щеку Билли. — Как тебя зовут?

— Билли.

— Хорошо. Хочешь пойти с нами, Билли?

Мэтью сказал:

— Он болен. Я веду его куда-нибудь, где о нем смогут позаботиться, — к доктору.

Человек встал и, почти не глядя, ударил Мэтью по лицу тыльной стороной ладони.

— Я скажу, когда тебе говорить. Я спрашиваю мальчишку, а не тебя. — Он рассмеялся. — Будешь делать, что говорят. — Повернулся к Билли. — Ну так как, пойдешь с нами?

Билли закашлялся. Успокоившись, он тихо сказал:

— Нет, спасибо. Я хочу остаться с мистером Коттером.

Мужчина улыбался, но теперь улыбка исчезла с его лица. Он сказал:

— Ты тоже будешь делать, что говорят. Вставай!

Мэтью сказал:

— Он болен.

Мужчина медленно повернулся и сделал шаг в сторону Мэтью. Он сказал:

— Я тебя предупреждал? Ты, должно быть, глупее, чем выглядишь.

— Не знаю, что это, — сказал Мэтью, — но остальные двое умерли. Нас было четверо. Сначала кашель, потом прыщи и язвы. — Он отчаянно пытался вспомнить симптомы чумы. — И припухлость в паху.

Группа быстро попятилась. Предводитель держался лучше. Он смотрел на Мэтью, взвешивая в руке ружье.

— Оружие не переносит заразу, — сказал он, — а если и переносит, я рискну. Банки тоже. — Он повернулся к остальным. — Вывалите все из его мешка и заберите консервы. Пошевеливайтесь!

Все стояли. Мужчина некоторое время смотрел на них, потом переломил ружье и заглянул в стволы.

— Оба заряжены, — сказал он. — Один патрон могу потратить, даже два. Берите и пойдем.

На этот раз они повиновались. Мэтью подумал, что, должно быть, в прошлом он показал, что его угрозы не остаются на словах. Это был сильный человек: синяки у некоторых мужчин и у обеих женщин служили доказательством его силы. Мэтью подумал о ружье. Конечно, сила предводителя увеличится. Но если один из остальных доберется до ружья... А ведь предводитель тоже должен спать.

Когда один из мужчин достал коробку с патронами, предводитель сказал:

— Это возьму я. — С полдюжины патронов он сунул в карман куртки, а коробку с остальными передал одной из женщин: — Смотри не потеряй. Ну ладно. Можем идти.

Они двинулись. Рослый мужчина поглядел на Мэтью и слегка покачал головой.

— Может, ты врешь, — сказал он, — но рисковать не стоит. И мальчишка действительно болен. Но на случай, если ты врешь...

Он ударил его без предупреждения с исключительной силой и ловкостью. Удар пришелся в челюсть, Мэтью перевернулся и грохнулся оземь. Лежа полуоглушенный, он догадался, что мужчина в прошлом был профессиональным боксером. Но рассуждать долго ему не пришлось. Ботинок жестоко ударил его в бок, заставив закричать от боли. Он согнулся пополам. Послышались удаляющиеся шаги. Мэтью поднял голову. Билли испуганно смотрел на него.

Мэтью с трудом сказал:

— Все в порядке. Он меня не поранил. — И он попытался улыбнуться. — Помогла твоя болезнь. Нам лучше тоже уходить.

Им оставили оба мешка, одеяло, запасную одежду, нож и эмалированную кружку. В кармане у Мэтью оставалась бутановая зажигалка. Он положил все в большой рюкзак и понес его за лямки. Нести нетрудно, а если мальчик устанет, можно будет посадить его на спину. Мэтью был намерен сегодня же добраться до дома отшельника. Зная, что Билли в хороших руках, он мог бы быстро добраться до грота. Лоуренс вернется с ним и вылечит мальчика. Через несколько дней все снова будет хорошо. Жаль ружья, но в конце концов полезность его ограниченна. Они приготовят луки, как он предлагал, и нарежут стрел. Грубая сила на первых порах может побеждать, но разум и изобретательность со временем все равно возьмут верх.

Оптимизм и уверенность помогали ему идти и поддерживать дух Билли. Они пойдут с Лоуренсом и остальными в горы, там меньше людей и, вероятно, больше животных. Там они найдут место, где смогут жить в мире и покое. Он объяснил мальчику насчет луков и стрел. Они их смогут использовать для защиты, если кто-нибудь на них нападет, и для охоты. Должны выжить свиньи: эти коротконогие животные меньше всего страдают при толчках. В диком состоянии, не имея естественных противников, кроме человека, конечно, они быстро размножаются.

Билли слушал, но почти не говорил. Мэтью временами испытывал неуверенность, вспомнив, что он говорил о Джейн, доме в лесу и безопасности. Но тут большая разница, уверял он себя. То было фантазией, основанной лишь на его отказе признать вероятность смерти Джейн. А сейчас он говорит о практических предложениях, связанных с реальными людьми. Конечно, могут возникнуть препятствия, но сама идея вполне реальна.

Утром казалось, что будет светить солнце: облака лишь частично закрывали небо и стояли высоко. Но вот они опустились, стали толще, с юго-запада подул ветер. В воздухе запахло дождем. В полдень Мэтью остановился и развел костер. Бандиты оставили картошку, то ли потому, что боялись заразы, то ли считали, что не стоит с ней возиться. Вокруг, вероятно, много картофельных полей, и женщины всегда могут накопать свежей. Мэтью испек несколько самых мелких. Он не хотел тратить времени, поэтому внутри они были твердыми. Но Билли, во всяком случае, ничего не будет есть. Мэтью поел немного, чтобы унять голод и поддержать силы, и они снова пошли. Ему потребовалось немало сил: через полчаса Билли начал падать, и его пришлось нести.

Но если не случится ничего неожиданного, к ночи они доберутся до хижины. Мэтью узнавал местность: моток проржавевшей проволоки, бочка из-под нефти, полупогруженная в песок, остроконечная скала в ста ярдах от берега. До хижины не больше часа пути. Мэтью подумал, что солнце садится: облака на западе светились, но еще некоторое время будет светло. Билли, шедший рядом, снова начал спотыкаться, потом упал.

Мэтью пригнулся у обломка скалы.

— Давай, — сказал он. — Полезай на меня. Осталось немного.

Последний участок пути — по развалинам — оказался самым трудным: уже стемнело, и можно было ежеминутно споткнуться. Мэтью решил, что заблудился, и хотел уже позвать отшельника, когда увидел в полутьме ровную площадку. Он пошел к ней и понял, что это двор, окружавший дом отшельника. Здесь должен быть и сам дом... Мэтью увидел дом и застыл. Вид моря, преградившего путь, тоже был неожиданным и означал крушение его собственной иллюзии. Но потом было пробуждение, начало новой надежды. Новый удар был свирепым. Дом сгорел: почерневшие балки торчали без крыши под открытым небом.

17

Это случилось не сегодня: обгоревшее дерево на ощупь было холодным. Внутри виднелись следы буйного разгрома. Сначала разбит алтарь, подумал Мэтью: на полу лежали обломки лампады. Кожух сбит, печь перевернута; очевидно, именно из-за этого начался пожар. Но огонь не полностью поглотил дом. Стена с окном и угол стены у алтаря устояли и поддерживали часть крыши. Должно быть, огонь погас от дождя.

Мэтью поискал тело отшельника. Его не было ни в доме, ни во дворе. Неужели он сам совершил все это в припадке религиозного безумия, перед тем как уйти в какое-нибудь паломничество? Но он разбил и алтарь. Восстав против Бога, признав отчаяние и поражение? Возможно, но маловероятно. Разрушения несут на себе следы обычной человеческой злобы, а не религиозного извращения.

Кровать была на месте, у относительно уцелевшей стены. Она была обожжена, огонь добрался и до пластикового покрытия окна. Но лежать на кровати можно. Мэтью подобрал одеяла и увидел, что они почти целы, только сильно пахнут дымом. Билли, тихий и испуганный, стоял рядом.

Мэтью сказал:

— Ложись в постель. Я помогу тебе раздеться.

— Это те, которые отобрали ружье? — спросил Билли.

— Может быть. Не знаю. Их здесь теперь нет, это точно. А завтра мы найдем Лоуренса. Тебе нужно поспать.

Он наклонился к мальчику и снял с него ботинки. Подошвы износились и в одном месте были тонкими, как бумага. Как только они вернутся к гроту, нужно будет заняться обувью.

Закутав Билли в одеяла, он спросил:

— Ну как?

— Как на койке в корабле... где вы будете спать, мистер Коттер?

— Я найду место.

Он очень устал, но нужно еще разжечь огонь. Не оставалось ничего съедобного; большая черная кастрюля, в которой отшельник варил еду, лежала вверх дном во дворе. У Мэтью оставалась только картошка, которую он хотел поджарить. Разжигать огонь или съесть ее сырой? Хорошо, что сохранились инструменты. Рукоятка пилы обгорела, но пользоваться ею можно. Мэтью нарезал обгоревших досок.

Потом ножом наделал лучины. Это оказалось еще труднее, чем пилить, но в конце концов у него получилась небольшая груда растопки. Мэтью положил поверх щепок несколько обломков досок и после нескольких неудач зажег лучины. Пламя поднималось и опадало, и когда он уже начал отчаиваться, охватило большие куски. Когда поселимся на постоянном месте, подумал Мэтью, будем поддерживать огонь все время, зимой и летом. Ничто так не успокаивает, как вид костра.

Он сидел, глядя на огонь и греясь, пока не задремал и чуть не упал в костер. Жар разбудил его. Он взял изогнутый кожух и изогнул его еще больше, положил на пол рядом с кроватью несколько досок. Постель будет не мягкой, но это все же лучше, чем лежать на камне или кирпичах.

Мэтью достал картошку и положил новую. Билли спал, будить его не хотелось. Мэтью поел немного, а остальное отложил на будущее. Те, что лежали в кожухе, он потрогал ножом: еще не готовы. Еще минут десять. Он лег на доски и смотрел на огонь. Слышался треск дерева и тихое дыхание мальчика. Во тьме и одиночестве Мэтью заговорил с Эйприл.

— Вы были правы; я оказался глуп и невежествен, но это можно изменить. Я уже начал изменяться, учась у вас, и могу измениться еще больше. Вы лучше меня поняли жизнь, но если я подольше буду слушать вас, я тоже пойму ее.

Дождь в лицо разбудил его. Он падал часто, свистел на погасавших углях костра. Ночь была совершенно черной. Мэтью ощупью добрался до кровати Билли. Часть ее оставалась сухой, защищенная углом крыши, но дождь доставал до половины. Мэтью отыскал оба их плаща и положил поверх одеял. У изголовья кровати было место, где можно было стоять или сидеть, оставаясь относительно сухим. Мэтью скорчился там и стал ждать конца ночи. Билли заплакал в бреду. Мэтью заговорил с ним, но мальчик не слышал. Он говорил о Капитане — своей любимой собаке, решил Мэтью. Капитан потерялся, и Билли не мог найти его. Мэтью сказал, что Капитан вернется, но мальчик не унимался.

Наконец дождь стих. Вскоре после этого небо начало светлеть в предвестии рассвета.

Оставленная им картошка промокла и раскисла. Та, которую он положил в костер, предварительно еще сгорела дочерна. Даже если бы он мог позволить себе это, все равно не было никакой надежды развести костер из сырых досок. Билли снова уснул, и Мэтью вышел на разведку. Отшельник говорил, что источник его пищи недалеко, так что нужно попытаться найти его.

Он нашел его очень легко: указателем послужило тело отшельника. Вначале Мэтью увидел только его, но, подойдя ближе, понял, что здесь два тела. Они лежали вместе, пальцы отшельника сжимали горло другого человека, на теле его виднелось множество ран, в том числе сильный удар чем-то вроде топора по черепу. Общая картина была ясной, а восстанавливать подробности не было возможности. Вероятно, его застали в хижине и принудили вести к тайнику; а может, нашли его здесь, а дом подожгли потом. Несомненно, в конце он впал в ярость и задушил одного бандита, а остальные убили его. Он был чрезвычайно силен.

Бандиты унесли с собой то, что лежало на поверхности. Мэтью не пришлось много копать. Он взял четыре банки тушенки — более чем достаточно на один день, а поскольку Билли очень слаб, важно идти налегке.

Он снова посмотрел на тела. Они почти не пахли, значит, это случилось не больше двух дней назад. Под телом задушенного что-то лежало. Мэтью узнал: алтарная ткань из хижины. Вероятно, это и послужило причиной его смерти — наказание за святотатство.

Мэтью потянул ткань, и она высвободилась. Он смотрел на нее несколько мгновений. На ней были изображены три сцены, все с мучениками. Стефан под градом камней, Катерина с ее колесом, в центре Себастьян со стрелами. Мэтью накрыл тканью голову отшельника и ушел.

Билли не спал, он снова бредил. Температура у него, казалось, еще повысилась. Мэтью понимал, что не может оставить его здесь: очень важно без задержки доставить его к Лоуренсу; с другой стороны, мальчик не мог ни идти, ни даже держаться, если бы Мэтью понес его на спине. В конце концов Мэтью разорвал одно из одеял на полосы и сплел нечто вроде сетки, которая должна удерживать мальчика. Такая позиция была не очень удобной для обоих, но Мэтью надеялся что сумеет нести Билли. Мальчик опять отказался есть. Мэтью проглотил мясо из одной банки, доел влажную картошку и, усадив Билли к себе на спину, двинулся на запад.

Мальчик весил немало, в чем Мэтью убеждался с каждым пройденным ярдом. Периоды стонов и плача сменялись у него беспамятством, тогда он тяжело лежал на плече у Мэтью. Мэтью даже испугался, что Билли умер, но, повернув голову, почувствовал на щеке его легкое дыхание. Он старался погрузиться в автоматизм ходьбы, выбросив из головы все, за исключением необходимости ставить одну ногу за другой, но когда ему показалось, что он уже достиг этого автоматизма, напряжение аккумулировалось и высвободилось в виде резкой боли и приступа слабости. Нужно было отдохнуть, найти как можно более мягкое место. Тут Мэтью неуклюже опускался на колени и ложился, ощущая вес мальчика у себя на спине. У него не было сил снимать мальчика для короткой передышки.

Он опустил Билли в полдень. Они снова пересекали высохшую грязь Саутгемптонского эстуария. Мэтью сознавал, что он крайне слаб, и решил, что должен поесть, хотя голода и не чувствовал. Он открыл одну из оставшихся банок и попытался заставить Билли съесть немного мяса, но мальчик был апатичен, почти без сознания. Мэтью усадил его поудобнее и съел мясо сам. Пока он ел, вышло солнце, и Мэтью позволил себе полежать, греясь в его тепле, — несколько минут, подумал он, но тело его предало. Он не знал, сколько проспал, но солнце в небе стояло значительно ниже. Билли не спал, он смотрел на Мэтью пустым тяжелым взглядом. Мальчик кашлял, и кашель сотрясал все его тело.

Мэтью снова посадил Билли на спину и пошел. Стыдясь своей слабости, он пытался идти быстрее, но тем быстрее охватила его усталость. Он вынужден был отдохнуть и дальше идти медленнее. Время и пространство существовали теперь отдельно; противоположный берег не приближался, но солнце заметно двигалось по небу к горизонту. Мэтью понял, что сегодня им до грота не добраться.

И осознание этого сделало еще более трудной борьбу с усталостью, которая, казалось, вместе с кровью проникла во все участки тела. Каждый шаг требовал особых усилий. Каким-то образом Мэтью выбрался на берег и, немного передохнув, пошел дальше. Здесь росла трава, высокая и густая, над ней плясали бабочки. Ему хотелось лечь, погрузиться в мягкость и свежесть, но он не смог. Небольшая роща — он остановится, дойдя до нее. Добравшись туда, он снова собрался с силами. Та изгородь.. тот куст... эта груда развалин... Он шел от точки к точке, от предмета к предмету.

Когда солнце опускалось за горизонт, последние силы покинули его. На пути была сухая канава с колючей живой изгородью за ней. Мэтью упал на колени и снял лямки. Он опустил мальчика на землю и склонился к нему. Лицо Билли покрылось потом, рот был открыт, губы обсыпаны. Мэтью взял канистру, привязанную к лямке, и поднес к губам мальчика. Билли с жадностью напился. Мэтью тоже попил и лег, держа Билли в руках. Еще засветло они уснули.

Мэтью разбудил плач Билли. Была ночь, но взошла луна. Воздух теплый и свежий, небо полно звезд. Он снова напоил Билли и поговорил с ним. Уже скоро, сказал он; завтра они будут на месте. Мальчик уснул, и Мэтью смотрел на его освещенное луной лицо. Неподалеку послышалось громкое фырканье — еж ищет самку.

Он почувствовал голод и открыл одну из двух оставшихся банок с мясом. Половину он оставил для Билли, если тот захочет утром есть. Немного попил. Канистра почти опустела. При первой же возможности нужно набрать воды.

Он подумал о ручье у грота и увидел наклонившуюся к ручью Эйприл. Снова ощутил огромное одиночество и чувство поражения. Ему было предложено то, на что он не мог надеяться, а он отверг это. Он знал, поступая так, что ранит ее, но только теперь начал понимать, насколько глубоко. Все же у нее хватит сил принять рану и вылечить и себя, и его. Он был уверен в этом.

Билли спал, очевидно, спокойно. Мэтью лег рядом и позволил усталости снова овладеть собой. Оставалась последняя часть пути. Он был уверен, что дойдет.

Вскоре после выхода на следующее утро они встретили группу людей. Трое мужчин и две женщины, все молодые и относительно чистые. Когда Мэтью заметил их, они его тоже увидели; они отдыхали у развалин, в которых, судя по разложенным на траве предметам, только что копались. У них было еще одно отличие — собака. Овчарка, которая стояла рядом с одним из мужчин. Мэтью решил, что нет смысла менять направление; к тому же вес Билли делал трудной всякую мысль об отклонении от прямой линии.

Когда он был в нескольких ярдах, человек с собакой окликнул его:

— Что с мальчиком? Сломал ногу?

Мэтью остановился и стоял, слегка раскачиваясь от спазм в мышцах. Собака низко зарычала.

— Он болен.

Они молча смотрели на него, потом, потеряв интерес, отвернулись. Одна из женщин, полная, с сеткой на волосах, что-то сказала, другая рассмеялась. Только собака не сводила глаз с Мэтью и Билли; она продолжала негромко ворчать. На траве Мэтью увидел банки с сухим молоком.

Он сказал:

— Не дадите ли банку с молоком? Или отсыпьте немного. У меня только мясо, а он не может его есть. Может, выпьет молока.

Женщина, говорившая раньше, сказала:

— Джо, может быть, мы...

Мужчина с собакой оборвал ее:

— Заткнись! — Он повернулся к Мэтью: — Проваливай! У нас хватит заботы и без больных щенков.

Собака, услышав его тон, заворчала громче. Мэтью пошел. Еще какое-то время он слышал ворчание собаки и смех.

Билли слабо сказал:

— Я не хочу молока, мистер Коттер.

— Скоро придем, — сказал он. — Когда доберемся до грота, Лоуренс и Эйприл позаботятся о тебе.

— Я могу попытаться идти сам.

— Сиди. Уже скоро, Билли.

В одном месте он заблудился, но солнце помогло ему определить общее направление, и вскоре он вышел на дорогу. Это, должно быть, А-31. Но он не знал, вышел ли он на нее восточнее или западнее того места, где встретился с Эйприл и остальными. Предстояло принять решение, в какую сторону идти; снова навалилась усталость предыдущего дня, и мысль о том, что он может пойти в неверном направлении, была невыносимой. Мэтью лег на траву у края дороги. Солнце жгло, он вспотел, мышцы его болели от напряжения. Невероятно сильно хотелось продолжать лежать, но он знал, что должен подавить это желание. Грот не более чем в трех-четырех милях. Мэтью с трудом встал и с фатализмом игрока повернул на запад.

Полчаса спустя он достиг развалин деревни. Хотя грот был еще в нескольких милях к северу, он понял, что каждую минуту может увидеть кого-нибудь из них. Особенно часто виделась ему Эйприл — за полем, за теми деревьями... она должна быть здесь, он позовет ее, и она оглянется, узнает его, улыбнется.

Билли сказал:

— Я помню этот пруд.

— Я тоже. Тебе лучше Билли?

— Немного лучше.

— Мы уже близко.

И он сказал, обращаясь к Эйприл, как будто она рядом:

— Я был глупцом. Я еще не научился мудрости, но научусь. Это только начало. Помоги мне. Помоги.

Ручей журчал по-прежнему, и за ним солнце отражалось в зелени рододендронов. Мэтью миновал их и увидел грот. Он был пуст, никого не было. Конечно, ожидание было абсурдно: днем они, как обычно, ушли за добычей. К заходу вернутся.

Он уложил Билли на траву. Мэтью чувствовал невероятную усталость. И все-таки он добрался, и теперь им нужно только подождать.

18

Днем жара усилилась. Билли большую часть времени спал. Немного отдохнув, Мэтью пошел к ручью, разделся и умылся. Ему нечем было вытереться, и он сидел на солнце, пока не высох. Одежду нужно выстирать, но с этим можно подождать. На небе появились облака. Солнце скрылось, но было по-прежнему жарко. В отдалении послышался гром. Мэтью надеялся, что гроза начнется после возвращения Эйприл и остальных.

В конце дня Билли проснулся. Он вспотел, осунулся и вел себя беспокойно.

— Где они? — спросил он. — Где Лоуренс?

— Скоро вернутся.

— Как скоро?

— Скоро.

Билли жалобно сказал:

— Мне жарко.

— Сейчас принесу что-нибудь холодное.

Мэтью оторвал полосу от рубашки мальчика, как мог, выстирал ее в ручье и принес, мокрую, назад. Он вытер Билли лицо и шею. Мальчик немного успокоился. Но у него снова поднялась температура. Когда придет Лоуренс... Мэтью напрягал глаза, вглядываясь в кусты и отдаленные деревья. Солнце давно зашло, вечер превращался в ночь. Он понял, что сегодня они не вернутся.

Тут же он отыскал объяснение. Поблизости становилось все труднее и труднее находить добычу. Должно быть, они уходят от грота так далеко, что не могут вернуться в тот же день. Они вернутся завтра. Он сказал об этом Билли, и мальчик апатично посмотрел на него.

— Мы ведь сумеем переночевать еще один раз, Билли?

Мальчик слегка кивнул.

— Как ты себя чувствуешь, сынок?

— Хорошо.

Но голос его звучал еле слышно. На мгновение Мэтью охватил гнев: почему не возвращается Лоуренс. Но он тут же понял неразумность этого чувства и подавил его. Он вспомнил о запасах в старом колодце. Велев Билли спокойно лежать, он пошел туда. Подходя к колодцу, он испытал предчувствие разочарования. Но вот он нащупал доски и снял их. Перед ним чернел вход в колодец. Мэтью опустил руку и нащупал металлический прут. Веревка на месте. Потянув за нее, он с облегчением почувствовал тяжесть.

Он вытащил сетку, достал из нее несколько банок и опустил остальное назад. Потом вернулся туда, где оставил Билли. Мальчик сидел, беспокойно ожидая его возвращения.

Мэтью сказал:

— Я нашел молоко. Хочешь немного?

— Я думал, вы ушли.

— Ненадолго. Я говорил тебе. Вот. Я пробил дырки в крышке.

— Вы не уйдете, мистер Коттер?

Мэтью покачал головой:

— Нет, не уйду.

Ночью началась гроза с проливным дождем, громом и молниями. Мэтью пытался защитить Билли, уложив его под навесом грота и укутав в свой плащ. Сам он промок, но почти не замечал этого, беспокоясь о мальчике. Лихорадка дергала маленькое тело так же яростно, как гроза; Билли метался, звал родителей и собаку Капитана. Мэтью сидел рядом, разговаривал с ним, пытался успокоить. Он чувствовал отчаяние от неспособности помочь. Мальчик опасно болен, может быть, он умирает. Какая горькая ирония, если после таких усилий он умрет до возвращения Лоуренса!

Он держал руку мальчика.

— Крепись, Билли. — Пальцы сухие и горячие в его холодной влажной ладони. — Ты должен держаться.

К утру гроза ушла на запад, дождь прекратился, ветер стих. Но положение мальчика не улучшилось. Температура не спадала, движения стали слабее. Голос тоже ослаб. Билли, казалось, временами разговаривал с ним и с родителями, но как-то странно, как будто и он, и родители были далеко. Однако когда Мэтью отнял руку, мальчик заплакал и успокоился, лишь когда Мэтью снова взял его за руку.

Замерзший и промокший, Мэтью сидел, пока не прояснилось небо. Обычная летняя гроза, сильная, но кратковременная, и вот небо над гротом снова приобрело ясный голубой цвет. Солнце осветило вершины деревьев, когда Билли уснул и Мэтью смог отпустить его руку. Мэтью не знал, когда можно ожидать Эйприл и остальных. К тому же их могла задержать гроза. Конечно, нужны знания Лоуренса, но, может быть, пока удастся воспользоваться какими-нибудь медикаментами.

На пути к погребу он миновал кусты роз. Вот четыре могилы с деревянными крестами, на каждой могиле роза, увядшая, побитая дождем. Мэтью постоял немного, глядя на них, потом пошел дальше, к развалинам дома.

Начало — уборка обломков и мусора — оказалось нетрудным, но заняло много времени. Мэтью не видел грот, но если Билли позовет, он услышит. Он добрался до перевернутого стола, ухватился, попытался поднять. Стол не двинулся.

Пытаясь снова, он вспомнил, что обычно эту работу выполняли трое: Джордж, Чарли и Арчи. Если бы найти рычаг... Мэтью согнулся, напрягаясь изо всех сил, и чуть-чуть приподнял стол, но не настолько, чтобы просунуть что-нибудь. Он выпрямился, вытирая пот со лба. Наверно, все же придется подождать прихода остальных.

В последней попытке он попробовал сдвинуть стол. Расчистив место с одной стороны, он подошел к другой. Упираясь в путаницу балок и камня, приставив ноги к краю стола, он нажал. В первый раз ничего не произошло. Однако во второй раз стол двинулся на один-два дюйма. Мэтью переменил позицию и снова нажал. На этот раз ему удалось отодвинуть стол на шесть дюймов. Обнаружилась верхняя ступенька лестницы Щель была узкая, но достаточная, чтобы подбодрить Мэтью.

Ему пришлось еще несколько раз расчищать обломки по другую сторону стола, пока он не смог сдвинуть его настолько, чтобы можно было встать на верхнюю ступеньку. Потом он просунул полено и раздвинул щель настолько, что смог пролезть вниз.

Там было темно, свет падал лишь сквозь узкую щель вверху. Мэтью зажег бутановую зажигалку и осмотрелся. Вначале ему показалось, что ничего не изменилось. Столы на месте, полки тоже; проведя рукой, он увидел жестянки, одежду, металлическую лестницу, сверток войлока для крыши. Конечно, свечи не стояли на своих обычных местах, но это казалось не важным. И запасы не так аккуратно разложены, как раньше. Должно быть, Эйприл не так тщательно присматривала за разборкой. Но Мэтью интересовала вторая комната — медицинские запасы и бренди. Он подошел к двери и распахнул ее.

И сразу увидел, что маленький погреб опустошен. Опустели полки, на которых Лоуренс держал медикаменты, опустел стеллаж с драгоценными бутылками. В комнате оставалась только пыль.

Вначале Мэтью решил, что по какой-то причине они все перенесли в большую комнату. Вернувшись, он обошел ее с зажигалкой, проверяя все. Он не нашел бренди, зато обнаружил кое-что еще. Дело не только в беспорядке. Исчезло многое из запасов. Неужели все самое важное они перепрятали в другой тайник? Возможно, но трудно понять почему. И куда. Сложно найти более удобное и безопасное место.

Если только... он вспомнил могилы. Вначале случайно, а потом вновь вернулся к этой мысли. Эйприл не клала на них цветы раньше. Вероятно, не считала нужным, так как рядом цвели розы. Теперь на каждой могиле по розе. Прощальный подарок?

Лоуренс хотел, чтобы они ушли, переселились в горы, где легче защищаться, где больше животных, где постепенно можно начать обрабатывать землю. Это самое разумное и очевидное решение. Они не уходили, потому что Эйприл не хотела покидать своих мертвых, а остальные беспомощны без нее. Если она изменила свое решение... И он очень ясно видел, как это могло произойти. Ее презрение к нему за то, что он отказывался признавать реальность жизни, за его поглощенность фантазией могло обернуться против нее самой. То, что она цеплялась за прошлое, вредило и ей, и остальным. Поняв это, она должна была отказаться от принятого решения. Для этого нужно было только мужество, а мужества у нее хватит.

Мэтью снова осмотрел запасы, стараясь вспомнить, что тут было. Спички и свечи исчезли, не стало маленького молотка, ручной пилы, ножниц... все эти вещи сочетают полезность с компактностью. У него сложилось представление, что гораздо меньше стало банок тушенки. Они взяли с собой то, в чем нуждались и что могли унести. Остальное оставили и закрыли, возможно, рассчитывая когда-нибудь в будущем вернуться за остальным.

Значит ли это, что они ушли недалеко? Он быстро погасил вспыхнувшую было надежду. Они ушли не в какое-нибудь определенное место. Они ушли искать убежище, дом, который можно защитить. И будут идти, пока не найдут. А найдя, останутся там.

Он по-прежнему бродил по подвалу, пытаясь осознать случившееся, и обнаружил, что снова находится в маленьком помещении. Скудный свет зажигалки блеснул на чем-то в углу полки у стены. Мэтью протянул руку. Маленькая прямоугольная бутылочка. Аспирин. Должно быть, не заметили, когда забирали лекарства. Это уже кое-что. Бутылочка аспирина для лечения, возможно, умирающего мальчика.

Тут Мэтью понял еще одно: внизу он не услышит, если Билли позовет его. Он быстро поднялся по лестнице и, лежа на спине, протиснулся в щель. Билли не звал, но Мэтью все равно пошел к гроту. Он и так долго отсутствовал.

Вскоре Билли проснулся, снова в бреду. Он хотел встать, а когда Мэтью удержал его, начал отбиваться. Он бился изо всех сил, но их у него осталось немного. Потом он успокоился, повис на руках Мэтью так тяжело и беспомощно, что Мэтью прижал ухо к груди мальчика, чтобы убедиться, что оно еще бьется. Он раздробил таблетку аспирина, смешал с консервированным молоком и напоил мальчика с ложки. Трудно было вложить ложку в рот, еще труднее заставить его проглотить.

Остальную часть дня и последующую ночь мальчик попеременно то бредил, то впадал в коматозное состояние. Мэтью в промежутки спокойствия выносил вещи из подвала: одеяла, чистую одежду, столбы и ткань для навеса. Однажды, вернувшись, он увидел, что Билли стоит на коленях и плачет. Мэтью уложил его и дал еще немного воды с аспирином. Это было к вечеру, а Мэтью сам ничего не ел, кроме холодных консервированных помидоров. Но у него не было возможности разжечь костер: не было сухих дров.

До темноты он натянул навес, но ночь была ясной. Было тепло, и звезды горели ярко и далеко. Мэтью долгие часы следил за их вращением, время от времени успокаивая Билли и разговаривая с ним. Дважды он ненадолго засыпал; во второй раз его разбудил Билли, пытавшийся перебраться через него и убежать. Голова и глаза у него болели, все тело налилось свинцом. Что случится с Билли, если он тоже заболеет? Он покачал головой, пытаясь прояснить ее, прогнать боль. Он не должен заболеть.

Наступил рассвет, состояние мальчика не изменилось, он только стал еще слабее. Силы покидали его на глазах, и когда он начинал кричать, голос его звучал не громче шепота. Мэтью и сам чувствовал себя плохо. Он ничего не ел. Ему только хотелось спать, а он не мог уснуть: мальчик нуждался в нем. Утро прошло в каком-то кошмаре. День был ясный, становилось все жарче. Мэтью отправился к ручью, чтобы освежиться; когда он подходил, ему показалось, что он видит наклонившуюся Эйприл. Воздух стал густым и тяжелым. Мэтью услышал кукушку, ее крик насмешливо бил по барабанным перепонкам. Он умылся, почти не сознавая, что делает, и отнес Билли мокрую тряпку.

В середине дня новый приступ лихорадки. Тело мальчика прогнулось в руках Мэтью; пульс бился пугающе часто. Мальчик тяжело дышал, язык у него распух и побелел меж сухих потрескавшихся губ. Все тело в то же время покрылось потом. Мэтью заставил его проглотить еще немного воды с аспирином. Больше он ничего не мог сделать, только держать в руках и время от времени вытирать лицо.

Мэтью был уверен, что мальчик умирает. Он вспомнил утро, когда впервые услышал его крик, выкопал его из-под развалин дома, и почувствовал страшную усталость. Все напрасно.

Он сказал себе, что мальчик сам пошел за ним, что он ничего не мог сделать. Он смотрел за ним, как мог. Наверно, было бы лучше, если бы Билли остался с Миллером или позже с Лоуренсом и Эйприл, но это не зависело от него.

Но он мог отказаться от своих фантазий. Мэтью смотрел на осунувшееся лицо мальчика и понимал: худшее обвинение против него в том, что он и не подумал это сделать. Он заботился о мальчике. Но он не любил его.

Он взял Билли за руку. Пульс по-прежнему частый и кажется нерегулярным. Все тщетно, и во всем виноват он. Мэтью лег рядом с мальчиком и обнял его...

Он находился в Гайд-парке в холодный осенний день и кого-то искал. Искал того, кого любил, но потерял. Трава пожелтела, осенний ветер раздувал опавшие листья и бумажные обертки. Ужасно, что он не знал, где искать: куда ни повернет, всюду огромные пространства, где легко можно затеряться одинокой фигуре. И тогда он понял: Серпентайн. Он видел на расстоянии его серые воды и торопливо, почти бегом, направился туда. Но как он ни старался, озеро не приближалось. Несмотря на беспокойство и тревогу, он понял смехотворность этого: Алиса в Стране Чудес. А Эйприл рядом сказала:

— Ты не туда идешь. Я презираю тебя за это, Мэтью.

Он схватил ее за руку.

— Ты можешь помочь мне найти ее! Можешь, если захочешь!

Она покачала головой.

— Можешь!

— Нужно смотреть в глаза действительности. Посмотрим.

И они оказались у озера. В отдалении лодка с одинокой маленькой фигуркой на веслах. Уплывает, невозвратимо уплывает. Он закричал:

— Джейн! Я здесь! Вернись! Не оставляй меня, Джейн!

Но лодка с Билли все удалялась и скрылась под аркой моста. Он в гневе обернулся к Эйприл, но ее тоже не было.

Проснувшись, Мэтью увидел неподвижную фигуру Билли и подумал, что все кончено. Он коснулся его лица, ожидая ощутить холод, но, к его удивлению, лицо было теплым — обычное тепло жизни. Температура спала, мальчик спал спокойно и мирно. Мэтью почувствовал радость и благодарность, вначале приглушенную, потом такую неистовую, что зазвенело в голове. Он осторожно, чтобы не разбудить Билли, положил руку ему на лоб. Температура нормальная.

День клонился к концу, солнечные лучи косо падали меж деревьев. Мэтью набрал дров и развел костер. Тут он заметил, что Билли проснулся и смотрит на него.

Он подошел к мальчику и спросил:

— Как ты себя чувствуешь, Билли?

— Хорошо, мистер Коттер. — Голос звучал слабо, но чисто. — Я спал?

— Да. Хочешь поесть?

— Немного.

В подвале лежала большая кастрюля: должно быть, решили, что она слишком тяжела. Мэтью сварил похлебку, нарвал на огороде свежей зелени, накормил Билли и поел сам. Потом они сидели, глядя на огонь.

Билли спросил:

— Как мы вернулись сюда, мистер Коттер? Я не помню.

— Я тебя принес.

— Мне кажется, я помню собаку. Но я не уверен. — Он посмотрел на навес, под которым они сидели. — А где Лоуренс и остальные? Когда они придут?

— Они не вернутся сюда, Билли. Ушли искать лучшее место. Более безопасное.

— Значит, мы их не увидим?

— Почему же? Я думаю, они ушли в горы. Когда ты отдохнешь и окрепнешь, мы пойдем искать их.

— Мы их найдем?

— Почему бы нет?

— Было бы хорошо.

— Нужно поискать. Осталось не так уж много людей. Потребуется время, но в конце концов мы их найдем.

— Лоуренс говорил, что будет учить меня на врача.

— Да. Тебе лучше лечь. Чтобы быстрее вернуть силы, ты должен отдыхать. Отдыхать и есть побольше.

Головная боль и тяжесть в теле у Мэтью тоже прошли. Должно быть, просто усталость и беспокойство, а главное — ощущение тщетности. Все это прошло. У него есть цель. Есть о ком заботиться.

Во время выздоровления Билли Мэтью занимался подготовкой. Среди вещей в подвале он не нашел обуви нужного размера, только большего. Мэтью разрезал большие ботинки, взял молоток, гвозди и прибил подметки и каблуки к обуви Билли, используя как колодку куски металла и камня. Он учился в ходе работы и в конце концов произвел нечто вполне пригодное. Он надеялся, что ботинки выдержат недели две, а тем временем он подыщет что-нибудь получше. Он починил и свою обувь, а также выстирал и заштопал одежду.

Потом он попытался изготовить лук, о котором говорил с Лоуренсом. Стальные прутья лежали на месте, нашелся и моток нейлоновой веревки, из которой можно сделать тетиву. При помощи куска металла он попытался сделать насечки на концах прута. Но сталь оказалась тверже, чем он думал, и через несколько часов работы он убедился, что ничего не выйдет. Тогда он срезал ветку ясеня. Из нее получился неплохой лук. Он нарезал стрелы и затвердил их концы в огне. Позже он практиковался в стрельбе, а Билли смотрел и аплодировал, когда он попадал в цель.

Затем начались сборы вещей в дорогу. Он много раз за те ужасные дни, когда нес Билли на спине, испытывал искушение бросить рюкзак, в котором лежал маленький мешок Билли. Но все же он сохранил рюкзак. Теперь Мэтью снова упаковывал мешки, выбирая наиболее ценные вещи. И на долгий срок. Если и есть надежда отыскать группу, то пройдет много времени — месяцы, может быть, годы. Нужно быть готовыми к долгому пути.

Погода ухудшилась. Два дня дождь стучал по навесу и капал с кустов в саду. Мэтью, глядя на Билли, решил, что мальчик достаточно окреп. Откладывать отправление больше нет смысла.

Вечером он оставил Билли готовить ужин, а сам пошел прогуляться. Ветер сдул розы с могил, только на одной лежало несколько лепестков. Мэтью сорвал свежие цветы и положил на место прежних. Потом пошел по той дороге, по которой они шли с Эйприл. Вот и дуб. Ветер не свалил его, дерево торчало под тем же странным углом. Что-то шевельнулось в ветвях. Белка. Можно ли есть белок? Если бы...

Смеющийся голос Эйприл:

— Если бы с тобой был твой лук!

— Почему бы и нет? Я, вероятно, промахнулся бы, но попробовать стоит.

— У тебя лук из плохого дерева, и стрелы никуда не годные.

— Я знаю. Но все это временно. Все временно. И будет подругому, когда...

— Когда?

— Когда я найду тебя.

Смех стал жестким и резким.

— Ты все еще не отказываешься от иллюзий?

— Это не иллюзия. И он тоже хочет этого. Ему нужны ты и Лоуренс.

— Иллюзия. Та же иллюзия, что и раньше. Какая разница, если ты убедил и мальчика хотеть этого? Та же иллюзия, Мэтью. Я презирала тебя за это раньше и презираю сейчас.

— Твой голос в моем мозгу — иллюзия. Он станет реальностью, когда я найду тебя.

— И сколько ты будешь искать? Год? Два? До смерти? А мальчик? Какое наследство ты оставишь ему? Если он переживет эти годы блужданий и лишений?

Белка прыгнула на нижнюю ветку и сидела в нескольких футах от Мэтью.

— Отказаться от тебя?

— Не от меня. От меня ты отказался в тот вечер. От своих фантазий. Но я прошу слишком многого. Не правда ли, Мэтью?

Ночь он провел беспокойно и проснулся рано. Пока Билли спал, Мэтью собрал вещи и разжег костер для завтрака. Запах пищи разбудил мальчика. Он, зевая, выбрался из-под одеял.

— Мы уходим сегодня, мистер Коттер?

— Только позавтракаем.

— На север, в горы?

— Нет. На юг.

Мальчик удивленно взглянул на него.

Мэтью сказал:

— По морскому дну. Мы возвращаемся на острова.

19

Билли указал на него, на востоке, на расстоянии в несколько миль. Даже на таком расстоянии он выглядел гигантом, скалы рядом с ним казались карликами.

— Дядя Мэтью, это танкер?

— Да.

— Как вы думаете, капитан еще там?

— Наверно.

На фоне бледно-голубого неба не было ни следа дыма, и Мэтью старался вспомнить, видел ли он дым в прошлый раз. Конечно, тогда была плохая погода, и слабый дым мог остаться незамеченным. В конце концов, работал лишь маленький запасной генератор. Возможно, что дым вообще нельзя увидеть.

Но когда кончится бензин, будет ли Скиопос по-прежнему править своим обрушивающимся королевством — чистить, мыть, полировать? Что он будет делать долгими вечерами, когда перестанет работать проектор? Смотреть с мостика в поисках ушедшего моря? Мэтью подумал об Эйприл с болью, но и с надеждой. Он устроит Билли на острове с Миллером и другими... Что может тогда помешать ему вернуться на большую землю? Сейчас главное — безопасность и будущее Билли.

Билли сказал:

— Хорошо, что мы идем восточнее, дядя Мэтью. Нам не нужно будет обходить грязь.

Мэтью посмотрел на лицо мальчика, все еще — после всего пережитого — детское, но быстро взрослевшее. Впервые после катастрофы он возблагодарил Бога за то, что имел.

— Да, — сказал он, — мы немного отклонились к востоку. Нет смысла останавливаться на Олдерни. Это сбережет нам несколько миль пути к Гернси.

— Хорошо будет вернуться.

— Там безопасно, — сказал Мэтью. — Нет бандитов.

— А из Франции?

— И оттуда тоже. Никто не захочет идти по морскому дну из-за того малого, что можно найти на островах.

Мэтью оглядел высохшую грязь, песок, голые скалы. Солнце блестело на полосках соли. Дно стало землей, но землей враждебной, негостеприимной. Она давала больше защиты островам, чем могло бы море.

Они нашли меньше бассейнов, чем на пути с острова: большинство, вероятно, высохло. В одном в теплой затхлой воде плавала животами вверх мертвая рыба. Позже им встретился ручей, и они дошли до истока — ключа, бившего из-под скалы. Эта вода была свежей и прохладной, даже холодной. Они освежили горячие тела, вылили воду из своей канистры и набрали свежей.

Вскоре после этого им встретился еще один корабль. Это было грузовое судно меньше тысячи тонн, лежало оно на боку, поломанные надстройки склонились к северу. Мэтью решил, что его бросила сюда большая волна: не похоже, что оно побывало под водой. Они забрались на корабль и обнаружили скелет в изорванном синем джерси и брюках. Кости блестели, очищенные чем-то более острым, чем разложение. Мэтью заглянул в трюм и увидел метнувшуюся серую тень. Может, кто-нибудь из команды корабля выжил и, как там на танкере, покинул его. Крысы, во всяком случае, остались. Им здесь не грозила опасность, и пища пока была: запах из трюма свидетельствовал о том, что груз был съедобный.

Билли вскрикнул: «Смотрите!» — и Мэтью повернулся.

— Что?

— Кошка.

Он и сам увидел ее, пеструю кошку, возраста 9—10 недель, осторожно пробирающуюся по наклонной палубе. За ней вторую, третью. Крысы питаются грузом, кошки — крысами. Сбалансированная экология, но ненадолго, пока не кончатся быстро уменьшающиеся ресурсы.

— Можно нам взять одну с собой? — спросил Билли.

Мэтью улыбнулся.

— Если поймаешь, возьми.

Он смотрел, как мальчик гоняется за кошками. Конечно, он не поймает ни одной, а если бы и поймал, то очень скоро пожалел бы об этом. За тысячелетия кошки так окончательно и не одомашнились, и теперь возвращение к дикости было быстрым и полным.

Когда они проснулись на следующий день, все было укутано туманом. С восходом солнца туман несколько рассеялся, и Мэтью подумал, что он совсем исчезнет, но ошибся. Время от времени можно было разглядеть бледный диск солнца за плывущими клубами. Этого хватало, чтобы помочь определить направление. Они прошли большое расстояние, главным образом по грязевым участкам. Мэтью решил, что это западное продолжение той грязи, которую они вынуждены были обходить на прежнем пути. И здесь иногда корка ломалась под их ногами, но гораздо реже. Недели высыхания сделали свое дело.

На ночь остановились на такой площадке и лежали, дрожа. По крайней мере уже близко, думал Мэтью. На следующий день, если его расчеты правильны и туман поднимется, они увидят Олдерни.

А за Олдерни — Джерси. Миллер будет доволен как их возвращением, так и сведениями о варварстве и разрушениях за пределами его королевства. Мэтью чувствовал покорность. Он вновь услышал голос Эйприл, теперь тихий и далекий, но мягкий, вся горечь из него исчезла. Место, где он может вырастить Билли, нечто вроде дома. Она одобряла это. Голос и внешность поблекнут, но он знал, что она останется с ним. Конечно, это потеря, но выносимая теперь.

Мальчик спал в его объятиях.

Туман не рассеивался до середины следующего дня. Перед этим они шли меж рифами из розового гранита, которые, если на них смотреть вверх, могли бы послужить основанием Гималаев. Море придало скалам странную форму; одно время они шли по узкому ущелью, выстланному ярким песком, и голоса их возвращались эхом. Билли, обнаружив это, развлекался криками и слушал, как эхо замирало вдали. Но вот туман начал рассеиваться, появилось солнце, вначале белое, затем бледно-желтое. Рифы окрасились в радужные тона. Мэтью указал на один из них:

— Сможешь взобраться? Может, разглядишь что-нибудь.

Билли начал подниматься. С вершины он крикнул:

— Мне кажется, что Олдерни.

— Сейчас поднимусь.

Поднимаясь, Мэтью услышал, что Билли что-то говорит, но разобрал лишь слово «вода». Он продолжал подъем. Через двадцать футов туман поредел, через десять совсем исчез. Горячее золотое солнце, ярко-синее небо. Мэтью огляделся. В пяти милях к югу из белого моря вздымались скалистые вершины. Мэтью подумал, что узнает их, и посмотрел левее. Там был Олдерни, немного подальше. А вершины — это Каскет, кладбище «Белого корабля» и бесчисленного количества других судов.

— Прекрасно, — сказал Мэтью. — Идем к Каскету, а потом чуть юго-западнее, к Гернси. Завтра будем на месте.

— Мне кажется, я видел воду, — сказал Билли. — Туман немного разошелся, а потом снова сомкнулся.

— Может быть, бассейн.

— Очень большой.

Мэтью уже спускался.

— Идем, Билли. Еще немного.

Озеро они увидели неожиданно, менее чем в миле к югу. Начался спуск, и вот оно, зелено-синее, с остатками тумана, цепляющимися за его поверхность. В ширину оно достигало трех четвертей мили, но впечатляла его длина. Озеро уходило в обоих направлениях за горизонт.

Билли спросил:

— Это море, дядя Мэтью?

Это могло быть только одно. Мэтью ответил:

— Не море. Щель. Углубление в дне пролива. Когда земля наклонилась, здесь осталась вода.

— Мы обойдем ее?

— Так лучше. Нам не переплыть.

Билли смотрел на воду.

— Куда же идти?

Мэтью пытался вспомнить виденную некогда карту. Щель тянется на север к Олдерни и, может, немного восточнее. Она очень длинная, больше семидесяти миль. Он решил, что лучше всего все же направиться к Олдерни. Там можно провести ночь, а утром идти к Гернси.

— На восток, — сказал он. — Идем на восток, Билли.

Обход оказался длиннее, чем он ожидал. Им пришлось пройти не менее десяти миль до конца озера, лишь потом они смогли обогнуть его и двинуться на юго-запад, к острову. Мэтью размышлял о размерах озера. Такое огромное количество воды, сравнимое с Женевским озером, будет высыхать годы и десятилетия, если вообще высохнет. Оно может пополняться. И в нем, несомненно, есть рыба. Он думал, обнаружил ли это Миллер. Можно построить лодку, сплести сети...

Голос изумил его. Он считал, что вокруг на тридцать миль никого нет.

— Мистер Коттер! Билли!

Не веря своим ушам, Мэтью оглянулся и увидел, как из-за скалы появилась маленькая рыжеволосая фигура. Билли закричал: «Арчи!» — и побежал. Они встретились и обнялись.

Поверх головы Билли Арчи сказал:

— Я услышал ваши голоса... Не знал, кто это, и решил спрятаться. Я и не подумал, что это можете быть вы, мистер Коттер.

Мэтью смотрел на него. Сон? Но лохматая рыжая борода, морщинистое обезьянье лицо совершенно реальны.

— Ради бога, Арчи, как вы здесь оказались?

— Рыбачу. — Рядом с ним стояло ведро, он открыл крышку и показал. — Поймал четыре большие рыбы.

— Но я думал, что вы ушли на север.

— Они говорили об этом, Эйприл и Лоуренс. Решили, по вашим словам, что эта часть лучше. Спокойнее, знаете. Они были правы. — Он указал на остров в нескольких милях. — Там куры, а здесь, в озере, рыба. Я люблю рыбачить, мистер Коттер. Лоуренс велел мне идти за рыбой. Это хорошее место.

Уже давно Мэтью не помнил, чтобы его охватывала такая радость. Он обнаружил, что по-идиотски улыбается.

— Остальные тоже там, на острове? Все?

— Конечно, — сказал Арчи. Он тоже улыбнулся открытой улыбкой. — Они будут рады вас увидеть.

Солнце садилось, но ему еще оставался долгий путь до горизонта. Стоял безоблачный летний день, и ему на смену придут другие такие же.

— Да, — сказал Мэтью, — прекрасное место.

Когда пришли триподы

Бену с любовью

1

Меня разбудил страшный шум. Как будто десяток скорых поездов собирались налететь на сарай. Я выкатился из одеяла, пытаясь уйти с их пути, и увидел оранжевое сияние, осветившее ящики, старое фермерское оборудование и упряжь. Проржавевший старый трактор на мгновение стал похож на переросшее насекомое.

— Что это, Лаури? — спросил Энди. Я видел, как он сел между мной и окном.

— Не знаю.

Свет и звук постепенно стихли и исчезли. Залаяла собака — глубоким хриплым лаем, должно быть, лабрадор. Я встал и пошел к окну, по дороге ударившись обо что-то в темноте. Снаружи тоже темно: луна и звезды за облаками. В доме фермера, в нескольких сотнях метров от нас, ниже по склону холма, загорелся свет.

Я спросил:

— Дождя нст. Что жс это было?

— Кажется, в лагере говорили об артиллерийском полигоне где-то на болотах?

— Поблизости нет никакого полигона.

— Ну, может, выстрелили не в ту сторону.

Потирая голень, я сказал:

— Не похоже на разрыв. И от разрыва снаряда не было бы такого фейерверка.

— Может быть, ракета. — Энди громко зевнул. — Во всяком случае, сейчас все стихло. Не из-за чего беспокоиться. Идем спать. Завтра нам предстоит долгая дорога.

Я немного постоял у окна. Огонь в доме погас: должно быть, фермер был согласен с Энди. В кромешной тьме я ощупью добрался до охапки соломы, служившей мне постелью. Вчера вечером все казалось гораздо интереснее; но солома почти не защищала от жесткого пола, и, проснувшись, я ощущал каждую мышцу в теле.

Энди уже уснул. Я винил его в том, что мы оказались здесь: это он вызвался провести разведочный поход, а потом именно он настоял, чтобы мы свернули влево; этот поворот увел нас от цели на несколько миль. Казалось, нам предстоит провести ночь в болотах, но в сгущавшейся тьме мы набрели на эту одинокую ферму. По правилам мы не должны обращаться к посторонней помощи, поэтому и заночевали в сарае.

Мне казалось, что боль в теле и негодование против Энди не дадут мне уснуть, но я смертельно устал. Из летнего лагеря мы вышли рано и весь день шли не останавливаясь. Погружаясь в сон, я услышал еще один взрыв, но далекий; я слишком устал, чтобы снова проснуться, и даже не был уверен, что этот второй взрыв мне не приснился.

Энди разбудил меня, когда занимался серый рассвет. Он сказал:

— Слушай.

— Что?

— Слушай!

Я с трудом проснулся. Шум доносился со стороны фермы, но откуда-то издалека — последовательность громких ударов, тяжелых и механических.

— Сельхозтехника, — предположил я.

— Не думаю.

Прислушавшись внимательнее, я согласился с ним. Удары следовали друг за другом через секунду или меньше и приближались. Мне даже показалось, что задрожала земля.

— Что-то приближается, — сказал Энди. — Что-то большое, судя по звуку.

Мы теснились у маленького окошка сарая. Солнце еще не встало, но очертания фермы выделялись на посветлевшем фоне жемчужного неба. Дым из трубы фермерского дома поднимался вертикально: фермеры встают рано. Похоже, предстоит хороший день для возвращения в лагерь. И тут я увидел то, что приближалось к дому.

Вначале появился верх — огромная серо-зеленая полусферическая капсула — плоской стороной вниз; казалось, она плывет громоздко в воздухе. Но она не плыла: причудливая, похожая на ходулю нога взметнулась в небо огромной дугой и опустилась рядом с фермой. Как только она с грохотом опустилась, появилась вторая, пролетела над домом и опустилась между фермой и сараем. Я видел и третью ногу, которая, если бы движение продолжалось, оказалась бы рядом с нами, может, и прямо на нас. Но тут движение прекратилось; огромный предмет, более двадцати метров высотой, широко расставив ноги, стоял прямо над домом.

По боку капсулы шла горизонтально линия ярко-зеленых, похожих на стеклянные панелей. А все вместе походило на многочисленные глазеющие зрачки и улыбающийся рот. И улыбка была совсем не приятная.

— Кино снимают, — неуверенно сказал Энди. Я посмотрел на него: он испугался не меньше меня. — Наверно, кино. Фантастика.

— А где камеры? — Я чувствовал, что мой голос дрожит.

— Наверно, сначала хотят все расставить.

Не знаю, верил ли он в то, что говорил. Я не верил.

Что-то задвигалось под капсулой, развертываясь, дергаясь и вытягиваясь. Похоже на хобот слона или на змею, только серебристое и металлическое. Оно по спирали двинулось к крыше дома и легко задело ее. Затем переместилось к трубе и обхватило ее своим концом. Кирпичи полетели в стороны, как конфетти, мы слышали, как они стучат по черепице.

Я дрожал. В доме закричала женщина. Открылась задняя дверь, выбежал мужчина в брюках и рубашке. Взглянул на нависшую над ним машину и пустился бегом. Мгновенно развернулось второе щупальце, на этот раз быстро и целеустремленно. Не успел фермер пробежать и десяти метров, как щупальце обхватило его вокруг талии и подняло с земли. Он тоже закричал.

Щупальце подняло его на уровень ряда панелей, и его крики перешли в приглушенные стоны. Через несколько мгновений щупальце свернулось. В основании капсулы появилось похожее на линзу отверстие; щупальце просунуло в него мужчину.

Я подумал о ком-то, кто держит на вилке кусок мяса, прежде чем отправить его в рот, и почувствовал себя плохо.

Стоны мужчины оборвались, щупальце снова развернулось, а отверстие закрылось. Женщина в доме стихла, но тишина казалась еще более пугающей. Возвышаясь на паучьих лапах, машина походила на хищника, переваривающего добычу. Я вспомнил свое ночное сравнение трактора с насекомым; на этот раз насекомое было ростом с Кинг-Конга.

Долгое время казалось, что ничего не происходит. Машина не двигалась, в доме тоже никто не шевелился. Все затихло, даже птицы не пели. Щупальце висело в воздухе, неподвижное и застывшее.

Через одну-две минуты щупальце шевельнулось, поднялось высоко, как бы отдавая салют. Секунду-две оно висело в воздухе, а затем яростно обрушилось на крышу. Разлетелась черепица, в образовавшейся дыре показались чердачные балки. Женщина снова закричала.

Щупальце методично разрушало дом; так же методично оно подбирало обломки, как стервятник на баке с отбросами. Крик прекратился, остался лишь шум разрушения. Через секунду к первому щупальцу присоединилось второе, а затем и третье.

Они рылись в обломках, поднимая найденное на уровень панелей. Большинство из поднятого отбрасывалось в сторону — стулья, комод, двуспальная кровать, ванна, из которой торчали оборванные трубы. Несколько предметов взяли внутрь: я заметил электрический чайник и телевизор.

Наконец все было кончено, пыль начала садиться, а щупальца свернулись под капсулой.

— Надо уходить отсюда, — сказал Энди. Он говорил так тихо, что я едва расслышал.

— Далеко ли оно видит?

— Не знаю. Но если мы побежим быстро и за спину ему...

Я схватил его за руку. Что-то шевельнулось в груде мусора, которая совсем недавно была домом: высвободилась черная собака и побежала от фермы. Она пробежала около десяти метров, прежде чем вслед ей стрелой метнулось щупальце. Воющего пса подняли на уровень панелей и подержали там. Я подумал, что его заберут внутрь, как мужчину, но щупальце отбросило его в сторону. Собака черной точкой мелькнула на фоне рассвета, упала и лежала неподвижно.

Вернулось ощущение тошноты, ноги задрожали. Я вспомнил, как впервые увидел Эйфелеву башню, в то лето, когда ушла моя мать и с нами стала жить Ильза, вспомнил охватившую меня панику перед взметнувшейся высоко в небо башней. Как будто Эйфелева башня двинулась — разбила на куски дом, проглотила его хозяина... отшвырнула и убила собаку, как мы отбрасываем огрызок яблока.

Никогда время не тянулось так медленно. Я взглянул на часы: 5.56. Мне показалось, что прошло полчаса, я снова посмотрел на часы: 5.58. Небо просветлело, появились блики золота, затем серебра, и наконец над руинами дома показался солнечный диск. Я снова посмотрел на часы. Было 6.07.

Энди сказал:

— Смотри.

Ноги не двинулись, но капсула наклонилась вперед и начала вращаться. Ряд панелей двинулся влево; скоро мы будем вне его поля видимости и сможем попробовать убежать. Но вращение продолжалось, и появился второй ряд панелей. Эта штука видела все вокруг.

Когда она повернулась на 180 градусов, вращение прекратилось. После этого ничего не происходило. Чудовище оставалось неподвижным, ползли свинцовые минуты.

Первый самолет появился вскоре после восьми. Истребитель сделал два захода, сначала с востока на запад, потом с запада на восток, оба на низкой высоте. Машина не двинулась. Спустя четверть часа ее облетел вертолет, должно быть, фотографируя. В середине дня появились войска. Вдали показались танки и другие машины на гусеницах, а в просвете аллеи, ведущей к ферме, мы видели большую легковую машину и несколько грузовиков, включая телевизионный фургон; все они держались на почтительном расстоянии.

Опять последовало долгое ожидание. Позже мы узнали, что в это время власти пытались осуществить радиоконтакт, используя всевозможные частоты. Но безрезультатно. Энди потерял терпение и опять предложил бежать к танкам.

Я сказал:

— То, что оно не движется, ничего не значит. Вспомни собаку.

— Помню. Но оно может решить разрушить и сарай.

— А если мы побежим, оно начнет действовать, и армия начнет... и мы окажемся между двух огней.

Он неохотно согласился.

— Но почему армия ничего не делает?

— А что они могут сделать?

— Ну, нельзя же просто сидеть.

— Наверно, не хотят торопиться...

Я замолчал, потому что услышал гул мотора и грохот гусениц. Мы побежали к окну. К нам приближался одиночный танк. К его башне был прикреплен шест, с которого свисал белый флаг.

Танк, наклоняясь, двигался по полю и остановился непосредственно под капсулой. Двигатель смолк, и я услышал щебетание ласточки снаружи. И вдруг, совершенно неожиданно, послышалась классическая музыка.

Я спросил:

— Откуда это?

— Наверно, из танка.

— Но зачем?

— Может, хотят показать, что мы цивилизованные люди, не варвары. Это ведь отрывок из симфонии Бетховена, тот самый, который должен стать европейским гимном.

— Сумасшествие, — сказал я.

— Не знаю. Смотри.

Машина наконец шевельнулась. Под капсулой развернулось щупальце. Оно протянулось вниз к танку и начало слегка раскачиваться.

— Что оно делает? — спросил я.

— Отбивает ритм.

Как ни странно, Энди был прав: щупальце двигалось в ритме музыки. Появилось второе щупальце, свесилось и потерлось о башню танка. Первое щупальце задвигалось быстрее, решительнее. Второе ощупало танк спереди назад, затем приблизилось сбоку и просунулось под танк. Танк слегка покачнулся, конец щупальца появился из-под него с противоположной стороны. Танк качнулся сильнее и начал подниматься, сначала чуть-чуть, а потом резко вверх.

Музыка сменилась пулеметной очередью. Трассирующие пули вспыхивали на фоне неба. Танк поднимался, пока не оказался на уровне панелей. Тут он повис, разбрасывая искры.

Но бесполезно, пулемет был нацелен в пустое небо. И вдруг стрельба прекратилась: щупальце сжало танк сильнее. Броневые плиты скомкались, как будто были из фольги. Две-три секунды щупальце сжимало танк, затем развернулось и выпустило его. Он упал как камень, приземлившись на нос и мгновение балансируя так, пока не перевернулся. Там, где его сжимало щупальце, осталась глубокая борозда.

Энди сказал:

— Это был «Челленджер».

Он был потрясен, я не меньше. Я все еще видел это беззаботное сжатие и танк, разорвавшийся, как бумажный.

Когда я снова выглянул, одно из щупалец свернулось, другое по-прежнему раскачивалось и по-прежнему — в ритме Бетховена. Мне хотелось убежать — куда-нибудь, куда угодно, не думая о последствиях, но я не мог двинуть и пальцем. Выжил ли кто-нибудь в танке? Вряд ли.

И тут неожиданно появились с юга истребители-бомбардировщики. Подлетая, они выпустили ракеты. Из шести ракет две попали в цель. Я видел, как разлетались длинные паучьи ноги, как наклонилась, упала и раскололась капсула. Она упала на обломки дома и раздавленный танк, и от удара сарай задрожал.

Трудно поверить, насколько быстро это произошло — и насколько полно. Но вот лежит разбитая капсула, а из-под нее торчат переломанные ноги. И в это время налетела вторая волна истребителей-бомбардировщиков, разбивая оставшееся.

2

Школьный год начался через три недели. К этому времени шумиха — меня и Энди интервьюировали по телевидению, местному радио и тому подобное — закончилась, но в школе по-прежнему интересовались нами. Нас забрасывали вопросами, главным образом меня, потому что Энди разговаривал неохотно. Я же говорил слишком много и потом об этом пожалел. Когда к этой теме обратился Дикий Билл на уроке физики, я не хотел больше обсуждать ее, особенно с ним.

Он не казался диким, и звали его не Билл; это был маленький аккуратный седовласый человек с саркастическими манерами; говорил он, глотая звуки. Фамилия его была Хоки, и у него была привычка быстро поворачиваться от доски и швырять все, что попадется под руку — обычно это был кусок мела, — в тех, кто, как он думал, плохо себя ведет за его спиной. Однажды он швырнул щетку, которой моют доску, а она деревянная и тяжелая, и попал мальчику прямо в лоб. Мы прозвали его Дикий Билл Хоки, а потом просто Дикий Билл.

— Давай, Кордрей, — сказал он, — не стесняйся. Ты теперь знаменитость и кое-что должен тем, кто ею не стал. — Девчонки захихикали. — Первый человек, увидевший трипода — кажется, так вас решили называть журналисты. Ты попадешь в историю, даже если не получишь Нобелевскую премию по физике.

Хихиканье стало громче. В прошлом году по физике я занял второе место с конца.

— Если рассмотреть различные реакции человека при первой встрече с существами из другой части Вселенной, — продолжал Дикий Билл, — мы получим интересные данные о национальных характерах.

У него была склонность, которую большинство из нас поддерживали, обсуждать интересовавшие его проблемы; некоторые из них были весьма далеки от физики. Я был бы счастлив, если бы он при этом забыл обо мне.

Он продолжал:

— Как вы знаете, было три высадки: одна в Соединенных Штатах, в Монтане, одна в Казахстане, в Советском Союзе, и еще шоу Кордрея на окраине Дартмура. Высадки произошли приблизительно одновременно — наша в середине ночи, американская — в начале предыдущего вечера, русская — во время завтрака.

Американцы первыми заметили свой треножник, засекли его еще на радаре, но окружили место высадки и просто ждали.

Русские тоже быстро засекли один на своей территории и так же быстро уничтожили его ракетным ударом. Мы сыграли нашему Бетховена, послали единственный танк, и после того как он раздавил этот танк, мы его уничтожили. Разве это не доказательство английской сдержанности? А, Кордрей?

Я неохотно ответил:

— Не знаю, сэр. После того как оно разбило ферму, меня не заботило, насколько быстро его уничтожат.

— Конечно, нет. Вы, как и военные, не предполагали, что это окажется так легко. И вот это, разумеется, самое поразительное. — Он погладил свои редеющие волосы. — Когда я был в вашем возрасте, шла война. У нас шел урок физики, как и сейчас, и он был прерван ракетой «Фау-2», она разорвалась в четверти мили от школы и убила пятнадцать человек. Было тревожно, но интересно мне не было. Гораздо больше войны меня интересовало то, что я читал в фантастических журналах тех дней. Ракеты, выпускаемые из Германии в Англию, чтобы убивать людей, казались мне скучными, особенно по сравнению с другими возможными использованиями ракет — для межпланетных полетов, для открытия экзотических форм жизни, может, даже для того, чтобы привезти эту жизнь к нам.

Фантасты рассматривали множество возможностей. Мы читали о чужаках, а позже и смотрели по телевизору чужаков всех форм и размеров, всех цветов и материалов — от переросших пауков, сосущих кровь, до крошечных созданий с длинными рылами. Их появление влекло за собой и уничтожение, и откровение. Но никто не предвидел Космических Контактов Абсурдного Рода, космического фарса. А почему я говорю фарс, Кордрей?

— Не знаю, сэр.

— Но ведь ты их видел. Рассмотрим для начала сами треножники. Какой тупица мог придумать такое неуклюжее и неэффективное средство передвижения?

Хильда Гузенс, высокая костлявая рыжая девица, классный гений и любимица физика, сказала:

— Но у них должна быть очень развитая технология. Мы знаем, что они не из нашей солнечной системы, они должны были пролететь световые годы, чтобы добраться до нас.

Дикий Билл кивнул:

— Согласен. Но подумаем дальше. Хотя американцы не подходили к своему триподу, они экспериментировали, подгоняя к нему животных. К этому времени наступила ночь. И треножник включил обычный свет — можно назвать это прожектором, — чтобы разглядеть, что происходит у него под ногами. Похоже, у него не было даже инфракрасного видения!

А теперь представьте себе, чего стоило доставить эти машины в три разные точки нашей планеты, и подумайте, для чего их использовали. Два из трех просто сидели на месте, третий разрушил ферму и продолжал сидеть. Единственная атака единственного эскадрона военно-воздушных сил превратила его в груду металлолома. А остальные два защищались не лучше. Американский вообще самоуничтожился, никто на него не нападал. В сущности, ужасное вторжение из космоса оказалось самым большим комическим шоу столетия.

Кое-кто засмеялся. Хотя в прошлом я тоже, бывало, заискивал перед Диким Биллом, я не присоединился к смеющимся. Слишком ясно помнил — насекомоподобная фигура, возвышающаяся над руинами фермы, змеиные щупальца, подбирающие жалкие обломки и куски и отбрасывающие их в сторону... Мне не было забавно тогда, не было и теперь.

Мы с папой переселились к бабушке, после того как ушла мама. Дедушка умер незадолго до этого, и бабушка была рада, что мы заняли часть большого дома. Это было длинное низкое гранитное здание, в наше крыло можно было попасть и через соединительную дверь; она использовалась обычно со стороны бабушки. Бабушка не любила, когда мы приходили без предварительного извещения. Вообще она очень определенно выражала свои желания и нежелания. Например, я должен был звать ее Мартой, а не бабушкой. Ей шел седьмой десяток, но она была необыкновенно активна; форму поддерживала пешеходными прогулками.

После женитьбы моего отца на Ильзе, я думаю, то, что мы под боком, устраивало бабушку еще больше. Ильза швейцарка и поэтому говорит на нескольких языках, и Марта вовсю использовала ее в своих делах. У нее был антикварный магазин в

Эксетере, она много разъезжала, часто выезжала на континент в поисках товара. Ильза ездила с ней и вообще помогала.

Дедушка, военный, офицер, несколько лет перед смертью болел, и одно из моих ранних воспоминаний — меня заставляют вести себя тихо и не беспокоить его. Марта никогда не была такой теплой, уютной бабушкой, о которой читаешь в книгах, и нисколько не изменилась, когда мы переехали к ней. Она не из тех, с кем можно поболтать. Когда я однажды спросил ее о маме, она провела разговор резко и заверила меня, что я счастлив, оттого что с нами Ильза. Если она кого-нибудь и любила, так это мою сводную сестру Анжелу и — в несколько собственнической манере — моего отца. Была также тетя Каролина, но мы ее редко видели. Я всегда чувствовал, что с антиквариатом Марте лучше, чем с людьми.

Она и Ильза сидели в гостиной, когда однажды в субботний полдень мы с Энди вернулись с велосипедной прогулки — нам пришлось сократить ее, потому что начался дождь. Они оценивали антиквариат, а Анжела помогала им. Тогда Анжеле было семь лет, она блондинка, хорошенькая и умная. Папа из-за нее просто свихнулся. Она держала в руках фарфоровую собачку и говорила, какая она красивая, а Марта улыбалась ей: она любила людей, которые любят фарфор и вообще антикварные вещи. Я никогда не мог до конца понять, насколько моя сестра подлиза.

Я спросил:

— Можно включить телик?

— Можно, Марта? — спросила Ильза.

— Нет, — резко ответила Марта. — Меня нельзя отвлекать, пока я занимаюсь этим. Сколько я заплатила за эту тарелку? Память мне изменяет.

Ильза улыбнулась мне одной из своих беспомощных успокаивающих улыбок, которые доводили меня до бешенства. Она не хотела спорить с Мартой и в то же время хотела, чтобы я был доволен.

— Лаври, на кухне шоколадные пирожные. Я их сегодня приготовила. Если хочешь, они в маленькой каменной вазе...

Я перебил ее:

— Спасибо, не хочу.

На самом деле эти пирожные — одно из немногих ее блюд, которые мне нравились, но я был не в настроении принимать взятки. Я подумал, что ненавижу, как она называет меня Лаври и этот ее акцент. Я съеживался, когда она разговаривала с учителями в школе на родительских днях.

К тому же мы с Энди купили себе шоколада в деревенской лавочке на пути домой. Похоже, Энди все же был не прочь заняться шоколадными пирожными, поэтому, для отвлечения, я припомнил спор, который у нас произошел во время поездки. Энди где-то прочитал, что уничтожение треножников — величайшее преступление в истории: первый контакт с другой разумной расой, и мы так уничтожили его. Меня это не очень занимало, в то же время не хотелось и соглашаться.

Я напомнил ему, что он не так дружелюбно относился к триподам, когда мы сидели в сарае. Он ответил, что это не мешает ему впоследствии более уравновешенно взглянуть на вещи.

Я сказал:

— И не забудь, что именно трипод напал первым. Ты видел, что случилось с фермой?

— И все-таки нужно было больше узнать о них. Очевидно, это была разведывательная экспедиция. Разрушение фермы, должно быть, просто ошибка.

— Танк нес белый флаг.

— И играл классическую музыку, — насмешливо добавил Энди. — Как это много значит для существ из другой солнечной системы.

Именно я в то время считал это нелепым, но у нас с Энди часто бывало, что мы менялись сторонами в споре.

Я сказал:

— Может, наши и ошибались, но они по крайней мере старались действовать цивилизованно. А американцы вообще своего не трогали, а он сам себя взорвал.

— Думаю, разрушения двух из трех достаточно, чтобы нас объявили враждебной планетой. Экспедицию отозвали, а последнего трипода взорвали, чтобы у нас было как можно меньше сведений об их технологии. На тот случай, если мы отправимся за ними. Они знают, что у нас есть ракеты, значит, мы на пороге космических полетов.

Я устал от этих споров. Возможно, мы упустили свой единственный шанс установить контакт с чужаками. Я тогда не очень беспокоился из-за этого, да и сейчас не тревожился.

— Во всяком случае, все кончено, — сказал я. — После такого разгрома они не вернутся. Хочешь поиграть на компьютере? У меня новая игра с драконами.

Энди взглянул на часы:

— Мне пора домой. Уже почти пять, а я обещал Миранде вернуться рано. Она опять уходит.

Миранда — это его мать. Как и Марта, она хочет, чтобы ее звали по имени. Она часто отсутствует, и Энди поэтому много времени проводит у нас. Однажды я слышал, как папа с Ильзой говорили, что у Энди нет дома. Они очень заботились о чужих домах. Но самого Энди это, казалось, не беспокоит.

Анжела, должно быть, слушала нас.

— В пять новое шоу, — сказала она и включила телевизор. Я молча смотрел на нее, думая, что сказала бы Марта, если бы это сделал я. Марта потянулась и зевнула.

— Ну, это конец оценке. Но мы много сделали. Что за шоу, Анжела?

— Триппи-шоу.

Вслед за надписями показалось множество мультипликационных треножников, они плясали безумный танец: составителей программы будто бы вдохновило появление триподов. Дикая музыка — удары тяжелого металла и рока — смешивалась с обрывками традиционной музыки, включая один довольно привязчивый мотив.

— Не думаю, чтобы мне это понравилось, — заявила Марта.

Анжела, сидя на ковре скрестив ноги, не обратила на ее слова внимания. Но Марта и не заикнулась о том, чтобы выключить телевизор.

Я сказал Энди:

— Поеду с тобой. Больше нечего делать.

Мой отец — жилистый, не очень высокий человек, носит очки. Он похож на атлетическую версию Вуди Аллена, только говорит не так быстро. В то время он был агентом по продаже недвижимости и проводил много времени в отъездах, включая и уик-энды.

Я не очень хорошо помню, как складывались его отношения с моей матерью, за исключением того, что они иногда целыми неделями не разговаривали друг с другом. Помню, как они говорили со мной по отдельности, как будто они два разных кегельбана с единственной кеглей, а кегля эта — я. С Ильзой ничего подобного. Отец замучивал разговорами и ее, и Анжелу. Однако со мной он никогда много не разговаривал. Вероятно, на меня приходилось три процента его разговоров, да и эти проценты были вынужденными.

Однажды в воскресенье я остался один: папа показывал клиентам дом, а Марта взяла с собой всех остальных на передвижной рынок антиквариата. Она и меня спросила, хочу ли я ехать с ними, я отказался под предлогом домашних заданий. Но это было правдой лишь отчасти: большую часть заданий я сделал в пятницу вечером.

Закончив остальное, я был свободен. Приготовил себе сандвич с беконом, поиграл в игру с драконами, просмотрел комиксы в воскресных газетах, и все еще было четверть одиннадцатого. Я подумывал, не позвонить ли мне Энди, и тут услышал машину папы.

Он спросил:

— А где все? А, да, на антикварном рынке. Не хочешь ли удивить их, Лаури?

— Мы их не найдем.

— Они ведь в Бадлейке? На лужайке.

— Марта говорила, что они могут отправиться еще в несколько мест.

— Все равно можем попробовать.

Я ничего не сказал. Он слегка обеспокоенно посмотрел на меня.

— Ты предпочитаешь что-нибудь другое?

— Мы давно не выходили на лодке.

— Уже поздно в этом году. Да и погода неподходящая.

Ночью была буря. Сейчас она прекратилась, но по-прежнему дул сильный ветер, а небо было закрыто серыми тучами, гнавшимися друг за другом.

Я сказал:

— Мы могли бы проверить причал.

Он помолчал.

— Конечно, Лаури.

Лодка у нас была уже два года. Это «Моуди-30» с семью местами в трех каютах. У нее боковой киль, мощный дизель, дающий 20 километров в час, навигационная установка Декка и радар; в камбузе большой холодильник; есть душ. Папа купил его с рук с помощью фирмы, у которой выдался хороший год, так как цены на дома выросли.

По пути на реку папа много говорил. Я только слушал. Постепенно он истощился, и мы вернулись к нашему привычному молчанию. Я понял, что, как обычно, возмущаюсь этим, и решил что-нибудь предпринять.

Я сказал:

— Ты читал сообщение о том, что тело, найденное в обломках треножника, было предварительно вскрыто? Вероятно, вначале об этом не сообщали, чтобы не пугать народ.

— Вероятно, ты прав.

— Но кто мог проделать это вскрытие?

— Наверно, робот, управляемый на расстоянии. Часть тех механизмов, обломки которых найдены в капсуле.

Я сказал:

— Он просто выбежал из фермы. Энди или я могли выбежать из сарая, и тогда нас разрезали бы.

Папа молчал. Я продолжал:

— Ты никогда не рассказывал, что почувствовал... когда это все произошло.

— Разве?

Я резко сказал:

— Не помню, чтобы ты говорил.

— Я помню то утро, — медленно начал папа. — Помню очень хорошо. Проснулся рано, и в шестичасовых новостях было сообщение о странном предмете в Дартмуре. В 6.30 сообщили больше, упомянув, какой он огромный и что он на трех ногах, потом было сообщение об аналогичном предмете в Америке. В семь всякие сообщения прекратились, только министерство обороны перекрыло движение в нескольких районах. Я понял, что изолируют район Дартмура. Вспомнил, как накануне ты рассказывал о вашей разведывательной экспедиции. И сообразил, что ты внутри этого района.

Я несколько смутился:

— Район большой. Там было с полдесятка других команд, они ничего не видели.

— Ну, я был уверен, что ты где-то там, и похоже, происходит что-то неприятное. Я начал звонить — вначале в полицию, затем на Би-би-си, в конце концов — в министерство обороны. Со мной разговаривали так вежливо и уклончиво, что я понял: дело серьезное. Сорвался и накричал на них. Это мне, конечно, ничего не дало.

У папы обычно хороший характер, он не любит ссориться. То, что он сорвался, меня обрадовало.

Он продолжал:

— Я уже собрался вывести машину и ехать туда — попробовать прорваться. Но тут сообщили о ракетном ударе и о том, что треножник уничтожен. Я решил, что лучше оставаться у телефона и ждать новостей от тебя. Ждать пришлось долго.

Я сказал:

— Мы были в безопасности в сарае.

Он снял руку с руля и положил мне на плечо.

— Ты поступил разумно, затаившись в сарае. Энди рассказывал, что ты отговорил его от попытки убежать. Мы говорили с Ильзой, и она сказала, что можно рассчитывать на твой здравый смысл.

Я отодвинулся от него.

— Ты знаешь, Лаури, Ильза тебя любит. — Я промолчал. — Любит, как Анжелу.

Звучит глупо.

Я сказал:

— Надеюсь, катер в порядке. Ночью было ветрено.

— Наш участок реки защищен, кроме южного направления. А ветер был западный.

В первое лето мы хорошо попользовались лодкой, но с тех пор почти не выходили в море. Ильзе это занятие не очень нравилось, может быть, потому что в Швейцарии ловят рыбу только в озерах. Ее обычно укачивало. Она не жаловалась и не отказывалась выходить на «Эдельвейсе» — ну и имечко для лодки! — но выходы постепенно прекратились.

— Мы так и не сходили на Гернси.

Возможно, звучало как обвинение. Во всяком случае, отец заговорил извиняясь. Он объяснил, что у него много работы, что его партнер часто болеет. И Марта всегда занята, а нам нужно подстраиваться под нее. У Марты был небольшой дом на Гернси, раньше мы проводили в нем каникулы. В этом году папа с Ильзой и Анжелой ездили в Швейцарию к родителям Ильзы; ее отец — мы называли его Швейцдед — болел. Поэтому я и отправился в летний лагерь.

— В следующем году обязательно сходим, — сказал папа. — В начале лета. А сейчас в Истер. Как насчет Истера?

— Замечательно, — ответил я.

Я готовил уроки, когда зазвонил телефон. Я взял трубку, думая, что звонит Энди. Разобрал одно-два слова, но понял, что звонит Швейцба, Ильзина мать. По сравнению с ее акцентом Ильза — диктор Би-би-си. Я сказал, медленно и отчетливо произнося слова: «Это Лаури. Я позову ее. Пожалуйста, подождите. Warten Sie, bitte».

Я позвал Ильзу и пошел к себе. По радио передавали записи триппи-музыки. Это были отрывки из телешоу с добавкой вокального синтезатора — эта пьеса была всю неделю наверху списка. Слова глупые, мелодия резкая и повторяющаяся, синтетический голос действовал раздражающе; но это как раз тот сорт музыки, что забирается тебе под кожу, и ты, сам того не замечая, напеваешь ее, доводя себя до сумасшествия. Триппи-шоу приобрело фантастическую популярность во всем мире, включая Россию и Китай. Я все еще не видел его, отчасти потому что Анжела отчаянно им увлекалась, но я чувствовал, что музыка каким-то коварным способом захватывает меня.

Кончив уроки, я пошел в гостиную. Здесь были Ильза и папа; он наливал выпивку, и они разговаривали. Входя, я услышал слова Ильзы: «Любой приступ опасен. Он ведь так давно болеет».

— Я только хотел сказать, что день-два можно подождать, — ответил папа.

— Тогда может быть поздно.

— Что-нибудь с Швейцдедом? — спросил я.

Папа кивнул:

— Сердечный приступ. — Он продолжал, обращаясь к Ильзе: — По тому, что она говорила, положение не безнадежное. Он ведь даже не в реанимации.

— Но оно безнадежное для нее. — Ильза жалобно посмотрела на папу. — Я не хочу уезжать. Ты знаешь. Но...

Она замолчала. Папа подошел к ней, она обняла его. Я смотрел в окно. Два дрозда дрались из-за оранжевых ягод ползунка, покрывавшего заднюю стену.

Папа сказал:

— Закажу билет на первый же рейс. А как Анжела?

— Ты думаешь, ей лучше лететь со мной?

Конечно, лучше, подумал я. В этот момент я увидел, как Анжела подъезжает к дому и прислоняет к стене свой велосипед. Ильза тоже увидела ее и позвала в дом. Она объяснила, что у дедушки был сердечный приступ, что она должна лететь в Швейцарию, чтобы повидаться с дедушкой и бабушкой, и что Анжеле лучше лететь с нею.

— Когда? — спросила Анжела.

— Как только папа возьмет билеты. Завтра.

— И я пропущу соревнования Пони-клуба?

Анжеле этим летом купили пони — маленького шотландца с отвратительным характером по кличке Принц. Он дважды кусал меня и все время старался лягнуть, но Анжела сходила из-за него с ума. Она уже несколько недель готовилась к соревнованиям Пони-клуба.

— Я забыла о Пони-клубе, — сказала Ильза.

— Если ты хочешь, чтобы я летела...

— Нет, оставайся. Если дедушке не станет хуже, я скоро вернусь.

Анжела обняла маму. Она умела добиваться своего без всяких неприятностей в отличие от меня.

Я подумал о Швейцдеде. Плотного сложения, краснолицый, он всю жизнь провел на высоте более 1500 метров над уровнем моря. Он хорошо говорил по-английски, потому что содержал гостиницу, но я никогда с ним подолгу не разговаривал. Совсем другое дело Анжела; я чувствовал, что он радуется ей даже больше, чем Ильзе. Жаль, что ей больше нравится пони.

У людей разные приоритеты. Я сожалел о его сердечном приступе, но не о том, что улетает Ильза. Конечно, лучше бы она взяла с собой Анжелу, но нельзя иметь все сразу.

3

Через неделю после отъезда Ильзы в Швейцарию я наконец посмотрел Триппи-шоу. Папа отсутствовал, и Марта взяла Анжелу с собой в магазин. Анжела вначале отказалась идти, потому что хотела смотреть телевизор; чтобы она тут не болталась, я пообещал ей записать шоу. Я включил телевизор и стал смотреть.

Шоу представляло собой смесь мультипликации, игры живых актеров, рекламных кадров и абстрактных кадров, в которых использовались все старые и некоторые новые компьютерные приемы. Мультик очень живой и реалистичный — почти ожившие картинки, а в абстрактных кадрах полно изображений треножников. Все сопровождалось музыкой, казавшейся вначале хаотичной, но потом постепенно резкие звуки как-то увязывались друг с другом.

Я слышал, что это комическое шоу, где триподы выступают как глупые гиганты, которые бродят повсюду и попадают во всякие недоразумения — например, ноги их запутываются и они падают, такого рода шутки. Сначала все так и было, но позже отношение изменилось. Во второй части рассказывалось о девушке, плененной и связанной отвратительным драконом, и о рыцаре, который пытается освободить ее. Похоже на исторический комикс, он в сверкающем вооружении, она в длинном платье, а на голове такая штука, которую, кажется, называют «покрывало».

Попытки рыцаря все кончаются нелепой неудачей. Некоторые из них забавны, я раз-два рассмеялся. Но постепенно зрелище становилось не забавным, а пугающим. На лице девушки отчаяние, рыцарь дрожит от страха, а дракон становится зловещим и вдвое увеличивается в размере.

В кульминационной сцене дракон прижимает рыцаря лапой, пробивает когтем его вооружение, в пыль льется самая настоящая кровь, а челюсти дракона движутся к голове девушки. Музыка становится отрывистой и резкой и сопровождается барабанным боем — как смертная казнь. Крупный план лица рыцаря — он мертвее самого мертвого. У меня мурашки побежали по коже.

И тут на горизонте появляется трипод — на фоне рассвета, музыка меняется. Появляется тема триппи с добавочными ответвлениями, играет оркестр со всеми инструментами — от органа до охотничьего рога. Звучит это энергично и обнадеживающе. Серебряные щупальца мягко сверкают, вовсе не тем жестким металлическим блеском, который я так хорошо помнил, они слетают с неба — одно освобождает девушку, другое поднимает рыцаря, а третье пронзает копьем раздутую грудь дракона.

Девушка свободна, рыцаря возвращают к жизни, и вдвоем на его лошади они уезжают в рассвет. Дракон вначале распадается до костей, а потом просто в пыль. А трипод господствует в сцене, и восходящее солнце образует ореол вокруг его капсулы. Опять тема триппи и громкий голос, повторяющий: «Да здравствует трипод! Да здравствует трипод! Да здравствует трипод!» Снова и снова.

Я просмотрел все шоу, и оно определенно не скучное, но никакого желания смотреть следующее у меня не было. Я знаю, что многие с ума сходят от этого зрелища. Как Анжела — впрочем, и многие взрослые тоже стали фанами.

Я перемотал ленту и включил воспроизведение, чтобы проверить запись. Началась передача об антиквариате, которую записывала Марта. Я подумал, что перемотал слишком много, но какой-то человек продолжал мямлить об изъеденном червями письменном столе. И тут я понял, что случилось. Со мной такое случалось и раньше. Я нажал кнопку записи, но не настроил видик на нужную программу.

Когда они вернулись, я был в своей комнате. Я слышал, как остановилась машина, хлопнула дверца, Анжела позвала меня. Я подумал, что лучше покончить с этим сразу. И пошел в гостиную.

— Где она? Кассета? Ты не надписал ее?

— Нет, я пропустил передачу. Прости.

— Что?

— Я смотрел по телевизору и забыл переключить программу.

— Это не забавно, Лаури. Где кассета?

Я покачал головой, и она поняла, что я говорю серьезно.

— Ты не можешь! — Голос ее перешел в вой. — Не можешь! Не можешь! Нельзя быть таким противным!

Вошла Марта, увидела, что Анжела плачет, и спросила, в чем дело.

Я сказал:

— Я забыл записать Триппи-шоу. Вернее, не забыл...

Марта холодно сказала:

— Ты ей пообещал.

— Знаю. Я хотел записать. — Плач становился все громче и отчаяннее; мне пришлось говорить очень громко. — Но я думаю, что детям не стоит смотреть эту программу. И тебе не понравилось бы, если бы ты видела. Ты всегда была против насилия на экране и...

Лицо у Анжелы было бледное и напряженное. Без всякого предупреждения она кинулась на меня, как маленький, но свирепый бык. Я схватил ее, чтобы не упасть, и бык превратился в дикую кошку, отчаянно царапающуюся. Я слышал, как Марта потрясенно говорила: «Анжела...» — и после этого был слишком занят, защищаясь. Глупо — ей ведь только семь лет, и она не слишком велика для своего возраста, — но мне понадобилась вся сила, чтобы удержать ее. В конце концов я умудрился прижать ее к лестнице. Она еще какое-то время боролась и кричала, потом обмякла.

Анжела продолжала лежать, я встал.

— Что ты ей сделал? — спросила Марта.

— Ничего. Только постарался не дать ей убить меня.

Я почувствовал, как что-то стекает по щеке, поднял руку — она в крови. Марта склонилась к Анжеле:

— Анжела, что с тобой?

Анжела не ответила, но рыдания возобновились, на этот раз не яростные, а жалкие. Марта сказала, что нужно уложить Анжелу в постель. Мы практически отнесли ее.

Вечером Марта обсудила происшествие с папой. Анжела все еще была в своей комнате, и папа сходил ее проведать.

Вернувшись, он сказал:

— Кажется, все в порядке.

— Я беспокоюсь, — сказала Марта. — Она была... ну, в ярости.

Папа ответил:

— У детей бывают срывы — без всяких причин. — Он улыбнулся мне. — У Лаури в этом возрасте тоже были.

Я вспомнил случай, когда он пообещал поиграть со мной в футбол и не стал. Когда он наконец пришел, я пнул его вместо мяча и продолжал яростно пинать. Но у меня была вполне определенная причина. Это было как раз перед тем, как у нас поселилась Ильза, и я знал о ней; и знал, что он разговаривал с нею по телефону и забыл о своем обещании.

Когда Анжела спустилась, она казалась нормальной, во всяком случае, по отношению к остальным — со мной она вообще не разговаривала. Марта отправилась готовить ужин, а Анжела взяла видеокассеты. Мы оба видели, что она выбрала — одну из программ Триппи-шоу.

Папа сказал:

— Нам этого не хочется.

— Время есть. Марта сказала, что ужин через полчаса.

— Все равно...

Я думал, что она начнет привычное подлизывание, чтобы добиться своего, но она без всякого выражения смотрела на папу, держа в руке кассету.

Немного погодя папа сказал:

— Ну ладно, только потише. Я пойду в кабинет и попробую выяснить, какая погода в Альпах.

Я пошел к себе. Меня провожала триппи-музыка.

В понедельник утром у нас было два урока физики — удручающее начало недели. Дикий Билл опаздывал, и мы болтали. Говорили о Триппи-шоу, и я заметил разное отношение: одни говорили, что передача плохая, другие восхищались. Казалось, нет никакой возможности предсказать, кто будет «за», кто «против».

Энди сказал, что она показалась ему глупой. Не глупая, возразил я, а вообще ноль, и пересказал историю с рыцарем и драконом.

Родни Чамберс, сидевший передо мной, сказал:

— А ты откуда знаешь?

Я удивился — не вопросу, а тому, кто его задал. Не могу припомнить, чтобы он когда-нибудь высказывал свое мнение.

Я сказал:

— Я узнаю вздор, когда вижу его. Но моя младшая сестра с ума по нему сходит. Вероятно, просто возраст.

Чамберс встал.

— Заткнись! — сказал он. — Или я заставлю тебя заткнуться!

И взмахнул кулаком. Удивительно — он раньше никогда не дрался; но больше всего меня поразило выражение его лица. Точно как лицо Анжелы, когда она бросилась на меня. Остальные смотрели молча. Я попытался отделаться улыбкой.

— Триппи-шоу — лучшая программа телевидения. — Чамберс наклонился вперед. — Повтори, Кордрей!

Дверь в класс открылась, и появился Дикий Билл.

— Небольшая доурочная дискуссия, леди и джентльмены? Я полагаю, не о физике. — Он пробежал пальцами по волосам и остановился перед нами. — Мне кажется, я слышал упоминание о Триппи-шоу. Странно, но я сам смотрел вчера эту передачу, и она понравилась мне больше, чем я ожидал. Любопытно и очень привлекательно. — Он помолчал и одернул свою учительскую мантию. — Да, весьма привлекательно. Но, полагаю, пора заняться физикой. Глава девятая.

Папа не рассказал Ильзе о припадке Анжелы, вероятно, чтобы не беспокоить ее. Он звонил ей каждый вечер, как только возвращался домой. Похоже, Швейцдеду было не хуже, но и не лучше. Ильза хотела вернуться, но оставалась, потому что следующий приступ мог убить его.

Меня это устраивало. Марта строже Ильзы — никакие подкупы не действуют, — но я знал, чего ожидать от Марты. Анжела, казалось, тоже не ощущала отсутствия матери, но в те дни Анжела вообще интересовалась только одним — Триппи-шоу. Она не заботилась о пони, и Марта должна была напоминать ей о том, что пора выводить пони на прогулку или чистить стойло. Анжела собрала все программы — даже ту, которую я не записал, — и непрерывно их крутила. Марта пыталась прекратить это, но с Анжелой произошла истерика, и Марта не настаивала.

Анжела вступила в новый клуб фанов — любителей триппи и получала разное барахло по почте.

Я слышал однажды вечером, как Марта говорила папе, что с этим нужно что-то делать.

Папа ответил:

— У детей бывают кризисы.

— Но я никогда не видела, чтобы она так себя вела, когда ее пытаются образумить. Мне кажется, ее нужно лечить.

— Мне казалось, ты презираешь психиатров.

— Ну, по крайней мере покажем ее Джеффри.

Джеффри Монмут — наш доктор; они с папой играют в гольф.

— Не считаю нужным.

Папин голос звучал негодующе; должно быть, он просто не мог признать, что что-то неладно с его Анжелой, особенно признать перед членом гольф-клуба.

— Ты не видел, какая она бывает. — Папа не ответил. — Нужно думать и о других вещах, не только о том, что Ильзы нет дома.

Я слушал из зала. После этих слов я повернулся и отправился к себе.

Через несколько дней против триппи выступила «Дейли мейл». Мы не выписываем эту газету, но когда я пришел в школу, ее передавали из рук в руки. Большая шапка:

ТРИППИ ПРОМЫВАЮТ МОЗГИ?

Ниже буквами поменьше: «Это шоу — угроза нашей юности?» Далее цитировались известные психологи, которые утверждали, что культ триппи может быть опасен, потому что вызывает фанатизм, который проявляет тенденцию к выходу из-под контроля. Приводились примеры: дети вели себя так, что поведение Анжелы на этом фоне казалось образцом нормы. Один мальчик пытался сжечь свой дом, когда у него отобрали кассеты с записями триппи. Тринадцатилетняя девочка чуть не убила отца кухонным ножом. Утверждалось, что в других странах еще хуже: в США и в Германии дети толпами оставляли дома и жили вместе триппи-коммунами. Как только их возвращали домой, они сбегали снова.

Один из фанатиков триппи в школе достал зажигалку и сжег газету. Остальные смотрели, как она горит; лица их напомнили мне фильм, в котором сжигают ведьму: так смотрели на этот костер.

В начале первого урока все еще говорили об этом; а урок был — физика. Шум не затих, даже когда вошел Дикий Билл, и я ожидал, что он взорвется: он всегда строго следил за дисциплиной в классе. Вместо этого он добродушно взглянул на фанатиков триппи, даже каким-то любящим взглядом.

Он сказал:

— Я видел, как вы сожгли эту злую газету. У нас в учительской тоже был номер, и я его сжег.

Фанатики триппи все еще шумно приветствовали его, когда послышался стук в дверь и вошел мистер Денлам, секретарь школы. Это был маленький человек, робкий, особенно когда дело касалось Дикого Билла. Он подошел ближе и что-то прошептал. Дикий Билл презрительно улыбнулся:

— Если директор хочет меня видеть, разумеется, я в его распоряжении.

Он дал нам задание и вышел, вслед за ним и Денлам. У двери Дикий Билл остановился и обернулся, продолжая улыбаться. А потом сказал, почти выкрикнул:

— Да здравствует трипод!

Этим вечером основной темой теленовостей были триппи. Показали толпу у здания «Дейли мейл» и стычки, когда полиция пыталась рассеять эту толпу, — триппи тащат в полицейские фургоны, полисмен с лицом, залитым кровью. Комментатор сказал, что еще одна толпа собралась у дома издателя; окна дома разбили, а на стенах намалевали фигуры триподов.

«Сегодня во второй половине дня, — продолжал комментатор, — в палате общин выступил премьер-министр. Он сказал, что ситуация находится под контролем. Особенно тревожит то, что фанатики триппи по всей стране собираются вместе. Сообщается о нескольких таких группах, занявших пустые квартиры и конторы в Лондоне; аналогичные коммуны появились в ряде провинциальных городов, включая Бирмингем и Эксетер».

Марта сказала:

— Не думала, что позволят зайти так далеко. Нужно руководить твердой рукой.

— Легче сказать, чем сделать, — заметил папа.

— В этом-то все и дело. Слишком много говорят, слишком мало делают.

Комментатор начал говорить об акциях и ценных бумагах и о финансовой панике, и Анжела, которая сидела, глядя на экран, встала и вышла из комнаты. Марта и папа продолжали говорить о бунтах. Марта все больше сердилась, и папа соглашался с ней; он никогда долго не выдерживал сопротивления. Он говорил: да, триппи-шоу следует запретить, когда я услышал, как открылась, а потом закрылась входная дверь.

Я сказал:

— Это Анжела.

Папа повернулся ко мне:

— Что?

— Она вышла.

Он спросил Марту:

— Она тебе говорила что-нибудь?

— Нет. Наверно, пошла к Эмме.

Эмма — это ее подруга в деревне. Я сказал:

— В новостях говорили о коммуне триппи в Эксетере.

— Но она не может... — начала Марта. Папа пошел к двери, я за ним. Дом Эммы находился в нескольких сотнях метров налево. Анжела направлялась направо, к остановке автобуса.

Папе потребовалась моя помощь, чтобы вернуть Анжелу; она боролась какое-то время, потом обвисла на нас. Он отнес ее в ее комнату, и мы с Мартой ухаживали за ней. Она лежала, глядя в потолок. Когда папа вернулся, она не отвечала на его вопросы, не смотрела на него и не двигалась.

Через несколько минут пришел доктор Монмут; он жил по соседству.

Это был маленький человек, ростом меньше папы, с розово-белым детским лицом и редкими растрепанными волосами. Говорил он быстро и слегка заикался. Папа объяснил, что случилось. Осмотрев Анжелу и посветив ей в глаза, доктор сказал папе:

— Вы знаете, я иногда пользуюсь гипнозом. И как мы оба знаем, вы это не одобряете. Если хотите, я успокою ее и передам п-педиатру. Но я предпочел бы испробовать гипноз. Может, так мы узнаем, что ее тревожит. Н-ну как?

Папа неохотно ответил:

— Вреда, наверно, не будет.

— Безусловно.

Доктор Монмут посадил Анжелу, обращаясь с ней мягко, но решительно. Из сумки он достал стальной шар на цепи и начал раскачивать перед нею. Нечто подобное я уже видел, но мне все равно было интересно смотреть и слушать его мягкий монотонный голос:

— Тебе хочется спать... спать... спать... твои веки тяжелеют... глаза закрываются... закрываются... ты спишь...

Я сам почувствовал сонливость. Доктор Монмут сунул шар в карман и сказал:

— Анжела, ты меня слышишь?

Она негромко ответила:

— Да.

— Ты что-нибудь должна сделать... обязательно должна?

Никакого ответа.

— Скажи мне. Что ты должна сделать?

Она медленно ответила:

— Повиноваться триподу.

— Что это з-значит, Анжела?

— Трипод хороший. Трипод знает лучше.

— Лучше о чем?

— Обо всем.

— И что же ты должна делать?

— То, что велит трипод.

— А кто тебе это сказал?

— Трипод.

— Т-трипод велел тебе убежать из дома и присоединиться к другим триппи?

— Да.

Доктор Монмут взял ее руки в свои.

— Слушай, Анжела. Слушай внимательно. Никакого т-трипода нет. Ты никогда не смотрела Триппи-шоу. Ты вообще не любишь смотреть т-телевизор. Ты сама по себе, и никто не может управлять твоим мозгом. Теперь я досчитаю до пяти, при счете «пять» ты проснешься и не будешь помнить мои слова, но будешь делать, как я сказал. Один, два, три...

При счете «пять» она открыла глаза. Спросила:

— Что со мной? — Посмотрела на нас. — Я заболела?

Он успокаивающе улыбнулся:

— Легкий приступ. Теперь ты здорова. Можешь делать что угодно. Хочешь посмотреть телевизор?

— Нет. — Она яростно помотала головой. — Нет, не хочу.

Анжела осталась в своей комнате, приводя в порядок кукол. Их у нее было больше десяти, и я вспомнил, что она давно уже ими не играла. Я спустился вместе с остальными, и папа разлил напитки.

— Я не очень понимаю, что к чему. — Он протянул стакан доктору Монмуту. — Ее кто-то загипнотизировал? Но кто?

— Вы слышали ее: трипод.

Марта сказала:

— Это нелепо. Триподы были уничтожены. Вы хотите сказать, телевизионное шоу? Но как это возможно?

Доктор Монмут взял стакан.

— Гипноз — это состояние искусственно индуцированного сна или транса, в котором субъект податлив к внушению. Существуют различные м-методы индуцирования. Я не слышал раньше, чтобы это делали через телевизор, но я не стал бы отвергать такую возможность.

— Но само внушение... — сказал папа, — как оно действует?

— Оно может быть подсознательным; сообщение вспыхивает на экране на микросекунды. И подкрепляется словесно — «Да здравствует трипод». Интересно, что на одних оно действует, на других нет. Но это же относится и к другим вещам. Прерывистый свет большинство людей не беспокоит, а у м-меньшинства вызывает эпилепсию. Возможно, это результат небольших нарушений корковой деятельности. Может быть, разность альфа-ритмов делает их восприимчивыми.

— Но кто это делает? — спросила Марта. — Русские?

— Возможно. Но ведь шоу создано в Штатах.

— Зачем это американцам? Не имеет смысла.

— Проводились эксперименты с подсознательным внушением в рекламе. М-может быть, собираются запускать в производство игрушки-треножники, и проект вышел из-под контроля. Или это разновидность массовой истерии, которая связана с поп-звездами, — истерия и гипноз оба предполагают отказ от свободной воли, по какой-то случайности она связана именно с этим шоу.

Папа спросил:

— А вы сами что думаете?

— Не знаю. Существует и третья возможность.

— Какая?

— Слой Хевисайда не останавливает телевизионные сигналы. Шоу создано в Америке, но внушение могло быть наложено извне. — Он помолчал. — Откуда-нибудь из космоса.

Марта покачала головой:

— Ну, это вообще нелепо.

Папа сказал:

— Кто-то скрывается за триподами, вы хотите сказать. Но это невероятно. Ведь триподы — это шутка.

— Научные знания не обязательно следуют известному нам образцу. У инков была превосходная сеть дорог, но они уммудрились не изобрести колеса. То, что кто-то использует такую неуклюжую машину, как треножник, вовсе не означает, что он не может далеко опередить нас в познании мозга и умственной деятельности.

Папа покачал головой:

— Рекламный трюк, вышедший из-под контроля, кажется мне более вероятным.

Теленовости были полны триппи, демонстрировавшими, распевавшими песни о триподах и вступавшими в стычки с полицией. И не только в Англии; аналогичные сцены происходили в Америке и Канаде, в Австралии и в Европе. Ходили слухи, что то же самое происходит за «железным занавесом», но нам этого не показывали.

Средства массовой информации изобрели слово «триппи», они же назвали демонстрации триппи — триппингом. Триппи приняли эти названия и распевали новую песню на мотив Триппи-шоу:

— Трип, трип, трип вместе с триподом...

И вдруг неожиданно триппи двинулись. Все началось в Лондоне. Мы смотрели вечерние новости по телевизору: похоже было на массовую миграцию. Со всего города собрали машины и автобусы и двинулись в сельскую местность. Другие ждали у дороги. Погода была ужасная, с черного неба лился проливной дождь, бушевала буря. Люди терпеливо стояли под дождем, мокрые, оборванные, но не жалующиеся. Многие держали самодельные лозунги и плакаты:

ДА ЗДРАВСТВУЕТ ТРИПОД! ТРИПОД ЖИВ!

...или просто размахивали изображениями треножников. Машины и автобусы, ведомые другими триппи, останавливались, подбирали их и ползли дальше перегруженные. Полиция наблюдала, но не вмешивалась.

Я думал об этом, ложась спать. Не знаю, было ли мне их жаль. Жалкая сцена, но сами они не казались несчастными. К чему бы все это? Может, доктор Монмут прав — насчет внушения из космоса? Но зачем? И зачем такой массовый исход? Я вспомнил, как мигрируют лемминги: они потом тонут в море.

Очевидно, Анжела была бы среди них, если бы доктор Монмут не снял внушение; некоторые триппи выглядели не старше, чем она. Эта мысль ужасала.

На следующее утро я проснулся рано. Включил телевизор и в недоумении смотрел на экран. В центре экрана — треножник, а за ним мокрые серо-зеленые поля. У гигантских ног копошились какие-то точки.

Голос диктора перехватывало. «Второе вторжение триподов само по себе поразительно... сообщается о появлении их в Штатах и в Германии — но этот... как его описать?.. этот приветственный парад... это вообще невероятно...»

Камера приблизилась. Рой точек превратился в людей... тысячи и тысячи людей размахивали руками, пели песни и поднимали в приветствии изображения трипода.

4

На некоторое время наступило равновесие. Триподы не двигались, и против них ничего не предпринимали. Невозможно было напасть на них, не убив при этом множество триппи, теснившихся вокруг. Ближайший от нас трипод располагался к северу от Эксетера, в Англии было еще три, один в Шотландии, между Эдинбургом и Глазго, и один в Ирландии, к югу от Дублина. То же самое происходило по всему индустриальному миру. Кто-то подсчитал, что один треножник приходится примерно на десять миллионов человек, и размещались они рядом с крупными населенными пунктами.

Триппи-шоу сняли с экрана, но тут же оно появилось вновь, и передача шла с высотных спутников. Правительство пыталось заглушить ее, но передача сменила частоту и продолжала ее менять, а глушители пытались ее преследовать.

Марта сказала, что нужно вообще прикрыть телевидение. Папа ответил:

— Не могут.

— Почему? Ведь сделали это во время войны.

Я хотел спросить, какой войны — Бурской или Крымской. Удивительно, как старики говорят просто «война», как будто это что-то значит.

Папа сказал:

— Тогда это был не главный коммуникационный канал; таким было радио. Даже когда я был мальчиком, один из ста домов, а может, и меньше, имел телевизор. Если прекратят сейчас, начнется паника.

— Но что-то надо делать? Миссис Голайтли говорит, что ее домработница стала триппи. Вчера еще ворчала по поводу триподов, а сегодня не пришла на работу.

— Если ничего хуже не случится, кроме потери домработницы, тогда еще ничего.

Я только что пришел из школы.

— Я хочу вам кое-что сказать. Мать Энди ушла.

Марта спросила:

— Ты уверен?

— Когда он вчера вернулся, дом был пуст. Он думал, что она у кого-то в гостях, но она не вернулась. И даже не оставила записки, как делает обычно, когда уходит.

Марта была поражена:

— Значит, он один в доме?

— Да. Но он привык.

Она повернулась к папе:

— Иди и приведи его. Ему лучше оставаться с нами, пока все не кончится.

— Я хотел позвонить Ильзе.

Она раздраженно смотрела на него.

— Это подождет.

Я знал, что папа неплохо зарабатывает, хотя он частенько жаловался на налоги и нехватку денег; что касается Марты, то она вообще была богата. Но мой дядя Ян — вот это был настоящий магнат. Он руководил несколькими компаниями в Сити — самые разные дела, от торговли кофе до страхования собственности, — и у них были «роллс», и «порше», и один из этих фантастических маленьких спортивных автомобилей «MMR-2» для поездок в магазины. Он и тетя Каролина, сестра папы, много времени проводили в самолетах — он был связан с компанией в Токио и еще с одной в Нью-Йорке, а между полетами они жили в настоящем имении в Котсволде, с наружным и внутренним плавательными бассейнами, с теннисными кортами, с полудюжиной конюшен и парком, который тянулся на мили.

У них было двое детей: Верити, семнадцати лет, и Натанаэль, на год старше меня. (Они на самом деле называли его Натанаэль, даже сидя у бассейна.) Он был похож на отца, с тонким бледным лицом и рыжеватыми волосами, с хилым сутулым телом, хотя и без животика, который дядя Ян нажил от хорошей жизни по белу свету. Верити тоже была рыжеволосой, но хорошенькой.

Мы виделись с ними редко — по нескольким причинам. Одна — Ильза при них чувствовала себя неуверенно, другая — Марта не одобряла их образ жизни. Третья — из-за их образа жизни: рядом с ними все равно чувствуешь себя бедным родственником, потому что ты такой и есть. Меня это не очень беспокоило. Я завидовал Натанаэлю из-за некоторых вещей, которые он принимал как должное (типа плавательного бассейна), но я не хотел бы иметь их, если это означало быть таким, как Натанаэль, и я сумел убедить себя, что это взаимосвязано. Верити мне бы нравилась, если бы она обращала на меня хоть сколько-нибудь внимания, но она этого не делала.

Папа позвонил тете Каролине после случая с Анжелой, отчасти как предупреждение. Из его рассказа Марте я понял, что тетя не заинтересовалась; Натанаэль и Верити были в безопасности в своих дорогих интернатах (у Натанаэля — Этон), а они с Яном не смотрят телевизор. Она сказала тем не менее, что триподы — большая помеха в делах. Они планировали поездку в Лос-Анджелес — Ян основывал там компанию, но он решил подождать, пока все не уляжется.

Тетя Каролина, которая позвонила, когда папа ушел за Энди, была совсем другой. Вначале я даже не мог понять, что она говорит, так изменился ее голос. Постепенно выяснилось, что хотя телевизоры в Этоне были запрещены после второго вторжения триподов, кто-то подпольно принимал передачи. Учитель нашел телевизор, настроенный на прием Триппи-шоу, и конфисковал его, но ночью с десяток мальчиков убежали. Один из них был Натанаэль.

Ян немедленно отправился на поиски. Ближайший трипод располагался у Фарнхема, недалеко от Этона, и они думали, что Натанаэль там. Теперь она беспокоилась и о Яне.

Разговор все еще продолжался, когда папа привел Энди. Он слушал ее и утешающе хмыкал. Я слышал, как он говорил: «С Яном будет все в порядке, Кара. Я уверен в этом. И с Натанаэлем. Никакой физической опасности нет. Прошла уже неделя, и ничего ужасного не случилось. Просто глупость, которая со временем кончится. Выпей, постарайся успокоиться. Ну ладно, выпей еще. Иногда неплохо как следует выпить».

Повесив трубку, он уже не казался таким уверенным.

— Не понимаю, что происходит. Они обратились в полицию, как только им позвонили из школы, но там даже не сделали вида, что собираются помогать, Яну сказали, что перестали реагировать на заявления об исчезновениях: их слишком много.

Энди кивнул:

— То же самое и мне сказали. И кое-кто в полиции тоже триппи. Полисмен в Малом Иттери ушел.

Это деревня в пяти милях от нас. Папа сказал:

— Не беспокойся о матери. Как я уже сказал сестре, ничего ужасного не происходит. Никому не повредили. А гипнотический эффект долго не держится. Сегодня утром по радио выступал врач, он сказал, что со дня на день люди должны начать возвращаться домой.

Я спросил:

— А как Анжела?

— А что Анжела?

— Доктор Монмут гипнотизировал ее. Может, это тоже долго не продержится?

— Это другое дело. Он гипнотизировал, чтобы разгипнотизировать. Если мы увидим, что она снова прилипла к ящику, тогда будет повод для беспокойства, но пока ничего подобного нет.

Я согласился. Если кто-то оставлял телевизор включенным — иногда так поступала Марта уходя, чтобы напугать воров, — Анжела его выключала.

Я совсем не радовался тому, что Энди живет с нами. Он мне нравился, но мысль, что придется видеть его двадцать четыре часа в сутки, делить с ним комнату, не заставляла меня прыгать от восторга.

Вечером он рано лег и читал. Это меня устраивало, но когда я вышел из ванной, он отложил книгу.

— Дождь, — сказал он. — Гроза собирается. Интересно, где Миранда.

Хотя я сам называл Ильзу по имени, мне казалось неправильным, что он называет свою маму Мирандой. В конце концов, она ведь его настоящая мать, а не мачеха. Я не мог понять, как он к ней относится. Он рассказывал о ее вздорных идеях — например, выкрасить потолок черной краской, — как бы слегка насмехаясь, как будто она персонаж пьесы. В то же время, когда она его не ругала, он бывал с нею нежен, как я не мог быть ни с кем, особенно с Ильзой; он всегда обнимал свою мать.

Я, запинаясь, сказал:

— С ней будет все в порядке.

— Забавно. — Он смотрел на потолок. — Когда она раньше уходила, я иногда надеялся, что она не вернется.

Он говорил, как всегда, спокойно. Я не знал, что ответить, и даже не пытался.

Немного погодя он продолжал:

— Конечно, на этот раз она ушла, потому что хотела. Раньше я не беспокоился, потому что она поступала по своим желаниям. Сейчас я этого не чувствую. — Он помолчал. — Может, мне нужно поискать ее, как твой дядя — Натанаэля.

Я ответил:

— Ты ее не найдешь, а даже если найдешь, что это тебе даст? Анжела маленькая, мы сумели ее притащить, а рядом оказался доктор Монмут. А что ты сделаешь против толпы триппи?

Он кивнул:

— Ничего, наверно. Но она теперь часть всего этого — это случилось и с ней. Раньше она проделывала всякие штуки... но теперь... она может делать что угодно, только не размахивать флагами и кричать «Да здравствует трипод!».

— Это не значит, что она несчастлива — Анжела не была.

Я не назвал бы ее и счастливой, но об этом не сказал. Энди посмотрел на меня:

— А что, если бы это была Ильза?

Я подумал об этом и понял, что испытываю разнообразные чувства, рассортировать которые не смог бы. Но я мог представить себе, что испытывал бы папа.

Я покачал головой:

— Не знаю.

Энди сказал:

— И я не знаю. Хотел бы я знать, что все это такое. Мы теперь знаем, что это определенно связано с триподами и что люди, создавшие шоу, были в числе первых триппи. Очевидно, те, кто послал треножники, управляют нашим телевидением, они выяснили, где самые мощные производственные центры, и каким-то образом послали туда гипнотические приказы. Но мы до сих пор не знаем, зачем им все это.

— Одна теория утверждает, что они с болотистой планеты, — сказал я. — Единственное разумное назначение треножников — пересекать болотистую местность.

— Так кто же они — гигантские разумные лягушки или тритоны? А может, свиньи: свинья — болотное животное. Никто не знает. И может, и не узнает. И нет даже догадки о том, как работает их мозг. Мы видели, как первый трипод поступил с фермой. Вторая волна, похоже, вообще ничего не делает, только гипнотизирует людей, чтобы они их любили. Может, они просто хотят, чтобы их любили?

— Что касается меня, то они ничего не добились. И папа прав: гипноз долго не держится. Скоро начнут возвращаться.

Я взбил подушку и лег. Энди молчал; я решил, что он попрежнему думает о Миранде. Я начал думать об Ильзе и о его вопросе: что я чувствовал, если бы это была она. Но мысли, пришедшие мне в голову, мне не понравились, и я прогнал их прочь.

Назавтра была суббота. Папа продавал кому-то очередной дом — триподы или нет, а люди должны где-то жить, сказал он. Марта уехала в магазин и взяла с собой Анжелу. А Энди отправился на велосипеде домой за вещами, которые он забыл накануне.

Я бродил по саду — в конце его росли фруктовые деревья. Яблоки уже убрали, но на одном старом дереве еще оставалось несколько. Сидя на ветке и грызя яблоко, я опять подумал об Ильзе. Папа до завтрака звонил ей и просил приехать. Потом сказал, что швейцарцы не могут поверить в то, что происходит в остальной части мира. Очевидно, в их стране нет триподов и почти нет триппи.

Они с Энди заспорили о национальных характерах. Меня это не интересовало, поэтому я не обращал внимания. Но я заметил, как говорил с ним папа — не впадая в молчание, говорил быстро и много. Я оставил их за разговором. И, уходя, думал, почему это папа со всеми, кроме меня, может говорить так легко.

Я отбросил огрызок и услышал шум подъезжающей машины. Вначале я решил, что это папа, но мотор слишком сильный для «рено». И не «ягуар» Марты. Я слез с дерева и пошел к дому. У дома стоял «роллс» дяди Яна, а он сам и Натанаэль стояли рядом. Дядя Ян одевался в неброскую, но дорогую одежду:

синие брюки, рубашка спортивного покроя с короткими рукавами, мягкие туфли и большая шляпа. Мне показалось, что всему этому совсем не соответствует черный чемоданчик, который он нес. Натанаэль тоже был в шляпе. Дядя Ян с улыбкой помахал мне рукой:

— Я думал, вообще никого нет.

Я провел их в дом, объясняя, где остальные. Украдкой взглянул на Натанаэля. Все как обычно. Зная дядю Яна, я решил, что Натанаэля разгипнотизировал кто-нибудь с Харли-стрит. Но как он его нашел? Вероятно, нанял компанию бандитов. Марта говорила, что он знается с преступниками.

Гораздо удивительнее, что привело их сюда, на сотню миль южнее поместья Ардакер. Я думал, они вначале поедут домой. Я провел их в гостиную и предложил дяде Яну выпить, как всегда делал папа, а потом вежливо спросил, что привело их к нам.

Он по-прежнему улыбался.

— Мне нужно было повидаться кое с кем в Таунтоне. Крюк не очень большой, и я решил заглянуть к вам.

— А тетя Каролина?

Он удивился:

— А что?

— Она... ну... беспокоилась. — Я взглянул на своего двоюродного брата, который тоже улыбался; весьма необычно для него. И ни один из них не снял шляпы. — О Натанаэле.

— Ах, это. Я ей позвонил. Она знает, что теперь все в порядке.

Я по-прежнему удивлялся. Хотя графин с виски стоял прямо перед ним, он даже не взглянул на него. Дядя любил выпить, и я думал, что после долгой поездки он сразу нальет себе. Но он подошел ко мне и взял меня за руку.

— Ты должен понять, Лаури, что теперь все хорошо, лучше не может быть. Я рад, что ты один. Это делает легче нашу задачу.

Как только он коснулся меня, я почувствовал тревогу. В прошлом я не был даже уверен, что он замечает меня. И манеры у него стали слишком приветливые, чуть не заискивающие. Ничего похожего на то, как обычно жильцы Ардакера обращались со своими бедными родственниками.

Я сказал:

— Лучше подождать папу. Объясните все ему.

Он не обратил на это внимания.

— Новый мир рассветает, ты знаешь. Мир спокойствия и счастья.

Все неправильно. Единственное спокойствие и счастье, которые его когда-либо интересовали, это спокойствие и счастье от приобретения еще одного состояния. Я бросил взгляд на дверь и с замирающим сердцем увидел, что между мною и ею стоит Натанаэль.

Дядя Ян продолжал:

— Это нужно испытать, чтобы понять, но когда испытаешь, все остальное покажется дурным сном. Тысячи лет люди сражались друг с другом, убивали, мучили, порабощали. Все это кончилось. Триподы принесли нам мир и свободу.

— Да здравствует трипод! — сказал Натанаэль.

— Очень интересно, — сказал я.

В чем же угроза? Ясно, что не только не был разгипнотизирован Натанаэль, наоборот, его отец тоже стал триппи. Но если это означает только лекцию о доброте триподов, я это выдержу. Но у меня было предчувствие, что этим они не ограничатся. Они ищут новообращенных; вопрос в том, как происходит обращение. Я сомневался, что только в разговорах. Усадить меня перед телевизором и заставить смотреть Триппи-шоу? Но я уже видел его и не стал триппи. Или как-то загипнотизировать меня? Доктор Монмут говорил, что нельзя загипнотизировать человека помимо его воли. Если я намерен сопротивляться, они не смогут. Или смогут?

— Легко вступить в мир спокойствия, — говорил дядя Ян.

Чемоданчик стоял на ковре рядом с ним. Он открыл его и достал что-то — болтающуюся штуку, похожую на шлем, черную, но с серебряными нитями.

— Счастливы те, — продолжал он, — кто добровольно раскрывает сердца навстречу посланию триподов. Но триподы хотят, чтобы все испытали радость принадлежности к новому братству человечества. Поэтому они дали нам эти шапки, которые уничтожают сомнения и неуверенность.

Одной рукой он протянул ее мне, а другой снял свою шляпу. Под шляпой у него был такой же шлем.

Он серьезно сказал:

— Надень его, Лаури. И тогда ты узнаешь секрет счастья, как узнали мы.

Я посмотрел на одного, на другого. Ни капли враждебности. Тонкие черты лица Натанаэля утратили обычное насмешливое выражение и излучали доброту. Ужасное зрелище. Шлем выглядел безвредно — просто кусок резины с металлическими нитями. Но я чувствовал, как колотится сердце.

— Звучит прекрасно, — сказал я. — Только... подождите минутку. Я зажег газ перед вашим приходом — хотел вскипятить кофе. Пойду выключу, а то кухня загорится.

Несколько мгновений все молчали. Я, как мог естественнее, пошел к двери.

Спокойным голосом дядя Ян сказал:

— Мозг человека полон хитрости и обмана, пока не познал гармонию триподов. Держи его, Натанаэль.

Я попытался пробежать, а когда он схватил меня, рванулся назад. И побежал к открытому окну. При этом я услышал шум мотора и увидел подъехавший «ягуар». Я попытался вылезть в окно, но Натанаэль держал меня за ногу. Я лягался и звал на помощь.

Ударом ноги я отбросил Натанаэля и перевернул софу. Это преграда между мною и ими, но преграда жалкая и временная. Я слышал голос Марты, звавшей Анжелу, а эти двое приближались ко мне, и шлем свисал с руки дяди Яна. Лезть в окно? Это значит повернуться к ним спиной. Я не знал, что делать, и не делал ничего.

Дядя Ян спокойно сказал:

— Глупо, Лаури. Никто не причинит тебе вреда. Мы тебе дадим кое-что, и ты узнаешь самое удивительное в мире. Тебе нужно только расслабиться и принять.

Я сказал, пытаясь выиграть время:

— Расскажите мне еще... о триподах.

Он покачал головой:

— Опять хитрость и обман. Но скоро все это кончится.

Теперь бежать к окну слишком поздно — пока я доберусь, они наденут мне на голову шлем. На подоконнике стояла бронзовая статуэтка римского божества, один из антиков Марты. Я схватил ее и поднял, как дубину.

Дядя Ян сказал:

— Натанаэль...

Натанаэль прыгнул с быстротой, которой я от него не ожидал, и перехватил мою руку. Скорость нападения и его неожиданность заставили меня выпустить бронзу; он крепко держал меня за руку. Приближался его отец. Глядя между ними, я увидел, как открылась дверь и вошла Марта. Она сказала:

— Ян, не знаю, что тут происходит, но отпусти его. Немедленно.

Он мягко ответил:

— Мы принесем мир и тебе, Марта. После Лаури.

Моя бабушка — крепкая старушка, но, конечно, не ровня им. В ее руке была большая красная сумка из крокодиловой кожи, в ней она держала деньги. Я подумал, не собирается ли она ударить дядю Яна этой сумкой.

И закричал:

— Уходи отсюда — позови на помощь...

Она со стуком уронила сумку. В руке ее было что-то черное и плоское — небольшой пистолет. Она сказала:

— Повторяю: отпусти его.

Голос дяди Яна не дрогнул.

— Не делай глупости, Марта. Мы пришли с миром и принесли мир. Никто не пострадает.

— Ты ошибаешься. — Она говорила самым решительным голосом. — Если не отпустишь, кое-кто пострадает. И сильно — может, будет убит.

Дядя Ян смотрел на нее. Мы уже знали, что триппи почти равнодушны к боли и опасности. Поверит ли он ей?

Он медленно покачал головой:

— Как ты ошибаешься, Марта. Если бы только позволила мне...

Выстрел, оглушительно громкий, прервал его.

Он вздохнул, пожал плечами и направился к двери. Натанаэль — за ним. Мы с Мартой смотрели друг на друга, слушая, как заработал мотор «роллса». Она нащупала ближайший стул и тяжело села.

— Налей мне коньяку, Лаури. И покрепче.

* * *

Анжела пряталась в кустах. Она была больше заинтересована, чем испугана, и хотела посмотреть пистолет, но Марта сунула его обратно в сумку.

Я сказал:

— Я не знал, что он у тебя есть.

— Купила в прошлом году, когда одного торговца ограбили на пути с антикварной ярмарки. Глупо, но я ни разу не стреляла. — Она взяла стакан и отпила коньяку. — Ужасно боялась попасть во что-нибудь.

Она имела в виду свой фарфор; в поисках поддержки она обвела взглядом свое собрание. Единственным ущербом была круглая дыра в штукатурке стены. Но тут она заметила статуэтку на полу и принялась ее рассматривать. Чемоданчик стоял там, где его оставил дядя Ян. Я заглянул внутрь и увидел несколько шлемов.

— Интересно, почему он это оставил, — сказал я.

Марта провела пальцами по статуэтке и равнодушно ответила:

— Не знаю.

— Может, подумал, что мы из любопытства наденем шлем, и готово.

Она вздрогнула с отвращением:

— Как же!

— Кто знает, как работает мозг триппи? Он на самом деле считает, что это пропуск в рай, и поэтому мы можем поддаться искушению. Тот, что он хотел надеть на меня, он унес с собой. Куда они направились, как ты думаешь? Домой?

Она со стуком поставила статуэтку.

— Каролина...

— Что?

Она пошла к телефону и набрала номер. Я слышал, как она рассказывает тете Каролине, что произошло. Потом сказала:

— Каролина, слушай... ты должна выслушать... Уходи из дома, пока они не вернулись. Приезжай сюда. Это уже не те люди, говорю тебе, они опасны...

Она опустила трубку и смотрела на нее некоторое время, прежде чем положить на место.

Я спросил:

— Что она сказала?

Никогда раньше я не видел Марту такой беспомощной.

— Она мне не поверила. Обрадовалась, что они живы и здоровы. Повесила трубку, не дослушав.

5

В школе отсутствовало все больше ребят. Неизвестно, то ли они стали триппи, то ли отсиживались дома, ожидая, пока все успокоится. И уроков почти не задавали.

На собрании директор предупредил, чтобы мы опасались людей, которые захотят надеть на нас шапку; дядя Ян не единственный расхаживал в окрестностях с резиновыми шлемами. Обо всем подозрительном мы должны были немедленно сообщать.

Я стоял рядом с Хильдой Гузенс, она фыркнула и сказала:

— Старый придурок!

— Почему?

— Как будто нас надо предупреждать.

— Говорят, сегодня в школе видели Дикого Билла. Если он поймает тебя, может, захочет надеть шапку на свою любимую ученицу.

— Не думаю.

— Мой дядюшка чуть не проделал это со мной.

Она только с жалостью поглядела на меня. Интересно, каково быть Хильдой Гузенс и быть такой уверенной в себе и в окружающем. Директор продолжал мямлить. Это был худой беспокойный человек, бледнолицый и седовласый; в конце учебного года он должен был уйти на пенсию. Я думал также, каково ему приходится — ведь он едва справлялся в нормальных условиях, когда не было ничего похожего на триподов.

Я вдруг осознал, как важно быть самим собой — вспыльчивым и презрительным или обеспокоенным и жалким, но самим собой, и продолжать действовать по-своему; в сущности, это означало быть человеком. Мир и гармония, которые предлагали дядя Ян и остальные, на самом деле были смертью, потому что, не будучи самим собой, потеряв индивидуальность, ты не живешь.

Первым уроком должна была быть химия, но учительница не появилась. Хильда Гузенс и еще несколько занялись заданиями; остальные болтали. Вдруг распахнулась дверь. Но вошла не миссис Грин, а волосатый маленький уэллсец по имени Уилли, который преподавал физкультуру.

Он закричал:

— Уроки кончены! Расходитесь!

Энди спросил:

— Почему?

Уилли с важным видом ответил:

— Распоряжение полиции. Эксетерские триппи выступили. Они пройдут несколькими милями севернее, но нужно принять меры предосторожности. Расходитесь.

Мальчик по имени Марриот сказал:

— Я живу в Тодпоуле.

Тодпоул находится в шести милях к северу от школы. Уилли ответил:

— Ну, туда идти нельзя. Вдоль их пути всех эвакуируют. Вероятно, через час-два все успокоится, а пока свяжись с полицией.

В сарае для велосипедов я подождал, пока Энди кончит возиться со своим. Сарай опустел раньше, чем он распрямился.

Я сказал:

— Пошли — мы последние.

— Я вот думаю...

Я нетерпеливо заявил:

— Можно ехать и думать в одно и то же время.

— Я бы хотел взглянуть на это.

Прошло несколько мгновений, прежде чем я догадался, что он говорит о триподе.

— Дорога перекрыта.

— Сможем обойти.

«Сможем», а не «могли бы». И «мы» значит — отступления нет, иначе он решит, что я струсил.

Я сказал:

— Вряд ли он отличается от того, что мы видели.

— Наверно, нет. — Он вывел велосипед из сарая. — Все равно хочу взглянуть.

День был ясный, но в ветре, поднявшем тучу листьев, чувствовалась зима. Людей было мало, и все шли в противоположном направлении.

Дорогу перекрыли в полумиле от городка. Поперек дороги стояла полицейская машина, рядом с ней курил сигарету полицейский, другой сидел за рулем. Нам нужно было миновать их. Слева простирались открытые поля, но справа — поросший лесом холм.

Я сказал:

— А как же велосипеды?

— Не волнуйся. Спрячем в кювете.

Велосипед мне подарили месяц назад на день рождения, гоночный велосипед, о котором я давно мечтал. Я осторожно положил его в траву. Мы пролезли в дыру в изгороди и направились к деревьям. Укрывшись, мы держались поближе к дороге. Прошли в ста метрах от полицейской машины; курящий полисмен посмотрел в нашу сторону, но, по-видимому, нас не заметил.

Если нас не увидел полицейский, очевидно, не увидит и трипод. Я почувствовал себя увереннее. Даже ощутил какую-то беззаботность. Пели птицы — дрозды, слышалось характерное щелканье фазанов. Обычные звуки природы. Какая сумасбродная затея — погоня за триподом. Если даже он двинулся, то может снова остановиться, как тот, на болотах, или сменить курс. Деревья кончились, и мы укрылись под изгородью, окружавшей поле, на котором паслись коровы фризской породы. Слева от нас местность понижалась, открывая вид на окрестности. На многие мили виднелись поля, рощи, фермы. На удалении солнце отражалось в реке.

Но солнце отражалось еще от чего-то — более холодным отражением. И это отражение приближалось к нам. Его топот перекрывал пение птиц и мычание коров.

Энди сказал: «К изгороди...» Мы перебежали метров тридцать по открытому лугу и легли. Видел ли он нас? Мы находились еще далеко, но мы не знаем, насколько далеко он видит. Я надеялся, что теперь мы спрятались. Энди прополз вперед, откуда ему лучше было видно, после недолгого колебания я присоединился к нему, оцарапав руку о куманику.

Он прошептал: «Я забыл, какой он смешной — как механический клоун».

Три ноги, каждая в свою очередь, двигались неуклюжей и семенящей походкой. Выглядело это смехотворно.

И хотя каждый шаг покрывал не менее десяти метров, продвижение казалось медленным и трудным. Гулкий ритм становился громче, я расслышал жужжание вертолета, очевидно, следившего за триподом. Я подумал о грациозности и быстроте истребителя «Харриер» и не мог понять, почему этому отвратительному чудовищу позволяют бродить свободно, почему в тот момент, как оно отделилось от триппи, не был отдан приказ об атаке. Но когда треножник подошел ближе, я увидел крошечные точки, цеплявшиеся за его гигантские ноги. Он принес с собой своих последователей. И я уже слышал их пение и крики, слов разобрать было нельзя, но голоса звучали дико и радостно.

— За что они держатся? — спросил Энди.

— Не знаю. — Нога с громом опустилась, другая взметнулась в небо, и я почувствовал головокружение. — Немного не дошел до нас.

Энди кивнул:

— Около ста метров. Но не поднимай голову.

Не нужно мне было говорить. Мы смотрели, как треножник с громом удаляется по долине между нами и Тодпоулом. Нога опустилась в воду, высоко взлетели брызги, сверкая, как алмазы. Триппи разразились чем-то похожим на гимн. Затем, когда очередная нога достигла высшего пункта своего подъема, что-то отделилось от нее и упало. Пение не смолкло ни на мгновение, а фигура упала на поле, как камень.

Мы ждали, пока трипод не скрылся из виду, потом подошли посмотреть. Девушка лет шестнадцати, в джинсах, с переломленными ногами. Я подумал, что она мертва. Но когда Энди наклонился к ней, она прошептала: «Да здравствует трипод...» Губы ее еле двигались, но она улыбалась.

Потом улыбка померкла, девушка умерла.

* * *

Самый далекий от Лондона треножник двинулся первым, остальные по очереди выступили в марш на столицу. Последним вышел трипод из Фарнхем Коммон, и тогда авиация получила свободу действий. В новостях ничего не показывали, но было объявлено, что все триподы в Англии уничтожены. Добавлялось, что аналогичные действия предприняты в других странах. Кризис кончился, мир свободен от триподов.

Я догадывался, почему по телевидению ничего не показали, хотя нападение на самый первый треножник показывали. Это было отчаянное решение. Многие триппи, цеплявшиеся за треножники, убиты, и это не хотели показывать. Ужасно, особенно если вспомнить, что среди них могли оказаться люди, которых я знал; например, не было никаких известий о матери Энди. То, что они, подобно девушке на поле, умерли счастливыми, не делало их смерть менее ужасной.

В следующие несколько дней утверждалось, что жизнь возвращается к норме. Странно, однако, что так мало об этом говорили, особенно если вспомнить шумиху после первой высадки. Думаю, действовала цензура, но почему она по-прежнему была нужна?

Начали распространяться дикие слухи. Например, что королевская семья стала триппи, забаррикадировалась в Виндзорском замке и готовит посадочную площадку для третьей волны триподов. Или что третья волна уже пришла и захватила целую страну — по одной версии Францию, по другой — США. Как сказал папа, цензура заставляет людей верить в любую нелепицу.

Но, помимо слухов, действительно происходили странные вещи. По-прежнему исчезали люди. В Боулдере, ближайшем ярмарочном городе, сразу ушли сто человек: оказалось, что ушли все люди китайского происхождения. На следующий день появился библиотечный фургон и увез двух работников и нескольких читателей, пришедших менять книги. А два дня спустя Тодпоул объявил себя территорией трипода. На дороге появилась большая надпись «Да здравствует трипод», и без шлема никого туда не пропускали. Тут же всем желающим предлагали шлемы.

Вечером папа достал чемоданчик, который оставил дядя Ян. Он сказал:

— Триподы дали их триппи, а триппи распространяют их. Не знаю, много ли их было сначала, но теперь, должно быть, очень много.

Энди сказал:

— Но как? Ведь все триподы уничтожены.

Папа поднял шлем.

— Простая отливка, провода и несколько транзисторов — триппи могут это готовить в тайных лабораториях. В сотнях тайных лабораторий по всему миру.

— Выбрось это, — с отвращением сказала Марта.

Он задумчиво смотрел на шапку.

— Не знаю.

— Я знаю! Хочу, чтобы ты ее выбросил.

Я спросил:

— А как она работает?

Папа покачал головой:

— Никто не знает в сущности, как действует гипноз. Но поскольку это состояние, в котором люди контролируются внушением, должно быть что-то, вызывающее транс — через радиоволны, действующие непосредственно на электрические центры мозга, вероятно, — вместе с приказом подчиняться триподам. И эта команда распространяется на всякого, носящего шлем.

Он повернул шапку, осматривая ее.

— Проводка похожа на замкнутый контур. Она связана с контрольной станцией — на спутнике или на корабле триподов. В таком случае разорвать контур — значит вывести ее из строя.

— Немедленно убери это из дома, — сказала Марта.

— Но как ты уберешь их с голов триппи? Ну ладно. — Он положил шапку обратно в чемоданчик. — Пока спрячу в сарае.

Когда в следующий раз позвонила Ильза, трубку взял я. Она сказала:

— Как приятно слышать твой голос, Лаври. Ты вырос, наверно. Кажется, я так давно тебя не видела. Как у вас дела? Приходят плохие сообщения из Англии. Об этих триппи и о беспорядках... драках и другом.

— Не так плохо, — ответил я. — Сейчас позову папу.

— Минутку. Сначала я поговорю с тобой. Как дела в школе?

— Небольшой беспорядок.

— Но ты готовишься к экзаменам? Важно не потерять Rhythmus...

Я не понимал, зачем использовать немецкое слово вместо обычного «ритм». Ее акцент и голос раздражали меня, как всегда. И вообще я не понимал, какое право она имеет спрашивать меня о школьных делах; она ведь только делала вид, что интересуется.

Я передал трубку папе и пошел к себе. Там был Энди, за моим компьютером. Он спросил, не возражаю ли я, я ответил — нет, но подумал, что он мог бы спросить и раньше. Попытался читать, но щелчки клавиатуры отвлекали, так что в конце концов я снова спустился в гостиную. В то же время из кухни вышла Марта за порцией вечерней выпивки.

Наливая ей, папа сказал:

— Ильза передает привет.

— Она звонила? Жаль, что ты не позвал меня. Я хотела спросить ее о тарелке, которую мы купили в Бате в прошлом году. Не думала я, что моя память может стать хуже, но она становится.

— Нас прервали. И она сказала, что в пятый раз пытается связаться с нами. Линии перегружены. — Он помолчал. — Она сказала мне кое-что, чего я не знал; у них там нет цензуры. В Америке полиция и войска получили приказ без разговоров стрелять в людей в шлемах — убивать на месте.

— Пора и нам делать то же, — сказала Марта.

— Швейцарцы считают, что со дня на день мы будем... Марта...

Она подняла голову от журнала:

— Что?

— Ильза считает, что мы должны прилететь к ней в Швейцарию.

— Вздор. Правительство теперь серьезно берется за дело, и все скоро наладится. Лучше Ильзе прилететь сюда. Если ее отец держится так долго, значит, он не умирает.

Они какое-то время спорили, но Марта взяла верх. Это меня не удивило — Марта всегда побеждала в таких спорах. А что касается отца, то я чувствовал, что его беспокоят вовсе не триппи, а отсутствие Ильзы. Если она вернется, для него это не хуже, чем лететь к ней. Он сказал, что постарается связаться с ней. Марта сказала, что лучше сначала позвонить в аэропорт и узнать расписание.

Он довольно быстро дозвонился до аэропорта, и я слышал, как он спрашивает расписание рейсов на Женеву. Разговор казался обычным, но вдруг он повесил трубку.

— Ну как? — спросила Марта.

— Полеты в Швейцарию и из нее прекращены.

— Вероятно, временно, пока все не наладится.

По лицу папы я видел, что есть еще кое-что.

— Служащий аэропорта сказал еще... Не специально, а как заключение разговора. Он сказал: «Да здравствует трипод».

Из всех неприятностей совместной жизни с Энди мне особенно не нравилось то, что он встает рано. Он старался не шуметь, но это было еще хуже — наполовину проснуться и слушать, как он тихо ходит, осторожно закрывает дверь, идя в ванную, еще осторожнее открывает ее, возвращаясь. Ночью я долго не спал, думая о триппи и шапках, и эти утренние тихие шаги раздражали меня больше обычного. Я размышлял, нет ли возможности переселить его в свободную комнату на половине Марты, впрочем, без особого оптимизма, когда он окликнул:

— Лаури!

Он стоял у окна. Я раздраженно спросил:

— Что?

— Самолеты.

Я услышал негромкий звук и пошел к окну. У нас хороший обзор, и я увидел два истребителя, вылетающих из-за холмов за Тодпоулом. От удовольствия видеть их я забыл о своем раздражении: такие стремительные и прекрасные сравнительно с неуклюжими треножниками. Какое значение имеют несколько человек, охваченных трансом, когда на нашей стороне такая сила?

— Фантастично! — сказал я.

— Там еще.

Он указал на юг. Навстречу первым двум летела тройка. На соединение, решил я. И думал так, пока не начали взрываться ракеты. Это продолжалось недолго. Один из двух вспыхнул оранжевым и красным пламенем, а второй улетел на запад, атакующая тройка преследовала его.

Я шепотом спросил:

— Что это?

Но я уже знал. Все пять «Харриеров» со знаками военно-воздушных сил. Которая сторона в шапках, а которая свободна, я не знал, но одно было несомненно: армия тоже разделилась на наших и не наших.

Приказ передали по радио: телевизионные передачи прекратились. Все свободные граждане должны оказывать помощь властям в борьбе с носящими шапки. Полное сотрудничество с полицией и армией, которые получили свободу действий в наведении порядка. Ситуация сложная, но свободные граждане, борющиеся за свою свободу, победят. Тем временем использование морского и воздушного транспорта — только по специальному разрешению. Население должно оставаться дома, избегать пользоваться автомашинами, кроме крайних случаев, и слушать правительственные радиопередачи.

Заявление повторили, а затем радио смолкло. Мы снова поймали эту станцию, но слышался лишь гул помех. Но следующая станция работала, диктор с йоркширским акцентом восторженно говорил, что победа свободных людей всего мира близка. Все должны быть готовы принести в жертву все, даже свою жизнь, если понадобится. Скоро человечество узнает мир и гармонию, которых оно тщетно искало с начала своей истории. Да здравствует трипод!

Папа и Марта пили виски. Марта и раньше частенько выпивала, но папа никогда, только по праздникам.

Он налил еще и сказал:

— Будет трудно день-два, может, с неделю. Продовольствие станет проблемой. — Он протянул ей стакан. — Последний приказ был оставаться на месте. Придется, но мне это не нравится.

— Мне тоже. Делай, что тебе говорят, — таков путь овец на бойню.

— Но у нас нет выбора. Мы не можем выбраться из страны — триппи контролируют Хитроу, но даже если бы аэропорт был свободен, полеты все равно запрещены. Здесь по крайней мере лучше, чем в городе.

Марта сказала:

— Мне никогда не нравилось принуждение.

Он раздраженно ответил:

— А кому нравилось? Но приходится смотреть фактам в лицо.

Она осушила свой стакан.

— Смотреть им в лицо — и рассчитывать. Особенно учитывать те, что на твоей стороне. Нам говорят, что нельзя вылетать из аэропортов и отплывать из портов. Если бы у нас было летное поле и частный самолет, никто не остановил бы нас.

— Но у нас нет... — Он замолк. — Ты имеешь в виду — «Эдельвейс»? Мы до него не доберемся. Между нами и рекой не менее полудюжины застав.

— Надо попробовать, чтобы проверить.

— Но даже если доберемся и выйдем в море, куда мы направимся?

— Я имею в виду одно место. Оно далеко от всей этой суматохи, и у меня там дом.

Он молча смотрел на нее. В конце концов сказал я:

— Гернси.

Папа продолжал молчать. Марта спросила:

— Ну? Почему бы нет?

— Это нарушение.

— Именно так говорит собака овце, которая выходит из ряда.

— Ну, если завтра или послезавтра дела пойдут еще хуже... подумаем.

— Бывают времена, когда раздумывать, а не действовать — худшая политика. — Как обычно, голос ее звучал твердо и решительно. — Действовать надо немедленно.

Он долго смотрел на нее, потом кивнул в знак согласия.

— Утром?

Она поставила стакан.

— Начну собираться немедленно.

Когда она вышла, папа налил себе еще. Он смотрел на фотографию в серебряной рамке — Ильза, смеющаяся, в летнем платье. Он уступил, понял я, потому что у Марты характер сильнее, а не потому, что согласился с ней. И может потому, что не хотел признаться в истинных причинах своего нежелания оставить дом. Я подумал, что знаю эту причину. Это был и дом Ильзы; оставить его — значило оборвать связь с Ильзой, может быть, последнюю.

6

Марта сказала Анжеле, что мы только на несколько дней отправляемся на Гернси, иначе та не захотела бы оставить пони. Мы с Энди пошли с нею в конюшню, чтобы попрощаться. Я держался подальше от зубов лошади, но она пыталась лягнуть меня, и это ей чуть не удалось. Я решил, что вполне прожил бы в мире без пони.

Тем не менее мне было грустно смотреть, как Анжела ласкает ее. Я не мог взять с собой и свой велосипед, но оставить неодушевленный предмет совсем не то, что живое, хоть и с дурным характером, как у Принца. Впрочем, с Принцем все будет в порядке: для пони не важно, кто правит миром, пока его кормят. Анжела на прощание покормила его отрубями и вышла, весело болтая о Гернси и о том, можно ли еще в этом году купаться.

Когда рассветало, мы выехали на «ягуаре» Марты. Нас дважды останавливала полиция. Полицейские разговаривали грубо — разве мы не слышали приказ оставаться дома? — но папа и Марта давали убедительные объяснения. У Марты сестра, которая одна живет в Старкроссе, у нее сердечный приступ, и она позвонила по телефону. Сержант со второй заставы спросил папу, почему тот не поехал один, чтобы увезти свою тетушку. Папа ответил, что возле нашего поселка заметили банду людей в шапках, и он не рискнул оставить детей или свою больную мать. Марта изо всех сил старалась выглядеть больной и хрупкой; к счастью, было еще темновато.

После этого сержант держался дружелюбнее. Он сказал, что папе повезло, что его тетя живет по эту сторону реки; на другом берегу дела идут плохо, и всякая связь с Эксмутом утрачена.

Говорят, танки триппи движутся от Дартмура к Плимуту, но они могут повернуть и сюда. Папа ответил, что мы как можно скорее вернемся домой. Ведь это не может долго продолжаться.

Сержант, высокий костлявый человек с нашивками участника Фолклендской войны, сказал:

— Дедушка рассказывал мне о войне 1914 года. Тогда говорили, что к Рождеству все кончится, а он провел в окопах четыре года. — Он покачал головой. — По крайней мере могли бы сказать, кто наш враг.

Погода становилась зимней, и к тому времени, как мы добрались до причала — чуть позже девяти, — пошел мокрый снег. Прилив был высокий — это еще одна причина нашего раннего выезда, и лодки раскачивались на привязи. Мы вышли из теплой машины, и на нас набросился резкий ветер.

Мы сняли с крыши машины резиновую шлюпку и спустили ее на воду.

Папа сказал:

— Мы с Лаури плывем первыми, потом я останусь на борту и займусь двигателем, а он будет перевозить остальных. Ладно?

Марта оставалась последней, организуя переправу. Энди помог ей подняться на борт, хотя на самом деле она в этом не нуждалась; она двигалась не как бабушка.

— Все в порядке? — спросила она папу.

Он кивнул:

— Хорошо, что я в прошлый раз заполнил баки. Не знаю, кто сейчас на заправочной станции.

— Ты, наверно, не поинтересовался прогнозом?

— Как ни странно, поинтересовался. Обычный прогноз, никакого «Да здравствует трипод». Прохождение холодного фронта с мокрым снегом и дождем. Ветер западный и юго-западный, силой от пяти до семи.

— Все равно хорошо, что баки полны. На парусе было бы трудно.

Говорили они спокойно, но я понимал, что перспектива поездки их совсем не радует. В обычных условиях мы при такой погоде никогда бы не отправились, даже вдоль берега, особенно учитывая перспективу усиления ветра.

Марта сказала:

— Ждать нечего. Пойду в камбуз, займусь едой.

На реке ничего не двигалось — неудивительно при такой погоде. Снег ударял в стекло рубки. Справа показался Эксмут — путаница серых влажных крыш. Я увидел кое-что еще — две фигуры в мундирах береговой охраны на причале. Толкнул папу.

— Вижу, — ответил он.

Одна из фигур махала нам. Другая подняла мегафон, и над мутной водой разнесся громкий голос:

— На «Эдельвейсе»! Причаливайте!

Папа прибавил скорости, и мы понеслись вперед, яростно раскачиваясь.

Энди спросил:

— Пошлют за нами катер?

— Не знаю.

Папа достал из карманы сигареты, потом спички. Я удивился, что он прихватил их, — он бросил курить больше года назад. Папа закурил и глубоко затянулся.

— Расскажу тебе кое-что, Энди, — Лаури знает. Вскоре после покупки «ягуара» Марта повезла нас в Хонитон. Дело происходило летом, главные дороги забиты, и она ехала проселочными. Они тоже были загромождены, да еще повороты через каждые сто метров. Очень раздражало, особенно в такой машине. Наконец за Плимутом дорога очистилась, и впереди остались лишь три машины. Марта нажала на газ. Мы делали свыше восьмидесяти миль, когда она обогнала последнюю машину и поняла, что держало первые две — машина была полицейская.

Энди спросил:

— Ну и что они сделали? Ведь они должны были записать ваш номер.

— Да, но если у тебя нет радара, ты должен ковать железо, пока горячо. Им нужно было обогнать нас и перегородить дорогу. Они, должно быть, решили потом разыскать ее, но по регистрационным данным узнали ее возраст. Не думаю, чтобы их прельщала возможность поучать шестидесятилетнюю леди, которая обогнала их.

Мы вышли в открытое море, и папа убавил подачу горючего.

— Я вот почему вспомнил об этом. Я тогда был прав. В нормальном законопослушном мире нужно делать то, что тебе говорят люди в форме. Но этот мир исчез, по крайней мере на время. Отныне безопаснее следовать правилу Марты — закрыть глаза и прибавить газу.

Я сказал:

— Похоже, нас не преследуют.

— Хорошо. Продолжай следить.

Марта ушла вниз с Анжелой, которую, как и Ильзу, укачивало даже в хорошую погоду. Когда мы отвернули от сравнительно безопасных прибрежных вод, я почувствовал, что у меня в животе тоже все переворачивается. Еще с четверть часа я держался, с удовлетворением отметив, что Энди прилип к поручню раньше меня. Спустя короткое время папа передал мне руль, и ему тоже стало плохо. На одну Марту, казалось, море не действует. Она принесла чашки горячего чая, опасно раскачиваясь с ними вместе с палубой.

Постепенно возможность преследования убывала; во все стороны простиралось пустое серое море. Вернее, почти пустое — мы видели несколько грузовых кораблей: одни из них шли на запад, другие — на восток. Папа заметил, что торговля должна сократиться: ведь неизвестно, в чьи руки попадет твой груз. Время шло медленно, и бьющие о борта волны его не ускоряли. Марта приготовила суп, я съел свою порцию с жадностью и тут же пожалел об этом.

Наконец справа показалась длинная тень Олдерни, а вскоре впереди появился Гернси. Но прошел еще целый век, прежде чем мы оказались в канале Рассела, и еще один — пока мы двигались вдоль бесконечной гавани.

Я чувствовал себя слабым и уставшим, но мне было весело. Мы сделали это, несмотря на дурную погоду, и теперь можно расслабиться. На Гернси я всегда чувствовал себя в безопасности. Гернси — совсем особое место: место, где пьют за здоровье королевы не как королевы, а как герцогини Нормандской, поскольку острова были частью этого герцогства, которое в 1066 году завоевало Англию. Англия, триппи, гражданская война — все это отодвинулось далеко.

Папа снизил скорость до четырех узлов, как требовалось в гавани. С причала за нами наблюдала фигура в форме.

Папа крикнул:

— «Эдельвейс» из Эксетера, временное посещение. Можно причаливать?

— Займите К3. Дорогу знаете?

— Знаю, — ответил папа.

— Хорошо. Добро пожаловать на Гернси.

Он крикнул что-то еще, но порыв ветра отнес его слова. Папа приложил руку к уху, и человек крикнул снова, громче:

— Да здравствует трипод!

Все молчали, пока мы с пыхтением шли к причалу. Гавань была менее загружена, чем летом, но в остальном не изменилась. В море длинными рядами раскачивались высокие мачты: здесь зимовало множество яхт. Вдоль гавани, как обычно, двигались машины, а за ними уступами поднимались крыши Сент-Питер-Порта. Над вершиной холма небо просветлело; как будто собиралось показаться солнце.

Когда мы причалили, папа собрал нас в передней каюте. Он сказал:

— Я рассматривал людей на берегу в бинокль. Я не уверен, но по крайней мере десять процентов — в шапках. И главное — всем распоряжаются те, что в шапках.

Энди возразил:

— Мы знаем только, что они заправляют в гавани.

Папа покачал головой:

— На острове такой величины — все или ничего. Они управляют.

Анжела спросила:

— Мы поедем на дачу? Я устала.

Лицо у нее было бледное, глаза опухли. Я сам чувствовал себя плохо.

Марта сказала:

— Если они взяли верх на Гернси, то на Джерси то же самое. Может, на меньших островах. Олдерни, Сарк...

— В маленькой общине мы застрянем. Когда они доберутся и туда — через несколько дней, — мы будем как утки на привязи.

Марта обняла Анжелу, которая негромко всхлипывала.

— Мы зашли так далеко не для того, чтобы сдаться.

— Остается Швейцария.

Марта нетерпеливо сказала:

— Если они взяли верх на острове, это включает и аэропорт. Запрет на полеты здесь может не действовать: для триппи чем больше путешествующих, тем лучше. Но они будут настаивать, чтобы все пассажиры были в шапках.

— Да, будут.

Папа отправился в кормовую кабину. Я не удивился, что он опять вспомнил Швейцарию. Для него встреча с Ильзой важнее борьбы против того, чтобы на нас надели шапки. Нет, это неправда. Но все равно очень важно.

Однако я удивился, что он так легко сдался. Я смотрел на ноги людей, проходивших мимо причала, и гадал, в шапках эти люди или нет и — в сотый раз — что же чувствуют люди в шапках. Печально думал я о том, что вскоре, вероятно, мне придется это узнать, но тут вернулся папа, неся чемоданчик дяди Яна. Он достал оттуда одну из шапок.

— В основном это радиоприемник или нечто аналогичное. Проводка под резиной. Ее легко перерезать ножницами. Шапка внешне ничем не отличается, но передачу не принимает. Поэтому никакого индуцированного транса, никакого приказа повиноваться триподам.

— Вы уверены? — спросил Энди.

Папа покачал головой:

— Не вполне. Но можно попробовать на одном из нас, и узнаем.

Я сказал: «Но тот, кто попробует, может стать триппи».

— Один против четверых. Снимем шапку, если понадобится, силой. — Он помолчал. — Я вызываюсь добровольцем, но лучше попробовать на физически самом слабом, если дойдет до этого.

Анжела вновь заплакала. Я не знал, что она слушает, тем более понимает.

Марта сказала:

— Не Анжела. Я, если хотите.

— Ладно, пусть буду я, — сказал Энди.

Папа не смотрел ни на меня, ни на Анжелу. Я сказал:

— После Анжелы я самый слабый. Давайте закончим.

Все молчали, пока папа лезвием своего швейцарского армейского ножа взрезал резину. Потребовалось время, но наконец он протянул мне шлем:

— Разрезал в двух местах. Должно вывести ее из строя.

Эта штука, казалось, корчится в моих руках, как змея. Раньше я не рассматривал ее внимательно: похоже на гибкую тюбетейку. Несколько дней назад я бы не поверил, что она может отнять у меня свободу мысли и воли, но теперь верил. И не так-то легко поверить, что ее так просто вывести из строя. Если папа ошибся и она по-прежнему действует...

В десять лет я однажды купался в бассейне с пятиметровой вышкой для прыжков в воду. Другие мальчики прыгали с нее, но когда я поднялся, вода мне показалась в ста милях. Я хотел слезть, но смотреть в насмешливые лица показалось мне хуже, чем нырнуть. Немного, но все же хуже. И тогда был просто физический страх; сейчас же я боялся утратить свой мозг, свою индивидуальность — все во мне, что имеет значение.

Потом пришла другая мысль: а что будет, если им придется связать меня и силой снимать шапку. Уберет ли это приказ триподов из моего мозга? Доктора Монмута, чтобы разгипнотизировать меня, здесь нет. И что они сделают — свяжут меня и заткнут рот, чтобы я не поднял тревогу? И что, если снятие подействует лишь наполовину — я буду частично рабом и частично свободным? И скоро ли я окончательно сойду с ума?

Все смотрели на меня. Если бы я хоть что-нибудь из этого сказал, они бы решили, что я стараюсь увильнуть. И они были бы правы. Я подумал о доске и головах, торчащих из воды. Чем дольше оттягиваешь, тем хуже. Я перевел дыхание и натянул шапку на голову.

Да здравствует трипод...

Мне показалось, что я произнес это, я подумал, что теперь полностью на стороне врага. Представил себе, что остальные слышали и сейчас схватят меня. Но ничего не происходило. Может, просто случайная мысль? Я мысленно повторил: «Да здравствует трипод», — с замирающим сердцем проверяя себя. Потом сознательно подумал: «Ненавижу триподов...» — и испытал прилив облегчения.

— Ну? — беспокойно спросил папа.

— Все в порядке. — Я почувствовал, что дрожу. — Не работает.

Папа тоже надел шапку, и мы с ним пошли в кассу аэропорта. Он попросил пять мест на вечерний рейс в Хитроу. Клерк в очках с роговой оправой, надетой поверх резины шапки, нажал клавиши и посмотрел на экран.

— Есть пять мест, но вам придется разделиться: места в салоне для курящих и некурящих.

— Хорошо. — Папа извлек кредитную карточку из бумажника. Клерк покачал головой:

— Карточки не действуют.

— Что?

— Пока не кончится чрезвычайное положение.

— Возьмете чек?

— Если он на местный счет.

— У меня нет местного счета. Я на катере.

Клерк понимающе улыбнулся:

— Англичанин? Я так и думал. Английские чеки не принимаются. Простите. Да здравствует трипод.

Папа забрал свою карточку:

— Да здравствует трипод.

Банк находился рядом. Папа выписал чек и протянул служащему, который внимательно изучил его и вернул назад.

— Только на местные счета.

Папа, сохраняя спокойствие, сказал:

— У меня нет местного счета. Как мне получить деньги?

— Вернитесь в Англию. — Служащий потер рукой лоб под шапкой. — Мы обойдемся без вас.

Вначале Марта не поверила:

— Это Гернси, здесь все всегда дружелюбны. Я добуду деньги, управляющий в Беркли знает меня. Он уже двадцать лет меняет мои чеки.

Папа ответил:

— Ты не понимаешь, Марта. Все изменилось. Если управляющий на месте, на нем шапка. И если ты будешь спорить, он заподозрит, что твоя шапка действует ненормально. Это не просто местное правило, а полная перемена отношений.

— Но почему? Почему, когда человек надевает шапку, он настраивается против иностранцев?

— Не знаю, но это, наверно, нужно триподам. Они думают, как Юлий Цезарь по отношению к галлам: разделяй и властвуй. Может, если они победят, мы все будем жить в маленьких деревушках, а не в городах. Так легче сохранять контроль.

Впервые я слышал, чтобы кто-нибудь говорил, что мы можем проиграть. Анжела спросила:

— Может, мы пойдем на дачу? — Голос ее звучал испуганно.

Марта резко сказала:

— Они не выиграют, кем бы они ни были. Сколько денег нужно, чтобы купить билеты?

— Три сотни хватит. Но...

Она порылась в своей сумке и извлекла украшения — золотые браслеты, ожерелья, кольца.

— Торговля антиквариатом учит ценить подвижный капитал. Я достану денег.

Папа сказал:

— Я пойду с тобой.

Она решительно покачала головой и потянулась за одной из шапок.

— Нет. Я лучше справлюсь одна.

Между Гернси и Англией действуют две авиалинии. Папа попробовал другую, на случай, если первый клерк поинтересуется, откуда мы нашли средства для уплаты. Второй принял груду местных банкнот без вопросов и записал нас на последний рейс.

Прежде чем покинуть «Эдельвейс», папа приспособил для Энди последнюю оставшуюся шапку. Для Анжелы уже не оставалось, но папа решил, что на ребенка не обратят внимания. Когда мы поднимались от причала, я оглянулся на лодку: еще одно остается позади. Что бы ни лежало впереди, мы уходим в него без гроша, если не считать остатков украшений Марты.

Погода прояснилась, и вторая половина дня была освещена водянистым солнцем. Такси провезло нас по холму, ведущему к Сент-Питер-Порту, и я узнавал знакомую местность. В прошлом все это было частью каникул и предвкушения долгих дней на море и на солнце. Слева на Куинс-роад — вход в Дом губернатора. Что-то новое стояло у входа — деревянная модель полусферы, поддерживаемая тремя паучьими ногами. Надпись под ней я не мог прочесть, но я знал, что там написано.

Мы зарегистрировались рано, и Марта отвела нас в ресторан аэропорта. Она велела заказать все, что нам понравится: деньги, оставшиеся после покупки билетов, за пределами острова не нужны. Она и папа заказали шампанское.

Когда официант открывал его, человек за соседним столиком сказал:

— Миссис Кордрей, не так ли?

Сплошной белый воротничок под черной шапкой свидетельствовал, что перед нами священник, и я узнал в нем викария того прихода, где находился дом Марты; он иногда навещал нас в нем.

Глядя на шампанское, он спросил:

— Отмечаете что-нибудь?

— Мой день рождения. — Она убедительно улыбнулась. — Хотите выпить?

Он согласился, и они поболтали. Он всегда был говорун. В прошлом, однако, он всегда старался понравиться, теперь же стал резким, почти агрессивным. Он спросил, возвращаемся ли мы в Англию, и когда Марта сказала «да», он одобрил, но почти презрительным тоном:

— Много лучше, я уверен. Англия для англичан, Гернси для гернсийцев. Теперь дела во всех отношениях пойдут лучше. Моя мать рассказывала о жизни на острове во время немецкой оккупации: ни машин, ни туристов. Благодаря триподам это может случиться снова. В их благословенной тени мы обретем мир.

— Вы думаете, они вернутся? — спросил папа. Викарий удивился. — Я имею в виду триподов.

— Но они вернулись! Разве вы не слышали новости радио Гернси? По всему миру новые высадки. Теперь они завершат свою миссию и избавят человечество от войны и греха.

Марта сказала:

— Мы не знали. А на острове есть трипод?

— Пока нет. Нужно ждать и надеяться. Как второго пришествия. — Голос у него стал хриплым и искренним. — Может, это оно и есть.

* * *

Первое испытание было, когда объявили посадку. Сколько помню, тут всегда проверяли пассажиров из боязни террористов. Папа сказал, что теперь, когда все в шапках, проверка не нужна, и оказался прав. Нас даже не просветили в поисках металла. Мы прошли через помещение для улетающих и почти сразу на поле.

На линии использовались небольшие машины с пилотом, помощником и двумя стюардессами. Взлет прошел нормально, взлетели мы на запад, затем, когда самолет набрал высоту, пилот повернул на северо-восток, к Англии.

Нам это направление не годилось: каждую милю пришлось бы проделывать в обратном направлении. Больше того, поскольку мы не знали, каков запас топлива, каждый галлон мог стать критическим. Папа встал и пошел в передний туалет; стюардессы находились сзади и готовили кофе. Мы с Энди дали папе время добраться до дверей пилотской кабины, затем последовали за ним.

Это было второе испытание: заперта ли кабина? Папа повернул ручку — дверь открылась. Когда помощник повернулся, папа протиснулся внутрь, а я вслед за ним перекрыл дверь. Папа достал из кармана пистолет Марты и сказал:

— Беру на себя руководство. Делайте как я говорю, и никто не пострадает.

Я боялся — на мгновение даже был уверен, — что ничего не получится. Обычно угонщики — чокнутые, а экипаж здоров; на этот раз все наоборот. Под шапкой пилот будет делать не то, что считает правильным, а то, что прикажет ему трипод. Если трипод захочет, чтобы он разбил самолет с ним самим и сорока пассажирами на борту, пилот не будет колебаться.

Оба летчика смотрели на пистолет. Пилот сказал:

— Чего вы хотите?

— Курс на Женеву.

Он колебался, казалось, долгое время. Наша надежда была на то, что он, увидев наши шапки, не подумает, что мы против триподов. Наконец он пожал плечами:

— Ладно. Пусть будет Женева.

7

Пилот Майкл Харди воспринял угол легче, чем я ожидал. Он спросил папу, почему тот хочет лететь в Женеву, и папа ответил, что его жена в Швейцарии, а полеты запрещены. Мне это показалось нелепой причиной, но Харди воспринял ее как должное. Я решил, что одно из общих воздействий шапки заключается в том, что люди перестают быть любопытными. Стюардессы и пассажиры, казалось, вообще не беспокоятся из-за происходящего. Шапка, вероятно, действовала и как транквилизатор.

Насколько беззаботен пилот, выяснилось, когда он ввел данные нового курса в компьютер.

Он зевнул и сказал:

— Тютелька в тютельку.

Папа спросил:

— Что это значит?

— Топливо. До Женевы хватит, но ни грамма для отклонений. Будем надеяться, что с погодой повезет.

Одна из стюардесс принесла нам кофе, и пока мы пили, пилот разговаривал. Он сказал, что всегда хотел летать; школьником он жил у аэропорта Гэтуик и все свободное время смотрел на самолеты. До последнего времени он рассматривал свою работу как промежуточный этап — ему хотелось водить большие трансатлантические самолеты.

Жуя бисквит, он заметил:

— Теперь мне смешно, когда я об этом думаю. К чему беспокоиться?

Папа спросил:

— Вам теперь хватает местных линий?

Харди помолчал перед ответом.

— Я провел несколько лет, перевозя по небу людей со скоростью сотни миль в час. А зачем? Они не менее счастливы у себя — даже более. У моей жены доля в ферме, и я думаю, что лучше помогать ей, чем летать. Людям не нужны самолеты, да и машины и поезда тоже. Знаете, что бы я предпочел? Лошадь и двуколку. Вот это мне действительно нравится.

В середине полета он еще раз сверился с компьютером и выяснил, что запас топлива еще меньше, чем казалось.

— Рискованное дело, — сказал он спокойно. — Лучше было бы в Париж.

Папа ответил не сразу. Может, он ждал, что Харди что-нибудь добавит или прояснит ситуацию. Женева означала для него Ильзу и для всех нас — спасение от триподов. Но это означало также поставить под угрозу жизнь всех в самолете.

— Летим в Женеву, — сказал он наконец.

Харди кивнул:

— Пусть будет Женева. Надеюсь, встречный ветер не станет сильнее.

Больше ничего не было сказано. Я вспоминал все фильмы о катастрофах самолетов, которые видел. Однажды у Энди его мать говорила о том, что боится летать — она никуда не поедет, если нужно лететь в самолете. Я считал тогда это глупым, но сейчас мне так не казалось. Мы сидим в металлической трубе в милях над землей, и если горючее кончится, наши шансы на выживание почти равны нулю. Я представил себе, как секунда за секундой пустеют баки с бензином, и почувствовал, что потею.

Я думал также о том, что говорил Харди о своих чувствах. Он казался счастливым. И если триподы на самом деле несут мир, может, это хорошо? Люди будут любить друг друга; может, они перестанут думать только о себе и нескольких близких, а будут думать обо всех.

В лунном свете видны были покрытые снегом горы, Харди начал подготовку к посадке. Дела это не улучшило; наоборот, если только возможно, стало еще хуже. Когда пилот выпустил шасси, один из двигателей закашлял, потом снова заработал и наконец совсем смолк. Я почувствовал настоящий ужас. Закрыл глаза, когда впереди показались посадочные огни, и не открывал их до тех пор, пока колеса не коснулись посадочной полосы. И неожиданно от облегчения ощутил сильную слабость.

Харди привел самолет на стоянку вблизи вокзала, и теперь я начал беспокоиться о другом. Администрация аэропорта знала об угоне, конечно, но я не представлял себе, какова будет ее реакция. Все переговоры с землей касались только посадки. Казалось, прошло очень много времени, но тут двери раскрылись, и нам приказали высаживаться. Я видел, как папа нервно жует губу.

Я подумал, что нас отделят от экипажа и остальных пассажиров, но после того как папа отдал пистолет Марты, нас всех провели через зал прибытия в небольшое помещение, где находились солдаты с автоматами.

Старший офицер сказал:

— Пожалуйста, снимите шапки с голов.

Капитан Харди ответил:

— Это невозможно.

— Немедленно!

Харди сказал:

— Прошу разрешения заправиться и вылететь с пассажирами из Женевы.

— В разрешении отказано. Снимайте шапки.

Мы четверо сняли шлемы с голов, но никто из остальных не шевельнулся. Офицер отдал резкий приказ на немецком, и двое солдат приблизились к Харди.

Он попятился при их приближении и крикнул офицеру:

— Вы не имеете права трогать нас! Позвольте нам заправиться и улететь.

Офицер не обратил на это внимания, а солдаты продолжали приближаться. Викарий, говоривший с Мартой на Гернси, стоял поблизости.

Он вытянул руки и сказал:

— Мы принесли вам мир. Опустите оружие и примите благословение. — И провел три вертикальные полосы правой рукой. — Во имя трипода.

Когда солдаты схватили его за руки, Харди как будто сошел с ума: он вырвался, ударив при этом солдата в лицо. Остальные пассажиры с криками устремились вперед.

Сквозь шум я расслышал голос Марты:

— Быстро! Сюда...

Мы бросились к двери, через которую вошли. Два солдата подняли автоматы. Папа сказал:

— Мы не в шапках. Посмотрите.

И он швырнул свою шапку на землю; солдаты не опустили оружие. Сзади поверх криков послышался выстрел, а затем автоматная очередь. Оглянувшись, я увидел двух пассажиров на полу. Одним из них был капитан Харди, из раны на его шее струилась кровь.

Все быстро кончилось. Остальные пассажиры замолчали и тупо смотрели на солдат. Двое солдат взяли за руки пожилого пассажира лет шестидесяти и отвели его в сторону. Как только один из солдат потянул с него шапку, пассажир закричал и продолжал кричать, когда солдаты перешли к следующему. Шум был ужасный и становился все страшнее, по мере того как солдаты снимали шапки одну за другой. Пассажиры не сопротивлялись, но походили на животных, которых пытают.

Офицер подошел к нам.

— Вас отведут в комнату для допросов. — Голос у него был холодный. — Подчиняйтесь приказам.

Папа сказал:

— Мы повредили наши шапки, они не действуют. Мы не под влиянием триподов.

Резкий голос не изменился.

— Подчиняйтесь приказам.

Нас допрашивали порознь и подолгу. Потом дали поесть и отвели в гостиницу на ночлег. Папа попросил разрешения позвонить по телефону Ильзе, но ему отказали. В спальне, которую делили мы с Энди, был телефон, но его отсоединили.

На следующее утро папу и Марту опять допрашивали, после чего нас принял сдержанный маленький человек с черной бородой, который сказал, что нам дано разрешение остаться в стране на семь дней. Мы можем отправиться в Фермор, но, прибыв туда, должны немедленно сообщить в полицию. Он протянул нам лист бумаги — разрешение.

Папа спросил:

— А после семи дней?

— Вопрос будет снова рассматриваться. Вы иностранцы и проникли в нашу страну незаконно. Вас вернут в Англию, как только возобновятся полеты. Должен предупредить вас, что любое неповиновение приказам полиции вызовет немедленную депортацию в любую страну, которая вас примет.

— Можно нам сохранить шапки — те, что не действуют?

— Зачем?

— Они могут нам еще пригодиться.

— В Швейцарии нет триподов, шапки вам не понадобятся. — Он пожал плечами. — Установлено, что они безвредны. Можете их взять, если хотите.

Марта продала еще золота, чтобы получить швейцарские деньги, и мы сели в поезд до Интерлейкена. Дорога проходила вдоль озера, которое тянулось, насколько хватал глаз. С утра было облачно, но теперь небо и озеро были ясными и голубыми, и вдалеке над горами виднелось лишь несколько облачков. У папы был успокоенный вид. Было от чего успокаиваться — угон, страх катастрофы и затем это происшествие в аэропорту. В реальной жизни все не так, как в телевизоре, — выстрелы громче, кровь ярче и льется страшнее.

Пока я думал, что он, кроме всего прочего, предвкушает встречу с Ильзой, он сказал Анжеле:

— Через несколько часов увидим маму. Узнает ли она нас после всего?

— Конечно, узнает, — ответила Анжела. Она ела яблоко. — Не так много времени прошло.

Марта смотрела в окно. Между озером и нами были дома, возле них играли дети, смешно скакала собака, дым поднимался из труб.

Она сказала:

— Как хорошо и безопасно здесь. Как ты думаешь, нам продлят разрешение?

Папа потянулся.

— Я уверен. В порту бюрократы. Местная полиция — другое дело.

Поезд остановился в Лозанне, по расписанию здесь тридцатиминутная остановка.

Я спросил у папы:

— Можно нам с Энди выйти? У нас много времени.

— На всякий случай лучше не выходить.

Я быстро думал.

— Хотелось бы купить подарок для Ильзы. На следующей неделе у нее день рождения. — Анжела не единственная, кто может проделывать такие штуки.

Он поколебался, потом сказал:

— Ну ладно. Но только на четверть часа.

Марта сказала:

— Вряд ли купите что-нибудь с английскими деньгами.

— Я как раз думал, не поменяешь ли ты мне немного.

— И долго я смогу менять? — Она улыбнулась и порылась в кошельке. — Но я сама напросилась. Двадцать франков — придется покупать что-нибудь маленькое. Ты тоже потрать немного денег, Энди.

Анжела сказала:

— И я.

Я ответил:

— Нет. Ты останешься здесь.

— Если вы идете, я с вами. — Глаза у нее стали стальными. — Нечестно, если у вас будет подарок, а у меня нет. Она моя мама!

Я поспорил, но не надеялся выиграть. Марта и ей дала двадцать франков, и Анжела тащилась за нами, пока мы осматривали станцию. Мы нашли небольшой магазин, и пока я думал, что лучше купить Ильзе — шоколад или куклу в крестьянской одежде, Анжела купила куклу. Пришлось мне покупать шоколад. Он был двух видов — по девять франков и по девятнадцать. Вначале я попросил маленький, потом передумал и взял другой.

Я чувствовал, что вокруг нас собираются люди. Голос рядом заставил меня вздрогнуть. «Sales anglais!» Я знал, что по-французски это значит «грязные англичане», но если бы даже не знал, можно было понять по тону.

Парень, около шестнадцати, высокий, смуглый, в красном джерси с большим белым крестом — национальная эмблема Швейцарии. Другие тоже в джерси, толпа человек в двенадцать, большинство такого же возраста или чуть моложе, и человек с седой бородой, примерно пятидесяти лет. Те, кто был не в джерси, на руке носили повязку с белым крестом.

Энди спокойно сказал:

— Пошли отсюда. — Он направился к платформе, но высокий парень преградил ему дорогу.

Другой, ниже ростом и светловолосый, сказал:

— Что вы делаете на нашей земле, грязные англичане?

Энди ответил:

— Ничего. Идем на поезд.

Кто-то еще сказал:

— Грязные англичане в чистом швейцарском поезде — это нехорошо.

— Послушайте, — сказал Энди, — меня уже дважды назвали грязным англичанином. — Он повысил голос: — В следующий раз ударю.

Наступило молчание. Я решил, что мы сможем уйти, Энди — тоже. Он двинулся на высокого парня, заставляя его отодвинуться. В их рядах открылась щель, но всего на секунду. Один из них схватил Энди за руку и повернул, другой в то же время пнул по ногам и повалил.

Когда Энди упал, Анжела закричала. Я схватил ее за руку и потянул в противоположном направлении. Они сосредоточились на Энди, и, может, я сумел бы увести Анжелу, но она снова закричала, и я увидел, что с другой стороны ее схватил человек с бородой.

После этого все смешалось, я пинался, лягался, бил окружающих и получал ответные удары. Удар по шее чуть не уронил меня на землю, я мельком заметил лежащего Энди, стоявшие вокруг пинали его ногами.

Я закрыл лицо руками, пытаясь защититься. Слышались крики, смешивавшиеся с объявлением станционного громкоговорителя. Потом я понял, что удары прекратились, но сморщился, когда кто-то грубо схватил меня. Открыв глаза, я увидел полицейского в сером мундире; двое других поднимали Энди, а красные джерси рассеялись в толпе.

Анжела казалась невредимой. Изо рта Энди шла кровь, под глазом была ссадина, другая — на щеке. Когда я спросил его, как он себя чувствует, он ответил:

— Ничего страшного. Думаю — выживу.

Полицейские отвели нас в поезд. Я рассказывал папе, что случилось, пока Марта занималась ранами Энди. Полицейский проверил наши документы.

Пока он их рассматривал, папа спросил:

— Что вы с ними будете делать?

— Дети на вашей ответственности, — сказал старший полицейский. У него было круглое лицо, маленькие глазки, говорил он по-английски медленно, но правильно. — У вас есть разрешение ехать в Фернор. По прибытии доложите местной полиции.

— Я говорю не об этих детях. — Папа опять жевал губу. — О тех, кто на них напал, — что вы будете делать с ними?

— Мы не знаем их личности.

— Но вы пытались установить?

— Мы не уверены, что тут не было провокации.

— Провокации! Дети покупали подарки матери — кстати, она швейцарка, — их назвали грязными англичанами и набросились на них. Я думал, это цивилизованная страна.

Полисмен наклонил голову, глаза его были холодны.

— Послушайте, англичанин. Это на самом деле цивилизованная страна. И это страна швейцарцев. Нам здесь не нужны иностранцы. Вы хотите подать жалобу?

Марта сказала:

— Оставь, Мартин.

Полисмен покачивался на каблуках.

— Если хотите подать жалобу, вы должны немедленно сойти с поезда и отправиться со мной в отделение. Там вы останетесь, пока начальник отделения не освободится и не примет вас, чтобы обсудить жалобу. Не знаю, сколько вам придется ждать, но начальник очень занятой человек. Ну, англичанин?

Папа сквозь зубы сказал:

— Жалоб нет.

— Хорошо. Проследите, чтобы никто из вас больше не причинял беспокойств. Желаю вам благополучного и быстрого путешествия — назад в Англию.

Когда поезд тронулся, папа сказал:

— Я этого не понимаю.

Марта ответила:

— Швейцарцы мне никогда не нравились. — И добавила: — Кроме Ильзы, конечно.

Энди объяснял:

— Я сказал, что ударю, если кто-нибудь назовет меня снова грязным англичанином. После этого они напали. Мне жаль, что я вызвал такие неприятности, но разве я мог слушать и молчать?

— Да, не мог, — ответил папа. — Я понимаю тебя. Но в будущем придется поступать именно так — слушать и молчать. Это другой тип ксенофобии, чем на Гернси, но все же это ксенофобия.

Анжела спросила:

— А что такое к-сену-фоб-и-я?

— Боязнь чужеземцев. Страх и ненависть. Это ценная защита для племени, но для посторонних очень плохо. Забавно. Внешне то, что мы видели в Гернси, кажется лучше — люди просто хотят, чтобы их оставили одних, жить сами по себе, а здесь ксенофобия агрессивна: явное стремление нападать на чужаков. Но она более здоровая. Швейцарцы укрепились в том, что они швейцарцы, и ненавидят всех, кто не швейцарец. Нам трудно, но для них это хорошая защита от триподов.

Он продолжал обсуждать это с Мартой, а поезд набирал скорость. Мы снова увидели озеро, спокойное и мирное, две-три лодки и старомодный колесный пароход двигались в направлении Женевы. Я думал о своем участии в происшествии. Я пытался увести Анжелу, потому что она девочка (и моя сводная сестра) и нуждается в защите. Но это означало оставить Энди во власти толпы. Надеюсь, он понимал, почему я так поступил. Один глаз у него почти закрылся, все вокруг распухло. Он увидел, что я смотрю на него, и подмигнул здоровым глазом.

Папа звонил Ильзе из Женевы, и, когда поезд остановился в Интерлейкене, она ждала на платформе. Она поцеловала Марту, обняла Анжелу, но через плечо Анжелы не отрывала взгляда от папы. Потом они медленно двинулись навстречу друг другу. Она протянула руки, и он взял ее в свои. Так они стояли, улыбаясь, прежде чем он поцеловал ее.

Наконец Ильза оторвалась. Она улыбалась и плакала в одно и то же время. Отвернувшись от отца, она посмотрела на меня.

— Лаври, — сказала она. — О, Лаври, как приятно снова увидеть тебя.

Она подошла ко мне, и я протянул ей руку.

— И я рад.

Странно. Я протянул руку, чтобы она не поцеловала меня; и сказал, что рад ее видеть, просто так; но оказывается, я на самом деле рад.

8

Фернор — маленькая горная деревушка, куда ведет единственная дорога. По одну сторону вздымается лесистый склон горы, по другую — открывается захватывающий вид на долину глубоко внизу. Дорога из Интерлейкена здесь практически кончается или почти кончается; она продолжается как немощеная тропа и ведет еще к полудюжине домиков и наконец к гостинице Руцке.

Первый дом Руцке был построен дедом Ильзы как дача для семьи, но между мировыми войнами ее отец перестроил дачу, расширил ее и превратил в гостиницу. В ней восемь номеров, несколько комнат для посетителей и терраса впереди; на ней телескоп и на шесте швейцарский флаг.

Швейцба перестала принимать посетителей, когда Швейцдед заболел. Кроме членов семьи, теперь здесь жил только работник по имени Йон, он был даже старше Швейцдеда. Он присматривал за животными — несколькими курами и двумя коровами, которым позволялось бродить по окрестным горным лугам с колокольчиками вокруг шеи, — и еще он стрелял дичь. У него был старый дробовик, за которым он любовно ухаживал.

Швейцба была седовласой и полной. Она плохо говорила по-английски, и казалось, боится папы и еще больше Марты, которая разговаривала с ней мягко, но скорее так, как говорят с домработницей.

На второй день выпал снег, но почти немедленно растаял; Ильза сказала, что для этого времени года тепло. Я с жадностью смотрел на стойку с лыжами в одном из сараев, которую мы обнаружили с Энди. Мы с ним изучали окружающее. Местность над деревней довольно скучная — объеденная коровами трава и булыжники, но ниже — более интересная, там росли сосновые леса и было несколько отличных склонов. Внизу, в долине, виднелось озеро, и в телескоп мы могли следить за лодками. Телескоп работал, когда в него опускали монетку, но ящик для денег был открыт, поэтому можно было снова и снова опускать одну и ту же двадцатицентовую монету.

Мы также помогали Йону смотреть за курами и коровами. Куры иногда прятались, и нам приходилось отыскивать яйца, а коров нужно было вечером отыскивать и приводить. Я попытался уговорить Йона доверить мне ружье, но не смог. Жизнь не очень интересная, но приятная. К тому же Швейцба готовила гораздо лучше Марты.

Ее муж, Швейцдед, целые дни проводил в большой двуспальной кровати в их спальне. Только в очень хорошую погоду Швейцба и Йон перемещали его на террасу. Иногда я сидел с ним, но никогда не знал, о чем говорить, а он тоже не разговаривал. Но он всегда улыбался, когда в комнату входила Анжела. Не знаю, понимал ли он, что привело нас сюда, и знал ли вообще о триподах.

Швейцарское радио и телевидение вели передачи на французском и немецком; Ильза пересказывала нам, что сообщается о событиях во внешнем мире. Казалось, повсюду у власти люди в шапках, но швейцарцы не беспокоились. Сотни лет их окружали диктатуры, империи и тому подобное, и они научились игнорировать их. Их защищали горы и армия, куда входили все взрослые мужчины. Триподы, конечно, помеха, но Наполеон и Гитлер тоже были помехой. Они чувствовали, что им следует только держаться своих гор и продолжать быть швейцарцами.

Разумеется, они предпринимали меры предосторожности. С самого начала своих триппи изолировали и поместили под вооруженной охраной в лагеря. Те, что избежали облавы и пытались распространять шапки, были быстро пойманы и изолированы. Ильза, видевшая вещи только со швейцарской точки зрения, была уверена, что сумасшествие по поводу триподов быстро кончится. Папа был настроен не столь оптимистично, но надеялся, что швейцарцы сумеют отрезать себя от остального мира, оставшись оазисом свободы.

В деревне мы сначала встретились с таким же враждебным отношением, как в Женеве и Лозанне. Жители деревни игнорировали нас, а хозяева магазина — тут был маленький универсам, объединенный с булочной, — оставались угрюмыми и неприветливыми. Когда пришло время возобновлять наше разрешение, деревенский полицейский, человек по имени Грац, долго колебался. В конце концов он сказал, что возобновит разрешение только потому, что мы родственники Руцке: Швейцдеда здесь хорошо знали и уважали.

Местные мальчишки пошли дальше и преследовали нас, выкрикивая оскорбления. Главой у них был Руди Грац, сын полицейского. Ему было тринадцать лет, но он крепкий парень и особенно изощрялся в отношении Энди.

Когда это случилось в третий раз — мы как раз возвращались из деревни в дом Руцке, — Энди остановился и повернулся. Швейцарские мальчишки тоже остановились; Руди сказал что-то на местном диалекте, и остальные засмеялись. Энди подошел к ним и произнес одно из немногих немецких слов, которые знал: «Dummkopf», что значит «дурак».

Драка продолжалась минут пять. Энди был хладнокровнее и лучше боксировал, а у Руди оказался хороший удар, и он несколько раз сильно ударил Энди. Ссадина у Энди под глазом снова открылась, и он потерял немало крови. Однако именно Руди первым прекратил драку. Некоторое время они смотрели друг на друга, потом Энди протянул руку. Швейцарец не обратил на это внимания и отвернулся, товарищи последовали за ним. После этого дружелюбнее они не стали, но преследовать нас прекратили.

Иногда Анжела требовала, чтобы мы брали ее с собой, и изредка получала улыбки: вероятно, потому, что она маленькая девочка, к тому же хорошенькая.

Она подружилась со старой лошадью, отставницей швейцарской армии, которая паслась в поле недалеко от пекарни. Однажды, поласкав лошадь и поговорив с ней, она сказала:

— Немного похожа на Принца. Тебе не кажется, Лаури?

Я осторожно ответил:

— Немного.

— А что будет с Принцем?

— Ничего. В конюшне за ним будут смотреть, пока мы не вернемся.

Она презрительно посмотрела на меня.

— Но мы ведь не вернемся. Так только говорят.

Я не знал, чего ожидать дальше, — может быть, слез, и поэтому пробормотал что-то насчет того, что не уверен, но что все образуется.

Когда я замолк, она сказала:

— Иногда мне снится, что я по-прежнему триппи. Нет, даже хуже — я знаю, что случилось, и ненавижу это, но ничего не могу с собой сделать. Проснувшись окончательно, я сначала пугаюсь, а потом... Не могу объяснить, как это. Но быть триппи — хорошо. Чувствуешь себя в безопасности.

Она сорвала пучок травы, и лошадь съела ее из рук.

Анжела сказала:

— Надеюсь, Принцу хорошо.

— Я в этом уверен.

Она снова посмотрела на меня.

— Не нужно притворяться. Я не хочу возвращаться — даже к Принцу.

Раньше мы никогда так серьезно не разговаривали, как в этот раз. И я понял, что она храбрая девочка и к тому же гораздо более взрослая, чем я считал. Я хотел, чтобы она поняла это. В нашей семье не принято обниматься, но я обнял ее, хотя с нами был Энди.

Я сказал:

— Пошли. Швейцба ждет нас с хлебом.

Все неожиданно изменилось, когда французская и немецкая армии без всякого предупреждения вторглись в Швейцарию. Все в деревне возбужденно обсуждали новость, на следующий день она опустела, все мужчины в возрасте между восемнадцатью и шестьюдесятью были призваны.

Изменилось и отношение тех, кто остался, может быть, потому, что их ненависть теперь сконцентрировалась на вторгшихся армиях. Нам улыбались и даже готовы были поболтать. И все были полны уверенности.

Фрау Штайзенбар, жена пекаря, два сына которой ушли в армию, сказала:

— Это ужасно, но, думаю, ненадолго. Французы и немцы всегда воюют. Швейцарцы не хотят воевать, но они храбрые и любят свою родину. Они быстро прогонят французов и немцев.

Мы с Энди пошли назад в гостиницу. Стоял серый холодный полдень. Хотя снега здесь еще не было, окружающие вершины белели свежими снегопадами.

Я сказал:

— Хорошо, что папа не швейцарец, его бы тоже призвали. Что же будет?

Тропа проходила над пропастью. Энди бросил камень, и я видел, как он упал на осыпь в сотнях метров внизу.

Энди сказал:

— Швейцарцы считают, что раз они патриоты, то потягаются с кем угодно. Они не понимают, что значит противостоять триппи.

— Пассажиры в аэропорту перестали сопротивляться, когда солдаты начали стрелять.

— Это другое дело. К чему триподам беспокоиться из-за какой-то кучки людей? Не имеет значения, что с ними случится. Но теперь они шлют армии — армии людей, которые не боятся быть убитыми.

Я подумал об этом — воевать и не бояться быть убитым. Надо быть триппи, чтобы понять это.

— Не думаю, чтобы война дошла до Фернора.

И она не дошла. И фрау Штайзенбар оказалась права — война кончилась быстро, но не так, как она думала. На следующий день сообщили об отступлении на севере и на западе, а на утро все было кончено. Ильза переводила новости по радио: вечный мир пришел в Швейцарию, как и во все остальные страны. А следующую фразу даже я смог понять.

— Heil dem Dreibeiner!

Два дня спустя, глядя в телескоп, я увидел знакомый колесный пароход, прокладывавший путь по серым водам озера к Интерлейкену. И еще кое-что, неуклюже шагавшее по берегу. Я позвал папу и Энди.

Когда папа смотрел, я сказал:

— Теперь нам некуда бежать?

Папа выглядел усталым, подбородок его зарос, в черной щетине виднелись белые пятна. В прошлом он всегда брился, как только вставал. Не отвечая, он покачал головой.

Мы смотрели вниз, в далекую долину. Можно было видеть и невооруженным глазом, хотя и не так ясно, как он шагает по полям, не обращая внимания на то, куда ступает. Лицо у папы стало отчаянным и жалким. Я не понимал раньше, что чем старше человек, тем горше его отчаяние.

Я сказал:

— Но мы ведь так далеко. Они сюда, может, и не придут.

Он снова покачал головой, медленно, как будто ему было больно.

— Может быть.

Вышли Марта и Анжела. Марта смотрела скорее на папу, чем на треножник: спустя какое-то время она сказала мягче, чем обычно:

— Ильза с Швейцдедом — он себя не очень хорошо сегодня чувствует. Пойди посиди с ней.

В последующие дни мужчины начали возвращаться в Фернор. Пострадавших было немного, потому что война длилась очень недолго. А потом, однажды утром, придя за ежедневной порцией хлеба, мы увидели, что жители деревни носят шапки.

Я прошептал Энди:

— Что делать — быстро уходить?

— Это может привлечь внимание. Слушай, там Руди. Он не в шапке.

На Гернси мы узнали, что шапки надевают в четырнадцатилетнем возрасте, может, потому, что дети не представляют угрозы. Казалось, то же правило существует и здесь. Руди на год моложе нас, значит, Анжела в безопасности, но Энди и я рискуем. Мы пошли дальше, стараясь вести себя как обычно. В булочной герр Штайзенбар как раз принес поднос со свежим хлебом из пекарни, и фрау Штайзенбар за прилавком приветствовала нас обычным «Gruss Gott». Все было как всегда, кроме одного: черные шапки покрывали ее заплетенные седые волосы и его лысую голову.

Фрау Штайзенбар расспросила нас о Швейцдеде и продолжала болтать, а я стремился побыстрее уйти. Наконец мы получили хлеб и сдачу и могли идти. Мы пошли по деревенской улице, но через пятьдесят метров встретили группу мужчин. Одним из них был отец Руди.

Он не похож был на полицейского: маленького роста, с нездоровым видом и телосложением. Но манеры у него были полицейские. Он встал перед нами, преградив нам дорогу.

— So, die Englischen Kinder... — Он внимательно посмотрел на меня. — Wie alt? Vierzehn doch? — И с трудом перевел: — Сколько тебе лет, мальчик? Тебе исполнилось четырнадцать?

Значит, действительно в четырнадцать. Я искренне сказал:

— Нет, сэр. В следующем году.

— Ты должен принести свидетельство о рождении. — Он нахмурился. — Оно должно прийти из Англии. Это нехорошо.

Нехорошо для него, может быть. Воспрянув духом, я подумал, что на этом можно играть несколько месяцев. Все еще хмурясь, он повернулся к Энди:

— Но тебе уже четырнадцать. Это точно.

— Нет, сэр, — сказал Энди. — Тринадцать с половиной.

На самом деле он был лишь на два месяца старше меня, но выше на два дюйма, а его взрослый вид позволял дать ему и пятнадцать. Отец Руди покачал головой:

— Не верю. Тебе необходимо надеть шапку. Сегодня все шапки кончились, но завтра почтовый фургон привезет еще. Тебе немедленно наденут одну.

Энди кивнул:

— Хорошо, сэр. Я приду утром.

— Нет. Ты останешься здесь. Встречаются глупцы, которые не хотят надевать шапки. Ты останешься здесь, мальчик, пока не прибудут новые шапки.

Энди потянул себя за волосы: так он поступал, принимая решение. Один из мужчин — местный чемпион по борьбе — придвинулся ближе. Энди вздохнул.

— Как скажете. — Он взглянул на меня: — Расскажи всем, что меня задержало.

— Да. Я скажу папе. — Я сделал условный знак большим пальцем. — Не волнуйся. Все будет хорошо.

Мы с Анжелой смотрели ему вслед, когда его уводили к дому полицейского. Я пытался уверить себя, что он сможет убежать, но в то же время не верил этому. Ему нужна помощь; прежде всего нужно добраться до папы и рассказать ему.

На краю деревни мы встретили Руди. К моему удивлению, он остановился и спросил:

— Почему с вами нет Энди?

Я не видел причины не говорить ему и понял, что для него это неудивительно. Очевидно, отец его говорил об англичанах и о шапках. Но Руди не выглядел довольным, как я ожидал. Он скорее походил на мать, чем на отца, будучи рослым и светловолосым, и, как и она, постоянно широко улыбался. На этот раз он не улыбался.

— Его оставили, чтобы надеть шапку? — Я кивнул. — А он хочет?

— Не знаю. — Я стал осторожен. — Но ведь это должно произойти... со всеми?

Он медленно ответил:

— Говорят, да.

Папа и Марта сидели на террасе перед гостиницей и пили кофе. Они разговаривали, но когда мы появились, замолчали.

Анжела выложила им новость, а я не мешал ей.

Когда она кончила, Марта сказала:

— Ужасно. — Она помолчала. — Но ведь до завтра шапки не появятся? Я уверена, он сумеет убежать. Энди изобретателен.

Я ответил:

— В доме полицейского есть комната, похожая на камеру. Нам говорил Йон. В двери наружная задвижка и два замка, а единственное окно — в трех метрах и забрано решеткой. Тут никакая изобретательность не поможет. Без помощи он не сможет уйти.

Она покачала головой:

— Хотелось бы что-нибудь сделать.

— Мы должны.

— Ты не понимаешь. — Она выглядела усталой и сердитой, а на лице ее было то упрямое выражение, которое появляется у взрослых, когда они тебя не слушают. — Мы не можем.

Я повторил, стараясь быть терпеливым:

— Но мы должны.

Марта сказала:

— Йон рассказал нам о шапках, когда вас не было: он встретил знакомого в шапке. Мы решали, что делать. Здесь оставаться нельзя. Через несколько дней придут и сюда с шапками.

— Что касается Энди, вопрос не дней — ему наденут завтра утром.

Она не обратила на это внимания.

— Твой отец и Йон выработали план. Ты знаешь железнодорожный тоннель вверх к Юнгфрау?

Я кивнул. Я был там, когда в первый раз приезжал в Швейцарию. Колея проходит по дальней стороне глубокой долины, отделяющей Фернор от склонов Айгера. Поезд по тоннелю поднимается внутри горы, ему требуется почти три часа, чтобы достичь конечной станции, где расположены отель, лыжная база и астрономическая обсерватория.

— Отель и дорога закрыты из-за чрезвычайного положения, — продолжала Марта. — Йон говорит, что мы можем скрываться внутри тоннеля. Он защитит от непогоды, а в отеле может быть пища. По крайней мере убежище на время. Лучше, чем оставаться здесь и позволить надеть на себя шапку.

— Звучит прекрасно, — сказал я. — Я целиком «за». Как только вернем Энди.

Лицо ее приобрело гневное выражение, это значило, что она чувствует себя виноватой.

— Мы не можем. Во-первых, необходимо время. Йон хочет сходить на разведку, прежде чем мы все туда переберемся. Но есть еще кое-что. Швейцдед умирает. Он может протянуть несколько часов или дней, но не больше.

— Не вижу, в чем разница. Если он умирает, значит, умирает.

Она хрипло сказала:

— Может, и не видишь. В твоем возрасте. — Это уже подавление. — Но Швейцба и Ильза — для них разница есть. Мы не можем взять его с собой, а они не пойдут, пока он жив. Нам нужно продержаться еще несколько дней. Если попытаемся освободить Энди, расшевелим осиное гнездо, чем бы эта попытка ни кончилась. Они придут сразу.

Она посмотрела на меня и негромко добавила:

— Мне жаль. Энди мне нравится.

— А если бы это был я? — спросил я. Марта не ответила. — Или Анжела?

Я повернулся к отцу, который все время молчал:

— Мы ведь не оставим его? Он просил рассказать тебе, что случилось. А я ответил: «Все будет в порядке — я расскажу папе».

Он не смотрел мне в глаза. Сказал:

— Мне тоже жаль. Но Марта права. У нас нет выбора.

* * *

На полпути к деревне я остановился. Чувство собственной глупости придавило меня почти физической тяжестью. Глупости и неблагодарности. Я подумал обо всем, что сделал папа, чтобы увести нас от триподов, — поездка на Гернси, угон самолета, приезд сюда. И теперь у него новый план, как сохранить нашу безопасность. Что заставляет меня считать, что я знаю, что делать, лучше, чем он?

Марта права: неудавшаяся попытка освобождения всех подвергает риску, даже если я проделаю ее в одиночку. И даже если папа сделает вид, что отказывается от меня, чтобы спасти Ильзу и остальных, все равно я привлеку опасное внимание к гостинице.

Я все обдумал хладнокровно, спокойно, рационально. Был ранний вечер, неожиданно холодный; горы четко вырисовывались на фоне темно-голубого неба; на западе, где село солнце, небо было желтым. Где-то, невидимая, прокричала сойка, должно быть, ищет корм.

Но я ощущал еще кое-что — за холодной рациональной мыслью. На этот раз не холодное — чувство облегчения, такое сильное, что мне хотелось крикнуть навстречу молчаливым горам. Я знал, что боюсь идти в деревню, но не понимал, насколько боюсь. Ужас, еще более сильный, чем на самолете, летевшем в Женеву.

Я стоял, глядя на крыши деревни и на поднимающийся почти вертикально дым из труб. Красочная и в то же время обычная сцена, только люди под крышами утратили нечто, делавшее их людьми, — свою индивидуальность и волю действовать как свободные мужчины и женщины. Но их индивидуальность была отнята у них насильно; я отдавал свою из трусости.

Я вспомнил, что говорил папа о Марте и полицейской машине. Бывают времена, когда все, что ты можешь сделать, — это нажать на акселератор и рисковать. Я знал ответ на вопрос, который задавал себе в самолете: не лучше ли позволить надеть на себя шапку, но оставаться живым. Глубоко вдохнув морозный горный воздух, я двинулся дальше по склону.

9

Было уже темно, когда я достиг деревни: ночь в горах наступает быстро. Первой моей целью было узнать, где держат Энди, и я решил действовать напрямую. Я сказал Марте, что иду в свою комнату читать, и прихватил с собой несколько книг как доказательство. Они были в моих руках, когда я нажал звонок у дома полицейского.

Внутри тяжело прозвучали шаги, и я приготовился к встрече с отцом Руди. Но дверь открыла его мать. Она удивленно посмотрела на меня.

— Ach, so. Der Englander... Was willst du?

— Почитать. — Я показал ей книги. — Для моего друга Энди.

Она сказала что-то, чего я не понял. Я покачал головой, и она заговорила по-английски:

— Ты дать книги мне, чтобы я дать их твоему другу?

Это не поможет. Я спросил:

— Я могу повидаться с ним?

Она с сомнением покачала головой. Я услышал голос Руди. Они о чем-то быстро поговорили, и она знаком пригласила меня войти.

Руди сказал мне:

— Тебе нельзя видеться с Энди без позволения моего отца. Он пошел в деревенскую гостиницу, но скоро вернется. Подождешь?

По крайней мере я в доме, хотя дальнейшее не очень обнадеживает. Почему я просто не оставляю книги, чтобы их передали Энди; я был уверен, что отец Руди именно так и скажет.

Фрау Грац, хоть и сомневалась, впускать ли меня в дом, принесла бутыль домашнего лимонада и шоколадное пирожное. Она дала и Руди. На столе лежала его тетрадь для уроков. Я кивком указал на нее и сказал:

— Продолжай. Я не хочу мешать.

Он пожал плечами:

— Это Naturwissenschaft. Наука, по-вашему. Скоро мы кончим ее изучать.

— Кончите? Почему?

— Старший учитель сказал, что Naturwissenschaft больше не нужна. Теперь, когда правят триподы, наука не нужна.

Я понимал причину этого. Наука — часть независимого мышления, а оно для человечества в прошлом.

Я посмотрел на Руди. Я практически ничего не знал о нем, но он не выглядел довольным, когда я говорил о том, что Энди ожидает шапка. Мать его была в кухне, напевая что-то под радио.

Я негромко сказал:

— Говорят, триподы — наши друзья, все, что они делают, — к лучшему. А ты как считаешь?

Он молчал. Если я ошибся, он, вероятно, расскажет отцу, и это все кончит.

Но он наконец ответил:

— Энди не хочет носить шапку?

Я зашел слишком далеко, чтобы отступать.

— Нет. И я не хочу. А ты?

Он перевел дыхание.

— Не хочу. Я ненавижу шапку!

Руди сказал, что выпустить Энди нетрудно: в кабинете отца есть дубликаты всех ключей. Он вышел из комнаты и вернулся с ключом, который протянул мне. Он сказал:

— Налево и через заднюю дверь. Я пока буду отвлекать маму.

Энди находился в чем-то вроде сарая, но очень прочном. Я открыл дверь и обнаружил комнату с единственной раскладушкой. Когда дверь открылась, Энди был на ногах.

Я быстро сказал:

— Некогда разговаривать. Руди отвлекает мать. Пошли.

— Иду, — ответил он без колебаний. Было приятно чувствовать, как он идет сзади. Папа сказал, что мы ничего не можем сделать. Я никому не повредил, и все же Энди идет за мной.

Из кухни показался Руди, что-то успокоительное говоря в дверь. Мы на цыпочках прошли через комнату. У входа стояло чучело медведя, использовавшееся как вешалка; хотя и побитый молью, медведь выглядел грозно. Я ткнул его кулаком в ребра, поднялась пыль.

Руди немного приоткрыл наружную дверь и осторожно выглянул. Я хотел, чтобы он побыстрее выпустил нас. Вместо этого он отступил и беспомощно взглянул на меня.

Дверь растворилась с противоположной стороны, и вошел отец Руди. Он был в форме. Я подумал, как она гармонирует с шапкой.

Он осмотрел сцену и резко спросил:

— Was heisst das?

Руди стоял молча. Я тоже не знал, что сказать.

Энди сказал:

— Беги. Быстро!

Он бросился на отца Руди и чуть не опрокинул его. Грац закричал, а я побежал мимо, но, оглянувшись, увидел, что он держит Руди. Он снова закричал, и я увидел на улице фигуры бегущих к нам людей. Энди боролся с Грацем, пытаясь освободить Руди. Я побежал на помощь, но тут подоспели подкрепления Граца. Через несколько мгновений нас втолкнули в дом.

Руди позже объяснил, что нам не повезло. Обычно его отец пропускал в гостинице несколько кружек пива с приятелями и возвращался домой один. На этот раз он рассказал об английском мальчишке, приятели обсудили это и решили, что нельзя допускать риска, особенно с иностранцем. Английскому мальчику нужно надеть шапку немедленно; один из тех, у кого уже есть шапка, на время отдаст ее. И они пошли вместе с Грацем к его дому.

Их было пятеро, включая отца Руди. Они возобновили обсуждение, но скоро стало ясно, что возникла проблема. Все согласны были, что очень важно, чтобы Энди немедленно надели шапку, но кто ее отдаст? Выяснилось, что никто не хочет. Как и люди в аэропорту, они находили саму мысль о том, чтобы остаться без шапки, невыносимой — даже временно и даже для того, чтобы послужить интересам триподов. В конце концов они неохотно решили, что Грац с самого начала был прав и что придется подождать до утра, когда привезут новые шапки. Было решено, что вместе с Энди наденут шапку на меня и на Руди.

Нам дали матрацы и одеяла. Появилась фрау Грац и стала суетиться вокруг Руди, но мысль о том, что его запрут, ее нисколько не беспокоила. Я подумал, каково это быть швейцаркой и женой полицейского. Когда она вышла, я принялся бродить по комнате, отыскивая возможность убежать.

Энди сказал:

— Я проверял. Выхода нет.

— Ты не мог добраться до окна, — сказал я, — но если я встану тебе на спину, то смогу.

Руди покачал головой:

— Ничего не выйдет. Все окна дома имеют электрическую... как это по-вашему... тревогу?

— Сигнализация, — сказал Энди. — Похоже, мы ничего не добьемся. Ты говоришь, что шапки на нас наденут в церкви?

— Да. Это Zeremonie. Большое шоу.

— Может, тогда удастся сбежать. Тем временем лучше поспать. Я здесь первый, поэтому занимаю раскладушку.

Энди лег и, насколько я мог судить, сразу уснул. Я лежал на своем матраце, размышляя. Я не знал, есть ли у Энди какой-нибудь план, когда он говорит о бегстве. Я не видел никаких шансов: ведь против нас вся деревня.

Почтовый фургон из Интерлейкена должен был прибыть в девять, и сразу вслед за этим на нас должны были надеть шапки. Фрау Грац приготовила сытный завтрак, и хотя я подумал, что не в состоянии буду есть, запах яичницы с ветчиной убедил меня в обратном. Фрау Грац было очень довольна, что Руди наденет шапку перед самым своим днем рождения, и говорила нам, как хорошо ему после этого будет. Ее сестра Хедвиг, страдавшая от депрессии, выздоровела, как только надела шапку; да и ее собственный ревматизм чувствуется гораздо меньше.

Постучали в дверь, и она пошла открывать. На кухонной стене часы с маятником, темного дерева, раскрашенного цветами, показывали 8.30. В комнате с нами были Грац и еще один мужчина. Я сознавал, что у нас нет никаких шансов. И вдруг узнал голос говорившего с фрау Грац. Я быстро встал, когда она вошла. За ней шел папа.

На нем была одна из шапок, которые мы использовали при угоне.

Он строго взглянул на меня и сказал Грацу:

— Мне жаль, что мой сын плохо себя вел. Я возьму его домой и накажу.

Герр Грац поудобнее устроился в кресле.

— Не нужно. Сегодня на него наденут шапку. После этого он не будет поступать нехорошо.

— Он должен быть наказан. Это мое право как его отца.

После паузы Грац сказал:

— Отец имеет право, это верно. Можете наказать его, если хотите.

Папа взглянул на Энди.

— Этот тоже мой. Я накажу и его.

Грац кивнул:

— Разрешается.

— Значит, я забираю их обоих.

Грац поднял руку:

— Нет. Побейте их здесь. Во дворе. У меня есть ремень. Хотите?

Я не удивился, что план папы не сработал: подобно моей уловке с книгами, слишком было наивно. Но я был уверен, что у папы есть кое-что еще. Я сидел почти самодовольно, ожидая, что вот он выложит неопровержимый довод и глупый швейцарский полицейский отступит. Но когда он наконец заговорил, я почувствовал отчаяние.

— Хорошо. Но я принесу собственный ремень.

Он повернулся, не глядя на меня. Я не мог поверить, что он оставляет нас.

Я крикнул ему вслед:

— На нас сегодня наденут шапки... скоро...

Он вышел, не отвечая, и я услышал, как закрылась входная дверь. Вошла фрау Грац, предлагая нам булочки, вишневое варенье и кофе, а ее муж закурил отвратительно пахнущую трубку. Другой мужчина зевнул и принялся ковырять в зубах. Я не мог смотреть на Энди.

Если бы папа вообще не приходил, было бы не так плохо. Я сам влез в это дело и должен расплачиваться. Но он пришел, с этим смехотворным объяснением, что хочет наказать нас, и сразу сдался, оставил нас, когда Грац раскусил его. Он вернулся в гостиницу к Ильзе и Анжеле. Их он защитит. Я почувствовал себя так же, как в тот раз, когда он пообещал поиграть со мной в футбол и забыл, а я пинал его. Только еще хуже: на этот раз я его ненавидел.

Я дошел до того, что подумал, как бы отплатить ему — на этот раз не пинками. Мне нужно только рассказать Грацу о фальшивых шапках. Триподы заберут его, и Ильзу, и Анжелу — всех. Я уже начал:

— Герр Грац...

Он поднял голову.

— Что, мальчик?

Я покачал головой, чувствуя отвращение к себе:

— Ничего.

Прошло, казалось, очень много времени, когда опять зазвонил дверной звонок. На самом деле — всего несколько минут. Фрау Грац пошла открывать, раздраженно ворча. Услышав голос папы и даже увидев его в кухне, я не мог сказать ни слова. Я не хотел снова надеяться. Я даже не смотрел на него, пока Грац удивленно не вскрикнул и со стуком не уронил свою трубку на стол.

Фрау Грац в ужасе стояла у двери в кухню. Здесь был и Йон; и папа держал дробовик Йона.

Как полагается хорошей швейцарской хозяйке, фрау Грац держала в шкафу у раковины пачку чистых полотенец, и они как раз подошли в качестве кляпов. Она думала, что это ограбление — ей казалось бессмыслицей, что кто-то хочет с помощью силы избежать шапки, — и начала бормотать о том, где хранятся семейные ценности. Я заткнул ей рот, избегая ее укоризненного взгляда. Папа и Йон управлялись с мужчинами, потом папа приблизился к Руди.

Я сказал:

— Нет. Он помогал нам. Он тоже не хочет надевать шапку.

— Мы не можем рисковать. Если поднимут тревогу...

— Руди, — сказал я, — скажи ему, что ты хочешь идти с нами.

— Да. — Он кивнул. — Пожалуйста. Я ненавижу шапку.

— Слишком рискованно.

Я не хотел спорить. Я и так чувствовал себя виноватым за то, что подумал, когда он пошел за Йоном. Но это решение я не мог принять, как и в тот раз с Энди.

Я ровно сказал:

— Придется взять его с собой.

Папа посмотрел на меня. Пожал плечами и слегка улыбнулся.

— Хорошо. Присматривай за ним.

Когда мы выходили из дома, прохожий обменялся приветствиями с Йоном. Я подумал, долго ли еще до того, как поднимут тревогу. Менее получаса — это точно: если Грац не встретит почтовый фургон, его начнут разыскивать.

Мы втиснулись в «судзуки», и папа повел, резко добавляя скорость. Ильза уже была снаружи дома, она боролась с тяжестью большого рюкзака, а Марта вышла с другим. Лицо Ильзы было покрыто пятнами, как будто она плакала.

Марта сказала:

— Ты их освободил.

Она старалась, чтобы это звучало обычно, но голос ее дрожал. Она всегда покровительственно относилась к папе, но он был ее сыном, как я — его. Рукавом платья она обтерла лицо.

— Мы готовы.

Я вспомнил одну из причин, почему нужно было ждать, и спросил:

— А как Швейцдед?

Папа взял у Ильзы рюкзак и надел на себя. Через плечо он сказал:

— Он умер сегодня ночью.

Я взглянул вниз, в долину. Люди по-прежнему умирают: триподы и шапки не изменили этого. А другие продолжают жить. Мне видна была часть дороги, поднимавшейся от Интерлейкена. По ней двигалась желтая точка: приближалась почтовая машина.

Первая часть пути пролегала вверх в горы по неровной тропе, которая постепенно исчезла. Идти было нелегко, местами очень трудно. Марта и Ильза переносили это свободно, но Швейцба скоро начала задыхаться, и мы вынуждены были идти медленно. Скоро гостиницу не стало видно, и единственное, что окружало нас, были крутые горные склоны и зловещее серое небо за ними. Ветер северо-восточный, холодный и резкий. Йон сказал, что, вероятно, ночью выпадет снег.

На участке ровной земли мы остановились. Теперь снова стала видна наша гостиница, и Йон указал вниз. Кроме «судзуки», у дома стояли три машины. Папа посмотрел в бинокль, который принадлежал Швейцдеду.

Когда он дал мне бинокль, я почувствовал, какой он тяжелый. Держать его нелегко, но он давал прекрасное увеличение. Я узнал Граца. С ним было семь или восемь мужчин.

Из трубы гостиницы понимался дым, как круглый год — даже летом большой камин, который топили поленьями, использовался для приготовления пищи. Но дым был гуще обычного и выходил не только из трубы, но и из окна спальни.

Огонь недолго разгорался в деревянном здании, и через несколько секунд оно все запылало. Я слышал, как застонала Швейцба, когда сквозь черноту дыма пробилось пламя.

Обнимая мать, Ильза спросила папу:

— Но почему? Уничтожить такой дом только за то... что мы отказались надевать шапки?

— Не знаю, — ответил папа. — Чтобы не дать нам вернуться, может быть. Устрашить других, кто будет сопротивляться триподам. В одном мы можем быть уверены: ни жалости, ни милосердия больше не существует. Они верят во все, что им говорят триподы, а мы для триподов — помеха. Как крысы.

Энди сказал:

— Я читал как-то, что, стараясь уничтожить крыс, люди на самом деле усилили их интеллект.

— Да, я тоже читал об этом, — согласился папа. — Крысы тысячелетия живут рядом с людьми. Каждая убитая нами крыса улучшает поголовье, потому что остаются и дают потомство самые умные. Может, нам кое-чему придется у них поучиться.

Швейцба сказала:

— Они должны были найти его тело. — Она говорила о Швейцдеде. — Но не вынесли, чтобы похоронить.

— Да. — Ильза по-прежнему поддерживала мать, и папа обнял их обеих. — Но ведь это не имеет значения. Это был его дом шестьдесят лет. Лучшего погребального костра не может быть.

Мы пошли дальше. Крутой утомительный подъем сменился еще более изматывающим спуском. Местность была дикая и неровная; ни следа пребывания человека, ничего, с ним связанного. Мы видели стадо шамуа, местной разновидности горного оленя; животные перепрыгивали с утеса на утес; орел парил над самыми вершинами утесов.

Швейцба часто нуждалась в отдыхе. Папа и Йон, а потом мы с Энди по очереди поддерживали ее. Она извинялась за то, что причиняет нам хлопоты, и просила оставить ее.

Папа сказал:

— Только не торопитесь, мама. У нас достаточно времени. И никто вас не оставит. Мы не можем вас потерять. Никого вообще нельзя терять. Нас слишком мало.

Наконец мы достигли более пологого склона и увидели железнодорожную станцию Кляйне Шайдег — последнюю остановку поездочка перед входом в тоннель. Как и предсказывал Йон, она была покинута — туризм остался в прошлом вместе с парламентом и телевидением, с университетами и церковью, с человеческим беспорядком и человеческой свободой. Станционный магазин, торговавший шоколадом, картами и глупыми сувенирами, был закрыт, а последний поезд стоял на пути, безлюдный и покрытый снегом.

На этой высоте снег не тает, а рядом с входом в тоннель лежит язык ледника. День уже шел к концу, небо темнело, меланхолично-серое; весь ландшафт казался пустынным и жалким. На протяжении последних сотен метров пути до тоннеля пошел снег, большими безжалостными хлопьями. Я чувствовал холод, отчаяние и безнадежность.

10

Я нашел блокнот, в котором пишу это, в отеле. Такие блокноты использовал управляющий ресторана, отчасти они заполнены: 20 kg Blumenkohl, 1 Kiste Kaffe, 45 kg Kartoffeln — цветная капуста, кофе и картошка... такие записи.

Это произошло спустя неделю после нашего прихода сюда. Я считал путешествие в поезде по тоннелю скучным, но насколько скучнее идти пешком. Прошло не менее пяти часов, прежде чем фонарик папы осветил название платформы: Юнгерфрауйоч. Еще несколько минут — и мы вышли в ослепительное сияние среди снега и льда, в туманную даль уходила неподвижная ледяная река, окруженная высокими белыми пиками. Все пусто и безжизненно, ни птиц, ни даже насекомых. И ни людей — кроме нас, — и ни триподов. Мы стояли на холодной крыше мира, правители всего, что могли видеть.

Целью нашего путешествия через тоннель было проверить, не осталась ли тут провизия, и нам повезло. Отель всегда держал большие запасы, очевидно, на тот случай, если зимой железнодорожная линия не будет действовать. Полки, забитые консервами, ящики с мукой и сахаром, бобами, сушеными фруктами, рисом. Были даже мощные холодильники, содержимое которых не растаяло, когда прекратилась подача электроэнергии: на этой высоте температура всегда ниже нуля.

Важной находкой оказались фонарики и батарейки. Мы из гостиницы прихватили только два фонаря, и приходилось их включать редко, чтобы беречь батарейки, а тут их было множество, в герметически запечатанных пакетах, и хватит их на годы.

В тупике станции стоял дизельный вагон с заряженными батареями, папа проверил его управление, и мы нагрузили его для обратного путешествия. Пока он и Йон делали последние проверки, я показал Энди то, что видел здесь в предыдущее посещение, включая пещеру, полную ледяных статуй. Он был очарован машиной в натуральную величину и сказал, что ее вырезали не менее семидесяти лет назад, потому что это модель раннего «форда». Я подумал о том, как изменилось за эти семьдесят лет многое — машины, самолеты. Как будто человечество — спортсмен, летящий на волне изобретений. И какие чудеса ждали нас впереди? Но теперь из-за триподов все это кончилось.

За зиму мы постепенно приспособились к новой жизни. Хотя ближайший дом находился в десяти милях от нас и далеко внизу, а от входа в тоннель открывался хороший вид на окрестности, мы старались не оставлять следов и не делали троп, когда приходили и уходили. Йон научил нас этому и тщательно за этим следил.

Он также учил нас пользоваться лыжами, которые мы взяли в лыжной школе отеля. Хотя я с нетерпением ждал лыжных уроков, оказалось, что пользоваться ими не так легко — я много раз падал и провел десять дней неподвижно с растянутой мышцей ноги. Энди научился быстрее, а Руди, конечно, был опытный лыжник. Я с восхищением и раздражением смотрел, как он скатывается по склону ниже тоннеля. Но постепенно и у меня стало получаться, а потом я решил, что более восхитительного занятия никогда не знал.

Вначале мы выходили только для отвлечения — постоянное пребывание в тоннеле действовало угнетающе, но с приходом весны наши походы преследовали определенную цель. Нас всегда окружал снег, поэтому вода не была проблемой, но папа решил, что нужно беречь запасы пищи.

Я сказал:

— Но ведь в отеле хватит на годы.

— На сколько лет? — спросила Марта.

При свете лампы я увидел, какое у нее изможденное лицо, и впервые полностью осознал, что для нее это не временное убежище — она надеется кончить здесь свои дни.

Швейцба умерла перед весной — не от какой-то определенной болезни, может, от отсутствия Швейцдеда. Мы завернули ее тело в одеяло и поместили в щель ледника, покрыв снегом. Могилу мы не могли обозначить, но тело ее будет лежать здесь вечно, не изменяющееся в вечном холоде. Другой конец, чем у Швейцдеда, чье тело превратилось в пепел в огне, уничтожившем дом, в котором они жили вместе; но для тел какая разница? Они оба умерли свободными.

И вот мы начали экспедиции за продовольствием. Целью нашей были изолированные дома, и мы уходили далеко, прежде чем выбирали цель. В некоторых случаях нам удавалось очистить погреб или унести кур и яйца, пока в доме спали; но иногда владельцы просыпались, и их приходилось усмирять видом ружья Йона. К счастью, использовать его ни разу не пришлось.

Конечно, это воровство — у нас не было денег, чтобы оставить, если бы мы захотели, но люди, у которых мы крали, все были в шапках, и мы находились в состоянии войны с ними, как и с их хозяевами. В третьей экспедиции мы обнаружили девушку без шапки и взяли ее с собой. Вначале она колебалась, но потом согласилась идти с нами. Ее зовут Ханна. Она несколькими месяцами моложе меня, и волосы у нее рыжие, но начинают темнеть. Глаза уже потемнели, они темно-карие. Говорит она по-английски с немецким акцентом, но меня это не раздражает, как раздражал когда-то акцент Ильзы.

Я обнаружил, что и с Ильзой отношения стали гораздо лучше. Трудно даже вспомнить, как она сводила меня с ума в Англии. (Я хотел написать «дома», но вспомнил, что теперь наш единственный дом здесь, и вряд ли будет другой.) Она стала готовить, и хотя готовит не так хорошо, как Швейцба, но с каждым разом все лучше. И, конечно, Швейцба готовила не из ограниченных ресурсов и не на примитивной нефтяной печи в тоннеле.

В одной из экспедиций мы нашли одиноко живущего человека, и папа решил попробовать снять его шапку. Нам пришлось связать его, и он жалобно кричал. Но когда мы уходили, он последовал за нами, и папа позволил ему присоединиться к нам. Его зовут Карл, и ему около двадцати пяти лет. Хотя физически он силен, но может делать только простые вещи и под наблюдением. Иногда он плачет без всякой очевидной причины. Мы не знаем, всегда ли он был умственно отсталым или это произошло, потому что мы сняли шапку. Но мы решили больше этого не делать.

Да и не смогли бы, даже если бы захотели. Поздним летом в долину пришел трипод и остановился возле деревни Караман. С наблюдательного пункта мы следили за происходящим. Целый день процессия людей в шапках двигалась к триподу. Щупальце поднимало их одного за другим в капсулу и через несколько минут опускало на землю. В бинокль мы видели, что вместо черных шлемов на их головах теперь блестело серебро.

Энди догадался, что триподы заменяют временные шапки постоянными. Он оказался прав: в следующей экспедиции мы нашли мужчину и женщину, обоих с серебряными шлемами. Ужасно было то, что серебряная часть оказалась сеткой, вживленной в тело. Отныне шапка оставалась на всю жизнь; по-видимому, со временем она останется и на черепе.

Именно тогда папа сознательно выработал политику набора молодых людей, на которых в этот год должны надеть шапки. Мы никого не заставляли силой, хотя в таких обстоятельствах это было бы оправданно; для собственной безопасности мы не могли принимать колеблющихся. Пока из пяти, кому мы это предложили, согласился только один — мальчик по имени Ханс. Очевидно, нелегко оставить родителей, удобный дом и присоединиться к банде грабителей, но все же нас угнетает, что так мало соглашаются.

Мне кажется, что мальчики рискуют охотнее, чем девочки. Двое из отказавшихся были мальчики, и оба колебались, в то время как девочки отказывались наотрез. Я сказал нечто в этом роде Анжеле и тут же получил. Она не менее любого мальчишки готова на риск, и нечестно, что папа отказывается брать ее с собой в экспедиции. И как насчет Ханны, которая первой присоединилась к нам? И вообще, сказала Анжела, счет мальчиков и девочек, присоединившихся к нам, равный.

— Ханна — совсем другое дело, — сказал я.

— Неужели? — презрительно спросила Анжела. — Потому что она тебе нравится? Но от этого она говорит не лучше. — Чтобы закончить разговор, я отошел в свой угол тоннеля, думая, что временами Анжела становится невыносимой. Конечно, она растет, у нее был восьмой день рождения перед самым нашим отъездом из Англии, а девятый уже скоро. Я должен был согласиться, что она умна — если быть честным, немного умнее, чем я в ее возрасте. И хотя временами ее дерзости доводили меня до бешенства, остынув, я сознавал, что в целом с ней сейчас все же легче. Я решил отправиться в отель и найти подарок к ее дню рождения — я вспомнил, что в одной из комнат видел зеркало, оно должно ей понравиться.

Осенью снова пошел снег, и кончились дни лежания на солнце, которое на этих высотах светит так яростно. Снова мы встали на лыжи и устремились по нетронутым склонам. Однажды над Караманом мы видели, как внизу проходит трипод. На этот раз он не остановился у деревни, а пошел дальше и исчез среди холмов на востоке. Через неделю мы опять увидели его, и папа взглянул на часы.

— То же время, с точностью до минуты. Обычный патруль?

Все последующие недели мы изучали трипода. Это на самом деле был патрульный обход, и совершался он с монотонной регулярностью. Каждый четвертый день трипод проходил в пределах нашей видимости незадолго до одиннадцати утра, и путь его никогда не изменялся.

Когда мы увидели его в пятый раз, папа сказал:

— Интересно, какая у него цель. Вероятно, просто общий надзор.

Он вытер слезы перчаткой: дул резкий северо-восточный ветер, и глаза его слезились.

Энди сказал:

— На своем пути он может вызвать лавину.

Об этом недавно нас предупреждал Йон. Горные склоны покрылись снегом, и неосторожное движение может вызвать катастрофу. Йон молодым человеком пережил лавину — его откопали через несколько дней, он находился в хижине. Он нам описывал этот ужас: тысячи тонн снега и камней несутся вниз со скоростью экспресса и с шумом десяти поездов.

Папа сказал:

— Жаль, что не вызвал.

Мне кое-что пришло в голову.

— Я вот думаю...

Папа опять вытер слезы:

— О чем?

— Мы знаем, что он проходит в определенное время, каждый четвертый день. — Я взглянул на склоны непосредственно под нами, покрытые толстым слоем свежевыпавшего снега. — Что случится, если кто-нибудь выстрелит из ружья, как раз когда внизу проходит трипод?

Йона с нами в это утро не было: он страдал ревматизмом и иногда целыми днями не мог пошевелиться. Выслушав папу, он закрыл глаза.

— Это возможно. Но трудно сказать, когда лавина... готова. И трудно предсказать ее путь.

— Но стоит попытаться?

Йон помолчал, прежде чем ответить.

— Мы стараемся, чтобы нас никто не заметил, не оставляем следов. Но если мы попытаемся и не получится, возможно, придут нас искать.

Это стоило обдумать. Сами триподы, неуклюжие и на ровной местности, не могут вторгнуться в наши горы, но в их распоряжении буквально бесчисленное количество систем среброголовых рабов. Если мы выдадим себя, триподы используют рабов, чтобы выследить нас. И хоть мы какое-то время сможем защищать вход в тоннель, как только нас обнаружат, судьба наша будет решена.

Целыми днями мы обсуждали этот вопрос. Марта и Ильза яростно возражали. Йон тоже, но спокойнее. Большинство молодых были «за», с разной степенью энтузиазма. Анжела потребовала, чтобы ей разрешили быть в отряде, который осуществит нападение.

Что касается меня, то я считал, что предупреждение Йона имеет смысл: я представлял себе, каково быть обнаруженными и осажденными в тоннеле. Наша нынешняя жизнь не так плоха, и она улучшается. Весной мы снова начнем набор добровольцев. Разумно не делать рискованных шагов, которые могут нас уничтожить.

Но быть разумным недостаточно. Слишком велика ненависть, которую мы ощущали к триподам за все, что они с нами сделали. Не мог я и перенести мысль о том, что мы всегда будем тут прятаться, как кроты, а враг высокомерно шествует по долине. Я хотел напасть на него!

На следующее утро папа созвал нас в ту часть тоннеля, которая служила местом собраний. Масляная лампа висела на крюке, вбитом Йоном, а печь давала тепло.

Папа принес радиоприемник, найденный в отеле, мощный, на батарейках, с шестью диапазонами. Вначале удавалось поймать голоса, но такие слабые, что даже язык трудно было разобрать. Один за другим голоса смолкли. Уже несколько месяцев никто из нас не слушал радио.

Папа сказал:

— Прошлым вечером я обыскал все волны. Ничего, кроме жужжания триподов.

Он имел в виду звуки, которые, как мы считали, исходят от триподов, — осциллирующий шум, не имевший, казалось, никакого смысла.

— Это не значит, что нигде не осталось свободных людей. Могут существовать группы без передатчиков, или они боятся их использовать, чтобы их не обнаружили. Но мы должны действовать так, будто, кроме нас, никого нет — теперь и на все предвидимое будущее. Действовать как последняя надежда человечества.

Он остановился и вытер лоб; я видел, что он вспотел, но не от жары. Я взглянул на лица Марты, Ильзы, Йона. Йон один, казалось, не изменился, но он всегда выглядел очень старым. Остальные проявляли явные признаки усталости и напряжения. Я понял, что людям моего возраста легче приспособиться к трудностям и отсутствию комфорта, чем старшим.

— Это означает, — продолжал папа, — что все, что мы делаем, является решающим. Нашей первой целью было самосохранение, но этого недостаточно. Добиваясь только этого, мы привыкнем к сверхосторожности, постепенно будем слабеть, и это со временем уничтожит нас так же полно, как триподы уничтожили наши города. Поэтому наша вторая цель — бороться с триподами, без особой надежды на ближайшее будущее, но как возможность оставаться живыми.

Вот почему мы набираем добровольцев, вот почему мы приняли Ханну и Ханса и, Бог даст, найдем и других. — Он снова вытер лицо. — И вот почему я считаю, что мы должны напасть на этого трипода, даже если это означает для нас риск. Мой личный инстинкт говорит мне — не нужно, лучше осторожность. Марта, Ильза и Йон тоже так считают. Но мы стары и слишком осторожны. Молодые за нападение, и молодые правы.

Ильза сказала:

— Нет! Мартин, послушай...

Папа строго посмотрел на нее:

— Я предводитель этой группы. Я никогда не видел себя в роли лидера, но так получилось; в подобной ситуации кто-то должен им стать. А лидер должен распоряжаться и сохранять согласие с остальными. Я надеюсь на ваше согласие, но если вы не согласны с моими предложениями, значит, вам нужен другой предводитель.

Наступило молчание. Все знали, что никто не может занять его место. Со временем, когда он состарится, кто-то займет, но до этого еще далеко. Может быть, Энди, подумал я, глядя на него через пещеру. Я взглянул на Ханну, свет лампы отражался в ее волосах. Или я. Многое изменилось, не только мир вне нас, но и сами мы, и в такое тоже можно поверить.

— Послезавтра, — сказал папа. — В этот день снова должен пройти трипод.

Отряд состоял из папы, Энди и меня. Йон дал нам последние наставления: наша цель — вызвать лавину ниже нас, но над нами склоны, тоже покрытые снегом. Волна может вызвать лавину и над нами, и эта лавина похоронит нас. Выступая, папа предупредил, что, если мы не вернемся, остальные выполняют распоряжения Марты. Он поцеловал Ильзу, держа ее долгое время.

Она подошла ко мне и сказала:

— Будь осторожен, Лаври.

Она смотрела на меня, а на щеках у нее были слезы. Она хотела придвинуться ко мне, но я сам это сделал и поцеловал ее.

— Постараюсь.

Мы заняли позицию ранним утром, солнце отражалось в снегу и в озере далеко внизу. Началось ожидание; мы ждали час, но казалось — гораздо дольше. В одном месте, на склоне к западу от нас, груда снега шевельнулась: похоже, что вот-вот начнется естественная лавина, но постепенно снег успокоился, и все снова стихло.

Папа в сотый раз взглянул на часы. В этот момент, следуя той же дорогой, из-за той же скалы, что и в прошлый раз, показался трипод: в трехстах — четырехстах метрах под нами и на двойном таком расстоянии к западу. Теперь нужно было правильно рассчитать время выстрела из дробовика Йона.

Встав, папа направил ружье на снежный склон. Трипод приближался неуклюжей ковыляющей походкой — металлический паук, потерявший все ноги, кроме трех. Сверху он казался маленьким и не опасным.

Как обманчиво это впечатление! Мы смотрели на долину, за которой простиралась обширная земля белых гор, но за ней когда-то были большие города. И сама возможность того, что этот металлический паук ползет без всяких преград по отдаленной альпийской долине, была мерилом нашего унижения. Я вспомнил, как Дикий Билл рассуждал о Близких Контактах Абсурдного Рода. Никто не воспринимал серьезно существа, скрывающиеся в треножниках, пока не стало слишком поздно.

Нет, не слишком. Я не приму этого. Пока хоть горстка людей остается свободной, надежда не умирает. Папа прав: мы должны рисковать, чтобы бороться с ними, потому что без борьбы все будет потеряно.

Я видел, как сгибается палец, спускающий курок. Слишком рано! Трипод еще в ста метрах от того места, где пройдет лавина. Я хотел крикнуть, удержать папу... Раздался выстрел, гром раскатился в неподвижном холодном воздухе.

...И ничего не случилось. Снег оставался ровным, неподвижным. Под нами трипод продолжал свое движение. Папа выстрелил из второго ствола, снова раскатился гром. Я слышал шепот Энди:

— Давай! Ради Бога, давай!..

И вот медленно, очень медленно снежная поверхность подернулась рябью, снег неторопливо заскользил вниз.

Он постепенно набирал скорость, вначале двигался не быстрее ребенка. Тут я почувствовал, что папа не слишком рано выстрелил, а наоборот, слишком поздно. Трипод продолжал идти, ни его шаг, ни направление движения не изменились. Он пройдет к тому времени, как накатится лавина. Я почувствовал, что от гнева и отчаяния готов заплакать.

— Давай! Давай!

Это папа. Я услышал свой голос, кричащий: «Давай!» Как будто я призывал горы, родившую нас планету на помощь. Все трое мы теперь кричали, прося помощи у пустого неба.

А лавина набирала скорость, расширялась, вспенивалась, полетели в воздух огромные камни, как кусочки гравия. Как будто вся поверхность горы пришла в движение. Звук, как Йон и рассказывал, был титаническим, будто тысячи гигантов закричали в гневе. Все быстрее и быстрее двигалась лавина, потом вдруг прыгнула и устремилась вниз, как зверь... и сомкнулась над триподом, похоронив его. Когда лавина наконец остановилась, под нами лежала ровная поверхность снега.

В начале лета я сидел у выхода из тоннеля с Энди и Руди. Мы были сплоченной группой — приходилось быть при нашем образе жизни, — но с ними мне было лучше, чем с Хансом и Дитером, мальчиком, которого мы взяли перед Рождеством. Еще больше мне нравилась Ханна, но это уже другая история; тут дело не просто в сидении и ленивых разговорах.

Мы говорили о триподах и о лавине. Много недель мы ждали мести или хоть какого-нибудь ответа. Ничего не было. Мы поддерживали постоянную охрану, но ничего не происходило; и новый трипод не появился.

Потом, когда снег начал таять, патруль — к несчастью, меня в нем не было, — наблюдал странную картину. Два трипода вползли в долину и приблизились к месту, где из-под снега начала показываться полусфера. Они несколько минут рылись в ней своими щупальцами, затем удалились в том же направлении, откуда пришли. Когда они исчезли, обломки трипода взметнулись вверх в языке пламени.

Я говорил, что эти двое явились в ответ на какой-то радиобуй. Энди покачал головой и ответил:

— Не имеет смысла. Зачем ждать столько времени? Они с самого начала знали, что что-то случилось, когда он не вернулся на базу.

— Знать, что что-то случилось, совсем не то, что знать, где это случилось. Передатчик, должно быть, был блокирован снегом. А потом, когда снег растаял...

— Им нужно было только послать по тому же маршруту другого трипода и посмотреть. Они этого не сделали.

— Откуда мы знаем? Мы ведь не все время следим.

Энди помолчал, и когда я уже думал, что выиграл спор, сказал:

— Потому что второй трипод оставил бы следы в снегу. Я думал, это очевидно.

Пока я пытался придумать ответ, Руди сказал:

— Я думаю, они с самого начала знали.

Я коротко спросил:

— Почему?

— Потому что они не осматривали обломки. Только взорвали их.

— А почему они столько ждали? — вмешался Энди. — Почему не сделали этого сразу?

Руди пожал плечами:

— Не знаю. Я знаю только, что мы в сущности очень мало о них знаем. Главное, что они не послали другого трипода в эту долину. Немного, но все равно лучше.

Его спокойствие успокоило меня. Он сказал правду. Мы смогли уничтожить трипода, и в этом маленьком уголке земли другой не пришел ему на смену. Я вспомнил рассуждения о том, что они из болотного мира. Может, горы им незнакомы, может, они решили в будущем держаться от них подальше. Маленькая победа, но кое-что для начала.

Несколько минут мы молчали. Солнце ярко горело над головой. Вокруг нас пробивалась зеленая трава, показались цветы десятка расцветок, а вверху, на фоне голубого неба, медленно плясала пара бабочек. Ленивый день — подходящий день для игры в теннис, велосипедной прогулки, может, для рыбной ловли... а потом дома душ, чай, телевизор.

Энди сказал:

— Мне понравилась мысль Мартина о длительных походах.

Они все звали папу Мартином, и не от недостатка уважения. Все внимательно слушали, когда он говорил. Но он больше других разговаривал теперь со мной, и я называл его папой.

Руди сказал:

— Да. Наберем больше добровольцев, если пойдем дальше.

Но как много нам еще предстояло сделать! Конца не будет ни при нашей жизни, ни даже через столетия. Но мы по крайней мере начали. Я думал о тех, кто придет за нами, — может, когда-нибудь трое похожих на нас будут лежать на этом самом месте на солнце, смотреть на бабочек, но они увидят свободное человечество.

Наша работа — моя работа — заложить прочный фундамент, чтобы это могло произойти.

КОЛОКОЛ ПО ЧЕЛОВЕЧЕСТВУ

Когда мы говорим о британской научной фантастике середины XX века, то первыми приходят на ум имена Джона Уиндэма, Артура Кларка, Эрика Фрэнка Расселла — и Джона Кристофера. Однако в отличие от первых трех написать полновесный биографический очерк о Кристофере очень трудно, практически невозможно. И виной тому сам писатель.

Дело в том, что в мире англоязычной science fiction он заслужил примерно такую же репутацию, что Джером Сэлинджер или Томас Пинчон — в американском литературном мейнстриме. Если кто не в курсе, то автор «Над пропастью по ржи» последние несколько десятилетий не только не дал ни одного интервью, но даже ни разу не показался на людях, удалившись в добровольное отшельничество, весьма смахивающее на безумие. А второй категорически запретил публиковать свои фото, и как выглядит в жизни Томас Пинчон, не знают даже его издатели и агенты.

Джон Кристофер до подобных крайностей еще не дошел, но все равно его нежелание предоставлять даже минимальные биографические сведения о себе стали притчей во языцех. Чтобы не плодить лишние кривотолки по поводу своей нелюдимости — особенно странной в мире западной масс-культуры, к которой, за редчайшими исключениями, относится современная science fiction, — писатель сформулировал некое «идеологическое обоснование». Вот как звучит «на том стою» Кристофера:

«Думаю, я должен по крайней мере объясниться, почему обычно отказываюсь отвечать на вопросы личного характера. Многие мои друзья-писатели, даже большинство, получают невинное удовлетворение от подобной саморекламы. Ничего не имею против — но разделять это всеобщее увлечение не намерен. Да, писатель тоже относится к категории public figures (люди, вызывающие общественный интерес. — В.Г.), но все же в меньшей мере, чем актеры, спортсмены и деятели шоу-бизнеса. Именно в знак протеста против безудержной саморекламы последних я не даю интервью, отказываю своим издателям в фотографиях собственной персоны и даже минимальных биографических сведений о себе. Мне кажется, писатель должен писать книги — и писать так, чтобы читатель покупал их, не зная ничего о человеке, их написавшем».

Этому кредо Джон Кристофер следовал всю свою полувековую писательскую жизнь. Хотя до нее была еще одна — обыкновенная человеческая. Жизнь англичанина Кристофера Сэмюэла Йоуда, позже взявшего себе псевдоним, в котором первое имя стало фамилией.

Из скудных, разбросанных по разным источникам сведений о его первой — долитературной — жизни в сухом остатке можно выделить следующее.

Кристофер Сэмюэл Йоуд родился 16 апреля 1922 года в небольшом городке Ноусли, расположенном в графстве Ланкашир. Будущий писатель едва успел закончить частную школу в соседнем графстве — Винчестер, как его призвали в армию: началась Вторая мировая война. Военные годы Йоуд провел радистом в Средиземноморье: он служил в Гибралтаре, Северной Африке, Италии. А после демобилизации проработал несколько лет клерком в различных конторах и агентствах.

Получив в конце 1940-х годов грант от Фонда Рокфеллера («Которому останусь благодарен до конца своих дней», — отметил писатель в одном из интервью, однако на какие такие самостоятельные исследования он получил грант, мне выяснить не удалось), Йоуд начал писать прозу. Первые произведения, в том числе научно-фантастические, он публиковал под своим именем. И с 1958 года числил себя профессиональным писателем, обзаведясь сразу несколькими псевдонимами, среди которых читатели научной фантастики запомнили один: Джон Кристофер.

Еще известно, что он был дважды женат, и от первого брака у него осталось четыре дочери и один сын. И что, прожив долгие годы на крошечном островке Гернси в проливе Ла-Манш, Сэмюэл Йоуд в конце концов осел в приморском же графстве Суссекс.

Вот и все. Дальнейшее относится уже всецело к творчеству писателя Джона Кристофера.

Первой его научно-фантастической публикацией стал подписанный своим именем рассказ «Рождественское дерево» (1949), напечатанный в кэмпбелловском журнале Astounding Science Fiction. Все дальнейшее творчество писателя можно естественным образом разделить на три периода: ранние рассказы (в частности, составившие цикл об «управленцах» близкого будущего, в котором роль национальных правительств играют транснациональные корпорации); затем — «романы-катастрофы», и, наконец, научно-фантастическая проза для детей и юношества.

Первый период прошел для писателя под знаком его собственной «истории будущего» — правда, уступающей по масштабам аналогичным построениям Айзека Азимова, Роберта Хайнлайна, Кордвайнера Смита, Ларри Нивена и других американских коллег Кристофера. Рассказы цикла, составившие сборник «Двадцать второе столетие» (1954), объединены главным героем — Максом Ларкином, директором одной из могущественных корпораций. В XXII веке они почти полностью подмяли под себя нации с их правительствами, так как те явно не справились с глобальными катастрофами, обрушившимися на человечество.

Да и другие рассказы того же периода, не вошедшие в цикл, вполне могут восприниматься как своеобразное оглавление к книжной полке, на которой собраны более поздние романы Кристофера. За которыми прочно закрепился ярлычок «романы-катастрофы».

Под словом «катастрофа», как легко догадаться, понимается не их якобы ужасающий провал на рынке, а описываемые автором катастрофы глобальные: экологическая, демографическая, природная и прочие. К прочим относятся полная стерилизация обоих полов в результате пандемии («Новое вино»), скатывание цивилизации к новому средневековью («Оружие») и даже поголовная безграмотность в результате запрета всех книг («Время мира»).

Впрочем, не менее успешно Джон Кристофер использовал и более традиционные сюжеты научной фантастики, при этом стараясь перевернуть много раз повторенную коллегами идею как-то по-новому, по-своему. Уж если это привычная история очередного вундеркинда с врожденными сверхспособностями, то пусть маленький «сверхчеловечек» родится от союза марсианки и мужчины с Земли (рассказ «Пары не нашлось»)! А если в будущем преступника-убийцу и сошлют в места не столь отдаленные, то пусть это будет отдаленность во времени — например, Германия 1933 года, спустя день после назначения Гитлера рейхсканцлером («Приговор»)...

Но все же не рассказы принесли славу Кристоферу-писателю, а его романы-катастрофы, продолжившие знаменитую британскую традицию. У истоков ее стояли еще Герберт Уэллс и Артур Конан Дойл, а их дело продолжили, вместе с Кристофером, Джон Уиндэм и Джеймс Стюарт. И даже Нобелевский лауреат Уильям Голдинг, знаменитый роман которого «Повелитель мух» можно условно считать произведением о катастрофе (в данном случае локальной, но наводящей на глобальные обобщения), в результате которой люди скатываются из цивилизации в первобытное варварство...

Впрочем, роман-дебют Кристофера — «Зимний лебедь» (1949), вышедший также под своим именем, — ни к каким напастям, природным и рукотворным, отношения не имел. Это была самая настоящая фэнтези для детей — жанр, в котором писателя также ждал успех, но попозже. Зато первый научно-фантастический роман «Год кометы» (1955) и в особенности следующий, «Смерть травы» (1956), принесли Кристоферу славу далеко за пределами Англии. Славу мастера как раз романа-катастрофы.

Что же это за субжанр такой?

Для авторов коммерческих — всего лишь повод расписать в красках ужасы как самой катастрофы (наводнение, землетрясение, эпидемия, столкновение Земли с каким-то космическим телом и тому подобное), так и плачевную участь тех немногих, кому «повезло» спастись. Кавычки в данном случае необходимы: обычно в таких произведениях выживание немногих достигается страшной ценой — вынужденным отказом от цивилизации, культуры и их производного — человечности. Горстка выживших необратимо дичает — есть чем пощекотать нервы читателей.

Для других авторов, которых не в пример меньше, произошедшая «по их вине» глобальная катастрофа — это прежде всего жестокий урок. Точнее, расплата за не выученные человеческой цивилизацией другие уроки. Это возможность задуматься. Последнее относится к читателям: несчастным персонажам романов-катастроф в резко изменившихся условиях думать уже недосуг...

Кристофер, как и другие британские авторы-катастрофисты, сохраняет сдержанный пессимизм в отношении популярной идеи о том, что цивилизация будто бы окончательно и бесповоротно вывела человечество из стадии варварства. Что возвращение в него невозможно. Еще как возможно, доказывает английский писатель своими романами: достаточно всего лишь рокового и во вселенском масштабе незначительного толчка, чтобы слой цивилизованности, толщину которого мы склонны порой преувеличивать, сполз с современного человека, как нестойкий весенний загар после нескольких соприкосновений с мылом и мочалкой. Как только человек лишится своих технологических игрушек, начнется самая настоящая дарвиновская борьба за существование, в которой выживут, разумеется, сильнейшие. Сильнейшие — в смысле близости к животному началу.

Я назвал этот пессимизм сдержанным, потому что он разительно отличается, с одной стороны, от глуповатого оптимизма американских голливудских блокбастеров (в которых творится черт знает что, но в конце все о’кей, и цивилизация — все та же, американская, не вынесшая никаких уроков, — отстраивается поистине ударными темпами). А с другой — от беспробудного пессимизма той названной выше группы авторов коммерческих «ужастиков». Для них-то — чем жутче нарисованная картина, тем лучше.

Во всяком случае, намек на будущее возрождение цивилизации в романах Кристофера присутствует — только уж очень не похоже это угадываемое возрождение на фирменный американский happy end. Когда-то, убежден писатель, даже новым лидерам «озверевшего» человечества, озабоченного собственным выживанием, придется вспоминать и такие качества рода Homo sapiens, как кооперация с другими членами сообщества, взаимовыручка, альтруизм и эмпатия. Придется заново утверждать общие для всех законы и по ростку выращивать дерево культуры. Словом, восстанавливать шаг за шагом весь тот набор признаков, который отличает человеческое общество от звериной стаи.

Но займет этот процесс не одно столетие — тут обольщаться не стоит...

Самый знаменитый, как уже говорилось, роман Кристофера — «Смерть травы». В книге нарисован один из самых ранних и самых ярких и художественно убедительных сценариев глобальной экологической катастрофы, вызванной гибелью (от мутировавшего вируса) всей травы и злаков на планете. Как заметил американский критик Джон Пфайффер, «Кристофер впечатляюще напомнил нам, что кукуруза, пшеница и рис — тоже трава, если не относиться к этому термину слишком узко. Та самая трава, которая упоминается в Библии рядом с «плотью»* и без которой невозможна жизнь всякой другой плоти на Земле». Результатом биокатастрофы, как легко догадаться, становится катастрофа социальная: в обстановке наступившего всепланетного голода начинается борьба за выживание, разрушение цивилизации и неизбежное сползание в анархию и варварство.

Роман был успешно экранизирован («Ни листика») в 1970 году режиссером Корнелом Уайлдом и стал своего рода эталоном для десятков последующих книг, написанных на ту же тему.

Сам писатель продолжил ее разработку в романах «Мир зимой» (1962) и «Мороз по коже» (1965). В этих книгах всадника-

* Критик намекает на библейскую цитату «Вся плоть — трава» (All flesh is grass). Именно так, кстати, называется в оригинале хорошо известный нашему читателю роман Клиффорда Саймака «Все живое...». — *Здесь и далее примеч. автора.*

ми Апокалипсиса становятся, соответственно, необратимые климатические изменения, вызвавшие наступление нового ледникового периода, и лавинообразная серия разрушительных землетрясений в Европе.

Можно условно отнести к той же серии и роман «Маятник» (1968), в котором описана катастрофа уже чисто социальная, демографическая. Оказывается, мир легко может превратиться в ад, в образцовую антиутопию, и для этого не нужны даже тираны-властолюбцы, тоталитарные партии или неудержимые в своей жадности олигархи. Достаточно просто уступить власть... молодым. В романе Кристофера это обычные подростки-тинейджеры, настоятельно попросившие «стариков» дать порулить. Дата выхода романа неслучайна: английский писатель буквально на несколько месяцев предугадал ту реальность, которая взорвет мирное западное общество в мае 1969-го во Франции. Если кто забыл: в Сорбонне бунтовавшие студенты тоже вывешивали плакаты «Власть — молодым!»...

Менее удачными получились другие «взрослые» романы Кристофера: «Облако серебра» (1964; выходил также под названием «Остров Суини») и «Пещеры ночи» (1968).

Наконец, особняком в его творчестве стоят еще две книги — «Обладатели» (1965) и «Малый народец» (1967), представляющие собой редкие для британского писателя экскурсии на территорию сопредельного жанра — научно-фантастической готики. В первом романе группа отдыхающих на горнолыжном курорте в Швейцарии захвачена пришельцами, способными вселяться в тела своих жертв и полностью подчинять собственной воле тела-доноры. Во втором другая группа туристов — на сей раз поселившихся в старинном замке, — выдерживает нападение карликов, созданных злонамеренными генетиками еще во времена нацистского рейха.

Зато третий период творчества Кристофера принес ему новый успех. Во всяком случае, когда англоязычные критики обращаются к такому субжанру фантастической литературы, как young adult science fiction (условно это можно перевести знакомым у нас «научная фантастика для детей старшего школьного возраста»), то одним из первых называется имя Джона Кристофера. Премий «Хьюго» и «Небьюла» английскому писателю не досталось, зато он является лауреатом сразу нескольких престижных премий (английских, американских и одной западногерманской) в области детской литературы.

Большинство произведений Кристофера, рассчитанных на молодого читателя, также вписываются в генеральную тему его творчества: глобальную катастрофу. Единственное, быть может, отличие этих книжек от «взрослых» романов — это отсутствие слишком уж откровенных сексуальных сцен и эпизодов, связанных с насилием. Саму же глобальную катастрофу — тему, немыслимую, скажем, в отечественной фантастике для детей, — писатель описывает без сюсюканья и «лакировки». Достаточно сказать, что знаменитая трилогия, о которой речь пойдет ниже, написанная Кристофером для молодого английского читателя, была переведена у нас и была воспринята читателями как фантастика обычная — «взрослая»!

Речь идет о едва ли не самом успешном в коммерческом плане произведении Кристофера — трилогии о пришельцах-«треножниках» (триподах): «Белые горы» (1967), «Город золота и свинца» (1967) и «Огненный бассейн» (1969)*.

Герой трилогии — обыкновенный английский мальчишка Уилл Паркер, живущий в английской сельской глуши. Родина Паркера, как, впрочем, и вся планета, оккупирована инопланетными захватчиками, передвигающимися в боевых машинах на треножниках (ясный кивок в сторону классика — Герберта Уэллса). Наиболее физически сильных представителей рода Homo sapiens пришельцы изолируют и обучают ремеслу личных охранников; всем другим разумным обитателям Земли уготована участь домашнего скота. А когда пришельцы окончательно перестроят атмосферу планеты и силу тяжести на ее поверхности «под себя», коренное население мгновенно превратится для них во вредных насекомых, участь которых не вызывает сомнений... Однако роман все-таки написан для детей, поэтому троим подросткам во главе с Уиллом в конце концов удастся победить бесчеловечных и безликих «треножников».

---

* Романы объединены в один том — «Трилогия о треножниках» (1980); спустя восемь лет Кристофер написан роман-пролог «Когда появились треножники». Трилогия была экранизирована телекомпанией Би-Би-Си в виде 13-серийного телефильма.

Успешными оказались и две другие «детские» трилогии Кристофера. Действие первой, «Шаровая молния», развертывается в «параллельной» Британии времен римского владычества; кроме одноименного романа, вышедшего в 1981 году, серию продолжили романы «Вновь обретенная земля» (1983) и «Танцующий дракон» (1986). Герой второй, состоящей из романов «Принц в ожидании» (1970), «За пылающими землями» (1971) и «Меч духов» (1972), — молодой наследник трона в Англии будущего, серией катастрофических землетрясений отброшенной в новое средневековье.

Из одиночных романов Кристофера в жанре young adult science fiction выделяются «Долгое путешествие» (1960), «Пещеры лотоса» (1969), «Стражи» (1970) и «Пустой мир» (1977). Всего же, если не ограничиваться только научной фантастикой, писатель опубликовал (под псевдонимами Хилари Форд, Уильям Годфри, Питер Грааф, Энтони Рай и Питер Николс* более тридцати книг для детей.

Во всех своих произведениях, как научно-фантастических, так и не относящихся к жанру science fiction, Джон Кристофер оставался приверженцем традиции. Как истинный британец, сформировавшийся еще до революционных шестидесятых, он не желал экспериментировать со стилем или затрагивать какие-то особо взрывоопасные темы. Вместо этого он всегда гарантировал читателю надежность, качество, ясность мысли и благоразумие, которые не отменяли ни интриги, ни крепко закрученного сюжета, ни даже отдельных бивших по нервам сцен.

Как писал коллега и соотечественник писателя Брайан Олдисс в своей истории научной фантастики, «Шабаш на триллион лет» (1986): «Интеллигентный и мудрый человек, Джон Кристофер одно время рассматривался как самая вероятная кандидатура на роль ведущего британского писателя-фантаста... Однако время играло против него (и против Уиндэма). Потому что в романах-катастрофах автор и читатель изначально предполагают наличие некоего социального порядка, который за-

---

* Последний не имеет ничего общего с английским критиком Питером Николлсом, живущим в Австралии и известным как один из соавторов — наряду с Джоном Клютом — фундаментальной и лучшей на сегодняшний день Энциклопедией научной фантастики.

тем дает фатальный сбой. В середине же шестидесятых общественное мнение решительно склонялось к тому, что само понятие социального порядка давно утратило всякий смысл, оставшись в далеком прошлом».

Признать существование мира безо всякого социального порядка, тем более живописать его Джон Кристофер как истинный британец старшего поколения не мог. Поэтому в новой фантастике ему места не было. Но кто при этом больше проиграл — Кристофер или новая фантастика, — для меня лично остается вопросом.

Вл. ГАКОВ

БИБЛИОГРАФИЯ ДЖОНА КРИСТОФЕРА

(Книжные издания)

1. «Белый лебедь» (The White Swan, 1949 — под своим именем).

2. Сб. «Двадцать второе столетие» (The Twenty-Second Century, 1954).

3. «Год кометы» (The Year of the Comet, 1955). Выходил также под названием «Планета в опасности» (Planet in Peril).

4. «Смерть травы» (The Death of Grass, 1956). Выходил также под названием «Ни травинки» (No Blade of Grass).

5. «Долгое путешествие» (The Long Voyage, 1960). Выходил также под названием «Белое путешествие» (The White Voyage).

6. «Мир зимой» (The World in Winter, 1962). Выходил также под названием «Долгая зима» (The Long Winter).

7. «Облако серебра» (Cloud of Silver, 1964). Выходил также под названием «Остров Суини» (Sweeney's Island).

8. «Мороз по коже» (A Wrinkle in the Skin, 1965). Выходил также под названием «Зазубренный конец» (The Ragged Edge).

9. «Обладатели» (The Possessors, 1965).

10. «Малый народец» (The Little People, 1967).

11. «Белые горы» (The White Mountains, 1967). См. также № 24.

12. «Город золота и свинца» (The City of Gold and Lead, 1967). См. также № 24.

13. «Маятник» (Pendulum, 1968).

14. «Пещеры ночи» (The Caves of Night, 1968).

15. «Огненный бассейн» (The Pool of Fire, 1969). См. также № 24.

16. «Пещеры лотоса» (The Lotus Caves, 1969).

17. «Стражи» (The Guardians, 1970).

18. «Принц в ожидании» (The Prince in Waiting, 1970). См. также № 25.

19. «За пылающими землями» (Beyond the Burning Lands, 1971). См. также № 25.

20. «Меч духов» (The Sword of the Spirits, 1972). См. также № 25.

21. «В начале» (In the Beginning, 1972). Выходил также под названием «Дом и Ва» (Dom and Va).

22. «Дикий Джек» (Wild Jack, 1974).

23. «Пустой мир» (Empty World, 1977).

24. Сб. «Трилогия о треножниках» (The Tripods Trilogy, 1980). Объединение №№ 11, 12 и 15.

25. Сб. «Трилогия о мечах духов» (The Swords of the Spirits Trilogy, 1980). Выходил также под названием «Трилогия о принце в ожидании» (The Prince in Waiting Trilogy). Объединение №№ 18, 19 и 20.

26. «Шаровая молния» (Fireball, 1981).

27. «Вновь обретенная земля» (New Found Land, 1983).

28. «Танцующий дракон» (Dragon Dance, 1986).

29. «Когда появились треножники» (When the Tripods Came, 1988).

Содержание